Н. Островский

КАК ЗАКАЛЯЛАСЬ СТАЛЬ

据 Alec Brown 英译“The Making of a Hero”(International Publishers, New York, 1937)转译，并据“奥斯特洛夫斯基文集”(Гослитиздат, Москва, 1949)校补。

据 Собрание сочинений в трех томах. Том 1. Как закалялась сталь. Роман. Москва, “Молодая гвардия”, 1989，再校订并补译“附注”。

钢铁是怎样炼成的

〔苏联〕尼·奥斯特洛夫斯基　著

梅　益　　　译

人民文学出版社

(京)新登字 002 号

图书在版编目(CIP)数据

钢铁是怎样炼成的/(苏)尼·奥斯特洛夫斯基著;梅益译.
-5版.-北京:人民文学出版社,2000.3 重印
ISBN 7-02-002205-7

Ⅰ.钢… Ⅱ.①尼·奥…②梅… Ⅲ.长篇小说-苏联-现代 Ⅳ.I512.45

中国版本图书馆 CIP 数据核字(95)第 09498 号

封面设计:秦　龙
责任编辑:张福生

人民文学出版社出版
(100705 北京朝内大街 166 号)
北京飞达印刷厂印刷 新华书店发行
字数 362 千字 开本 850×1168 毫米 1/32 印张 15.5 插页 3
1952 年 12 月北京第 1 版 1995 年 10 月北京第 5 版
2000 年 3 月北京第 6 次印刷 印数 140001-170000
定价 16.00 元

作 者 像

出版说明

《钢铁是怎样炼成的》自我社出版至今，已出过四版，共印五十七次，发行二百五十余万册。

本书最初是梅益先生根据阿列斯·布朗的英译本转译，一九四二年上海新知出版社出版。转由我社出版时，经俄国文学翻译家刘辽逸先生据苏联国家文学出版社一九四九年版本进行了校勘和增补。一九五八年，梅益先生又根据莫斯科外文出版社出版的普罗科菲耶娃的英译本进行了第二次修订。修订本于一九七九年出版。

一九八九年莫斯科青年近卫军出版社出版了新版三卷本《奥斯特洛夫斯基文集》，第一卷为编者依据一九三六年作者去世前签署付印的俄文第五版校勘过的《钢铁是怎样炼成的》。该《文集》编者认为，这个校勘本已在最大程度上符合作品的原貌；“可作为今后再版依据的规范文本”。经梅益先生同意，我们特请程文先生根据这个校勘版本对本书进行了第三次修订，梅益先生也对原译做了一些修改。

该《文集》编者还根据小说的原稿和有关档案资料以“附注”的形式将作品修改定稿过程中舍去未用的一部分文字整理刊印于卷尾。趁这次修订之机，特将“附注”译出，附于书后，以供参考。应该指出的是，这些资料只供读者了解作品定稿过程中的一些情况，它已不再是作者改定本的组成部分。改定稿与初稿相比，在思想、艺术上都有质的区别，二者不能混同。《钢铁是怎样炼成的》作为一部名著，是指作者的改定本。

人民文学出版社

1995年2月

第一部

1

"节前到我家里补考的,都站起来!"

一个穿着法衣、脖子上挂着一只沉重的十字架的、虚胖的神父,恶狠狠地瞪着全班的学生。

他那对凶恶的小眼睛瞪着从坐位上站起来的六个小孩子——四个男的,两个女的。他们全都惶恐地望着这个穿法衣的人。

"你们坐下,"神父向那两个女孩子挥一挥手说。

两个女孩赶快坐下,松了一口气。

瓦西里神父那对小眼睛盯在四个男孩身上。

"小鬼们,到这儿来!"

瓦西里神父站起来,推开椅子,走到紧紧地挤在一起的四个小孩跟前。

"你们这些小无赖,谁抽烟?"

四个人都小声回答:

"神父,我们不抽烟。"

神父的脸气得发紫。

"混帐东西,你们不抽烟,那么面团里的烟末儿是谁撒的?全不抽烟吗?好,咱们这就来瞧瞧!把口袋翻过来!快!听见了没有?翻过来!"

有三个孩子开始把口袋里的东西掏出来，放在桌子上。

神父仔细地检查他们口袋里面的每一条缝，想找出一点烟末儿，但是什么也没找到，他就转过去对着第四个，那个黑眼睛的孩子，他穿着破旧的灰衬衫和膝盖上打着补钉的蓝裤子。

“你怎么像木头一样地站着？”

那黑眼睛的小孩恨透了神父，他看着他，低声回答说：

“我一个口袋也没有，”他边说边用手摸着那缝死的袋口。

“哼，一个口袋也没有？你以为我就不知道谁会干出那么可恶的事情——把复活节的面团糟蹋了吗，是不是？你以为现在学校还能要你吗？哼，你这小鬼，这回可不能便宜你了。上次是亏了你母亲恳求才没有开除你，这回可不行了。你给我滚出去！”他使劲地揪住那小孩的一只耳朵，把他推到走廊里，随手就把门关上了。

教室里没有一点声音，大家都缩着脖子。谁也不知道保尔·柯察金为什么会这样被赶出学校。只有保尔的好朋友谢廖沙·勃鲁扎克明白这回事。他们六个功课不及格的学生在神父家的厨房里等着补考的时候，他亲眼看见保尔把一撮烟末儿撒在神父厨房里预备做复活节糕的面团上。

被赶出来的保尔坐在学校门口底下一层台阶上。他想，该怎么回家呢？他对在税务官家里当娘姨、每天从早忙到晚、对什么事都挺认真的母亲，又该怎么说呢？

想到这里，他给眼泪哽住了：

“现在我该怎么办呢？都怨这该死的神父。我为什么要给他撒上一把烟末儿呢？那是谢廖沙叫干的。他说：‘来，咱们给这讨厌的老畜生撒一把。’我们就把烟末儿撒上去了。现在谢廖沙倒逃脱了，我呢，看来准要给开除的。”

保尔和瓦西里神父早就记了仇。有一天，保尔和米什卡·列夫丘科夫打架,老师不准他回家吃饭。为了怕他独自在空教室里淘气,就叫他和高年级的学生一起,坐在教室后面的凳子上。

那个高年级的教师是一个瘦子,穿着黑上衣,正在跟学生讲地球和天体。保尔听着他讲什么地球已经存在好几百万年了,什么星星也跟地球相像,惊奇地张着大嘴。他觉得很奇怪,几乎想站起来说:"老师,这跟圣经上说的完全两样呀。"但是他怕挨罚,没敢问。

保尔的圣经课,神父平时总是给他五分。祈祷文和新旧约他都背得烂熟,上帝哪一天创造了哪一种东西他都知道。关于这件事保尔决定问问瓦西里神父。在下次上圣经课的时候,神父刚一坐下,保尔就举起手来,一得到允许,他就站起来说:

"神父,为什么高年级的老师说,地球已经存在了好几百万年了,不像圣经上说的五千年……"他突然给瓦西里神父那尖利的喊叫声打断了:

"混帐东西,胡说八道!这是你从圣经上念来的吗?"

保尔还没有来得及答话,神父就已揪住他的两只耳朵,把他的头往墙上撞了。一分钟后,给撞伤了和吓昏了的他,已经给神父推到走廊上去了。

保尔回到家里,他母亲又狠狠地责骂了他一顿。

第二天,他母亲到学校里,请求瓦西里神父让她的孩子回校。从那时起,保尔就恨死了神父。又恨他,又怕他。他从不饶恕稍微侮辱过他的人;他更不会忘记神父冤枉打他这一顿,只是怀恨在心,不露出来。

他还受过瓦西里神父无数次小的侮辱:往往为了些极小的事情,神父就把他赶出教室,有时好几个星期天天罚他站墙角,而且从来不问他功课,因此他不得不在复活节前跟别的几个功课不及格的同学一道到神父家去补考。他们在厨房里等候的时候，他就把一撮烟末儿撒在复活节蒸糕用的面团上。

这件事谁也没看见，但是神父马上就猜出是谁干的。

……下课了，孩子们成群地拥到院子里来，围住了保尔。保尔忧郁地坐在那里，一声不响。谢廖沙在教室里没有出来，他觉得自己也有错，但又无法帮助他的朋友。

校长叶弗列姆·瓦西里耶维奇的头从教员室的窗口探出来了，他那低沉的声音，使保尔吃了一惊。他喊道：

"叫柯察金马上到我这里来！"

保尔的心怦怦直跳，朝教员室走去。

车站食堂的老板，一个面色苍白、眼睛无神的上了年纪的人，看了看站在一边的保尔。

"他几岁了？"

"十二岁。"保尔的母亲回答。

"行，让他留下吧。条件是这样：工钱每月八卢布，当班的时候管饭，顶班一天一夜，在家休息一天一夜，可是不许偷东西。"

"呵，不会的，老板，决不会的！我担保保尔什么也不偷。"保尔的母亲惊慌地说。

"好啦，让他今天就上班。"老板命令说，又转身向旁边那个站在柜台后面的女招待说："齐娜，带这小孩到洗刷间去，叫佛罗霞安顿他，顶格里什加。"

女招待放下了正在切火腿的刀子，向保尔点了点头，就走过食堂，朝通到洗刷间的旁门走去。保尔跟在她后面。他的母亲一面紧紧地跟着他们，一面小声对他说：

"保尔，亲爱的，你干活要卖力气，别让自己丢脸呵。"

她用忧郁的目光把儿子送走之后，才朝门口走去。

洗刷间里的活儿很紧张：一张桌子上堆着一大堆盘碟和刀

叉,有几个女人用搭在肩膀上的毛巾在那里擦家什。

一个年纪比保尔大一点的、长着一头火红色蓬乱头发的男孩子,正在对付两个大茶炉。

洗家什的大锅里的开水正冒着蒸气,把整个洗刷间弄得热气腾腾的,保尔刚进去的时候,看不清女工们的脸。他站在那儿,不晓得该干什么,也不晓得该到哪儿去才好。

齐娜走到一个正在洗盘子的女人旁边,拍着她的肩膀,说:

“佛罗霞,这是刚给你们雇来的小伙计,预备顶格里什加的。你告诉他干什么吧。”

她转过身来指着那个叫作佛罗霞的女人,对保尔说:

“她是这里的领班。她叫你干什么,你就干什么。”说完了,她就转身回食堂去了。

“是,”保尔轻轻地回答说,一面看着站在他前面的佛罗霞,等候她的吩咐。佛罗霞擦去了额上的汗,从上到下地把他仔细打量一番,好像在估量他能不能称职似的,然后把一只从胳膊肘上滑下来的袖子卷起来,用一种非常动听的、深沉的声音说:

“小弟弟,你的活挺简单:就是说,每天早晨要准时把这个大铜壶烧热,里面的水要老开,自然,木柴要你自己劈,还有那两个大茶炉也是你的活儿。另外,活紧的时候,你就帮着擦刀叉,把脏水提出去。小弟弟,你的活儿不少,够你忙的了,”她说话,用的是科斯特罗马地方的土音,把重音放在字母“a”上。她说话的口音和那长着翘鼻子的、泛着红晕的脸,使得保尔心里高兴些了。

“看来,这位大婶还不坏,”保尔心里这样想,于是就鼓起勇气问佛罗霞:

“现在我该干些什么呢,大婶?”

保尔说到这里,洗刷间里的女工们的哈哈大笑,把他最后的话盖住了。

“哈哈哈！……佛罗霞认了一个侄子……”

“哈哈！……”佛罗霞笑得最厉害。

因为蒸气的关系，保尔看不清她的脸，其实佛罗霞只有十八岁。

保尔觉得很难为情，他又转身问一个男孩子：

“现在我该做些什么呢？”

那个男孩子只是嘻嘻地笑着回答：

“还是问你的大婶去吧，她会告诉你的，我是这里的临时工。”说完，他就转身跑进厨房里去了。

这时候保尔听见一个年纪不轻的洗家什的女工说：“到这里来，帮着我擦叉子吧。你们为什么笑得那样厉害？这孩子究竟说了什么好笑的话？”她给他一条毛巾，说：“给你，拿去，一头用牙咬住，一头用手拉紧，再把叉子齿儿在这上面来回地擦，要擦得干干净净，一点儿脏东西也不许有。咱们这里对这件事挺认真。老爷们都仔细看叉子，要是找到一点点的脏东西，那就糟了。老板娘一下子就把你赶出去。”

“什么？老板娘？”保尔不明白。“刚才雇我的那个男人不是老板吗？”

那女工笑起来了：

“孩子，你不知道，这儿的老板只是一件摆设，一个废物，这里的事情都由老板娘做主。她今天出门去了。你干几天就会知道。”

洗刷间的门开了，三个堂倌每人捧着一大摞脏盘子走进来。

其中有一个宽肩膀、斜眼、四方大脸的家伙说：

“要加紧干呵。十二点的班车马上就到了，可是你们还是这样慢腾腾的。”

他看见了保尔，就问：

"这是谁？"

"新雇来的。"佛罗霞回答说。

"呵，新雇来的，"他说。"那么，你可得当心，"说着他就把一只大手按到保尔的肩膀上，把他推到那两个大茶炉跟前，"这两个大茶炉你得时刻准备好，可是，你瞧，现在一个火已经灭了，另一个也只有一点儿火光。今天饶了你，明天要再是这样，你就得挨耳光。明白吗？"

保尔一句话也没说，就烧茶炉去了。

保尔的劳动生活就这样开始了。他从来没有像第一天当工人那样卖力气。他知道：这里跟在家不一样，在家不听母亲的话也行。那个斜眼的堂倌说得很明白，要是不听话，就得挨耳光。

保尔用脱下的一只靴子套着炉筒，使劲朝那两个大茶炉的炭火鼓风，那两个能盛四桶水的大肚子茶炉就冒出火星来了。接着他又提走一桶脏水，倒在污水池里，把湿木柴堆到大锅旁边，又把湿抹布搭在水烧开了的茶炉上面烘干。总之，叫他干什么，他就干什么。直到深夜，保尔才走到下面厨房里去，这时候他已经累极了。那个年纪大的洗家什女工阿尼西娅，望着他走后关上了的门说：

"嘿，这孩子有点怪，你看他忙得像疯子似的。一定是迫不得已才到这里来干活的。"

"是呀，这孩子挺好的，"佛罗霞说，"这样的人干起活来用不着别人催。"

"做做就会偷懒的，"鲁莎反驳说，"一开头全都很卖力……"

第二天早上七点钟，保尔已经给通宵不停的劳动弄得精疲力竭，他把两个烧开了的茶炉交给了替班的，那个眼神放肆的圆脸的男孩子。

那个孩子看看一切都弄得妥贴，茶炉里的水也烧开了，就把两只手插进口袋里，从咬得紧紧的牙缝里挤出一口唾沫来，带着一副傲慢的神气，斜着白眼看了看保尔，然后用绝对不许反抗的腔调说：

“喂，小鬼！记好，明天早上准六点来接班。”

“为什么六点？”保尔问。“换班是七点呀。”

“谁要七点换班，就让他七点换班好了，你可得六点就来。要是再说废话，我就打肿你的狗脸。你这小子，才到就摆架子。”

那些刚换了班的洗家什的女工们，满有兴趣地听着两个孩子的谈话。那孩子的盛气凌人的声音和寻衅的态度把保尔激怒了。他向自己的接班人逼近一步，本想狠狠地给他一个耳光，只是怕头一天上工就给开除了，才没有动手。他气得满脸发紫，说：

“火气别太大，别吓唬人，要不，你决不会有好下场！明早我七点来。要打架，我奉陪；你想试一试，那就请！”

对方向着大锅倒退了一步，吃惊地瞧着怒气冲冲的对手。他完全没料到会碰这样大的钉子，于是有点手足无措了。

“那好啦，咱们走着瞧吧，”他含含糊糊地说。

头一天平安无事地过去了。当保尔迈着大步走回家的时候，他觉得自己已是一个心安理得地挣得了休息的人了。他现在也在劳动，谁也不能再说他是个吃闲饭的人了。

早晨的太阳从高大的锯木厂后面懒洋洋地升起来。保尔家的小屋很快就可以看见了。瞧，马上就到了，就在列辛斯基的庄园后面。

“妈一定刚刚起床，可是我已经下班回来了，”他一面想着，一面加快脚步，嘴里吹着口哨。“离开学校倒也好。反正那个该死的神父是不会让你好好念书的。现在我恨不得吐他一脸唾沫，”保尔正想着，已经到了家，在推开小门的时候，又想起来：“我一定要揍那黄毛小子的狗脸，对，一定要揍他一顿。”

母亲正在院子里忙着烧茶炊，一看见儿子就慌忙地问他：

“怎么样？”

“很好。”保尔回答。

母亲好像有什么话要告诉他。可是他已经明白了。他从敞开的窗户望过去，看见了他哥哥阿尔焦姆的宽大的后背。

“怎么，阿尔焦姆回来了吗？”他心神不安地问。

“是的，昨天晚上刚到，往后他就住在家里了。他要到调车场干活。”

保尔有点踌躇地推开了房门，走进屋里去。

那个身材高大、背朝着保尔坐在桌子旁边的人，回过头来，从浓黑的眉毛下面直射出两股严厉的目光，瞧着保尔，这是哥哥的眼睛。

“呵，撒烟末儿的孩子回来了？好，好，你干的好事！”

保尔知道，跟这位突然回家的哥哥谈话决不会有好结果的。

“他已经完全知道了，”保尔心里想，“这回阿尔焦姆对我可能是连打带骂。”

保尔有点怕阿尔焦姆。

但是阿尔焦姆显然没有打他的意思；他两肘拄着桌子坐在凳子上，用一种又像嘲弄、又像轻蔑的目光盯着他。

“大概是，你已经大学毕业了，各门科学统统学过了，所以现在干起洗家什的活儿来了，是不是？”阿尔焦姆说。

保尔两眼盯着地板上破烂的地方，专心地琢磨那个突出的钉头。可是阿尔焦姆却站起身来，走到厨房里去了。

“看样子，也许不至于挨打啦。”保尔松了一口气。

在喝茶的时候，阿尔焦姆平心静气地叫保尔把课堂上发生的事情告诉他。

保尔源源本本地说了一遍。

“现在你就这样不成器,往后怎么得了呵?”他母亲发愁地说。“唉,我们可拿他怎么办呢?他这个样子究竟像谁呀?天哪,为了这孩子,我受了多少罪!”她埋怨说。

阿尔焦姆推开喝干了的茶杯,对保尔说:

“听见了吧,弟弟。过去的事别提了,往后你可要小心,干活儿别耍鬼把戏,该干的,都得干。要是这个地方又把你赶出来,我就一点也不饶你。你要记住。别让妈再操心了。你这个鬼东西,走到哪里就闹到哪里,到处闯祸。现在该闹够了。等你干满一年——我一定设法把你弄到调车场当个学徒,一辈子给人家洗家什是不会有出息的。应该学会一门手艺。眼下你还小,再过一年,我一定替你申请,说不定调车场会收下你的。我已经调到这儿来,往后就在这儿干活。不要再让妈伺候人家了。她在各式各样的混蛋面前弯腰已经弯够了,可是你,保尔,要注意,以后要好好地做人呵!”

他站起来,挺直了又高又大的身躯,把搭在椅背上的上衣穿上,突然对母亲说:

“我有点事,出去一个钟头。”说着他就弯腰过了门楣,走出去。

他到了院子里,走过窗户跟前的时候,又说:

“我给你带来了一双靴子和一把小刀,等会儿妈会拿给你的。”

车站食堂白天黑夜都营业。

有六条铁路线在谢佩托夫卡中继站交轨。车站里总是挤满了人,只有在夜里两班车间隔的时候,才有两三个钟头稍微清静点儿。在这个车站上,成百的列车开进开出,由前线的这一方面调到前线的那一方面。无数的伤兵从前线运来,而一律穿着灰色军大衣的新兵又像洪流似的,不断地往前线运去。

保尔在食堂里干了两年,这两年他看到的只是厨房和洗刷间。在那地下的大厨房里,工作异常紧张。那儿有二十几个人在干活。十个堂倌穿梭似的从食堂到厨房来往走动。

这两年里,保尔的工钱由八个卢布长到十个卢布,人也长得又高又壮。这期间,他受了许多折磨:在厨房里当厨子的下手,给煤烟熏了六个月,后来又给调到洗刷间去,因为那个权力极大的厨子头不喜欢这个不驯顺的孩子,他生怕保尔为了老是挨他的耳光会戳他一刀。要不是保尔很能干活,他们老早就把他撵走了。保尔干的活比谁都多,从来不知道疲乏。

在食堂最忙的时候,他就像疯子一样,一会端着盘子一步跨四五级楼梯,从食堂跑到下面的厨房来,一会又从厨房跑上去。

每天夜里,当食堂的两个餐厅的吵闹停了下来,堂倌们就聚在下面厨房的仓库里,开始"幺"呀"九"呀地大赌起来。有许多次,保尔看见赌台上摊着许多的钞票。看到这么多的钱,他一点也不惊讶,因为他知道他们每个人当了一班就可以捞进三四十个卢布的小账。客人一次给他们半卢布或者一卢布是常事。他们接着就大喝大赌。保尔憎恨他们。

"这些该死的混蛋!"他心里想。"像阿尔焦姆,一个头等的钳工,每月才赚四十八个卢布,我呢,只赚十个卢布;可是他们一天一夜就捞进那么多——怎样赚来的呢?来回地端着菜盘子。回头就把这些钱喝掉或是赌光。"

保尔认为他们也跟那些老板一样,是另一种人,是他的死对头。"这些坏蛋,他们在这里侍候人,可是他们的老婆孩子却像富人一样在城里大摇大摆。"

有时他们把穿着中学生制服的儿子和吃得肥胖的老婆带来。"他们的钱大概比他们所侍候的绅士还要多,"保尔这样想。他对于每夜在厨房的暗室里或是食堂的仓库里所发生的事情,也不觉得惊奇。他非常清楚,任何一个洗家什的女工和女招待,要是不愿意以几个卢布的代价,把她们的肉体卖给在食堂里有权有势的人,那么她们在食堂里就呆不长。

保尔已经窥见了生活的最深处,生活的底层。从那里,一阵阵腐烂的臭味,泥坑的潮气正朝他这个如饥似渴地追求一切新鲜事物的孩子扑过来。

阿尔焦姆想把弟弟荐到调车场去当学徒,但是没有成功,因为他们不收十五岁以下的孩童。可是保尔一心一意梦想着有一天能够摆脱这地方,调车场那熏黑了的大石头房子已经把他吸引住了。

他时常跑去看阿尔焦姆,跟着他去检查车辆,尽力帮他干活。

在佛罗霞离开食堂之后,他格外感到烦闷了。

这个笑眯眯的、愉快的少女已经不在了,保尔这才更深刻地感觉到他和她的友谊是多么深厚。现在呢,早上到洗刷间来,听到这些无家可归的女工们的争吵,他就感到一种说不出的空虚和寂寞。

到了夜里休息的时候,保尔把大锅下面的火添上木柴,就蹲在敞开的炉门前面,眯缝着眼睛瞧火——火炉烤得他很舒服。这时候洗刷间里只剩下他一个。

不知不觉地,他想起了不久以前的事情,想起了佛罗霞。那时候的情景又清楚地涌现在他眼前。

是星期六,在夜里休息的时间,保尔顺着梯子到下面的厨房里去。在转弯的地方，他好奇地爬上柴堆，看看仓库，因为赌博的人通常都聚在那里。

他们正赌得起劲，扎利瓦诺夫是庄家，面孔兴奋得发紫。

保尔听见楼梯上有脚步声，回头一看：原来是普罗霍尔走了下来。保尔连忙躲到楼梯下面，让普罗霍尔走到厨房去。楼梯下面是阴暗的，普罗霍尔看不见他。

当普罗霍尔转弯往下走的时候，保尔看见了他那大脑袋和宽肩膀。接着又有人轻轻地快步跑下楼梯，保尔听见一个熟识的声音说：

"普罗霍尔，等一下。"

普罗霍尔站住了，转过身，朝上面望去。

"什么事？"他不高兴地问。

上面的人走下楼梯来，保尔认出是佛罗霞。

她拉住那堂倌的袖子，用一种微弱的哽咽的声音说：

"普罗霍尔，那中尉给你的钱呢？"

普罗霍尔猛地挣开自己的胳膊，恶狠狠地说：

"什么？钱？难道我没有给你吗？"

"但是，他给了你三百个卢布。"保尔听见佛罗霞的声音里带着勉强抑制的哭声。

"什么？三百卢布？"普罗霍尔讥笑她说。"你想全都拿去吗？太太，难道一个洗盘子的女工能值这么多钱吗？我看，给你五十卢布就够多了。你想想，你的运气多好！那些比你干净得多的、读过书的贵妇人，还拿不到这么多呢。你拿了这么多，理当谢天谢地，只在床上睡一夜，就挣了五十个卢布。没有那么多的傻瓜。得，我再给你十个，不，二十个，再多那可不行，你要是识相点，往后还会挣到的，我给你找主顾。"说完了最后一句话，普罗霍尔便转身走进厨房去。

“你这个流氓，坏蛋！”佛罗霞在他后面追着咒骂，接着她就靠着柴堆，呜呜地哭起来了。

保尔站在楼梯下面的暗处，听到了这场谈话，又眼看着佛罗霞在那儿抽抽搭搭地哭，还用头撞那柴堆，他这时的感情实在是无法形容的。但是他并没有跑出来，只是一声不响地、哆哆嗦嗦地抓着那扶梯的铁栏杆，脑海里清楚地出现了一个念头：

“连佛罗霞也给这些该死的东西出卖了。唉，佛罗霞呵，佛罗霞！……”

保尔对普罗霍尔的憎恨更强烈了，他对周围的一切都憎恶和仇视起来。“呵，要是我有力气，我一定揍死这流氓！我为什么不像阿尔焦姆那样高大，那样有力气呢？”

炉膛里的火在闪动，小小的火苗灭了之后，又颤颤地升起来，合成一股长长的、蓝色的、旋卷的火焰；在保尔看来，好像一个人正在朝他吐舌头，讥笑他，嘲弄他。

屋子里很静，只有炉子里时时发出的爆裂声和水龙头的均匀的滴水声。

克利姆卡把最后一只擦得锃亮的平底锅搁在架子上之后，揩了手。厨房里没有别的人了。值班的厨师和打下手的女工们都在衣帽间里睡了。厨房夜里有三个小时没有活。克利姆卡这时候总是跑到上面跟保尔一道消磨时间。这个厨房里的小学徒跟黑眼睛的小火伕已成了要好的朋友。他一上来，就看见保尔蹲在敞开的炉门前面。保尔已经看见了墙上那个熟悉的、头发蓬松的人影，他头也不回地低声说：

“你坐下吧，克利姆卡。”

克利姆卡爬上劈柴堆躺下，看了看一声不响地坐在那儿的保尔，笑着说：

“你在干什么呀？在向火炉施展魔法吗？”

保尔的眼睛好容易才离开火苗。他那对闪亮的大眼睛瞪着克利姆卡。克利姆卡看出他眼睛里藏着一种难以形容的忧郁。克利姆卡第一次看见同伴的眼里有这么忧愁的表情。呆了一会儿,他问他:

“保尔,今天你有点古怪……是不是发生了什么事?”

保尔站起来,坐在他的旁边。

“什么事情也没有,”他用低沉的声音回答。“我在这儿很难过,克利姆卡。”他把放在膝上的两只手紧紧地攥成拳头。

克利姆卡用胳膊肘支起身来,又问:“你今天怎么不高兴?”

“你问我今天怎么不高兴吗?不,我从到这儿干活那天起,就一直不高兴。你看看这里的情况!咱们像骆驼一般地干活,结果不但没有人谢你,反倒挨揍!谁高兴,谁揍你一顿,还不准回手。老板雇我们替他做事,但是谁有力气谁就可以随便揍你。要知道,你就是有分身法,也不能一下子把每个人都侍候周到,一个没侍候好,就得挨揍。不管你怎样卖气力干活,该做的统统做到,让别人挑不出毛病,总会有没侍候好的,你还是一样要挨揍……”

克利姆卡吃了一惊,拦阻他说:

“别这样大声,要是有人进来,会听见的。”

保尔跳了起来。

“让他们听见吧,反正我不打算再干了。到马路上去扫雪也比在这好……这儿是什么……是坟墓,所有的人都是流氓无赖。你看他们每人有的是钱!他们把咱们都当畜生看待,对姑娘们要怎么样就怎么样;要是有哪一个长得漂亮一点,又不愿意答应他们,他们马上就叫她滚蛋。她们能到哪儿去呀?他们找来的都是些住没住的、吃没吃的女人。她们想挣一口饭吃,在这儿好歹有口饭吃。为了不挨饿,只好听他们摆布。”

他说的时候是这样愤恨，克利姆卡真怕有人会听到，就连忙跳起来去把通到厨房的门关上。保尔还是不断地把心里要说的话倾泻出来。

“就说你吧，克利姆卡，人家打你，你不做声。你为什么不做声？”

保尔坐到桌子旁边的凳子上，疲倦地用手托着头。克利姆卡给炉子添了一些木柴，也在桌边坐下来。

“今天我们不读书了吗？”他问保尔。

“没有书读了，”保尔回答，“书亭没有了。”

克利姆卡觉得奇怪。

“怎么，今天书亭没有了吗？”

“宪兵把卖书的人抓去了。他们在他那儿搜到了一些东西。”保尔回答。

“为什么呢？”

“据说是因为政治。”

克利姆卡莫名其妙地瞧了保尔一眼。

“什么叫政治？”

保尔耸一耸肩膀。

“鬼才晓得！据说，要是谁反对沙皇，这就叫做政治。”

克利姆卡吓得哆嗦了一下。

“难道，真有这样的人吗？”

“不知道。”保尔回答。

门开了，没睡够的格拉莎走进了洗刷间。

“你们干什么不睡觉呢，孩子们？趁着火车还没有到，还可以睡上一个钟头。睡去吧，保尔，我替你看一会儿水锅。”

保尔的工作完结得比他预料的还要快。这样的结束，也出乎他意料之外。

正月里很冷的一天早上，保尔已经该下班回家了，但是，接他班的那个人没有来。他跑到老板娘那里，说他要回家去，但是老板娘不答应。因此，他虽然疲倦，还得再做一天一夜。到了晚上，他实在是精疲力竭了。但是在大家都休息的时候，他还得把几个大锅灌满水，把它们烧开，等着三点钟到的那班火车。

他把水龙头拧开，可是没有水。显然水塔没放水。他让水龙头开着，自己倒在柴堆上睡着了。他疲倦得支持不住了。

几分钟后，水龙头骤然咕嘟咕嘟地流出水来，顷刻间水便注满了水槽，接着就漫出来了，流到洗刷间的瓷砖地上，洗刷间夜里向来是没有人的。流出的水越来越多。水漫过了砖地，就从门底下流进了食堂。

一小股一小股的水流，从在那儿熟睡的旅客们的包袱和提箱下流过，但是谁也没有注意到。直到水浸了一个在地板上躺着的旅客，他跳了起来，大声喊叫，旅客们才都慌忙去抢各自的行李。食堂里混乱了。

水还是流个不停。

在隔壁房间里收拾桌子的普罗霍尔听到旅客们的喊声，连忙跑过来。他跳过积水，冲到门边，使劲把门推开。这一来，给门阻住了的水便冲进了食堂。

喊声更大了。几个当班的堂倌一齐跑进了洗刷间。普罗霍尔朝酣睡的保尔扑去。

雨点似的拳头立刻落在保尔头上，他疼糊涂了。

他刚给打醒，什么也不明白，他眼睛直冒火星，周身疼得难受。

他给打得浑身是伤，好容易才一步一步地挨到了家。

第二天早上，脸色阴沉的阿尔焦姆皱着眉头，叫保尔把经过告诉他。

保尔把经过的情形述说了一遍。

“打你的是谁呢?”

“普罗霍尔。”

“好,你躺下吧。”

阿尔焦姆披上他的皮短褂,一句话也没说就走了出去。

“我能见见堂倌普罗霍尔吗?”一个陌生的工人这样问格拉莎。

“请等一下,他马上就来。”格拉莎回答。

那高大的陌生人靠在门框上。

“好,我等一下。”

普罗霍尔端着一大摞盘子,踢开门走进洗刷间来。

“他就是普罗霍尔。”格拉莎指着他说。

阿尔焦姆上前一步,一只有力的手沉重地落到那堂倌的肩膀上,眼睛瞪着他,说:

“你为什么打我的弟弟保尔?”

普罗霍尔想把肩头挣开,可是阿尔焦姆狠狠地一拳已经把他打倒了;他想爬起来,但是第二拳比第一拳更有力,把他钉在地上,叫他怎么也爬不起来。

洗家什的女人们都吓呆了,躲到一边。

阿尔焦姆转身走出去了。

被打得满脸流血的普罗霍尔在地上滚着。

那天晚上,阿尔焦姆下班后没有回家。

他母亲打听明白:他被关在宪兵队里了。

六天之后,他才回家,那是在晚上,母亲已经睡了。保尔坐在床上,阿尔焦姆跑过去,坐在他旁边,亲切地问他:

"怎么样,弟弟,好一点了吗？这还算运气好。"沉默了一会儿,他又接着说:

"不要紧,你到发电厂去干活吧,我已经替你说好了。你可以在那里学一点本事。"

保尔双手捉住阿尔焦姆一只巨大的手,紧紧地紧紧地握着。

2

一个惊天动地的消息像旋风似的扫进了小城:"沙皇给打倒了!"

镇上的人都不敢相信。

有一天,一列火车在暴风雪中爬进了车站。两个穿着军大衣、背着步枪的大学生,和一队戴着红袖标的革命士兵,从车上跳了下来。他们逮捕了站上的宪兵、年老的陆军上校和当地驻军的长官。城里的人这才相信了。于是成千的居民穿过满地是雪的大街,涌向广场。

人们贪婪地听着那些新鲜名词——自由、平等、博爱。

骚动的、充满着兴奋和喜悦的日子过去了。城里又恢复了往日的平静,只有在孟什维克和崩得分子① 所盘踞的市参议会上,那面飘扬的红旗在告诉人们已经发生的变动。其他一切都和从前一样。

冬季快结束的时候,一个近卫骑兵团开到小城来驻扎。每天早上,他们成队骑着马到车站去抓由西南前线开小差下来的逃兵。

---

① "崩得"是犹太社会民主主义总同盟的简称。这个组织于一八九七年十月在俄国西部州区宣告成立,是孟什维克的一个派别。

那些近卫骑兵的脸都很胖，身躯高大。军官大都是伯爵和侯爵，肩章是金色的，马裤的滚边是银色的，一切都跟沙皇时代一样，仿佛没有经过革命似的。

在保尔、克利姆卡和谢廖沙看来，什么也没有改变。主人仍是原来的那些人。可是一到雨雪连绵的十一月，怪事情就发生了。许多陌生人开始在车站上忙碌，从前线回来的士兵越来越多了，他们都有一个奇怪的称号："布尔什维克"。

这个雄壮而有力的称号是从哪里来的，城里没有一个人知道。

近卫骑兵要抓那些从前线回来的逃兵可不容易。车站上给子弹打破的窗子越来越多了。从前线回来的士兵现在都是成群结队的。谁要是想阻挡他们，他们就拚刺刀。到了十二月初，他们已经是一列车又一列车地涌来了。

近卫骑兵封锁了车站，想截住逃兵，但是他们反倒挨了机枪的扫射。那些不怕死的人都从车厢里冲出来。

这些从前线回来的穿灰军服的人把骑兵赶回城里之后，又回到车站，于是载着逃兵的火车就一列跟着一列地开了过去。

一九一八年春季有一天，这三个好朋友在谢廖沙家里玩了一会儿"六十六点"，就跑了出来，顺路走进柯察金家的园子里，躺在草地上休息。他们都觉得很无聊。平时的玩意儿都已经玩腻了。于是大家就开始琢磨，有什么更好的办法可以消磨这一天。这时候，他们听到后面传来了一阵马蹄声，一个骑马的人在路上出现了。那马一跃便跳过了道路和栅栏中间的壕沟。骑马的人用马鞭指着躺在地上的保尔和克利姆卡说：

"喂，两位小朋友，请过来！"

保尔和克利姆卡跳起来，向栅栏跑去。那骑马的人浑身尘土。他那顶歪戴在后脑勺上的军帽和那保护色的一身制服，都沾上了一层厚厚的灰尘。在那条很结实的军用皮带上，挂着一支左轮手枪和两颗德国式的手榴弹。

“劳你们驾，小朋友们，给弄一点水喝喝！”他请求说。保尔跑去弄水的时候，他转过来对正在看着他的谢廖沙说：“告诉我，小弟弟，这镇上现在是归谁管辖的？”

谢廖沙慌忙把镇上有关的消息告诉他：

“这里已经有两个星期没人管了。只有本地的自卫团。老百姓每天晚上轮流守夜。你们是什么人？”他也提出了问题。

骑马的人微笑着回答说：“呵，要是你知道的事情太多，你就要变成小老头了。”

保尔捧着一大杯子水从家里跑出来。

那人一口气喝完了，把杯子还给保尔，接着他就抖起马缰绳，朝松林那边跑去。

“他是什么人呵？”保尔问克利姆卡。

“我怎么知道呢？”克利姆卡耸耸肩膀，回答说。

可是谢廖沙肯定而坚决地解决了这个政治问题。他说：“大概又要换新政府了。所以列辛斯基他们昨天都逃走啦。只要有钱的人一逃走，那就是，游击队要来了。”

他的推论是这样的合理，因此保尔和克利姆卡立刻同意了。

孩子们还没有讨论完，公路上又响起了马蹄声。三个人都朝栅栏跑去。

在他们刚刚看得见的地方，从树林里，从林务官的房子后面，有许多人和车子出现了，而在靠近的公路上，约有十五六个骑兵，手里都端着枪。领头的两个：一个是中年人，穿着保护色的军衣，佩着军官的武装带，胸前挂着一副望远镜，另一个和他并行的，就是他们刚才看见的那个人。那中年人胸前别着一个红花结。

“瞧，我刚才说什么来着?”谢廖沙用胳膊肘捅了保尔一下。“看见了吧，红花结。他们是游击队。我敢发誓，他们都是游击队……”他高兴得叫起来，像小鸟一样地跳过栅栏，朝公路跑去。两个朋友也跟着跑去。现在三个人一起站在路边，瞧着这些开到镇上来的人。

那些骑马的人已经离得很近了。刚才他们见过的那个人向他们点了点头，用马鞭指着列辛斯基的房子问道：

“这是什么人的房子?”

保尔竭力跟上那骑兵的马，边走边说：

“这是律师列辛斯基的房子。他昨天就溜了。看来，他是怕你们的……”

“你怎么知道我们是什么人呢?”那中年人微笑着说。

保尔指着那红花结，说：

“这是什么？一眼就看得出了……”

居民们从各自的房子里跑出来，好奇地看着这一支新开到镇上来的队伍。那三个小朋友也站在路边，注视着那些浑身尘土的、疲倦的红军战士。

队伍里唯一的一门大炮和那些架着机枪的马车轱辘轱辘地轧过石子路。他们跟在游击队的后面，直到队伍停在镇中心，开始分散到各家去住的时候，他们才各自回家。

当天晚上，在改为指挥部的列辛斯基家的大客厅里，四个人围着一张四条腿刻着花纹的大餐桌坐着：一个是指挥员，头发已经斑白了的布尔加科夫同志，其他三个是指挥部的成员。

布尔加科夫在桌子上打开一张本省的地图，用指甲在上面画着线路，向那个坐在他对面的、颧骨高高的、有着一口结实牙齿的人说：

“叶尔马钦科同志，你说我们应该在这地方打它一仗，我倒认为：应该在明天早上撤退。要能在今天晚上撤退就更好，不过大家太累了。我们的任务是：趁德国人还到不了卡扎亭，我们先开到那里。拿我们现有这点力量：一门炮、三十发炮弹、二百个步兵和六十个骑兵，要和德国人打仗，那简直是开玩笑……德国人现在正像一股铁流一般地冲过来。我们只有在和其他撤退的红军部队取得联络之后，才能够作战。同志，我们还应当注意，除了德军之外，沿路还有其他许多反革命匪帮。我的意见是：明天一早就撤退，在我们开拔以前，先把车站后面那座小桥炸毁。德国人重新修好它，也要花两三天的时间。这么一来，也就可以暂时阻止他们沿铁路前进。同志们，你们的意见怎么样？让我们来决定吧。”他转向坐在桌子两边的两个人说。

坐在布尔加科夫斜对过儿的斯特鲁日科夫，咬着嘴唇在研究地图，过了一会儿，他抬起头来看看布尔加科夫，终于很费劲地把哽在喉咙里的话吐了出来：

“我……我……赞……赞成布尔加科夫的意见。”

那个年轻的、穿着工人服的人也同意说：

“布尔加科夫说得对。”

只有叶尔马钦科，那个白天跟小孩们说过话的人，摇头表示不赞成。他说：

“那我们组织这支队伍干什么？是为着在德国人面前不战而退吗？依我说，我们应该在这里和他们干一下。我已经跑够了。……要是能让我决定的话，我一定在这儿和他们干一仗……”他使劲把椅子推开，站起来，开始在屋子里来回地踱着。

布尔加科夫不赞成地看他一眼。

“瞎打是没有道理的，叶尔马钦科。明知要吃败仗，偏叫战士们去作无谓的牺牲,这种事我们不干。这简直是笑话。在我们后面敌人有整整一个师团,而且有重炮和装甲车……叶尔马钦科同志,我们不能那样儿戏……”接着他就转过去对他们全体说:“就这样决定了——我们明天早上撤退……

“下一个问题是联络的问题,”布尔加科夫继续说。“因为我们是最后撤退的,我们就负有组织敌后工作的任务。这儿是一个非常重要的铁路中继站,镇子虽小,可是有两个车站。我们应该委派一个可靠的同志在这个车站上工作。我们马上就来决定留谁,大家提名吧。”

叶尔马钦科走近桌子说:“我认为我们应该把水兵朱赫来留在这儿。第一,他是本地人;其次,他是一个钳工和电工,容易在车站上找到工作;第三,他并不在我们的队伍里,人们没有见过他,他今天晚上才能赶到这儿。这个人机灵能干,这里的事情他一定能胜任。依我的意见,他是顶合适的人选。”

布尔加科夫点点头说:

“很对,叶尔马钦科,我赞成你的意见。”接着,他又问其他两位:“你们有不同的意见吗?没有?那么,就这样决定了。我们给他留下一笔钱和需要的证件……

“现在是第三个,也是最后一个问题了,同志们,”布尔加科夫继续说,“这就是关于处置本镇存放的枪械的问题。镇上存有沙皇打仗的时候留下来的两万支步枪。这些枪藏在一个农民的棚子里,人们全把这件事给忘了。那棚子的主人告诉了我这个消息,他很想把这些枪弄走……当然,这些枪支不能留给德国人。我的意思是把这个棚子烧掉。而且应该立刻动手,一切都在明天早上撤退之前办妥。不过这是一桩相当冒险的事情,因为这棚子是在市镇的尽头,周围住的都是穷人,恐怕火会烧掉农民的房子。”

斯特鲁日科夫是一个强壮的人,满脸长着胡须,很久没有剃过。他动了一下身子说:

“为……为什么要烧掉?我认为……我们应该把……把这些武器分给居……居民。”

布尔加科夫立刻转过去,问他:“你是说,把这些枪分发出去吗?”

“对。有道理!”叶尔马钦科热烈地喊道。“把这些枪分发给工人们和其他的居民,谁要就给谁。当德国人把人逼得走投无路的时候,人们至少可以用这些枪给他们一些麻烦。要知道,往后对百姓的迫害一定是很厉害的。到了忍无可忍的时候,人们就会拿起武器来。斯特鲁日科夫的意见很对:应当把那些武器分发出去。要是能把它们弄到乡下去,那就更好了。农民会更好地把它们藏起来,等到德国人敲骨吸髓地征发老百姓的财物的时候,这些可爱的枪支该会有多么大的用场呵!”

布尔加科夫笑了:

“不过,要是德国人发出命令叫交枪,他们就会都交出去的。”

叶尔马钦科反对说:

“不,不会全都交出去的。有的交,有的不交。”

布尔加科夫用询问的眼光环顾在座的人们。

那年轻的工人也赞同叶尔马钦科和斯特鲁日科夫的意见:“我们就分发出去吧,把枪分发出去。”

“好,那么就分发吧,”布尔加科夫也同意了。“所有问题都讨论完了,”他从桌旁站起来说。“现在我们可以一直休息到明天早上了。等朱赫来到了,就请他到我这儿来。我要和他谈谈。请你查查岗哨去吧,叶尔马钦科同志。”

大家都散了,只留下布尔加科夫一个人。他走进客厅旁边的卧室里，把军大衣铺在褥子上，就躺下了。

天亮的时候，保尔从发电厂下班回家。他在厂里当火伕的下手已经一整年了。

今天小镇上和往常不一样，十分忙乱，这是他一下子就看出来的。

保尔沿路看见许多人手里都拿着步枪，有的人还拿着两支或三支。他不明白这是怎么一回事，赶紧跑回家。在列辛斯基的住宅外面，他看见昨天见过的那几个人正跨上马。

保尔跑回家，慌忙洗了脸，听母亲说阿尔焦姆还没有回来，他就立刻跑到镇子的那一头去找谢廖沙。

谢廖沙是一个副司机的儿子。他的父亲自己有一所小房子和一块不大的田地。谢廖沙不在家。他的母亲，一个白胖的妇人，不高兴地看了保尔一眼说：

"鬼才知道他在什么地方！天还没有亮，他就像着了魔似的跑出去了。说是什么地方在发枪，我想，他一定是在那里。你们这些鼻涕将军，一个个都该用鞭子抽。实在是太胡闹了。真拿你们没办法。不过才比尿壶高上两寸，也要去领枪。你告诉我那个小流氓，要是他带一粒子弹回家来，我就把他的脑袋揪下来。把什么乱七八糟的东西拿回家，往后还得受连累。你干什么，也想到那边去吗？"

可是保尔已经不愿再听谢廖沙母亲的唠叨了，他急忙跑到街上去。

在路上，他遇见一个双肩各背着一支枪的人，他飞快地跑向前去，问：

"叔叔，告诉我，你从哪里拿到的？"

"是在维尔霍维纳大街，那里正在分发呢。"

保尔拚命朝那个人指的方向跑去。他跑过了两条街，碰见一个小孩拖着一支沉重的、带刺刀的步枪。保尔拦住他问：

“你从哪里弄来的？”

“是游击队在学校前面发的，他们发了一整夜，现在统统都发光了，一支也不剩了，只有些空箱子堆在那里了。我连这拿到了两支，”那小孩得意地结束了他的话。

这个消息使保尔非常伤心。

“哎，真糟糕，早知道这样，我就直接跑到那里去，不回家了！”他失望地想着。“我怎么把这样的好机会错过了呢？”

保尔突然心生一计：他急速转过身来，三窜两跳就追上了那个走过去的孩子，把他手里那支步枪抢过来。他用一种不许反抗的声调说：

“你已经有一支，够了，这一支该给我。”

这样在大白天里抢东西，把那孩子激怒了，他向保尔扑了过去，但是保尔后退一步，端着那支带刺刀的枪，瞪着他喊道：

“走开，当心刺刀戳着你！”

那小孩气得哭起来，转身跑开，一边走，一边骂，可是没有办法。保尔却心满意足地跑回家去了。他跳过栅栏，跑进板棚，把那支枪藏在棚顶下面的檩子上，然后高兴地吹着口哨，走进屋里。

乌克兰夏天的夜晚是可爱的。像谢佩托夫卡这样的乌克兰小镇，它的中心是市区，四郊是乡村，一到夏天宁静的傍晚，年轻的人们都跑到外面来。那些姑娘们、小伙子们，成群结伙的，对对双双的，有的坐在自己家的台阶旁边，有的坐在花园和庭院里，有的就在大街上，坐在盖房子用的木料堆上。笑声和歌声一直不停。

颤抖的空气充溢着浓郁的花香；星星就像萤火虫，在天空的深处微微地闪耀；人声传得很远很远……

保尔挺爱他的手风琴。他把他那只音色优美的、维也纳制造的双键手风琴放在膝上。灵活的指头刚轻轻触着键盘，便由上到下地迅速移动起来。低音键刚长叹一声，接着就迸发出一连串欢快的旋律。

当风箱伸缩蠕动，手风琴奏出了热烈的、迷人的和声的时候，你怎么能不想跳舞呢？你的脚会不由自主地跳起来，而手风琴声越来越激越——人世间的生活是多么美好呵！

今天晚上特别畅快。一群爱说爱笑的年轻人聚在保尔家外面的木料堆上坐着，他们都很开心，而笑得最响的是保尔的邻居嘉莉娜。这个石匠的女儿，喜欢跟男孩子们跳舞，唱歌。她唱的是女中音，声音又嘹亮，又圆润。

保尔一向就有点怕她。她的口齿非常伶俐。她挨着保尔，坐在木料堆上，紧紧地搂着他，大声地说笑着：

“呵，你这个手风琴手，真棒！可惜，你还没长大，要不，你是我多好的小丈夫呵！我就爱会拉手风琴的人，他们把我的心都融化了。”

保尔羞得满脸通红，幸亏是在晚上，谁也看不见。他想躲开这个淘气的女孩子，可是她紧紧地抱住他不放。

“呵，我的心肝，你到哪儿去？你想逃吗？哎哟，多好的小爱人呀！”她开玩笑地说。

保尔觉得她那富有弹性的胸脯正紧贴着他的肩膀，这使他局促不安，而周围的笑声惊动了那平时静寂的街道。

保尔用手推着她的肩膀说：

“你闹得我不能拉手风琴了，离开一点吧。”

这又引起一阵笑声、嘲弄和玩笑。

玛鲁霞插嘴了：

“保尔，给我们拉一支忧郁一点的、真正动情的曲子吧。”

于是手风琴的风箱拉长了，他的手指头在键盘上轻轻地移动着。这是一支大家都熟悉的乌克兰民歌，是他们本地的曲调。嘉莉娜随着琴声带头唱。玛鲁霞和其他的人马上附和她：

> 所有的船夫
> 一齐回到了故乡，
> 这里又亲切又美好，
> 让我们唱出心头的忧伤……

青年们的嘹亮的歌声传到遥远的森林那里去。

“保尔！”

那是阿尔焦姆的声音。保尔收起手风琴，扣好皮带。

“在叫我呢，我要走了。”

“不，再停一会儿，跟我们再玩一会儿，还早着哪。”玛鲁霞央求他。

“不，”保尔着忙地说。“明天我们再玩吧，现在我要回去了。阿尔焦姆在叫我呢。”于是，他跑过马路，走进小屋里。

他一推开门，就看见阿尔焦姆的同事罗曼正坐在桌子旁边，另外还有一个他不认识的人。

“是你叫我吗？”保尔问。

阿尔焦姆向保尔点点头，然后对那个陌生人说：

“这就是我的弟弟。”

那个陌生人向保尔伸出了一只长茧子的手。

“是这么回事，保尔，”阿尔焦姆对他说，“你不是说你们发电厂里有一个电工病倒了吗？明天你打听一下他们要不要雇一个内行人来替他。要是他们要的话,你就回来告诉我。"

那个陌生人插嘴说:

"呵,不,我跟他一道去,我自己和发电厂老板谈吧。"

"他们当然是要雇人的。因为斯坦科维奇生了病,今天机器就停了。老板今天跑来两次,要找人替他,但是没找到。他不敢光靠火伕一个人来发电。我们的电工害的是伤寒病。"

"既然这样,那就妥了,"那个陌生人说。"明天我到这里来找你,我们一道去,"他对保尔说。

"好吧,"保尔说。

保尔看到陌生人那双安详的灰眼睛正在留神观察他。那坚定的、凝视的目光,使保尔感到困窘。这陌生人穿着一件灰短褂,从上到下扣着钮扣,紧紧地绷住他那宽大而结实的身子。这短褂显然是太窄了。他的脖子像牛脖子一样粗壮,整个人就像一棵粗大的老橡树那样结实。

他临走的时候,阿尔焦姆对他说:

"好吧,再见了,朱赫来,明天你和我弟弟一道去把事情办妥吧。"

游击队撤退以后三天,德军开到镇上来了。在荒凉了三天的车站上,火车头的汽笛响起来了,这就是他们到来的信号。消息立刻传遍了全镇:

"德国人来了。"

镇上像搅乱的蚁穴一般骚动起来。虽然大家早就知道德国人迟早是要来的,但总是不大相信。可是,现在那些可怕的德国人不仅是要来,而是已经来了,已经到了镇上。

所有的居民都靠着栅栏或便门站着,不敢到街上去。

德国人沿着马路两边成单行走,留着中间的石子路。他们穿着暗绿色的制服，平端着枪，枪上插着宽刺刀，头上戴着沉重的钢盔，背上是大粮袋。他们像一条长带子似的，由车站开进镇上，行动非常小心，准备随时应付抵抗，虽然没有一个人想抵抗他们。

在队伍前头是两个拿着盒子枪的军官；在马路正中间走着的是一个担任翻译的盖特曼[①] 军官，他穿着蓝色的乌克兰外套，戴着高高的皮帽。

德国军队在镇中央的广场上列成了方阵。鼓手敲起鼓来，集合了一小群大胆的市民。穿着蓝色大衣的盖特曼军官，走上一家药店的台阶，大声宣读着本镇司令科尔夫少校发出的命令。

命令上说：

第一条 本镇所有居民，应于二十四小时内，缴出所有火器及其他各种武器，违者枪毙。

第二条 本镇宣布戒严，每晚八时起禁止通行。

本镇城防司令 科尔夫少校

那座从前曾作过镇公署，革命后又作过工人代表苏维埃办公处的建筑物，现在成了德军的司令部。台阶上站着一个哨兵，头上戴的已经不是钢盔，而是缀着一个巨大的鹰形帝国徽章的军帽了。就在那个院子里划出了一个地方，堆放收缴出的武器。

整天不断地都有怕被枪毙的居民来交武器。成年人不敢露面。交枪的都是年轻人和小孩。德国人没有扣留一个人。

另一些不愿当面缴枪的人，就在夜里偷偷把枪扔到街上，第

① 德帝国主义傀儡斯科罗帕德斯基一九一八年建立的反革命军事独裁政府，但很快就垮台了。

二天早上德国巡逻兵就把这些枪捡起来,装在军用四轮大车上送到司令部去。

中午十二点钟以后,规定的二十四小时的期限已经到了,德国士兵数一数他们的战利品,统共是一万四千支步枪,这就是说,还有六千支枪没有交出来。他们就挨家挨户搜查,但搜到的非常少。

第二天,天刚亮,在镇外靠近古老的犹太墓地的地方,有两个铁路工人被枪毙了,因为在他们家里搜出了步枪。

阿尔焦姆一听到那命令,就慌忙回家。他在院子里遇到了保尔,立刻抓住他的肩膀,小声地、但是非常认真地问他:

"你从仓库那里拿回来什么东西没有?"

保尔开头本想把步枪的事情瞒住,可是他不愿意对哥哥撒谎,所以都老实说了。

他们一道跑到板棚里去。阿尔焦姆把藏在檩子上的枪拿下来,卸下刺刀,抽出枪栓,抓住枪筒,举起来,用尽全身力气朝栅栏柱子砸下去,把枪柄砸了个粉碎。其余的部分便扔到花园外远远的荒地上。回头阿尔焦姆又把刺刀和枪栓扔在粪坑里。

阿尔焦姆做完了,对保尔说:

"保尔,你已经不是小孩子了,要知道,武器可不是闹着玩的。我认真地告诉你——以后什么也不许带回家来。你知道,现在为了这个是要送命的。记住,往后不许瞒着我,要是你把这类东西带回家,给他们查出来,头一个抓去枪毙的就是我。你是小孩子,他们倒不会碰你。现在正是变乱的时候,你明白吗?"

保尔答应往后再不带这类东西回家。

他们穿过院子回到屋里的时候,一辆四轮马车正停在列辛斯基家的大门口。律师和他的妻子以及两个孩子——妮莉和维克多——正下车。阿尔焦姆狠狠地说：

“瞧，这些宝贝现在又回来了。好戏又要开场了，他妈的！”他说完就走进屋里去。

保尔为他的步枪伤心了一整天。就在这时候，他的好朋友谢廖沙正在一个没有主儿的破板棚里，用锄头使劲地刨着墙根。他终于挖好了一个大坑，把他得到的三支新枪用破布包好埋了下去。他不愿意把这三支枪交给德国人。因为他舍不得这些东西，他昨天晚上折腾了一整夜。

他用泥土填满了坑，用力把它捣平，然后又弄了一堆垃圾和破旧的东西盖住新土。他严格地把这工作检查了一番，自己觉得十分满意，这才摘下帽子揩去头上的汗珠。

“好，现在就让他们来搜查吧，”他自己这样想。“就是他们真地查了出来，也不知道这是谁家的板棚。”

朱赫来在发电厂干活已经一个月了。保尔不知不觉地已经和这个严肃的电工成了亲密的朋友。

电工把发电机的构造教给了这个当学徒的火伕，叫他慢慢懂得这一行。

水兵朱赫来很喜欢这个伶俐的小孩。他得空的时候，时常去找阿尔焦姆。这个头脑冷静、态度严肃的水兵，总是耐心地倾听保尔家的人讲家庭生活中的各种故事，尤其是当保尔的母亲埋怨保尔怎样淘气的时候，他更是耐心地听下去。每逢保尔的母亲烦恼的时候，他总有法子安慰她，叫她渐渐忘掉她的不幸，变得快活一些。

有一天，保尔走过发电厂那堆满了木材的院子，朱赫来微笑着拦住他说：

“你母亲告诉我，说你喜欢打架。她说你就像一只小公鸡那样好斗。”他笑起来，好像是满赞成似的。接着他又说：“打架倒不是坏事情，可是得知道该打谁和为什么打。”

保尔不知道朱赫来是在开他的玩笑还是说正经的，他回答说：

“我可不平白无故打架，我总是在有理的时候才打架。”

朱赫来完全出其不意地问他说：

“你愿意我把正统的打法教给你吗？”

保尔惊异地注视着他：

“什么叫正统的打法？”

“好，你瞧。”

他把英国拳法简略地说了说，给保尔上了头一课。

保尔不是很容易地就学会这种本领的，但是他倒也学得不错。朱赫来的拳头使他摔了一个又一个倒栽葱，但是这个学生还是耐心地学下去。

有一次，天气很热，他从克利姆卡家里回来，在屋子里来回地转了一阵子，想不出要做的事情，所以决定到他自己最喜爱的地方——后园角落里的小棚顶上去。他穿过院子，走进小园，到了板棚跟前，便登着墙壁突出的地方爬上棚顶。他用力拨开遮住板棚的樱桃树的枝丫，一直爬到棚顶正中，躺在可爱的阳光下面。

这小屋的一面正对着列辛斯基的花园。要是爬到棚顶的边缘，就可以望见整个花园和他们的房子的一面。保尔把头伸过屋脊，看见了院子的一角，和一辆停在那儿的四轮马车。还看见了那个住在列辛斯基家里的德国中尉的勤务兵正在刷他长官的衣服。保尔时常在列辛斯基家的大门口看见这个德国中尉。

这个中尉矮个子，红脸，留着一小撮剪得短短的胡子，戴着夹鼻眼镜和漆皮帽遮的军帽。保尔知道这个中尉是住在厢房里的，厢房的窗子朝着花园，从屋顶上看得很清楚。

这个时候中尉正坐在桌子旁边写字。过了一会，他就拿着他写好的东西走了出去。他把一封信交给他的勤务兵，就沿着花园的小径，向临街的栅栏门走去。走到凉亭，他停下来——显然是在跟谁说话。列辛斯基的女儿妮莉从凉亭里走出来。中尉挎着她的胳膊，两人就一同走出栅门到街上去了。

这些保尔全看见了。当他正打算睡一会儿的时候，他看见那勤务兵走进中尉的房间，挂上了主人脱下的军服，推开了朝花园的窗子，收拾好了屋子，就走出去，随手把门关上。不大一会儿，保尔就看见他在拴着马的马厩里了。

保尔向那敞开的窗户望去，整个房间都看得清清楚楚。桌子上放着皮带和一件发亮的东西。

他耐不住好奇心的驱使，悄悄地攀住樱桃树，溜到列辛斯基家的花园里。他弯着腰，几个箭步就到了那敞开的窗户跟前。他往屋子里看了一眼。桌子上放着的正是一条有刀鞘和枪套的皮带，枪套里装着一支很漂亮的十二响的"曼利赫尔"手枪。

保尔沉不住气了。他心里发生了几秒钟剧烈斗争，但是他的不顾死活的胆量终于叫他弯着身子，跳进房里，握住枪套，抽出那支崭新的黑色手枪，连忙跳进了花园。他匆忙向周围瞭望，小心地把手枪插进口袋，然后就跳过花园，像猴子一般地攀着樱桃树，爬上屋顶。他又回头看了一下，那勤务兵正在安安静静地跟马夫谈话。花园里静悄悄……他马上溜下板棚跑回家。

母亲正在厨房里做饭，没有注意到他。

保尔把箱子后面的一块破布塞进口袋里，一声不响地溜出房门，穿过园子，越过栅栏，走上通向森林的大路。他一面握住那时时碰他大腿的沉重的手枪，一面飞一般地向那个倒塌了的砖窑跑去。

他的两只脚简直像腾空似的，风在耳边呜呜响着。

老砖窑那里很静。木头的窑顶有几处已经塌下来，堆积的碎砖和毁了的炉灶现出凄惨的景象。这儿遍地长满荒草。只有他们三个好朋友有时候一齐到这里来玩。保尔知道有许多既安全又秘密的地方可以藏他偷来的宝贝。

他从一个破洞钻进灶里去，又小心地回头望了一望，路上没有一个人。松林飒飒地响着，微风扬起了路旁的灰尘。他嗅到了浓烈的松脂的气味。

保尔把那支用破布包好的手枪放到灶底的一个角落上，再用一堆碎砖盖住它。他钻出来之后，又用砖块把灶门堵住，做了个记号，然后才慢慢地顺着大路走回家。

他的腿一路上不断地打颤。

“这件事情的结果会怎样呢?”他暗想，预感使得他的心情十分沉重。

为着早点儿离开家，不到上班的时候他就上厂里去了。他从看门人那里拿了钥匙，打开门，走进了机器间。当他揩着风箱、往锅里放水和生火的时候，他不断想着：

“列辛斯基家里现在不知怎么样?”

已经很晚了，快到夜间十一点的时候，朱赫来跑来找保尔，把他叫到院子里，小声地问他：

“今天为什么有人到你们家里去搜查?”

保尔吓了一跳：

“搜查什么?”

朱赫来沉默了一会儿，补充说：

“没有什么了不得的。你不知道他们搜查什么吗?”

保尔倒知道他们搜查什么，但是他不敢把偷手枪的事情告诉朱赫来。他吓得浑身发抖，问道：

“把阿尔焦姆抓走了吗?”

“谁也没有抓走,可是已经把你们家翻了个底儿朝天了!”

听了这句话,他稍微宽心一些,但是仍然非常忧虑。这几分钟里,他们俩各自想着自己的心事。一个知道搜查的原因,担心以后的结果;另一个不知道搜查的原因,因此提心吊胆起来。

“真见鬼,难道我的事情,他们已经听到什么风声?阿尔焦姆是一点也不知道我的事情的,但是,为什么要到他家去搜查呢?往后应该格外警惕,”朱赫来这样想。

他们默默地分开,各自干活去了。

可是在列辛斯基家里却闹得天翻地覆。

那个德国中尉发现手枪不见了,就把勤务兵喊来,问他是怎么回事;等到知道手枪确实是丢了,这个平常看来很有修养的德国中尉便使劲打了勤务兵一记耳光;勤务兵身子晃了晃,然后又挺直地站在那儿,认罪地眨着眼睛,恭顺地听候发落。

被叫来查问的律师列辛斯基,狼狈地在中尉面前直道歉,说在他家里不应该发生这样不愉快的事情。

这时候维克多也在场,他向他父亲说,手枪可能是邻居偷去的,尤其是小流氓保尔嫌疑最大。他父亲连忙把儿子的意见告诉了中尉,于是中尉就立刻下令搜查。

搜查毫无结果。这次丢手枪的事件使保尔更相信了:甚至像这样冒险的事情,有时也可以平安度过。

3

冬妮亚站在敞开的窗户跟前,忧郁地望着她那熟识的、心爱的花园和花园周围那些在轻风下微微颤动着的高大笔直的杨树。她真不相信她离开亲爱的故居已经整整一年了。看起来,她就像昨天才离开这个从小时候就熟悉的地方、今天又乘着早班车回来了似的。

这儿什么也没改变:还是那一排排剪得整整齐齐的覆盆子灌木丛,还是那像几何画一样的、两旁种着她母亲喜爱的三色堇的小径。花园里一切都是整洁的,到处都可以看出一个有学问的林业家的呆板的派头。这些整齐的、图案似的花径只能引起冬妮亚的腻烦。

冬妮亚拿着一本没有读完的小说,推开走廊的门,下了台阶,走进花园。她又推开花园的油漆栅门,向火车站水塔旁边的水池走去。

她过了小桥,走上大路。这条路像公园里的林荫道,右边是池塘,沿着池塘种着柳树和桤木;左面是一片树林。

她正想朝池边的旧采石场去,但是看见下面有一支小钓竿在水面上浮动,她就站住了。

她弯着腰,从弯曲的柳树上面探过身去,用手分开柳枝,看见一个黝黑的、赤足的男孩子,他的裤管卷到膝盖上。他身旁放着一只装着蚯蚓的生锈的白铁罐子。那少年正聚精会神做他的事情,没有留意到冬妮亚的注视。

“这里还能钓到鱼吗?”

保尔生气地回头看了看。

他看见一个不认得的女孩子正扶着柳枝,身子低低地俯在水面上。她穿着领子上有蓝条儿的白色水手衫和浅灰色的短裙子。一双绣花短袜紧紧地套在晒黑了的匀称的脚上,下面穿的是棕色的皮鞋。栗色的头发编成了一条粗大的辫子。

拿着钓竿的手轻轻动了一下,鹅毛浮子在平静的水面上动了动,荡起了一层层的波纹。

他身后的轻柔的声音又在激动地说:

"咬钩了,瞧,咬钩了……"

保尔心慌意乱了,他迅速地拉起钓竿,把钩着蚯蚓的钓钩提上来,带起了一行水花。

"真倒霉,现在还能钓个鬼!从哪里跑出这么一个妖精,"保尔生气地想。为了掩盖自己的笨拙,他用力把钓钩向更远的水中抛去,正好落在两支牛蒡中间,这恰恰是他不应当抛到的地方,因为这样鱼钩就会挂在牛蒡的根上。

保尔想了一下,头也不回地向后面的姑娘小声说:

"您别嚷嚷好不好?这样把鱼都吓跑了。"

立刻,他听到上面传来了讽刺的、嘲笑的声音:

"呵,它们一看见您早就跑了。再说,谁在中午钓鱼呢?瞧您这个多有本事的渔夫!"

保尔虽然竭力保持礼貌,但是已经忍不住了。他站起来,把帽子扯到前额——这是他一向发脾气的表示——然后挑选最文雅的字眼说:

"我说,小姐,请您走开一点好不好?"

冬妮亚的眼睛眯成一条线,接着又含笑地张开了,说:

"我真地碍您的事吗?"

这回她的声音里已经没有嘲笑的意味,而是带着一种友好与和解的口吻了,因此,真要向这位不知从哪里跑来的"小姐"动火的保尔,终于被解除了武装。

"呵,如果您欢喜看的话,那就请看吧。我并不是舍不得地方给您坐。"说着他就重新坐下,看看他的浮子。可是浮子紧贴在牛蒡上,显然钓钩是挂在它的根上了。保尔不敢使劲往外拉。

"既是挂住了,就扯不下来。那女孩子一定要笑我的。她要是走开该多好呵!"他心里想。

但是冬妮亚却在微微摇动着的柳树干上坐得更舒服了。她把书放在膝上，注视着那个黑眼睛的、晒得黝黑的、粗野的孩子，他曾那么不礼貌地对待她，现在又故意不睬她。

保尔在那光滑如镜的水里清楚地看见了坐着的女孩子的倒影。她正在看书，因此他就开始轻轻地拉那挂住了的钓丝。浮子直往下沉，钓丝给绷得紧紧的。“真给挂住了，妈的！”他心里这样想，同时，他一斜眼，便看见了水面上一个顽皮的笑脸。

水塔旁边的小桥上，有两个年轻人正走过来。他们都是七年制中学校的学生。其中一个是调车场场长兼工程师苏哈里科的儿子。他是一个地道的蠢材和淘气包，今年十七岁，淡黄眉发，满脸雀斑，在学校里大家都喊他“麻子舒拉”。他手里拿着一副精美的钓竿，嘴里神气十足地叼着一支香烟。他身旁是维克多，一个又瘦又高的娇气的青年。

苏哈里科弯着身子，向维克多眨着眼说：

“你瞧，这是一个顶出色的小姑娘，本地没有一个姑娘比得上她。告诉你说，她是个十足的浪漫女郎。她在基辅上学——读六年级，现在是回家来避暑的。她父亲是本地的林务官。我妹妹丽莎认得她。我写过一封信给她，你知道，其中当然净是些动人的词句。我说我不顾一切地狂爱她，我战颤地期待她的回信。我甚至还把纳德森① 的诗句也抄了些进去。”

“后来怎么样呢？”维克多满有兴趣地问。

苏哈里科有点狼狈了。他说：“你知道，还不是那一套，故意摆架子，装蒜。她说：‘不必糟蹋信纸了吧！’但是这种事情，一开头总是这样的。干这一行，我倒是个‘老手’。你知道，我才不愿意老是这样献殷勤。夜里到工棚附近去，只要三个卢布，你就可以弄到一个你一想就流口水的美人儿，比这要好得多，一点也用

---

① 纳德森(1862—1887)，俄国诗人。

不着玩这些浪漫的恋爱把戏。我就和瓦里亚·古洪诺夫——你认识那个铁路上的工头吗？——一道去过。”

维克多轻蔑地皱着眉头说：

“苏哈里科，你还干这种下流勾当？”

苏哈里科咬着烟卷，啐了一口，讥笑地说：“哈，好一个‘干净’人儿。你干的事，我们全知道。”

维克多打断他的话，说：“得啦，你可以把她介绍给我吗？”

“当然可以。咱们快点去，趁着她还没走。昨天早上，她自己也在这儿钓鱼。”

他们俩走到冬妮亚跟前。苏哈里科扔掉嘴里的纸烟，恭恭敬敬地鞠了一躬。

“您好，杜曼诺娃小姐。您在钓鱼吗？”

“不，我在看别人钓鱼，”冬妮亚回答。

接着，苏哈里科拉着维克多的手说：“你们两位还不认识吧？这位是我的朋友，维克多·列辛斯基。”

维克多晕头转向地把手伸给冬妮亚。

苏哈里科想引起话题来，就问：

“今天您为什么不钓鱼呢？”

“我忘了带钓竿。”冬妮亚回答。

“我马上再去拿一副来，”苏哈里科连忙说，“请您先用我的好了。我马上再去拿一副来。”

他已经履行了自己对维克多的诺言，把冬妮亚介绍给他了，于是他自己极力设法走开，好让他们两个在一起。

但是冬妮亚回答说：

“不，那样我们会打搅别人的，这儿已经有人在钓鱼了。”

“打搅谁？”苏哈里科问，“呵，那小子吗？”现在他才看到坐在树丛旁边的保尔。“我马上叫那小子滚蛋。”

冬妮亚来不及阻拦他。他下去，走到正在钓鱼的保尔跟前。

"喂，马上把钓竿收起来，赶快滚开！"他说完，看见保尔还是坐在那儿继续钓鱼，一动也不动，接着就喊："快点，快点！"

保尔抬起头来，狠狠地瞪了苏哈里科一眼。

"你轻点叫好不好？你那厚嘴唇叽哩咕噜说些什么？"

"什——么！"苏哈里科动火了。"你这个可恶的坏蛋，还敢顶嘴！我叫你给我——马上滚蛋！"说着他狠狠地一脚把那个装着蚯蚓的铁罐子踢开。铁罐子飞起来，在空中翻了几翻，就掉到水里，激起的水星溅了冬妮亚一脸。

"苏哈里科，你怎么不害臊呵！"她喊了一声。

保尔跳起来了。他知道苏哈里科就是调车场场长的儿子，阿尔焦姆在那里做工。要是他现在打了这个丑麻子，苏哈里科一定会到他父亲那里告状，那么，事情准会牵连到阿尔焦姆身上。就是为了这个，他才没有马上跟他算账。

可是苏哈里科却以为保尔要打他，就扑了过去，用双手去推站在池边的保尔。保尔双手一扬，身子晃了一下，但没有稳住，跌到水里。

苏哈里科比保尔大两岁，又是个出名的打架好手和招惹是非的家伙。

保尔胸脯上挨了一推，忍不住了。

"怎么，真打？那么，瞧我的！"说着，他稍稍一扬手，朝苏哈里科的脸狠狠地打了一拳。接着，不让苏哈里科有还手的工夫，又紧紧地扯住他的制服，使劲一拉，把他拖到水里去。

苏哈里科站在淹到膝盖的水中，发亮的皮靴和裤子都湿透了，他竭力想挣脱保尔那铁钩一般的手。保尔把他拖下水以后，很快就跳到岸上。

气得发狂的苏哈里科向保尔扑过来，恨不得把他撕成碎片。

保尔一站到岸上,急忙转过身来对着向他扑过来的苏哈里科,他马上想起了拳法说的:“左脚支住全身,右腿稍弯,使它容易伸屈。不仅用手和胳膊,还要运用全身力气,从下往上,打对方的下巴。”

他就照样使劲地打下去! ……

随着就是一阵牙碰牙的声音。苏哈里科因为下巴疼得厉害,舌头硌破了,一面哀叫着,一面举起双手,在空中乱抓,然后就噗通一声倒在水里了。

岸上的冬妮亚忍不住哈哈大笑起来。

“好呵,好呵!”她拍着手喊。“打得太漂亮了!”

保尔抓住钓竿,拉断了挂在牛蒡上的钓丝,跑到大路上去了。

临走的时候,他听见维克多对冬妮亚说:

“他是最出名的流氓,保尔·柯察金。”

车站上不安宁了。沿线传来消息,说铁路工人就要大罢工了。邻近某大车站的调车场的工人们已经干起来了。德国人抓了两个司机,因为他们有传送宣言的嫌疑。同时,德军的征发和地主们的返回农村,也引起了那些与农村有直接关系的工人的极大的愤怒。

盖特曼乡警的马鞭不断鞭打着农民们的脊梁。本省的游击运动大大地发展了,布尔什维克组织的游击队已经有十个左右。

这些日子,朱赫来简直就不知道什么叫作休息。自从他到镇上之后,他已经做了很多工作。他结识了许多铁路工人,参加了许多青年人的晚会,并且在调车场的钳工和本地锯木工人中间建立了一个强有力的组织。他试探过阿尔焦姆。当他问阿尔焦姆对布尔什维克党和它的事业有什么意见时,这个健壮的铁路工人回答说：

“哦，费奥多尔，你知道，我对于党的认识是很浅薄的。但是如果需要我，我随时都尽力帮忙。你可以相信我。”

这回答使朱赫来很满意，他知道阿尔焦姆是可以信任的，他说到哪里，就一定会做到哪里。“至于入党，他显然还不够成熟。没有关系，在现在这种时候，人很快就会觉悟的，”朱赫来这样想。

这时候，朱赫来已经从发电厂转到调车场去了。这样对工作更有利：在发电厂的时候，他跟铁路方面完全失去了联系。

这时候铁路上的运输格外忙。德国人正急忙把他们从乌克兰抢来的东西：黑麦、小麦和牲口等等用成千辆的车皮运到德国去。

有一天，盖特曼警备队突然逮捕了车站上的报务员波诺马连科。他们把他押到司令部里，狠狠地拷打了他。显然，他供出了罗曼在作煽动工作，罗曼是阿尔焦姆在铁路工厂里的同事。

两个德国兵和一个盖特曼军官——车站司令部的副官，在罗曼上工的时间来抓他了。他们走到他做活的工作台前，一句话也没有说，那副官就举起马鞭抽他的脸。

“畜生，跟我们走！有话要跟你说。”他随后又呲牙咧嘴地冷笑一下，使劲扭住罗曼的袖子。“走，到我们那儿煽动去吧。”

这时候阿尔焦姆正在邻近的钳台上工作，看见这光景，就扔下锉刀，像一个巨人似的逼近那副官，竭力抑制涌上心头的怒火，用沙哑的声音说：

“你怎敢打他，你这坏蛋？”

那副官倒退了一步，一面伸手解他的手枪套。同时一个矮矮的、短腿的德国人也从肩膀上摘下了那支插着宽刺刀的步枪，扣着扳机。

“不要动!”他大叫一声,只要阿尔焦姆一动他就开枪。

这个又高又大的铁路工人绝望地站在这怪模样的小兵面前,毫无办法。

两个人都给抓走了。过了一个钟头,阿尔焦姆给放回来,罗曼关在放行李的地下室里。

十分钟后,调车场的全体工人罢工了。大家聚集在车站的公园里。扳道夫和材料库的工人们也都参加了。所有的人都很气愤。当场就写好了要求释放罗曼和波诺马连科的请愿书。

当盖特曼军官带着一小队卫兵赶到公园的时候,群众更加激愤了。那军官挥动着手枪,高声叫道:

“马上散开,要不,我就把你们每一个人都抓起来! 有的还得枪毙!”

但是愤怒的工人们的叫喊迫得他退回车站去了。这时候满装着德国兵的大卡车已经沿着公路向车站开来了,他们是车站司令调来的。

工人们这才分头回家。他们全体罢工了,甚至连车站上值班的也走开了。朱赫来的工作已发生了效果。这是车站上第一次群众示威。

德国兵在月台上架起了一挺重机枪。它立在那儿,就像一只套着皮带的狗。一个德军班长蹲在它旁边,手指正扣着机枪的扳机。

车站上人都跑光了。

到夜里,逮捕开始了。阿尔焦姆也被抓了去。朱赫来那天晚上没有回家,他们没抓到他。

被捕的人全拘留在大货仓里,德军向他们提出最后通牒:复工,还是受军事法庭的审判。

几乎全线的铁路工人都罢了工。这一昼夜，连一列火车也没有到。同时，在一百二十公里外的地方发生了战斗，一支强大的游击队已经切断了铁路线并炸毁了几座铁桥。

当天晚上有一列德国军车开到车站，但司机、副司机和司炉，一到站就都跑了。除了这一列军车之外，还有两列车也停在车站里等候开动。

货仓笨重的铁门开了，驻站司令德军中尉和他的副手以及一队德国兵一齐走了进来。

那副手喊道：

"柯察金，波利托夫斯基，勃鲁扎克，你们三个马上去开车。如果违抗——就地枪决！你们去不去？"

三个工人沮丧地点了点头。他们在监视之下被带上机车，接着副官就又念着另外三个人——司机、副司机和司炉——的名字，把他们派到另一列车上去。

机车愤怒地喷出发亮的火星，沉重地喘着气，冲破夜的黑暗，沿着路轨飞快地开去。阿尔焦姆添好了煤，用脚把炉门关上，从箱子上面那短嘴茶壶呷了一口水，然后转身对那个上了岁数的司机波利托夫斯基说：

"大叔，我们真的就这样送他们吗？"

老司机愤怒地眨了眨长眉毛下面的那对眼睛。

"是呵，有什么办法呢？刺刀就在背后呀！"

"我们把机车扔下就跑怎么样？"勃鲁扎克提议，他偷偷地看看那个坐在煤水车上的德国兵。

"我也这么想，"阿尔焦姆低声说，"就是这个家伙在背后监视着不大好办。"

"是——呵，"勃鲁扎克拿不定主意地拖长了声音说，同时把头探出车窗往外看看。

老波利托夫斯基走近阿尔焦姆，在他耳边低声说：

“咱们绝对不能送他们，你明白吗？那边正在打仗，起义的人已经把铁路炸坏了。可是咱们反倒运送这批狗杂种，他们一转眼就会把我们的人打垮的。你知道，孩子，就是在沙皇时代，我在罢工的时候也没出过车。现在我也不能开。运敌人去打自家人，是一辈子的耻辱。这辆机车的乘务员都逃走了。那些年轻人虽然冒着生命的危险，但是他们还是逃走了。我们说什么也不能把这列火车开到目的地去。你说呢？”

“你说的对，老伯伯，但是我们怎样对付那个家伙呢？”他看了看后面的那个兵。

老司机皱着眉头，用一把棉纱头揩去额上的汗，又用他那双充血的眼睛，看了看汽压表，好像他希望能从那里得到这难题的解答似的。接着他又带着怒容，恶狠狠地咒骂起来。

阿尔焦姆又从茶壶呷了一口水。两个人都想着同样的事情，但是谁也不肯先说出来。突然，阿尔焦姆想起了朱赫来的问话：

“老弟，你对布尔什维克党和共产主义的理想有什么意见？”

他也想起了他当时的回答：

“……我随时都尽力帮忙。你可以相信我。……”

“好出色的帮忙——把讨伐队给运来了！……”

波利托夫斯基弯腰俯在工具箱上，紧靠着阿尔焦姆，好容易才把这句话说出来：

“咱们要弄死他。明白吗？”

阿尔焦姆大吃一惊，但是波利托夫斯基把牙咬得咯吱咯吱直响，又继续说道：

“没有别的办法了。咱们先揍死他，然后把调节器和杠杆投到炉里，让机车减速，咱们就趁机跳下车去。”

阿尔焦姆感到好像把肩上的重担卸下去了似的，他说：

“好。”

阿尔焦姆弯着身子，把这个决定告诉了勃鲁扎克。

勃鲁扎克并没有马上答复他。他们都在冒着可怕的危险。他们每个人都有一个家，尤其是波利托夫斯基，家里有九口人靠他养活。然而每个人也都明白，他们绝不能把这列火车开到目的地。勃鲁扎克终于说：

“对，就这么办，我同意，不过由谁去……”他没有说完，阿尔焦姆已经懂得他的意思了。

阿尔焦姆转身过去，对着调节器旁边的老头子点了点头，表示勃鲁扎克也同意他们的意见。但这时候他又发生一个没解决的难题。他弯腰靠近波利托夫斯基，对他说：

“但是，咱们怎样动手呢？”

老头子看了看阿尔焦姆，说：

“由你动手，你比我们都有力气。用铁棍狠狠地敲他一下——就完了。”这老头子说话的时候非常激动。

阿尔焦姆紧皱着眉头。

“这我可不行。我不忍心下手。毕竟，你也会想到，那个兵并没有罪，也是刺刀逼着他到这儿来的呵！”

“什么，你说他没有罪？”波利托夫斯基眼睛瞪着他说。“那么咱们也没有罪，咱们也是被迫才来开这一列车。可是咱们是在运送讨伐队。就是这些没有罪的家伙将要去枪杀游击队员们。难道游击队有罪？……哎，你这个可怜虫！像熊一样壮，可是道理就不懂……”

“好的，”阿尔焦姆嗄声地说，一面去取铁棍。可是波利托夫斯基小声说：

"算了,让我来吧,我比你有把握些。你拿着铁铲到煤车上去扒煤。需要的话,你再用铁铲干他一下。我装作用铁棍去敲碎煤块。"

"你说的对,大叔。"勃鲁扎克点了点头说,一面站到调节器旁边。

那个德国兵,戴着一顶无遮的镶红边的呢帽,两腿夹着步枪,坐在煤车的边儿上,正抽着烟卷儿。他只是偶尔抬起头来,望一望机车里的工人们。

阿尔焦姆到煤车上面去扒煤的时候,那个兵并没有特别注意他。后来波利托夫斯基又假装要把煤车边儿上一些较大的煤块扒下来,做着手势,请他让开一点,那德国兵也顺从地溜下来,走到了机车的门边去。

骤然,阿尔焦姆和勃鲁扎克听到了铁棍打碎德国兵头盖骨的短促而沉重的声音,这使他们像被火烧着了似的哆嗦了一下。那德国兵的身子像一条口袋似的倒在煤车和机车中间的过道上了。

灰色的无遮呢帽立刻渗透了血。他的步枪也当啷一声撞到铁板上。

"完了,"波利托夫斯基低声说,把铁棍扔在一旁,他的脸痉挛地抽搐了一下,继续说:"现在,我们只能进不能退了!"

他的声音突然停住了,但是他立刻打破了令人窒息的沉默,喊着说:

"快,赶快把调节器拧掉!"

十分钟后,一切都做完了,没有人驾驶的机车缓缓地开动着。

沿路树木的黯黑的轮廓,在机车头灯的亮光下阴森森地现出来,又马上消失在无边的黑暗里。车灯的亮光想透过夜的黑暗，但是夜幕是那么厚，只能照亮前面十公尺的地方。现在火车好像已经精疲力竭了似的，它的呼吸越来越弱了。

“跳下去，孩子！”阿尔焦姆听见了背后的波利托夫斯基的声音，他松开了紧握着扶手的手。粗壮的身子随着惯力向前飞去，两只脚触到了急速往后移动的地面。阿尔焦姆跑了两步，就栽倒了，翻了一个筋斗，就在这时候，另外两个人也各自从机车的两边的踏板上跳下来。

勃鲁扎克家里的人都在发愁。这四天来，安东妮娜·瓦西里耶夫娜——谢廖沙的母亲——的心完全乱了。丈夫没有一点儿消息。她只知道德国人把他和柯察金、波利托夫斯基三个人一道抓去开一列火车。昨天晚上，三个盖特曼警备队员到她家里，粗暴地、嘴里不干不净地把她审问了一阵。

她从那些问话里隐约地猜到，一定是发生了什么不妙的事情。所以，警备队员们走后，这个担惊受怕的妇人就扎起头巾，决定到柯察金的母亲那里，希望能打听到她丈夫的消息。

她的大女儿瓦莉亚正在收拾厨房，一看见母亲要出门去，就问：

“妈，你要到远处去吗？”

安东妮娜眼泪汪汪地看着女儿说：

“我到柯察金家里去一下，也许可以从他们那里打听到你爸爸的消息。要是谢廖沙回家来，你告诉他到车站上波利托夫斯基家里去一趟。”

瓦莉亚亲切地抱着母亲的肩膀，送她到门口，竭力安慰她说：

“妈妈，您用不着太担心。”

保尔的母亲跟平常一样热情地接待了安东妮娜。这两个妇人都希望能从对方听到一些消息，但是刚一交谈，希望都消失了。

柯察金家里昨天夜里也给搜查过。他们是找阿尔焦姆的。临走还告诉保尔的母亲说，她的儿子一回家来，马上就到司令部去报告。

警备队夜里的搜查，使保尔的母亲很害怕，因为屋里只有她一个人，保尔夜间一向在发电厂里干活。

保尔在天亮的时候回家来了。听到母亲说警备队昨天夜里到家里来搜查，他整个心都缩紧了，很为哥哥的安全担心。尽管他们俩的性格不同，阿尔焦姆的外表看来很严厉，但兄弟俩是十分友爱的。这是一种严肃的爱，并不表现在外表上。保尔心里十分清楚，只要他哥哥需要他，他什么都可以牺牲，毫不踌躇。

他顾不上休息，马上就到调车场去找朱赫来，但是没找到，从他认得的那些工人那里，也打听不到那几个走了的人的任何消息。波利托夫斯基家里的人也什么都不知道。保尔在他们家的院子里碰见了波利托夫斯基的小儿子包里斯。从他嘴里，保尔听说警备队昨天晚上也到他们家里搜查过，想抓他的父亲。

保尔并没有给他母亲带来什么消息，他疲乏地往床上一倒，马上沉到不宁静的梦里去了。

瓦莉亚听到敲门的声音就回过身来。

“谁呀？”她一边问一边把门闩拉开。

门外站着红头发乱蓬蓬的克利姆卡。显然他是跑着来的，满脸通红，还呼哧呼哧地直喘气。

“你妈妈在家吗？”他问瓦莉亚。

“不在家，她出去了。”

"到哪儿去了?"

"我想,大概是到柯察金家去了。"瓦莉亚一把抓住了正想跑开的克利姆卡的袖子。

他犹豫不决地望了望她,说:

"你不知道,我有要紧的事情要找她。"

"什么事情?"瓦莉亚拉住他不放。"喂,快说,你这红毛小熊,赶快说,不要把我急死了。"姑娘用命令的口气说。

克利姆卡忘记了朱赫来的所有警告,忘记了他曾严格地命令他只许把这张纸条交给安东妮娜本人。他从衣袋里掏出了一张又脏又皱的纸条,把它递给了瓦莉亚。他没法拒绝谢廖沙这个淡黄头发的姐姐的要求,每当他和这个可爱的女孩子接触时,他的态度总是局促不安。自然,这老实的小厨子无论如何也不肯承认他爱她。他把这个纸条递给瓦莉亚,瓦莉亚就急忙读起来:

亲爱的安东妮娜!别着急。一切都好。我们全都平安地活着。你很快就可以知道更多的消息。请你转告其余两家,说他们也都好,用不着挂念。把这条子烧掉。

扎哈尔

瓦莉亚一念完这张条子,就扑到克利姆卡跟前:

"红毛小熊,亲爱的,你这条子是从哪儿拿来的?告诉我,你究竟从哪儿拿来的?你这小笨熊!"她拚命地央求着手足无措的克利姆卡,他就糊里糊涂地又做错了第二桩事情。

"这是朱赫来在车站上交给我的。"刚一说完,他才想起了不应该说出这句话来,因此又添一句:"不过他告诉我,千万不要交给别的人。"

“呵，好啦，好啦！”瓦莉亚笑着说。“我决不会告诉别人的。唔，亲爱的小红毛，现在你赶快到保尔家去吧，我妈妈也在那儿。”说着她就在小厨子的背上轻轻地推了两下。

克利姆卡那红黄色的头，立刻在门外消失了。

波利托夫斯基他们三个人一个也没有回家。当天晚上朱赫来到柯察金家里去，把机车上发生的事情都告诉了保尔的母亲。他尽力安慰那吓坏了的老妇人，说他们三个都很平安，在很远的乡下，住在勃鲁扎克一个叔叔家里，他们在那儿没有危险，只是现在还不能回家。不过，德国人已支持不住了，可能很快就会发生变化。

所有这些，使这三家的关系更加亲密了。他们三家都很高兴地读着偶尔给家里送来的字条，但是他们的家庭却更寂寞，更冷清了。

有一天，朱赫来装作顺便路过的样子，去看看波利托夫斯基的妻子，交给她一点钱，说：

“大娘，这是大叔给你们捎来的钱，不过你要当心，千万不要告诉别人。”

老太婆非常感激地握着他的手。

“呵，谢谢你，我们正穷得要命，孩子们都没吃的了。”

这钱是从布尔加科夫留下的经费中提出来的。

“好啦，将来的事情，我们等着瞧吧。虽然大罢工是失败了，工人们在死刑的威胁下复工了。但是，大火既然燃烧起来，他们就永远不能把它扑灭。像那三个人，都是硬汉，都是真正的无产阶级。”朱赫来离开那老妇人向调车场走的时候，心里兴奋地想着。

在沃罗比约夫·巴尔加村村外大路旁边一家破旧的、四壁熏得乌黑的铁匠铺里,波利托夫斯基站在火炉旁边,对着烧得很旺的煤火,微微眯着眼睛,用一只长把钳子翻着一块烧得通红的铁。

阿尔焦姆用力地拉着由横梁上吊下来的杠杆,鼓动着皮风箱,给炉子鼓风。

火车司机的长胡子盖住嘴巴,他和蔼地笑着,对阿尔焦姆说:

"在这村子里,眼下有手艺的人日子错不了,活计有的是。只要干上一两个星期,我们就可以捎点腌肉和面粉回家去了。孩子,农民对铁匠向来就很尊敬。这么着,咱们可以像资产阶级一样在这儿吃点好东西啦,哈哈。扎哈尔的情形和我们不一样,他还保留着更多的农民习气,所以同他的叔父一道去种地。当然罗,这也难怪。咱们两个,阿尔焦姆,没有房子没有地,全靠脊梁和双手挣饭吃,可以说是地道的无产阶级,可是扎哈尔一只脚在火车头上,另一只脚在庄稼地上。"他把那块铁转动了一下,随后十分认真地、深思地接着说下去:"不过,孩子,我们的情况很糟。要是不能很快地把德国人赶出去,那我们就得逃到叶卡特林诺斯拉夫或是罗斯托夫去,不然的话,他们一定会穿透咱们的腮巴,像晒鱼干一样,把咱们吊在半空中。"

阿尔焦姆回答说:"你说得对。"

"家里的人现在也不知道怎么样了,那帮土匪军队不会常常去找他们的麻烦吧?"

"是呵,大叔,事情闹到这步田地,只好不去想那个家了。"

老司机从炉子里箝出那块烧成蓝灰色的铁,迅速地把它放到铁砧上。

"来,孩子,使劲捶吧!"

阿尔焦姆抓起铁砧旁边那只沉重的锤子,把它举过头顶,使劲捶了一下。发光的铁渣发出嘶嘶的响声,向铁匠铺的四面飞溅,一刹那间照亮了各个黑暗的角落。

锤子捶一下,波利托夫斯基就把铁块转一下,铁块也就像蜡一样的服贴,渐渐给打平了。

一阵阵温暖的夜风从敞开的门口吹进来。

下面是一个又大又黑的湖,湖周围的松树摇着它们那高大的头。

"这些树就像活人一样,"冬妮亚心里想。她躺在花岗石岸边低洼的草地上。上面,在洼地的后边,是松林;下面,就在这悬崖的脚下,是大湖。俯临着大湖的悬崖的阴影,使湖边的水格外发暗。

这是冬妮亚最喜爱的地方。在这离车站一俄里[1]的地方,在旧采石场的荒芜的洼地里,有几个泉源往外喷水,现在汇成了三个活水湖。冬妮亚听到下面湖边那里有拍水的声音。她抬起头来,用手拨开树枝,探身往下看:一个晒得发黑的弯着身子的人正在用力从岸边往湖心游去。冬妮亚只能看见这个游泳者的浅黑色的脊梁和乌黑的头发。他像只海象一样用各种各样的姿势游泳:自由式、侧泳、潜水,后来他终于疲倦了,开始仰泳,由于强烈的阳光,他眯着眼睛,伸开两臂平放着,身子微微弯曲,静静地躺在水面上。

冬妮亚放开树枝,自己觉得好笑,她想着:"这样太不雅观了,"于是她又开始读她的书。

她正聚精会神地读着维克多借给她的一本书,没有注意到有人正在爬上那隔开松林和洼地的岩石。当一块小石头无意地

---

① 一俄里等于1.06公里。

从那个人的脚下掉下来,正好落在她的书本上的时候,她才惊讶地抬起头来,看见站在她面前的保尔。这偶然的相遇,使他感到惊讶和难为情。他打算走开。

"原来刚才是他在这儿洗澡呵,"——冬妮亚看了看他那潮湿的头发,心里这么猜想。

"呵,我惊动了您吗?我不知道您在这儿。我不是有意到这儿来的。"保尔说着,用手攀住岩石,他也认出她是冬妮亚。

"您并没打搅我。要是您高兴的话,咱们还可以谈一会儿。"

保尔惊疑地望着冬妮亚。

"咱们有什么可谈的呢?"

冬妮亚微微一笑。

"我说,您为什么老站着呢?您可以坐到这儿来,"她用手指着一块石头。"请您告诉我,您叫什么名字?"

"保夫卡·柯察金。"

"我叫冬妮亚。瞧,现在我们已经互相认识了。"

保尔很不自然地揉着他的帽子。

"您叫保夫卡?"冬妮亚打破了沉默。"为什么要叫保夫卡呢?这多不好听,还是叫保尔好。我以后就这样叫您。您时常到这里来……"她本来想说"洗澡吗?",但是因为不愿意让保尔知道她看见了他洗澡,就改口说——"散步吗?"

"不,不常来,有空的时候才来。"

"那么,您是在什么地方做工吗?"冬妮亚追问说。

"我在发电厂里当火伕。"

"请您告诉我,您那么会打架,是在什么地方学来的?"——冬妮亚突然提出了这个问题。

"您为什么要管我打架的事呢?"保尔不满意地说。

"请您不要生气,柯察金,"冬妮亚说,她已经觉出保尔对她所提出的问题不高兴。“我对于这种事非常有兴趣。您那一下子打得真棒！就是有点太不留情了。”说着她哈哈大笑起来。

“那么，您可怜他吗？”保尔问。

“呵，哪里，一点也不可怜他，正相反，苏哈里科就是该打。上次您那一手，真叫我开心极了。听说，您常常和人打架。”

“谁说的？”保尔警觉地问。

“维克多说的。他说您是个打架行家。”

保尔脸上现出了不愉快的表情。

“呵，原来是维克多说的，这个混蛋，寄生虫。他应当谢天谢地，当时我没有连他也揍一顿。我听到了他说了我一些什么话，只是怕脏我的手，才没有跑过去揍他。”

“您为什么要这样骂人呢？保尔，这样不好。”冬妮亚打断他的话。

保尔的眉毛竖了起来，他心里想：

“我为什么要同这个妖精闲扯呢？瞧她那副神气：一会儿是‘保夫卡’这个名字她不喜欢，一会儿又是‘不要骂人’。”

“您为什么那样恨维克多呢？”冬妮亚问。

“那个男不男女不女的少爷崽子，没有灵魂的东西！我见了他，手就发痒。他仗着有钱，就觉得什么事都可以干，可是我不把他这个有钱的放在眼里。只要他敢稍微碰一碰我，我就好好收拾他一顿。对于这种人，只有用拳头去教训他。”保尔非常气愤地说。

冬妮亚很后悔提到维克多的名字。她已经看出来，这个少年和那个娇生惯养的中学生维克多显然有旧仇，于是她就转了话题：开始询问他的家庭和工作情况。

保尔不知不觉地、一点一点地回答那女孩子的问话，把要走的念头给忘了。

“告诉我，您为什么不多念几年书呢?”她又问。

“学校把我开除了。”

“为什么呢?”

保尔的脸红了。

“我在神父的面团上撒了烟末儿——他就把我赶了出来。那个神父凶极了，我们全都吃过他的苦头。”于是保尔把事情的经过都告诉了她。

她好奇地倾听着。保尔也不觉得局促不安了，他把所有的事情都告诉了她，好像他们是老朋友似的。他甚至把他的哥哥阿尔焦姆没有回家来的事情也告诉了她。他们两个亲切地、快活地谈着，谁也没有注意到已经坐了好几个钟头了。终于，保尔骤然想起了他还有事，立刻跳起来说：

“哎呀，已经到了我上班的时候了。瞧，我只顾在这儿闲聊，我得马上回去生火啦。说不定达尼洛正在生气哩。”他慌忙对她说：“哦，再见吧，小姐，我不得不马上跑步回镇上去了。”

冬妮亚也立刻站起来，穿起外衣。

“我也应当走了，咱们一道走吧。”

“哦，不，我是要快跑的，您赶不上我。”

“为什么赶不上?我们可以一道跑，比赛一下：看谁跑得快。”

保尔轻视地看了她一眼。

“赛跑?您怎么能跟我赛跑!”

“那咱们就试试吧，现在先走出这儿再说。”

保尔跳过那堵岩石，又拉住冬妮亚的手，帮她跳过去。他们走到松林里那条通到车站去的又宽又平坦的大路上。

冬妮亚站在大路中央，喊道：

“现在起跑:一,二,三。您追吧!”于是她就像一阵旋风似的跑在前面。她那双小靴子的后跟,像电光一样闪着,蓝色的外套在风中飘舞。

保尔在她的后边紧追。

“我马上就可以追上她,”保尔想,拚命追她那飘动着的外衣,但是一直到了大路的尽头,离车站不远的地方,才追上她。他猛冲过去,双手紧紧地抱住她的肩膀。

“捉住了,小鸟给捉住了!”他快活地喊着说,累得几乎喘不过气来。

“放手,怪疼的,”她挣扎着说。

两个人都站住了,呼哧呼哧地喘气,心全都剧烈地跳动着。冬妮亚由于疯狂奔跑,累得厉害,就仿佛是无意地稍稍靠在保尔身上,这么一来,使得他们更亲近了。虽然这只是一刹那间的事情,但是已经深深地刻在记忆里了。

接着冬妮亚掰开保尔的双手,对他说:“从来没有人追上我。”

他们马上就分手了。临别,保尔向她摇摇帽子,就朝镇上跑去。

保尔刚打开锅炉房的门,已经在锅炉旁边忙着的老火伕达尼洛转过身来,气愤地说:

“你再晚一点来才好呢。怎么,你想叫我替你生火,是不是?”

但是保尔却愉快地拍拍达尼洛的肩膀,和气地说:

“别着急,老头子,火马上就生起来。”说着,他立刻朝柴堆走去。

到了午夜,当达尼洛躺在床上打呼噜的时候,保尔已经把发动机各处都注好了油,用棉纱团把手揩干净,从抽屉里把第六十二卷《朱泽培·加里波第》① 拿出来。那不勒斯"红衫军"的传奇式的领袖加里波第的冒险故事马上使他入迷了。

"她用她那秀美的蓝眼睛瞟了公爵一眼……"

"是的,她也有一对蓝眼睛,"保尔回忆着。"她是特殊的,她跟别的富家女孩子不一样,"保尔想。"而且她还跑得像魔鬼一样快!"

保尔沉醉地回忆着白天会面的情景,没有注意到发电机因为汽压太大而发出了越来越大的响声;那个大飞轮正在狂速地旋转,连水泥的座子也激烈地颤动起来。

他往汽压计上看了一眼——指针已经越过危险信号的红线好几度了!

"哎哟,糟了!"保尔从箱子上跳下来,扳开排汽阀,把它转了两圈,于是锅炉房后面由放汽管排到河里的水汽,就嘶嘶地响起来了。接着他把排汽阀关住,把皮带套在抽动水泵的轮子上面。

保尔回头看了看达尼洛;他正咧开大嘴酣睡着,鼻子里不断发出可怕的鼾声。

半分钟后,汽压表的指针又回到原处了。

冬妮亚和保尔分手之后就往家里走。她想着刚才和这个黑眼睛少年的相遇,并且不自觉地为了这次会面感到很快活。

"他是多么热情和倔强呵!他完全不是我想象的那种粗野无礼的人。无论如何,他一点也不像那些懦弱无能的中学

---

① 这是一本记述意大利资产阶级革命运动领袖朱泽培·加里波第(1807—1882)一生事迹的传记小说。

生……"

他是另一种类型的人。他出身的环境对冬妮亚是完全陌生的。

"他是可以开导的，"冬妮亚想着，"而且这将是一种挺有意思的友谊。"

快到家的时候，冬妮亚看见莉莎·苏哈里科、妮莉和维克多在花园里坐着。维克多在读书。看样子，他们是在等她。

她向他们问了好，就坐在长凳上。就在这泛泛无聊的谈话的当儿，维克多凑近冬妮亚坐下，悄声地问她：

"那本小说您读了吗？"

"呵呀，那本小说！"冬妮亚忽然想起来了。"我把它……"她几乎说出了口，她把它忘在湖边了。

"您喜欢那小说吗？"维克多注意地看看她。

冬妮亚沉思了一会，接着她一面用她的短靴的靴尖在小径旁边的沙地上慢慢地画着一个奥妙的图案，一面抬起头来看了看维克多，对他说：

"不喜欢，我现在喜欢上了另外一本，它比您那本可有意思多了。"

"是吗？"维克多觉得非常无趣地拖长着声音说。"那么，作者是谁呢？"他问。

冬妮亚用闪闪发光的、带着嘲弄的眼光看了看维克多，然后说：

"没有作者……"

"冬妮亚，把客人请到屋子里来吧，茶已经预备好了！"她母亲站在阳台上喊。

冬妮亚挽着两个姑娘的手走进屋子。维克多跟在后面，苦思着刚才冬妮亚所说的话，不明白究竟是什么意思。①

一种初度的和仍然是不自觉的感情，已经偷偷进入了这个青年火伕的生活。这种感情是那样新鲜，又是那样令人难以理解地激动人心。这生性好斗的、有反抗精神的孩子被它弄得心神不安了。

冬妮亚是林务官的女儿。在保尔看来，林务官跟律师列辛斯基是一类人物。

保尔是在贫穷和饥饿中长大的，他对每一个他认为是有钱的人，都十分仇视。因此，他对眼下这种感情怀着戒备和疑惧。他知道冬妮亚跟石匠的女儿嘉莉娜完全不同，不能把她当作自己人，当作一个普通的、他能够理解的人看待。所以他对冬妮亚抱着不信任的态度。只要这个漂亮的和受过教育的姑娘对他这个火伕有一点儿嘲弄和侮蔑的举动，他就准备给以断然的反击。

保尔已经有一个星期没看见冬妮亚了，今天他决心再到湖边去一趟。他故意从她家旁边经过，希望能够碰见她。他沿着花园的栅栏慢慢走着，已经望见花园尽头那熟悉的水手服了。他拾起栅栏旁边的一颗松子，朝着她那白色的衣服投过去。

冬妮亚连忙转过身来。一看见是保尔，她马上高兴地笑着跑到栅栏跟前，把一只手伸给他：

"您到底来了，"她高兴地说。"这些时候您到哪儿去了？我又到湖边去过，我把书忘在那儿了。我想您是会来的。进来吧，到我们花园里来。"

保尔摇摇头说：

---

① 俄文"POMAH"有两个意思：一是"小说"，一是"爱情"。这儿所说的"小说"，含有双关的意思。

"我不进去。"

"为什么?"她惊讶地扬起眉毛。

"没有别的,我想您的爸爸会为这件事发脾气。您也会为我挨骂的。他会问您,为什么要把这样的脏孩子带进花园里来?"

"保尔,您别瞎说了,"冬妮亚生气了。"马上进来吧。我爸爸决不会说什么的,等一下您自己就知道了。进来吧。"

她跑去开了园门,保尔踌躇地跟在她后面。

当他们两个坐在花园里的圆桌旁边的时候,她问保尔:"您喜欢看书吗?"

"非常喜欢。"保尔兴奋起来。

"在您读过的书里,您最喜欢的是什么书?"

保尔想了一下,回答说:

"《朱泽倍·加里波第》。"

"是《朱泽培·加里波第》,"冬妮亚纠正了他的错误。"您很喜欢这部书吗?"

"是的,我已经看过这部书的第六十八卷。每次领到工钱,我就买它五卷。呵,加里波第真是一个了不起的人!"他称赞地说。"他才是一个英雄!我真佩服他!他同他的敌人战斗了不知多少次,而他总是占上风。他乘船游历了世界各国!唉,要是他现在还活着的话,我一定去投奔他。他曾经把那些手艺人组织起来,并且总是为穷人奋斗。"

"您愿意看看我们的图书室吗?"冬妮亚问他,一边拉住他的手。

"哦,不,我不到屋子里去。"保尔坚决地拒绝说。

"您为什么这样固执呢?是害怕吗?"

保尔看见他那光着的两只脚实在是太脏了,就搔着后脑勺,对她说:

"您的妈妈或是爸爸不会把我赶出来吗?"

"您别再瞎说了吧,我真地要生气了。"冬妮亚发起脾气来了。

"一点也不是瞎说,列辛斯基就不许我们这样的人走进他屋里去,有话只许在厨房里说。有一次,我为了一件事到他家里去,他的女儿妮莉,死也不让我走进他屋里。她大概是怕我弄脏他们的地毯,这鬼东西。"保尔笑了一下。

"走吧,走吧!"她双手抓住他的肩膀,很友爱地推着他走上阳台去。

她领着他穿过饭厅,走进一间摆着一只很大的橡木书橱的房间。冬妮亚拉开了橱门。保尔看见,那里面有几百本书整齐地排列着。初次看见这么多的藏书,他吃了一惊。

"现在我们给您找一本有趣的书,您还要答应我,您往后经常到这里来拿书,好不好?"

保尔非常高兴地点了点头说:

"我就是爱看书。"

他们在一起过了好几个钟头,彼此都十分快乐,十分满足。她还介绍他同她的母亲见了面。看来,这也不是什么可怕的事情,保尔喜欢冬妮亚的母亲。

冬妮亚又把保尔领到她本人的房间里去,让他看看她的书和学校的课本。

小梳妆台旁边立着一面不大的镜子,冬妮亚把他拉到镜子跟前,笑着对他说:

"为什么您要把头发弄得像个野人一样呢?您从来就没有剪过和梳过吗?"

"长得太长了,我就剪短它,还能叫我怎样办呢?"保尔难为情地分辩说。

冬妮亚笑着从梳妆台上拿起一把木梳，很快地就把他那蓬乱的头发梳得整整齐齐。

“您瞧，现在完全是另一个样子了。”她瞧瞧保尔，满意地说。“头发应当剪得整整齐齐的，不能像您那样，就像个野人似的。”

接着冬妮亚又用挑剔的眼神看了看他那褪了色的、发黄的衬衫和破了的裤子，可是什么也没有说。

保尔已注意到她的眼神，他为自己的服装而感到惭愧。

临别，冬妮亚反复叮咛他要常来，并且和他约定了过两天一起去钓鱼。

保尔不愿意再穿过屋里，怕再碰到冬妮亚的母亲，所以就从窗口一下子跳到花园里去了。

因为阿尔焦姆不在家，柯察金家渐渐难以支持了。保尔的工资是不够家用的。

保尔的母亲决定同她的儿子商量，看她是不是该找点活做，因为她恰巧听到列辛斯基家里正要雇一个老妈子。但是保尔不答应，他说：

“不，妈妈，还是让我找个额外的活干吧。木材厂里正要雇人搬木板。我可以到那里干半天，这样我们俩就可以过下去了。你千万不要再到外面去干活，要不，阿尔焦姆准要生我的气，骂我不想法子，反倒叫妈去受累。”

保尔的母亲竭力说明她为什么应当去做工，但是保尔坚持他的意见，因此她只好作罢。

第二天，保尔已经在木材厂里干活了，他把刚锯开的木板搬到晒木场去。在那里，他碰到两个熟人：一个是老同学米什卡·列夫丘科夫，另一个是瓦尼亚·库列绍夫。他和米什卡两个人都讲定论件计工，收入倒也不坏。保尔白天在木材厂里做工，晚上去发电厂。

到了第十天晚上，他把在木材厂挣到的工钱带回家去，交给他母亲。他交钱时，红着脸踌躇了一下，终于请求说：

“妈妈，给我买一件蓝布衬衫吧，就像我去年穿的那件一样。这用一半的工钱就够了，往后我还可以挣，你别担心，你看我这一件太旧了，”他辩解说，像在为自己的请求而道歉似的。

“呵，保尔，亲爱的，对的，对的，我今天就去给你买布，明天就缝。”她亲切地看着她的儿子说。“你说的对，你连一件新衬衫也没有。”

保尔在理发馆前面站住了，他摸摸口袋里的一个卢布，走了进去。

理发匠是一个活泼的青年，一看见有顾客进来，便习惯地点着头把他让到椅子上。

“请坐吧！”

保尔坐到一只宽大舒适的安乐椅上，从镜子里看见了他自己那副狼狈的、惊慌不安的面孔。

“去短吗？”理发匠问。

“是的。不，是这样。我是说：要剪一剪。你们管这个叫什么？”他不得已地用手指头作出一个姿势，帮着说明。

“我明白了，”理发匠笑着说。

一刻钟后，保尔满身大汗，狼狈地走出了理发馆，但是头发总算梳剪得整整齐齐了。他那蓬乱的头发实在叫理发匠花了不少工夫，但是水和梳子终于把它制服了，现在头发梳得很服贴了。

走到街上，他轻松地舒了一口气，还把帽子更往下拉了一点。

“母亲看见了，会说什么呢？”

保尔没有按照约定去钓鱼，冬妮亚心里不高兴了。

“这个小火伕，真有点儿粗心大意，”她生气地这么想。但是保尔一连几天都没有去找她，她就感到烦闷了。

有一天，她正想出门去玩，她母亲把她的房门推开一道缝，说：

“冬妮亚，有个客人来找你，让他进来吗？”

在门跟前站着的就是保尔，冬妮亚开头几乎认不出他。

他今天穿了新的蓝衬衫、黑色的裤子。皮靴也揩得发亮。他的头发——冬妮亚一开头就注意到了——也剪过了，不像早先那样蓬乱。这黝黑的小火伕完全变了样儿了。

冬妮亚几乎表示出她的惊讶，但是她及时控制住自己，因为她不愿意让这个本来就发窘的年轻人再感到难堪，她对这惊人的变动，故意装出不注意的样子，只是责备他说：

“您不觉得不好意思吗！为什么您不去钓鱼？您是这样守信用的吗？”

“这些天我到木材厂里做工去了，所以没能去。”

他不能向她说明，为了要给自己买这件衬衫和裤子，他这几天已经累得几乎喘不过气来了。

冬妮亚也猜到了这一点，所以她对保尔的气恼立刻抛到九霄云外。

“我们到池边玩去吧。”她提议说，他们两人就一道走进花园里，又从花园走到外面的路上去。

就在这时候，保尔已经把她当作一个知心朋友，把他那极大的秘密——他怎样偷了那中尉的手枪的经过，统统告诉了她，并且约好她再过几天一齐到树林的深处放枪去。

“你要当心，别把我的秘密泄漏了。”他一点也没有注意到，当他说的时候，已经把“您”字改作“你”字了。

冬妮亚很认真地答应他说：

“我决不把你的秘密告诉任何人。”

4

激烈而残酷的阶级斗争席卷了乌克兰。拿起枪的人们一天比一天多，而每次战斗都产生了新的战士。

市民们过惯的和平和安静的日子已经成为遥远的、过去的事情了。

像旋风一样的炮声震撼着那些古老的房屋，市民们全都紧贴着地窖的墙根，或是躲在自家挖的壕沟里面。

彼得留拉将军属下各色各样的大群匪帮布满了全省：他们有大大小小的头目，有种种的派别，什么戈卢勃、阿尔汉格尔、安格尔、戈尔季，以及其他无数的名目。

那些退伍军官、左翼的或右翼的乌克兰社会革命党党徒，——一句话，所有不要命的冒险家，都召集起一批亡命徒，自称是哥萨克将军，时常打着彼得留拉的黄蓝色旗子，用尽所有的力量和手段去争夺政权。

“大头目彼得留拉”的团和师，就是由这些各色各样的匪帮，再凑上富农和小头目柯诺瓦里茨指挥的加里西亚地方的攻城部队拼凑成的。红色游击队不断地跟这些社会革命党和富农的乌合之众战斗，于是乌克兰大地就在无数马蹄、辎重车和炮车之下震颤起来。

动乱的一九一九年的四月，那些吓得痴呆的市民们，早上揉着朦胧的睡眼，打开自家的小窗户，提心吊胆地问着比他早起的邻居：

“阿夫托诺姆·彼得罗维奇，今天本镇是在哪一派手里呀？”

那个阿夫托诺姆·彼得罗维奇一边系着裤带，一边神色不安、左顾右盼地说：

“我也不知道呵，阿法纳斯·基里洛维奇。昨天夜里，有一些兵开进镇来。我们瞧着吧：要是他们抢劫犹太人，那准是彼得留拉的队伍，要是‘同志们’，那么马上就可以从他们的谈话里听出来。我正在留心观察着哪，看今天应该挂起谁的肖像，挂错了可就糟糕啦。你听说我的邻居格拉西姆·列昂节维奇的事情没有？有一次他没加小心，糊里糊涂地把列宁的肖像挂起来，恰巧有三个人跑了进来，原来是彼得留拉的人。他们一看见那肖像，格拉西姆可就倒了霉啦！他们抽了他二十鞭子，对他说：‘你这狗养的，我们立刻把你这共产主义者的皮剥下来。’不管他怎样地哭喊、分辩，都没有用。”

市民们看见一队武装的人在马路上走，他们就关上窗户，躲起来。这日子真不太平呵……

至于工人们，一看见彼得留拉匪帮那黄蓝色旗子就痛恨，可又没有力量反抗沙文主义的“乌克兰独立”运动的逆流。只有当在附近活动的红军部队跟那些由四面八方围攻他们的彼得留拉匪帮进行猛烈战斗，像木楔似地插到镇上来的时候，他们才活跃起来。那面亲爱的红旗在镇公署上飘扬了一两天，游击队一退走，黑暗又回来了。

目前本镇的主人是外第聂伯师团的“荣誉和骄傲”戈卢勃上校。

昨天傍晚，他那由两千多个亡命徒组成的队伍举行了庄严的入城式。上校老爷骑着一匹高大的黑马，走在队伍的前头。尽管四月里的太阳很暖和，他还穿着高加索式的毡斗篷，戴镶红边的扎波罗什哥萨克式羊皮帽，穿契尔克斯式军长袍，佩带全副的武装——一把短剑，一把柄上镶银的马刀。

戈卢勃上校老爷是一位美男子：眉毛漆黑，脸雪白，但是由于经常狂饮，白中稍微透黄。他嘴里叼着一只烟斗。革命前上校老爷是一家糖厂种植园里的农艺师，但是他觉得这种生活有点无聊，不能跟哥萨克头目们的地位相比，因此这位农艺师先生就在泛滥全国的洪流中摇身一变，成了戈卢勃上校老爷。

在镇上唯一的戏院里，为了欢迎新来的队伍，正举行一个盛大的晚会。彼得留拉派头面人物的"精华"全都出席了：一些乌克兰教师，神父的两个女儿——大的是个美人，叫阿妮亚，小的叫季娜，一些不重要的贵妇人，波托茨基伯爵从前的管家人，和自称为"自由哥萨克"的一小群中等阶级，最后就是那些乌克兰社会革命党的余孽。

戏院里挤得水泄不通。那些女教员、神父的两个女儿以及一群庸俗的中等阶级女人，全都照乌克兰的民族习惯打扮起来，穿着色彩鲜丽、绣满花朵的衣服，戴着珍珠缀成的项圈和五色缤纷的飘带，而围着她们跳舞的是一大群军官，他们的马刺叮当地响着，他们的装束完全模仿古画里描绘的扎波罗什哥萨克。

军乐队奏起乐来。舞台上正忙乱地准备上演乌克兰剧《纳查尔·斯托多里亚》。

但是没有电。司令部里的人马上把这件事报告了上校老爷。上校今天晚上还想亲自出席，使这个晚会锦上添花，现在一听到他的副官——骑兵少尉帕利亚内查（其实是前陆军少尉波利扬采夫）的报告，就漫不经心而又非常严厉地命令说：

"电灯无论怎样也得亮！你就是死，也要去把电工找到，让发电厂发电！"

"是，上校大人。"

帕利亚内查少尉并没有死，他把电工找到了。

一小时后，他的两个士兵押着保尔到发电厂去。同样，他们也找到了另一个电工和机务员。

帕利亚内查直截了当地对他们说：

“要是到晚上七点钟灯还不亮，我就把你们三个统统吊死。”他用手指着一根铁梁说。

这简短的命令生了效，到了指定的时间，电灯果然亮了。

那天晚上，当上校老爷带着他的情人到场的时候，晚会正开得热火。他的情人是他所住的酒馆老板的女儿，一个有着丰满的胸脯和浅褐色头发的年轻姑娘。

那酒馆老板很有钱，送她到省城的中学校里念过书。

他们坐在台前的荣誉席上。上校老爷表示，戏可以开场了，于是帷幕立刻揭开，观众们看见了那慌忙躲到后台去的舞台监督的背影。

在演戏的时候，那些参加晚会的军官都和他们的女伴在食堂里尽情地享受着眼疾手快的帕利亚内查搜罗来的头等好酒和用各种方法征收来的精美食物。等到戏快终场的时候，他们全都喝得酩酊大醉了。

这时候，帕利亚内查跳上舞台，摆着演戏的姿势，挥着双手，用乌克兰话喊道：

“诸位先生，跳舞马上开始。”

在座的人们一齐鼓掌，接着就起身走到院子里去，好叫那些守卫会场的士兵搬开椅子，腾出剧场来。

半小时以后，戏院里就闹开了。

醉得一塌糊涂的彼得留拉军官们疯狂地跟那些热得满脸通红的当地美人大跳果帕克舞。他们那笨重的脚步，震得老戏院的墙壁都颤动了。

就在这时候，一队武装骑兵正从磨坊那边向镇里开来。

镇外有一个配有机枪的彼得留拉岗哨。兵士们看见了前进的骑兵，就慌忙跑到机枪旁边，喊哩喀喳地扣着扳机，刺耳的喊声冲破了深夜的静寂：

“站住！口令！”

两个模糊的人影从黑暗中走上前来，其中一个走近哨位，用醉醺醺的哑嗓子喊着说：

“我是头目帕夫柳克，带着我的队伍。你们是戈卢勃的队伍吗？”

“是的，”跑到前面去的军官回答。

“把我的队伍安置在哪儿？”帕夫柳克问。

“我立刻用电话问司令部，”岗哨值班的军官回答，然后就走进了路旁的小屋。

一分钟后，他跑出来喊道：

“弟兄们，把路上的机枪撤开，让头目帕夫柳克通过。”

帕夫柳克勒住缰绳，在灯光辉煌、非常热闹的戏院门口停住了。

“呵哈，”帕夫柳克说，“这儿很快活呀，”他转身对身旁的副官说。“下马吧，老弟。让我们也进去喝一杯，再找一两个女人玩玩。这里有的是女人，我们可以随便挑拣。喂，斯塔列日科，你照料兄弟们到各家住下！我们不走了。卫兵跟我来。”于是他从摇晃了一下的马上沉重地跳下来。

在戏院的入口，彼得留拉的两个武装卫兵拦住他说：

“票？”

他轻蔑地看了他们一眼，用肩膀把一个卫兵撞开。他后面的十二个人也这样跟着挤进了戏院，他们把马都拴在外面的栅栏上。

这些新到的人马上引起了全场的注意。尤其是帕夫柳克更惹人注意——他身材高大,穿着用头等呢子做的军官制服、蓝色的近卫军制裤,戴一顶毛茸茸的高皮帽,肩上斜挂着一支毛瑟枪,衣袋里凸出一颗手榴弹。

"这人是谁?"那些站在跳舞者周围的人们小声地问。

这时候,戈卢勃的副官正在跳着疯狂的"风雪"舞。他的舞伴是神父的大女儿,因为她旋转得飞快,裙子就像扇子一样展开,她的丝衬裤全都露了出来,这使周围的军官们非常开心。

帕夫柳克用肩膀挤过人丛,走到圆圈中央。

他一面用昏昏沉沉的眼睛盯着神父女儿的大腿,一面用舌尖舔着干燥的嘴唇。过了一会儿,他一直走到乐队跟前,靠着栏杆,挥动他那根皮条编成的马鞭,粗声喊道:

"奏果帕克舞曲,再热火一些!"

乐队指挥没有理他。

于是帕夫柳克一挥手,在指挥的后背上抽了一鞭。指挥像被毒虫螫了一下似的,吃惊地跳了起来。

音乐立刻停止了,转眼间全场变得一片死寂。

"多么野蛮哪!"酒馆老板的女儿激愤地说,一面神经质地抓住坐在她旁边的戈卢勃的胳膊肘。"你不应该饶他!"

戈卢勃气愤地站起来,踢开他前面的椅子,三大步走到帕夫柳克紧跟前,站住了。他马上就认出来,这就是和他争夺本地政权的敌手帕夫柳克。戈卢勃正好还有一笔旧账要找他清算呢。

就在一个星期以前,戈卢勃曾被帕夫柳克用最卑鄙的手段暗算过。

事情是这样的:当戈卢勃的部队正和一再使他们受到打击的红军的部队酣战的时候,帕夫柳克不从背后去袭击布尔什维克,反而把他的部队开进当地市镇,解除了红军的几个岗哨的武装，把周围严密地警戒起来，进行了闻所未闻的劫掠。自然，这也像每一个彼得留拉部下常干的那样，受罪的是犹太人。

就在这时候，红军把戈卢勃的右翼杀了个落花流水，随后就撤退了。

现在，这无耻而傲慢的骑兵上尉，竟敢闯到这里来，当着他上校老爷的面，动手鞭打他的乐队指挥。这是戈卢勃绝对不能容忍的。戈卢勃心里非常明白，如果他不立刻压住这个小头目，往后他在部队里就威信扫地了。

他们两个面对面站了几秒钟，一句话也没说，只是用眼睛互相盯着对方。

接着，戈卢勃一只手紧紧地握住他的指挥刀的刀柄，另一只手摸着口袋里的手枪，大声喊道：

"你这混蛋，怎敢动手打我的部下？"

帕夫柳克的手慢慢地移到毛瑟枪的枪套上：

"站稳些，戈卢勃上校阁下，站稳些，要不，你会摔倒的。不要专剥别人的疮疤，小心我发火。"

这样，事情就忍无可忍了。

"把他们抓起来，拉出去，每个人揍他二十五军棍。"戈卢勃高声地喊着。

他的部下立刻就像一群猎犬似的，从四面八方向帕夫柳克那一群人扑去。

有人啪的放了一枪，仿佛像电灯泡摔破了似的，于是厮打的人们开始像一群狗咬架一样，在地面上翻滚起来。他们用军刀胡乱对砍，这个揪着那个的头发，那个卡着这个的喉咙，而那些吓得要死的妇女们，像猪一样怪叫着，朝各方面跑开了。

几分钟后，他们解除了帕夫柳克和他的卫兵的武装。他们一边打，一边拖，从戏院拖到院子里，再从那里扔到街上。

在格斗的时候，帕夫柳克丢掉了高皮帽，被打得鼻青脸肿，武装也被解除了。他简直气疯了。他和他的部下一到外面，就跳上马，顺着大街飞快地跑了。

晚会停止了。在这样的事件之后，谁也没有作乐的兴头了。妇女们都坚决拒绝跳舞，要求送她们回家。但戈卢勃非常固执，他下命令说：

“不准任何人离开戏院。加强门口警卫！”

帕利亚内查连忙执行了他的命令。

戈卢勃呢，他对许多人的抗议只给了一个顽固的回答：

“诸位，我们一直跳到天亮，现在由我领头先跳一个华尔兹舞。”

音乐又开始演奏了，然而舞还是没跳成。

上校和神父女儿合跳的华尔兹舞还没有跳完一圈，几个哨兵就跑了进来，高声喊道：

“帕夫柳克的人把戏院包围了！”

戏台旁边一个临街的窗子的玻璃啪的一声碎了。一架机枪的枪筒从这打破了的窗子里伸了进来。它笨拙地向左右转动，像在搜索东奔西跑的人群，所有的人都像躲避魔鬼似的避开它，一齐拥到剧场中央去了。

帕利亚内查朝厅顶上那支一千烛光的大电灯泡开了一枪，它像炸弹一样地炸开了，碎玻璃像细雨般落在人们的头上。

戏院里一片漆黑。街上有人喊道：

“全到院子里去！”接着是一阵下流的、恶毒的咒骂。

女人们发狂地怪叫，戈卢勃在戏院中来回奔跑，吆喝，想召集散乱的部属。这些声音跟场外的喊声和枪声汇成了一种难以形容的混乱。谁也没有注意到帕利亚内查就像一条泥鳅似的，从戏院的后门窜到了静悄悄的后街上，直向戈卢勃的司令部奔去。

半点钟后,城内发生了正式的战斗。连珠般的枪声和机枪的哒哒声,打破了深夜的寂静。吓糊涂了的市民们全跳出温暖的被窝,把身子紧紧地贴在窗子底下。

枪声渐渐地停息了,只有一架机枪在镇郊还像狗似的断断续续地叫着。

战斗沉寂了。东方已经发白……

将要虐杀犹太人的消息传遍了整个小镇。这风声也传到了河畔陡坡上的肮脏的犹太居民区。这里是一些窗户歪斜的小屋子。贫穷的犹太人就像罐头里的沙丁鱼一般,挤住在这些被称为住屋的箱子里面。

谢廖沙已经在印刷厂里做工一年多,厂里的印刷工人都是犹太人。谢廖沙跟他们很亲热,就像一家人似的团结在一起,共同反抗那个自私自利的大肚子厂主勃留姆斯坦。这个印刷厂的工人们和厂主不断发生斗争。勃留姆斯坦唯一的目的是尽量榨取劳力,少付工资,因此工人多次罢了工,印刷厂一停工就是两三个星期。厂里一共有十四个人,谢廖沙年纪最轻,但他摇起印刷机来,也是一气干十二个小时。

今天,谢廖沙已经看出了工人们的不安。在最近这几个动乱的月份里,印刷厂已经没有经常的订货,只是临时印些哥萨克"大头目"的告示。

害肺病的排字工人缅德尔把他拉到旁边,用忧郁的眼光注视着他,说:

"你知道吗,镇上又要虐杀犹太人啦?"

谢廖沙吃惊地看了看他:

"我不知道。"

缅德尔把他那干瘦的黄手按在谢廖沙的肩上，像父亲一样信赖地对他说：

"没有错，虐杀犹太人的事情一定要发生的。他们要虐杀我们犹太人。我问你：你愿不愿意在这不幸的时候帮帮自己伙伴们的忙？"

"当然愿意，只要我能办到。要我干什么，缅德尔，你说吧。"

排字工人们都在倾听他们俩的谈话。

"谢廖沙，你是个好小伙子，我们都信任你。你爸爸也是一个工人呐。现在你马上回家去和你爸爸商量一下：看他能不能让几个老头儿和女人到你们家里避一避，至于谁到你们家里去，咱们大家再商量。此外，你再和家里的人商量，还有谁家可以让我们躲一躲。这些强盗暂时还不骚扰俄罗斯人。快去吧，谢廖沙，不能再延迟了。"

"好吧，缅德尔，别怕，我马上到保尔和克利姆卡家里去——我相信他们也一定会答应收留几个人的。"

缅德尔不放心，慌忙拦住就要走的谢廖沙：

"等一下。你说的这两个人是谁？你知道他们靠得住吗？"

"那还用说，当然靠得住，他们都是我的老朋友，"谢廖沙自信地点头说。"保尔他哥哥阿尔焦姆是一个钳工。"

"呵，阿尔焦姆，"缅德尔这才宽心地说，"我认得阿尔焦姆。我们在一起住过。这个人是靠得住的。你去吧，赶快给我们个回信。"

谢廖沙风也似的朝大街跑去。

在帕夫柳克和戈卢勃双方部队交战后的第三天，虐杀犹太人的事情就开始了。

帕夫柳克的部队打了败仗和被赶出市镇后，就占据了邻近一个较小的市镇，他们在那次夜战中损失了二十几个人。戈卢勃方面的损失也差不多。

死者都被匆忙地抬到墓地，当天就埋了，没有任何葬礼——因为这实在没有什么值得夸耀的地方。两个哥萨克“头目”一见面就像野狗一样对咬起来，这不是什么体面的事情，知道的人越少越好。帕利亚内查本想大肆铺张地举行一次葬礼，并且宣布帕夫柳克也是赤匪，但是以瓦西里神父为首的社会革命党委员会却反对这样办。

那天夜间的冲突在戈卢勃的部队里引起了不满，特别是他的警卫连，因为它的损失比别的单位都大。为了消除这种不满情绪和鼓舞士气，帕利亚内查向戈卢勃建议给士兵们一点“消遣”——他就是这样无耻地把抢劫和屠杀叫做消遣。他极力向戈卢勃说明士兵们心里都不满意，所以这种“消遣”是十分必要的。上校本来不愿意在他刚要和酒馆老板的女儿举行婚礼之前扰乱本镇的治安，但在帕利亚内查的威胁之下，他就同意了。

说实话，戈卢勃上校老爷刚加入社会革命党，要在这时候干起虐杀犹太人的勾当，不免有所顾虑。他的敌手又会说他的坏话了，比如，会说戈卢勃上校是虐杀犹太人的专家，并且一定会告到“大头目”那里去。幸好目前戈卢勃很少仰赖“大头目”，他这部队的给养完全是他自己负责筹措的。“大头目”自己也清楚地知道他的部下是一群什么家伙——他本人就不止一次地要求他们把所谓征发来的财物供奉给他的“政府”，至于说到虐杀犹太人的专家这个称号，戈卢勃早就当之无愧了，现在再干一次，名声也不见得会坏到哪里去。

一场浩劫从一大早就开始了。

镇上还蒙着一层拂晓的灰色的薄雾。破落的犹太人住区的街道，一片荒凉，像一条条湿透的帆布，死沉沉的没有半个人影。

所有的窗户都挂着窗帘，百叶窗也紧闭着，不见一点亮光。

表面上看来，这些人家好像都在做着甜蜜的朝梦，但在那些简陋的小屋里，人们却通宵没睡。家家的人们都穿好衣服，挤在一间房子里面，准备应付即将到来的灾难，只有不懂事的小孩们，在他们的母亲怀里，静静地酣睡。

这天早上，戈卢勃的卫队长萨洛梅加，一个样子很像吉卜赛人的、腮上有一块紫色的军刀伤疤的黑脸家伙，花了很大的工夫才把帕利亚内查喊醒。

帕利亚内查睡得死死的，他一时怎样也不能从恶梦中醒过来，因为一个呲着牙的驼背妖怪整夜都在用爪搔他的喉咙，直到现在，他还是没有方法把它打退。他的头疼得像要裂开了似的，等他终于抬起头来时，他才明白，是萨洛梅加把他喊醒的。

"醒醒呵，你这个瘟神！"萨洛梅加一面喊一面摇他的肩膀。"时候不早了，该动手了！你不该喝那么多！"

现在帕利亚内查完全清醒了，他坐了起来，胃疼得他咧着嘴，吐了一口苦痰。

"什么该动手了？"他用无神的眼睛瞪着萨洛梅加。

"你怎么还要问干'什么'？干犹太人去呀！你忘了？"

这回帕利亚内查想起来了：是的，他的确完全忘了。昨天晚上上校老爷带着他的未婚妻和一批酒鬼一同到郊外的别墅去，他们在那里喝得大醉。

当然，在进行抢劫和屠杀的时候戈卢勃离开小镇比较妥当。这样，往后他就有借口，说这是他不在时发生的一场误会，而帕利亚内查就可以放手大干它一下。呵，这位帕利亚内查倒真是"消遣"的专家呵！

他把一桶冷水倒在自己头上，思想的能力又恢复了。接着，他跑到了司令部，发了一连串的命令。

警卫连都已经上了马。为了避免各种可能的纠纷，办事周到的帕利亚内查下命令，在工人住宅区、车站和镇上的犹太居民区之间设置岗哨。

在列辛斯基的花园里，也架起一挺机枪，把大路控制住。

如果工人们出来干涉，就用铅丸迎接他们。

一切都准备就绪之后，帕利亚内查就和萨洛梅加一齐跨上马。

刚要出发的时候，帕利亚内查又想起了一件事：

"等一会，我还忘了一件事。要准备两辆马车：我们应当给戈卢勃弄一些结婚礼物才对。哈——哈——哈……第一批抢来的东西照例归司令官，而第一个美人，哈——哈——哈……是属于我副官的。你明白吗？傻瓜！"

这最末的称呼是指着萨洛梅加说的。

萨洛梅加翻了翻他那淡黄色的眼睛，说：

"女人有的是，够大家受用的。"

他们沿着公路出发了。队伍前头是副官和萨洛梅加，后面就是乱糟糟的、像一群豺狼似的警卫连。

晨雾消散了。他们走到一家两层楼的、外面招牌上写着"福克斯服饰用品商店"的铺子门口，帕利亚内查拉住了马缰绳。

他那匹细腿的灰色骒马不住地踩着路面的石头。

"上帝的意旨，我们就打这里开始吧！"帕利亚内查说着就跳下马来。

"喂，弟兄们，下马吧！好戏就要开场了，"他对他后面的警卫连解释说。"不过，弟兄们，可别敲碎脑袋，要干这种事的机会多着呢；对于娘儿们，假使瘾头儿不太大，就忍到今天晚上再说吧。"

士兵中有一个露着大牙抗议说：

"哦,长官,要是双方同意呢?"

周围的人都笑了。帕利亚内查对说话的人投过一个衷心赞成的眼色:

"自然,要是双方情愿,尽管干好了,谁也没有权利禁止。"

他走到那紧锁着的店门跟前,使劲地踢了一脚。门是用橡木做成的,一动也不动。

他想真不该打这里开始。于是副官转过拐角,向福克斯住宅的门那边走去,用手握着军刀。萨洛梅加在他后面跟着。

屋子里的人先听到了马路上的马蹄声,马蹄声在店外消失之后,又听到了墙外的人声,他们的心就像被掏了出来,人都像吓死了一样。这时屋里一共有三个人。

大财主福克斯本人昨天晚上就带着他的妻子和几个女儿离开了本镇,只留女仆丽娃在家里看守财产。丽娃是一个安静、忠厚、胆小的十九岁的女孩子。福克斯恐怕她一个人不敢住在这座大房子里,就叫她把父母接来,在这儿住到他们回来。

这狡猾的商人用种种话欺骗这懦弱的女仆。他叫她放心,说什么虐杀犹太人的事也许不会发生,又说什么他们从你们穷人身上能抢到什么呢?同时还答应在他回来的时候赏她钱买衣服。

现在,他们三个人都心惊胆战,倾听着店外的动静:也许那些人会走过去;也许他们自己听错了,方才这些人并不是停在他们的店前;也许这只是心里猜疑罢了。

但是,外面传来的一阵敲打店门的声音把这些希望一下子完全打碎了。

白发苍苍的老头子佩萨赫像受惊的小孩一样瞪着他的蓝眼睛,站在通往店铺的门旁,喃喃地在祷告。他以一个最虔诚的信徒的热情祈祷万能的耶和华让不幸离开这所房子。因为他在祈祷,站在他旁边的老太婆竟没能立刻听出越来越近的脚步声。

丽娃早已跑到最里面的一个房间,藏在一只橡木橱子后面。

猛烈的撞门声使两个老人身上起了一阵痉挛。

"开门!"撞门的声音比头一次更厉害了,外面激怒的人们正在厉声地咒骂。

两个老人连抬起手来抽开门闩的气力也没有了。

外面的枪托像雨点一样地打在门上,门闩抵住的门板开始暴跳起来,最后门终于哗啦一声裂开了。

屋子里立刻挤满了武装的人们,他们纷纷朝每一个角落跑去。由住宅通到铺子的那扇小门给枪托一砸就碎了。他们一窝蜂冲进了店里,把大门的门闩拉开。

抢劫开始了。

两辆马车已经装满了布匹、靴子以及别的各种物品,萨洛梅加马上把这些东西送到戈卢勃的公馆里去。在他又回到福克斯房子的时候,他听到了尖锐的喊叫声。

原来是帕利亚内查让他的部下去抢劫铺子,他自己却走进了内室。他用野猫似的绿眼睛凶恶地看了看他们三个人,然后对两个老人说:

"你们两个滚出去!"

但是两个老人一个也不动。

帕利亚内查逼进一步,慢慢地把鞘里的军刀抽出来。

"妈呀!"女儿凄厉地叫了一声。

这就是萨洛梅加所听到的喊叫声。

帕利亚内查转过身,对那些听到喊声跑进来的士兵挥着手说:

"把他们拖出去!"他指着那两个老人。这两个老人被拖出去以后,帕利亚内查就向刚刚进来的萨洛梅加说:"你在门外等一会,我要跟这女孩子说几句话。”

老头子佩萨赫听到新的喊声,就向房门冲过去。重重的一拳打中了他的胸口,把他撞到墙上。他马上疼昏了,但是这时候向来安静温和的老妇人托依芭却像一只母狼似的紧紧地抓住了萨洛梅加。

“呵,放了她吧,你们想干什么呀?”

托依芭一面叫着,一面拚命用她那痉挛的、铁钩子一般的手抓住萨洛梅加的上衣。萨洛梅加挣脱不开。

老头子佩萨赫醒过来以后,马上奔过去帮助她。

“放了她吧,放了她吧! ……哎哟,我的女儿呵!”

他们两个把萨洛梅加从门口推开。萨洛梅加凶恶地从腰里拔出了手枪,用铁枪柄在老佩萨赫的头上使劲敲了一下,老头子一声不响地倒下去了。

同时,房里的丽娃正在哀叫。

他们把疯狂了的托依芭拖到街上去。哀叫和求救的声音在街心震荡着。

房里的喊叫声停止了。

帕利亚内查由房里走出来。他看也不看萨洛梅加一眼。这时萨洛梅加的一只手正按住门的把手,预备推门进去。他拦住他说:

“别进去了,她已经完了:我用枕头把她闷得太厉害了。”说着他就跨过老头子佩萨赫的尸首,踏进一摊浓稠的黑血里。

“一开头就不顺利,”他咬牙切齿地说,朝街上走去。

其余的人们默默地跟着他。他们的脚在地板和楼梯上留下了血印。

这时全镇到处乱杀乱抢。匪帮与匪帮之间为分赃不均不断发生野兽般的斯杀,到处有徒手的格斗,到处有军刀在挥舞。

他们从酒厂里滚出一桶桶的啤酒。

随后又挨家去抢劫。

任何人也没有反抗。他们找遍那些矮小的房子的每个阴暗的角落,然后满载而去,留下的只是一堆堆破旧的衣裳、撕裂了的枕头和靠垫的绒毛。第一天只有两个牺牲者——丽娃和她的父亲,但是那天的黑夜却带来了难以逃避的死亡。

在天黑之前,这一群野兽已经喝得酩酊大醉。兽性发作的彼得留拉匪徒们就在等着天黑了。

黑夜里他们的手可以不受拘束。在黑暗里他们更便于杀人。就是豺狼也喜欢黑夜,豺狼也专门伤害不能逃脱的人。

许多人永远不能忘记这可怕的三天两夜。无数的生命被杀戮和毁灭了,无数青年的头发在这血腥的日子里变白了,无数的眼泪流掉了,而那些幸存的人们,在忍受了无可洗刷的羞耻与侮辱,忍受了难以形容的心痛和失去了亲人的悲哀之后,又有谁能说他们是比死者幸福些呢?一些受尽折磨的少女的蜷缩的尸体,痉挛地向后伸着双手,毫无知觉地躺在许多小胡同里。

只有在小河旁边,当这些豺狼闯进了铁匠纳乌姆的小屋里,企图对他的年轻的妻子萨拉施行强暴的时候,才遭遇了猛烈的抵抗。这身体强健的二十四岁的铁匠,充溢着壮年的精力,用他那双钢铁般的胳膊,誓死卫护着他的妻子。

在他那小屋子里的一场凶猛而短促的格斗中,有两个匪徒的脑袋像烂西瓜一样地碎了。怒火燃烧的纳乌姆是可怕的,他狂怒地保卫着他和他妻子两个人的生命。于是,那些感到危险的戈卢勃匪徒们,都逃避到河岸的附近,在那里射击了很长时间。纳乌姆的子弹将要用完的时候,他用最后一颗子弹打死了他的妻子萨拉,然后端着刺刀,预备冲出去和敌人拚命。但是刚刚走下屋外的第一级石阶,他那沉重的身体就被雨点儿一样的枪弹射倒在地上了。

在镇上出现了一些由附近乡下来的、身体结实的农民,他们一个个都骑着高头大马,拉着一车车他们心爱的东西,由他们在戈卢勃部队里的儿子或亲属们护送着,三番两次地把赃物运回他们的老家去。

谢廖沙和他的父亲已经把一半的印刷工人藏在他们的暗楼上和地窖里。他经过菜园回家的时候,看见一个人沿着公路奔跑。

这是一个老犹太人,穿着一件满是补钉的长衫,没戴帽子,吓得面无人色,一边跑,一边喘息着,绝望地挥着手。他后面一个骑着灰马的彼得留拉兵士,很快就追上他,正弯着身子要砍那个老犹太人。那老人听到马蹄声已经迫近,就举起双手,仿佛这样就可以保卫自己似的。谢廖沙马上冲到路上,跳到马前,用自己的身体掩护着那个老人,大声吆喝说:

"狗杂种,强盗,你敢动他!"

骑在马上的彼得留拉匪徒并不打算收住他的军刀,他俯着身子顺势在这少年人的长着淡黄色头发的头上削了一刀。

5

红军猛烈地压迫着哥萨克大头目彼得留拉的部队,因此戈卢勃的联队也被调上了火线。镇上只留下司令部和少数的后方警备队。

人们开始活动了。犹太居民利用这暂时的安静,掩埋了死者的尸体,而犹太人住区的那些矮小的屋子里,又现出了生机。

每天一到夜静的时候,远处就传来一阵阵隐约的轰隆声——战斗就在不远的地方进行。

铁路工人成群离开车站，到各乡去找寻工作。

中学校已经关门。

镇上宣布了戒严。

这是一个漆黑的、阴沉的夜。

在这样的夜里，不管你眼睛睁得多么大，依然是什么也看不见。人们都是盲目地摸索着走路，随时都有跌入壕沟、把头摔破的危险。

小市民都知道：在这样的夜晚，最好是坐在家里，千万别点灯。屋子里最好是黑洞洞的，越黑越安全，因为灯光会招来讨厌的人。当然，还有那么一些人，他们从来不肯老老实实呆着。那就让他们冒险到处走吧，这与小市民不相干。小市民自己是决计不会冒险外出的，无论如何，决不会出去的。

就在这样的一个黑夜里，有一个人正独自向前走着。

他走到柯察金家，小心地敲着窗框，没有人答应，他就又敲了敲，比头一次更响、更坚决。

这时候保尔正在做梦：他梦见一个完全不像人的怪物用一挺机枪对着他；他很想逃跑，又无路可逃，机枪已经发出了一种可怕的响声。

坚决的敲击把窗玻璃震得直响。

保尔跳下床来，走到窗边，竭力想辨认出敲窗子的人是谁，但是只能看见一个模糊的黑暗的轮廓。

家里只有他一个人。他的母亲到他姐姐的家里去了——他的姐夫是糖厂的机务员。阿尔焦姆在邻近一个乡村里当铁匠，靠着抡铁锤过活。

敲窗子的一定是阿尔焦姆。

保尔决定打开窗子。

“谁呀?”他向着黑暗问道。

窗外那个人影晃动一下,用低沉的声音回答:

“是我,朱赫来。”

接着,朱赫来双手往窗台上一撑,他的头就升得和保尔的脸一般高了。他悄悄地说:

“我到你这里借住一宿,小弟弟,你让我进来吗?”

“当然,这还用得着问吗?”保尔十分亲切地回答,“你就从窗口爬进来吧。”

朱赫来的笨重的身子从窗口挤了进去。

他顺手把窗户关上,但他不是马上就离开窗子。

他在窗户旁边站着,倾听着外面的动静。这时候月亮恰好从云层里钻出来,把路上照亮了。他小心地观察了路上的情形,然后转过身来,对保尔说:

“我们会不会吵醒你母亲?她睡了吧?”

保尔告诉他,家里只有他一个人。这样,朱赫来就更放心了,他说话的声音也稍稍提高了一些。

“小弟弟,那些吃人的野兽现在正在追我。他们查究车站最近发生的事件。本来,要是大家能团结得更紧些,我们准可以在虐杀犹太人的时候好好和那些‘灰老鼠’干一下。但是你知道,人们还没有战斗的决心,所以干不起来。现在他们正紧盯着我,他们已经搜捕我两次。今天我几乎遭了毒手。我正回家,自然,是打后门走的。我站在板棚旁边一瞧:园子里站着一个人,身子紧贴树干,可是刺刀叫他露了马脚。不用说,我马上转身就跑。现在我就带着这双泥脚到你这儿来了。我想在你这里抛锚,住上几天。你不反对吧?呵,那好极了。”

朱赫来坐下去,一边喘气,一边脱下那双沾满污泥的长统靴子。

朱赫来的到来使保尔十分高兴。最近发电厂已经停工，保尔一个人在这冷清清的屋子里觉得很无聊。

两个人都上床了。保尔马上就睡着了，可是朱赫来却抽了好久的烟。接着他又从床上起来，光着脚轻轻地走到窗边，朝街上看了很久才上床。他十分疲乏，马上睡熟了。他的一只手搁在枕头下面，按住那支沉重的手枪，把枪柄焐得暖暖的。

朱赫来意外的夜访以及两个人八天来的共同生活，给了保尔极大的影响。他初次从水兵朱赫来口中听到了那样多新鲜的、重要的和令人激动的话。这几天对这个年轻的火伕的一生有着决定的意义。

这个水兵两次遇险，现在像被关在笼子里的野兽一样，暂时呆在这儿。他利用这迫不得已的休息时间，把他对压迫着乌克兰的“黄蓝旗军队”的火一般的愤怒和憎恨，完全传给了如饥似渴地倾听着他每一句话的保尔。

朱赫来用简明的话语说得非常生动易懂。一切他都清清楚楚。他对自己所走的道路是十分明确的，于是保尔也开始从他那里懂得了一大堆名字很好听的党派：社会革命党、社会民主党、波兰社会党，——所有这些全都是工人阶级的死敌；只有布尔什维克党才是不屈不挠的、跟所有财主作顽强斗争的革命政党。

以前保尔总是给这些名字弄得糊里糊涂。

这波罗的海舰队的健壮水兵，这壮实、坚定、久经海洋风暴的、自一九一五年就加入俄罗斯社会民主工党(布)的老布尔什维克费奥多尔·朱赫来，对这青年火伕讲述着残酷的生活的真理。这青年火伕也用迷醉的眼睛紧紧地盯着他。

“呵，小弟弟，我小时候也跟你一样。”朱赫来说。“我生来就有一种反抗的劲头儿，只是不知道把浑身的力气往哪儿施展。我家里很穷。有时候，我一看到老爷们那些养得又白又胖的孩子，我就恨他们。我时常不留情地把他们揍一顿，可是除了换来父亲一顿狠打以外没有别的好处。单枪匹马去斗争，是不能改变现状的。保尔，你满可以成为一个献身工人阶级事业的优秀战士，一切条件你都有，只是年纪还轻，而且对阶级斗争的意义还不大明了。现在，小弟弟，我愿意引你走上正路，因为我知道你是有出息的。那些苟且偷生的家伙我实在看不惯。现在整个世界都着了火。奴隶们造反了，他们要把旧社会推翻。但是，为了这个，需要的是一伙勇敢的弟兄，而不是娇生惯养的宝贝蛋儿；需要的是能够坚决斗争的顽强战士，而不是那种遇到打仗就像蟑螂见到阳光马上就钻缝儿的胆小鬼。"

他握紧拳头使劲地捶了一下桌子。

朱赫来站起来，双手插进口袋里，皱着眉头在屋里来回地踱着。

他闲得太难受了。他很后悔留在这个小镇里。他认为再呆下去没有好处，所以毅然决定穿过战线去找红军部队。

他决定把九个党员组成的一个小组留在镇上，继续进行工作。

"这里没有我，工作也可以继续进行的，我再也不能无所事事，在这儿闲呆了。我已经这样浪费了十个月的时间，这就够了。"他生气地想着。

"费奥多尔，你究竟是干什么的？"有一次，保尔突然问他。

朱赫来站起来，双手插进口袋里。他一时不明白这问话的意思。

"难道你还不知道我是干什么的吗？"

"我想你是一个布尔什维克，或者是一个共产党员。"保尔小声回答说。

朱赫来哈哈大笑起来,逗笑似地拍了一下他那宽宽的紧箍着白底蓝条水手内衣的胸脯,对他说:

“小弟弟,这是明摆着的。这个事实,就像布尔什维克和共产党员是一回事一样地明显。”接着,他突然非常认真地说:“你既然懂得了这么多,那就要记住——除非你想叫他们杀死我,要不,这件事就千万不要对任何人提起。知道吗?”

“我知道。”保尔坚决地回答。

他们骤然听到外面一阵人声,还没有听见敲门,门已经开了。朱赫来慌忙把手伸到袋里,但是又立刻抽了出来。进来的是谢廖沙,他瘦了一点,脸色苍白,头上缠着绷带。跟着进来的是瓦莉亚和克利姆卡。

“小鬼,你好吗?”谢廖沙握住保尔的手,微笑着说。“我们三个一道来看你。瓦莉亚不让我独自来,她不放心;克利姆卡又不让瓦莉亚独自来,因为他也不放心。他虽然是个‘红头发的人’①,至少还懂得什么人独自到哪儿去是危险的。”

瓦莉亚笑着,用手掩住他的嘴说:

“你真爱胡说。他今天一直捉弄克利姆卡。”

克利姆卡也和蔼地笑着,露出一排白牙。

“我们应当原谅病人。他脑袋上挨了一刀,还是这么爱瞎说。”

大家都笑了。

谢廖沙因为伤口没有完全复原,就躺在保尔的床上。接着朋友们就热烈地谈起来。谢廖沙以前不论在什么时候总是很愉

---

① “红头发的人”,是马戏团小丑的代称,常用它来讽刺傻头傻脑的人,因为克利姆卡的头发是红色的,所以才这样来挖苦他。

快的，今天却显得沉静、忧郁。他把彼得留拉匪兵砍他的经过告诉了朱赫来。

朱赫来认得所有这三个来找保尔的人。他时常到谢廖沙家里去。他很喜欢这些少年，虽然他们还没有在斗争的漩涡中找到他们的道路，但已经表现出自己的阶级意志。他有兴趣地倾听着这几个年轻人讲述他们每个人怎样帮助犹太人，把他们藏在自己家里，救了他们的性命。那天傍晚，他给他们讲了许多关于布尔什维克和列宁的话，帮助他们进一步认识当前发生的事情。

保尔把这些小客人送走的时候，天已经很晚了。

朱赫来每天总是黄昏出去，深夜才回来。在出发之前，他忙着给那些留在本镇的党员布置他们应做的工作。

有一天晚上他一去就没有回来。第二天早上保尔醒来，看到的是一张空床。

他有一种模糊的预感，慌忙穿衣出门。他把房门锁上，把钥匙放在约定的地方，立刻去找克利姆卡，希望从他那里打听到一点关于朱赫来的消息。克利姆卡的母亲是一个矮胖、宽脸盘的妇人，满脸麻子，正在洗衣服。当保尔问她知道不知道朱赫来在什么地方的时候，她不满意地回答说：

"怎么，好像我别的事情都不用做，只管看着你们的朱赫来似的？为了他这家伙，佐祖利哈的家里已经给人翻了个一塌糊涂。我问你：你找他干什么？你们在一起干些什么？真是一队好伙伴：克利姆卡，你……"她说着，狠狠地搓洗她的衣服。

克利姆卡的母亲一向就是这样喜欢唠叨。

保尔又到谢廖沙家里，把他担心的事情告诉他。瓦莉亚插嘴说：

"你何必担心呢？也许他是住在朋友们那儿了。"可是她的语气并不怎么自信。

保尔非常不放心，再也不能待在谢廖沙家里，不管他们怎样留他吃中饭，他还是走了。

快到家的时候，他满希望能够看到朱赫来，但是门还是锁着。他呆呆地站在那儿，心情十分沉重。他不想走进那个空屋子。

他在院子里踌躇了好几分钟，接着在一种模模糊糊的冲动驱使之下，他向板棚走去。他爬到屋顶下面藏手枪的地方，拨开蜘蛛网，把那支沉重的、用破布包着的手枪取了出来。

他离开板棚，感到袋里的手枪沉甸甸的，就朝车站走去。

他还是得不到关于朱赫来的消息。在回来的路上，走过那熟识的林务官的花园的时候，他放慢了脚步。他怀着一种自己也不明白的希望，瞧着那屋子的各个窗户。可是屋子里和花园里都没有人。走过去之后，他还回头望一望那花园里的小径，它们仍然深深地淹没在去年的枯叶下面，现出荒凉失修的景象。显然，那位关心花草的主人的手已经好久没有动过它们了。这高大的老屋的冷落无人，更使他感到分外惆怅。

他和冬妮亚最后一次闹别扭比以往哪一次都厉害。这是大约一个月以前偶然发生的。

保尔的手深深地插进口袋里，一面慢慢地往镇上走，一面回想着他们争吵的经过。

有一天，他们两个偶然在街上见到了，冬妮亚就请他到她家去玩。她对他说：

“爸和妈都上鲍利尚斯基家参加命名礼去了，只留下我一个人在家。保尔，亲爱的，到我家里来吧。咱们可以一起读列奥尼德·安德列耶夫那本非常有趣的小说《萨士卡·日古廖夫》。我已经读了一遍，但是很想同你再读一遍。咱们可以有一个很愉快的傍晚。你愿意来吗？”

她那密密的栗色头发上戴着一顶小白帽，帽子下面那对大眼睛现出期待的神情看着保尔。他回答说：

“我一定来。”

他们分手了。

他慌忙回到机器房，一想到他可以跟冬妮亚一块儿过整整一个傍晚，炉火就显得格外旺，木头也发出了更愉快的爆裂声。

那天黄昏，他敲着那宽大的正门，出来开门的是冬妮亚。她稍稍现出了狼狈的样子，对他说：

“我还来了几个客人，我没有料到他们今天晚上会来，保尔，亲爱的，但你用不着走。”

他回身就想走，但是她拉住他的袖子，说：

“来吧，保尔，让他们也认识认识你，这对他们是有好处的。”说着她就用一只胳膊挽住他，穿过饭厅走到她的房里去。

一进屋，她就笑着对那几个青年人说：

“你们见过面吗？这位是我的朋友保尔·柯察金。”

有三个人正坐在房子中央的小桌子旁边：一个是莉莎·苏哈尔科，她是个肤色浅黑的好看的少女，长着一张调皮的小嘴，虽然她是女学生，头发却梳成很风骚的式样；一个是保尔没见过的又瘦又高的小伙子，一双灰色的眼睛，一副倦怠的表情，穿着整齐的黑上衣，头发梳得十分考究，服服贴贴地闪着生发油的亮光；坐在这两个人中间的是穿着非常时髦的中学制服的维克多·列辛斯基。冬妮亚把门推开的时候，保尔一眼就看见了他。

列辛斯基也马上认出了保尔，他惊讶地耸起他那两道像箭似的细眉毛。

保尔一声也不响地在门口站了几秒钟，用仇视的眼光瞪着列辛斯基。冬妮亚连忙打破这难堪的静默，一面请保尔进来，一面转身对莉莎说：

“给你介绍介绍吧。”

莉莎正在好奇地打量着保尔，立刻就站起身来。

保尔一个急转身，大步穿过半暗的饭厅，向门口走去。他走到台阶的时候，冬妮亚才赶上他，一把抓住他的肩膀，激动地说：

“你为什么要走？我是有意叫他们同你认识认识呀。”

但他把她的手从肩膀上推开，很不客气地回答说：

“用不着拿我在这些讨厌的家伙面前展览，我和他们是合不来的。也许你喜欢他们，可是我恨他们。我不知道你跟他们是朋友，早知这样，我决不到你这儿来。”

冬妮亚压住气，打断他的话头：

“你凭什么跟我这样子说话？我从来就不问你和谁交朋友，或者谁到你家里去。”

保尔走下花园的石阶，一边走一边斩钉截铁地说：

“那就叫他们上这儿来吧，我可不再来了。”说着他就向栅栏门跑去。

从那时候起，他们俩就一直没有再见面。在屠杀犹太人期间，他和在一道工作的电工忙着把避难的犹太人家属藏在发电厂里，把这次的口角完全忘掉了。但是今天他又很想和她见面。

朱赫来失踪了，他今后在家准要感到孤独，一想到这儿，他就怅惘起来。在春雨之后，公路上到处是泥泞，车辙里还积满褐色的泥浆。公路像一条狭长的灰色的带子朝右边拐了过去。

紧靠路边有一座颓毁的房子，墙面已经剥落，像长着疥癣一般，大路就在这所房子后面分岔。

在岔路口那座门窗破坏、一块“出售矿泉水”招牌倒挂着的小商亭旁边，维克多·列辛斯基正和莉莎告别。

他紧握住她的手，满怀情意地盯着她的眼睛说：

“您一定要来呵，您不会骗我吧？”

莉莎卖弄风情地回答说：

“我一定来，一定。请您等我好了。”

临走的时候，她又用那对懒洋洋的脉脉含情的褐色眼睛对他微微一笑。

她走了十几步，看见从路的拐角走出两个人来。前面走的是一个强壮的胸脯宽阔的工人，上衣敞开，里面穿着一件白底蓝条的紧身衬衫，黑色的帽子低低地盖在额上，一只眼睛又青又肿。

这工人穿着一双短筒黄皮靴，迈着沉重的脚步，腿稍微有点弯曲。

在他后面三步远的光景，是一个彼得留拉匪兵，穿着灰军服，两盒子弹挂在腰边，手里端着上好了刺刀的步枪，刀尖儿几乎碰到了那工人的后背。

在他那羊皮帽下面，一对眯缝着的眼睛警惕地盯着那被捕者的后脑勺。他那给香烟熏黄了的小胡子翘向两边。

莉莎稍微放慢了脚步，走到公路的另一边去。在她后面的保尔这时已经走到大路上来了。

当他向右转弯朝家走的时候，他也看到了那两个人。

他的两只脚马上像钉在地上一样不动了：他立刻认出了前面那个人正是朱赫来。

“原来他就因为这个才没有回家呵！”

朱赫来越走越近了。保尔的心狂跳起来。各种念头一个接着一个地涌上心头，一时茫无头绪。时间太仓促，拿不定主意。可是有一点是明显的：朱赫来这下子完了。

保尔注视着走过来的朱赫来和那个士兵，心里非常乱，想不出主意。

“怎么办呢?”

在最后一分钟,他骤然想起了他衣袋里的手枪。等他们从他身边走过的时候,他就对准那兵士的后背打一枪,这样朱赫来就可以得救了!这刹那间的决定立刻止住了他混乱的思潮。他紧紧地咬着牙,咬得发疼。不是就在昨天朱赫来还对他说过的吗:“为了这个,需要的是一伙勇敢的弟兄……”

保尔很快地回头看一看。往镇上去的路上空无一人。前面有一个穿着春季短外套的女人独自走着,她大概不会碍事。在十字路侧面的那一条路,他看不见,只有远处通到火车站的那条路上,才有几个行人。

保尔走到公路的一旁。当他们相离只有几步远的时候,朱赫来才看到他。

他用那只没受伤的眼睛看看保尔。他那浓密的眉毛颤动了一下。他一认出保尔,就愣得停住了脚步,因此他的脊背触到了刺刀尖儿。

那个押送兵用刺耳的假嗓子吆喝说:

“走呀,走呀,别叫我用枪托子揍你!”

朱赫来又迈开脚步。他本来想跟保尔说几句话,但是他没有说,只用一只手作了个打招呼的姿势。

保尔生怕引起那个黄胡子押送兵的注意,就转身走向一旁,让朱赫来走过去,好像他对这两个人一点也不注意似的。

但是,他脑袋里又闪出一个叫人不安的念头:“要是我的枪瞄得不准,子弹也许要打中朱赫来……”

但是那个彼得留拉匪兵已经走到他身旁了,这当儿,难道他还能够再想吗?

结果,发生了这样的事情:那留着棕黄色小胡子的押送兵走到保尔跟前的时候，保尔出其不意地向他扑过去，抓住他的枪，使劲地往地下一按。

刺刀刮着石头哧哧地响着。

彼得留拉匪兵没有防备这个突然的攻击，马上吓呆了，可是立刻就拚命往回夺枪。保尔用整个身子压住枪，死也不放手。枪啪的一声响了。子弹打中石头，跳到沟里去了。

朱赫来听见枪声，往旁边一躲，回过头来，看见押送兵正在狂怒地从保尔手里夺回自己的枪。他扳着枪转了个半圈，扭绞着那少年的双手。但是保尔还是紧握住不放。这时候，那个彼得留拉匪兵气昏了，猛一推，把保尔摔在地上。可是他还是不能够把枪夺回来。保尔倒在马路上，顺势也把押送兵拖着跟自己一块倒下去。这时候，无论多么大的力量也不能叫保尔放开手里的枪。

朱赫来两步就跳到他们旁边，挥起他那只铁拳朝那押送兵的脸上打下去。一秒钟后，脸上挨了两下铅块一般沉重的拳击的押送兵，已经放开了躺在地上的保尔，像一条笨重的袋子似的，滚到壕沟里去了。

也就是这双强有力的手臂把保尔从地上扶起来。

维克多·列辛斯基离开岔路口已经一百多步。他用口哨低声吹着流行歌曲——《美人的心，朝三暮四》。他一直沉醉在他这次跟莉莎的会晤和她答应明天到荒废的工场里跟他相会的诺言中。

莉莎在中学里那些专门追逐女性的男学生中间，一向被认为是个在恋爱问题上颇不在乎的女孩子。

有一次，一个叫作谢苗·扎里瓦诺夫的厚脸皮和骄傲自信的小子对维克多说，她已经被他占有了。维克多虽然不十分相信谢苗的话，但是莉莎总是个动人的、有诱惑力的“货色”，因此他打算明天去证实扎里瓦诺夫的话究竟是真是假。

“只要她来了，那我就采取坚决的行动。要知道，她是允许人家吻她的呀。而且要是谢苗真不撒谎……”他的思想被打断了。他闪到路旁，让两个彼得留拉匪兵走过去。其中一个骑着一匹短尾巴的小马，摇着一只帆布的水斗——显然是去饮马。另一个穿着腰上带褶的外套和非常宽大的蓝裤子，一只手放在那骑马人的膝上，正在述说着什么有趣的事情。

维克多让他们走过去，自己正要往前走，但是公路上的枪声使他停下了。他回头一看，那个骑马的人正拉起马缰绳，朝枪响的地方跑去。另一个也握着军刀跟着跑。

维克多也跟着他们跑过去，快跑到公路的时候，他又听到了一声枪响。接着，那个骑马的人从拐角上掉过头来就向他这边跑，一面用脚踢，一面用帆布水斗打着马，一冲进兵营的第一道门，就高声对院子里的人喊道：

“兄弟们，快拿枪去，他们杀死了我们一个弟兄！”

一分钟后，几个人一边咔嚓咔嚓推着枪栓，一边从院子里跑了出去。

维克多被逮捕了。

这时候公路上已经聚集了一群人。维克多和莉莎站在他们的中间，莉莎是给他们抓去作见证的。

当朱赫来和保尔从莉莎身旁跑过的时候，她大吃一惊，呆呆地站在那儿了。她看出那个袭击彼得留拉匪兵的少年不是别人，正是冬妮亚打算介绍给她的那个人。

他们先后跳过了一家花园的围墙。就在这时候，那个骑马的人已经跑到公路上，恰好看见拿着步枪逃走的朱赫来和那个正用力从地上爬起来的押送兵，于是他就策马向围墙那边追去。

朱赫来转过身来朝他放了一枪。那个骑马的人听见枪声，连忙掉头就跑。

押送兵艰难地动着打破了的嘴唇，把他的遭遇说了一遍。

“你这木头，你怎么让犯人当着你的面逃走？这回你的屁股可要吃二十五军棍了！”

押送兵恶狠狠地嘟哝说：

“得了吧，只有你聪明。我让犯人当着我的面逃走！谁知道有一个小混蛋像疯子一样向我扑过来？”

莉莎也被审讯过了。她说的跟那个押送兵一样，可是故意不说出她认得那个袭击押送兵的少年。他们还是被押送到城防司令部，直到晚间城防司令才下令把他们放出来。

那司令提议亲自陪送莉莎回家，但是她拒绝了。他满嘴都是烧酒味，他的提议显然是不怀好意的。

后来维克多陪她回了家。

从司令部到车站去是很远的。当他和莉莎手挽手一路走的时候，维克多心里对这次偶然发生的事情非常满意。

“您知道那个犯人是谁放走的吗？”莉莎在快到家的时候，这样问他。

“不知道，我怎么会知道呢？”

“您记得有一天晚上冬妮亚要给我们介绍的那个少年吗？”

维克多站住了。

“保尔·柯察金？”他吃惊地问。

“是的，他的姓仿佛是柯察金。您记得那天晚上他走的时候是那么古怪？是的，就是他。”

维克多给这话吓住了。

“您没看错吗？”他追问莉莎。

“没有，他的脸相我记得很清楚。”

“那您为什么不告诉司令呢?”

莉莎愤愤地说:

“您以为我会做出这种卑鄙的勾当吗?”

“您说‘卑鄙’是什么意思? 您以为把袭击押送兵的人告诉司令是卑鄙的吗?”

“哦,那么在您看来,这是高尚的了? 您把他们干的那些事都忘记了? 难道您不知道学校里有多少犹太人的孤儿? 您还要我把保尔·柯察金的事告诉他们? 谢谢您,我真没有想到您是这种人。”

维克多没有想到她会这样回答。然而他不想跟莉莎吵嘴,所以竭力把话题岔开。

“别生气,莉莎,”他说。“我只是在跟您开玩笑。我不知道您是这样一个富于高尚情操的人。”

“嗯,您这个玩笑开的很不高明。”她冷淡地回答。

他们走到她家的门口,正要分别的时候,维克多问道:

“莉莎,您一定来吗?”

他听到的是个不肯定的回答:

“说不定。”

在回小镇的路上,维克多心里考虑着:“哼,要是您小姐认为这是不高尚的,我可不那么想。当然,谁放走谁,对我都无所谓……”

在他这个出身波兰名门的贵族看来,两方面都是讨厌的。反正波兰军队不久就要开来,那时候才会有一个真正的政府,一个真正的波兰贵族的政府。但是他现在可以趁这个机会来结果那个小流氓保尔·柯察金。他们——彼得留拉的部队——会把他的脑袋揪下来的。

维克多是一个人留在镇上的。他住在姑母家里。他的姑父是一家糖厂的副经理。他的父亲西吉兹蒙德·列辛斯基早就带着母亲和妮莉到华沙去了，他的父亲在那边担任着显要的职位。

他到了城防司令部，走进了敞开的大门。

过一会儿，他便带着四个彼得留拉匪兵到保尔家去了。

"就是这里。"他指着那个有亮光的窗子轻轻地说，随后便问那个站在他旁边的骑兵少尉："我可以走了吗？"

"请便。"那少尉回答，"别的事情我们自己能办。谢谢您的帮忙。"

维克多迅速地迈开大步顺着人行道走了。

保尔在背上挨了最后一拳，伸着两只胳膊，撞在那黑暗的牢房的墙上。他摸到一张像木板床一样的东西就坐下去。他受尽了折磨，被打得浑身是伤，心情十分沮丧。

他完全没想到他会被捕。"他们怎么会知道是我呢？这是什么道理，压根儿就没有人看到我呀！现在又怎么办呢？朱赫来在哪儿？"

他是在克利姆卡家里和朱赫来分手的。朱赫来要在那里等到天黑才离开小镇。保尔随后就朝谢廖沙家走去。

"哦，好在我早就把手枪放到老鸹窝里去了，"他心里这样想。"要是他们找出它来，那我就什么都完了。可是他们究竟怎么会知道是我呢？"这问题使他感到苦恼和困惑。

彼得留拉匪兵从他家里没有找到什么东西。阿尔焦姆早把他的衣服和手风琴带到乡下去了，他母亲也把她的小箱子带走了，因此不管他们在屋里怎样搜索，结果还是捞不到什么东西。

可是保尔怎么也忘不了他从家里到司令部去时一路上的遭遇。夜是那么黑，什么也看不见，天空裹着云层，左右和后面的拳头、脚尖，不住踢打他，他茫然地、昏昏沉沉地走着。

门外有人声传进来。守卫的兵士就在隔壁的房间里。门的下面透出一条亮光。保尔站起来,顺着墙壁摸索,在房里走了一圈。他在木板床的对面摸到一面安着牢固的齿形铁栏杆的窗子。他用手推了一下——那东西很结实,显然这房子从前是个仓库。

他摸到门边,站在那儿倾听了一会儿。接着他轻轻地按了一下门的把手。讨厌的门吱吱地响起来。

"妈的,没有上过油。"他骂了一句。

他从打开的窄门缝里看见了床沿上搁着两只脚,脚趾分开,长着硬茧。他又握住把手轻轻一推,门一点也不客气地响起来。于是一个头发蓬乱、睡眼惺忪的人从板床上坐起来,一面拚命用五个指头搔着长了虱子的头,一面破口大骂。那懒洋洋的、单调的骂声停止之后,他就伸手去拿放在床头旁边的步枪,慢腾腾地吆喝说:

"把门关上,下次再往外瞧,就打死你……"

保尔把门关上了。从隔壁房间里传来一阵哈哈的笑声。

他在那天夜里,翻来覆去地想了许多事情。他柯察金第一次参加斗争,结果很糟糕。刚一开头,就像老鼠一样给人家捉住,关在铁笼里。

当他坐着,陷入半睡眠状态的时候,他母亲的脸——那瘦瘦的、满是皱纹的脸和两只那么熟识的、慈爱的眼睛——便浮现出来。他心里想:"幸亏她不在家,不然的话,她会多么伤心呵!"

从窗口透进来的光线照在地上,映出一个灰色的方块。

黑暗渐渐退却。曙光已经近了。

6

在那所古老的大房子里,只有一个挂着窗帘的窗子有灯光。锁在院子里的狗特列左尔突然汪汪叫起来。

冬妮亚从半睡中听到了母亲低低的说话声:

“不,她还没有睡。请进来吧,莉莎。”

女友的轻盈的脚步声和那友爱而热烈的拥抱,把她那朦胧的睡意完全赶走了。

冬妮亚现出疲倦的笑容,对她说:

“莉莎,你来得正好:我们家里的人都很高兴——爸爸昨天已过了危险期,今天一整天都是安安静静睡着。妈妈和我好几夜都没有睡觉,今天也歇了一会。呵,莉莎,你讲讲吧,近来外面有些什么新闻?”冬妮亚说着就把她的朋友拉到身边,坐在长沙发上。

“呵,新闻倒有许多!不过有些新闻我只能告诉你一个人。”莉莎笑着,狡猾地看一看冬妮亚的母亲叶卡捷林娜·米哈伊洛夫娜。

冬妮亚的母亲是一个样子很体面的妇人,虽然已经三十六岁了,她的举动还像少女一样活泼。她有一对聪明的灰眼睛和一个虽不算美丽,却叫人喜欢的、精神饱满的面庞。

“好的,再过几分钟我就走开。现在先请你讲一些我们大家都可以听的消息吧。”她开玩笑说,并把自己的椅子移近长沙发。

“第一桩事情就是我们不再上学了。校务会议已经决定发给七年级学生毕业证书。我非常高兴。”莉莎眉飞色舞地说,“那些代数和几何把我烦死了!我们要念这些东西干什么?那些男孩子,也许还能继续求学,但是他们自己也不知道要到哪儿去念书。现在到处都在打仗。真是可怕！……我们将来都是要出嫁的，哪个男人也不要他的妻子懂得代数呵！”莉莎说到这里，大声地笑起来。

冬妮亚的母亲跟她们坐了一会儿，就到她自己的房里去了。

莉莎靠近冬妮亚，双手抱着她，把她在岔路口上遇到的事情小声地从头到尾向冬妮亚叙述了一遍。

“呵，亲爱的冬妮亚，请想想，当我认出那个逃跑的人的时候，我是多么惊讶……你猜猜，那人是谁？”

听得出神的冬妮亚，只是耸了耸肩膀。

“就是保尔·柯察金！”莉莎突然说。

冬妮亚吃了一惊，痛苦地把身体缩作一团。

“是保尔·柯察金？”

莉莎对她的话产生的效果感到很满意，于是她就把她跟维克多吵嘴的情形也叙述了一遍。

她只顾说话，没有注意到冬妮亚的脸色已经变得多么苍白，她那拉扯着蓝色罩衫的手指头抖得多么厉害。莉莎完全不知道冬妮亚是那样揪心，也不知道她那可爱的睫毛为什么那样不住地抖动。

冬妮亚已经完全听不进莉莎讲的那个喝醉的彼得留拉军官的故事了，她只想着：“维克多·列辛斯基已经知道是谁袭击的了。为什么莉莎要告诉他呢？”于是她不知不觉地把这句话说了出来。

“我告诉什么？”莉莎不明白她的意思，这样问她。

“你为什么要把保夫鲁沙[1]，我是说，把柯察金的事情告诉

---

[1] 保夫鲁沙是保尔的爱称。冬妮亚说走了嘴，觉得不好意思，接着改称柯察金。

列辛斯基呢？你要知道他一定会出卖他……”

莉莎不服气，反驳说：

“呵，不，我想他不会的！他为什么要出卖他呢？”

冬妮亚突然挺直身子，双手使劲地抓住膝盖，直到她觉得疼。

“莉莎，你一点儿也不明白！他和柯察金本来就是死对头，何况再加上另一种原因……你把保夫鲁沙的事情告诉了维克多，已经铸成大错了。”

莉莎现在才注意到冬妮亚是那样着急，又因为听到冬妮亚无意间说出“保夫鲁沙”这个称呼，她才弄明白了她一向模模糊糊地猜疑着的事情。

她不由得也认识到自己把事情办错了，就难为情地不做声了。

“呵，原来真有这么回事呵，”她心里想。“多么奇怪，冬妮亚竟会爱上一个——什么人？一个普通的工人……”她本来很想和她谈谈这件事，但是，为了慎重起见，她终于没有把这话说出口。她极力设法补救自己的过错，便握住冬妮亚的两只手说：

“冬妮亚，亲爱的，你非常着急吗？”

冬妮亚心神恍惚地回答说：

“不，也许维克多还不至于像我所想的那么坏。”

不多工夫，她们的同班同学，粗笨而老实的杰米亚诺夫进来了。

直到他进来的时候，她们两个总是谈得不投机。

冬妮亚把两个同学送走了，她独自靠着栅栏门，站了很久，遥望着那阴暗的、通到镇上去的道路。风，那永不停息的风，带着春天湿土的霉味和潮湿的冷气，朝她吹来。在远处，小镇郊外许多人家的窗户正闪着惨红的灯光。她所憎恨的那个市镇，就在那儿。在那镇上,在某一座屋顶之下,她那个不安生的朋友,还不知道大难已经临头。也许他早已忘记了她。自从他们最末一次见面之后,到现在已经过了多少天了呵! 那时候,是他不对,但是她早已把那件事忘记了。明天她再看到他,那旧日的友谊,那如此可爱又如此叫人激动的友谊,就会恢复过来的。一定会恢复过来的,这是冬妮亚所深信的。但愿这一夜平安无事。然而,这不祥的黑夜,好像孕藏着灾难,准备随时对他……好冷呵。

冬妮亚最后又向大路看了一眼,就走进屋子。在床上,她裹着被子,临睡还在想着——但愿这一夜能平安无事! ……

第二天清早,家里的人还在睡觉,冬妮亚就已经醒了。她急忙起身穿好衣服,不惊动别人,悄悄走到院子里,放开那条个子大、毛又多的狗——特列左尔,带着它一起向镇上走去。到了柯察金家的前面,她犹豫不决地站了一分钟。接着她就推开栅栏门,走进院子。特列左尔摇着尾巴,走在她的前头……

这天早晨阿尔焦姆也从乡下回来了。他是跟一个铁匠师傅坐大车一道来的。他用肩膀扛着他挣来的一袋面粉走进院子,那个铁匠拿着其他的东西,跟在他后边。他走到开着的门口,把那袋面粉从肩上卸下来,喊道:

"保尔!"

但是没有人答应。

"拿到屋里去吧,你在这儿做什么!"那个铁匠走过来说。

阿尔焦姆把东西放在厨房,然后走进屋里——这一下他可吓呆了,房子里一塌糊涂,破旧的衣服凌乱地抛在地板上。

"这是怎么回事呀!"他回头向铁匠惊讶地喊道。

"嗯,实在太乱了,"那铁匠附和着说。

"这个小家伙跑到什么地方去了呢?"阿尔焦姆开始生气了。

但是家里空空洞洞,没有一个人好问。

铁匠把东西放下就走了。

阿尔焦姆跑到院子里,朝四周看了看。

"这究竟是怎么回事呢——大门敞开,保尔又不在。"

他听到了后面有脚步声。他转过身,看见一只毛茸茸的大狗,竖着耳朵站在他面前,还有一个不认识的姑娘正从栅栏门朝屋子走来。

那姑娘上下地打量着阿尔焦姆,轻轻地对他说:

"我要见见保尔·柯察金。"

"我也要找他。鬼晓得他到什么地方去了。我也是刚到,进来一看,房门敞开,他不在。您也是来看他的吗?"他问那个姑娘。

姑娘没有回答,反问他:

"您是他哥哥阿尔焦姆吗?"

"是的,有什么事吗?"

但是姑娘并没有回答他,只是惊惧地望着敞开的房门。她心里想:"为什么我昨天晚上不来呢?难道,难道真会那样吗?……"她心头的负担更沉重了。她问那个一直在惊奇地注视着她的阿尔焦姆:

"您来的时候房门就敞开着,保尔就不在吗?"

"请问您究竟有什么事情要找保尔?"

冬妮亚更靠近他一些,向周围看了一下,然后急促地说:

"我知道的也不十分确切,不过要是保尔不在家的话,那他一定是被捕了。"

"为什么呢?"阿尔焦姆吃了一惊。

"到屋里去谈吧,"冬妮亚说。

阿尔焦姆一句话不说地听着她。她把她所知道的统统都告诉了他之后，他感到万分的失望。

“唉，真糟糕!”他伤心地叨念说，“真想不到会发生这样倒霉的事情……现在我明白屋里为什么会这样乱糟糟的了。这孩子是给鬼迷住了，才会弄出这样的事情来。现在，叫我到什么地方去找他呢？不过，小姐，您到底是谁?”

“我是林务官杜曼诺夫的女儿。我认识保尔。”

“呵——呵——”阿尔焦姆拉长声音说，含义非常模糊。“您瞧，我还带了一袋面粉来给他吃呢，想不到发生了这样的事……”

冬妮亚和阿尔焦姆默默地互相对视着。

“我走了，说不定您会找到他。”临别，冬妮亚低声说。“晚间我再到这里来，听您的消息。”

阿尔焦姆默默地点了点头。

一只由冬眠里醒过来的瘦苍蝇在窗角嗡嗡地飞着。在城防司令的办公室里，一个年轻的农村少女坐在破旧的沙发边儿上，双肘支着膝盖，望着那肮脏的地板出神。

城防司令官嘴角叼着一支纸烟，用一笔花体草字结束了他的书写之后，随后在“谢佩托夫卡城防司令”的印章下面，非常得意地加上一个花体的签名，在字尾任意地挥了一个钩儿。

门口传来了马刺的响声，他抬起头来。

一只手扎着绷带的萨洛梅加站在他的面前。

“什么风把你吹来的呀?”司令官欢迎他。

“是好风吹来的，连胳膊都给鲍贡团[①] 吹断啦。”

---

① 鲍贡团，一九一八年俄国国内战争中一个战功卓著的红军团队。鲍贡是十二世纪乌克兰民族解放斗争的英雄。

萨洛梅加一点也不管旁边还坐着一个女子，就恶狠狠地臭骂起来。

“哦，那么你是到这儿来治伤的，是不是?”

“下辈子才有工夫治伤哩。前线非常吃紧，我们被压得简直连气都透不过来啦。”

司令官朝那女人点一点头，让他不要再说下去。

“我们等会儿再谈吧。”

萨洛梅加一屁股坐在凳子上，摘下带帽徽的军帽，那帽徽是三支交叉的枪——乌克兰民族共和国的国徽。

“戈卢勃派我来的。”他开始低声地说。“谢乔夫狙击师团就要开到这里来了。你这里可要大大地麻烦啦，所以我先到这里来整顿一下。‘大头目’自己也可能要来，并且还有什么外国的大佬们一同来，因此这里的人谁也不许提起那次的‘消遣’。你在写什么?”

司令官把嘴角叼着的纸烟移到嘴角的另一边，说道：

“我这儿押着一个小坏蛋。你知道我们在车站上捉到了那个朱赫来，你记得吗，就是那个煽动铁路工人反抗我们的家伙。”

“哦，哦，怎么样呢?”萨洛梅加兴奋地移近前去。

“咳，车站司令奥麦利钦科那个混蛋只派了一个哥萨克兵押解他到这儿来。就是在我这儿押着的这个小家伙，公然在大白天里拦截了他。他和朱赫来两个人解除了哥萨克兵的武装，打落了他的门牙，然后一道逃跑了。现在朱赫来逃掉了，这个小家伙却落了网。材料都在这里，你看吧。”他把写好的一摞文件推到萨洛梅加面前。

萨洛梅加用完好的左手翻着纸张，很快地看完了，随后就看着司令官的脸，说道：

“你没有得到他的任何口供吗?”

司令官气愤地扯了一下帽檐。

“我已经审问他五天了。他始终不肯招供，只说：‘我一点也不知道，我没有放走他。’真是一个地道的小土匪。你知道，那个哥萨克兵认出了他，差一点把那小坏蛋掐死。我好容易才把他拉开。因为奥麦利钦科给了那哥萨克兵二十五军棍，因此他恨死这个小混蛋。现在没有理由再把他关下去，我正呈请司令部批准我枪毙他。”

萨洛梅加轻蔑地啐了一口，说：

“要是他在我手里，包管他什么都招供。老实说，你这个神父的儿子懂得怎样审问他？一个神学院的学生还能当城防司令？你用通条打过他吗？”

司令官发火了。

“别太放肆，把嘲笑留给你自己吧。我是本地的司令官，请你不要多管闲事。”

萨洛梅加看了看发火的司令官，哈哈大笑起来：“哈哈！……小神父，用不着生那么大的气，不然肚皮会气炸的。我才不管你那些事呢！闲话少说，还是告诉我到哪儿弄两瓶酒喝喝吧！”

“这倒好办。”司令官笑着说。

“至于那小家伙呢，”萨洛梅加指着公事上保尔的名字，“要是你真地想结果他，应该把十六岁改成十八岁。你瞧，需要把6字的钩儿往下面描一下，要不，他们说不定不批准哩。”

在作为囚牢的库房里一共有三个人。一个是留着长胡子、穿着破外套和肥大的麻布裤子的老头子，他蜷着细腿，侧着身子躺在木板床上。他被捕是因为住在他家的一个彼得留拉兵士拴在他的板棚里的一匹马不见了。另一个坐在地板上的，是一个上了年纪的妇人,长着一对细小狡猾的贼眼和一个尖下巴。她是一个造私酒的妇人,因为偷了表和别的贵重东西而被捕的。在窗子底下的角落里,枕着帽子昏昏迷迷地躺着的,是保尔·柯察金。

一个乡下打扮扎着花头巾、睁着一对吃惊的大眼睛的少女被带进库房里来。

她站了一会儿,就在那个造私酒的妇人旁边坐下了。

造私酒的妇人把她仔细打量了一番,很快就问她:

"姑娘,你怎么也坐牢?"

因为没有得到回答,她又追问下去:

"你为什么给抓进来?也许是为了造私酒的事吧?"

那农村姑娘站起来,看了看这固执的老太婆,低声回答说:

"不,我是因为我哥哥被捕的。"

"你哥哥又怎么啦?"老太婆又追问。

睡在床上的老头子插嘴了:

"你为什么要问她呢?也许她心里正很难过,你还一个劲儿问个没完。"

那老太婆立刻转过来,朝木板床那边说:

"谁指派你来教训我?我是跟你说话吗?"

老头子当着她面啐了一口。

"我告诉你别纠缠她!"

库房里安静了。姑娘把大头巾铺在地板上,枕着胳膊躺了下去。

造私酒的妇人开始吃起东西来。老头子把脚垂到地板上,不慌不忙地卷了一支烟,吸起来。一团团浓臭的烟雾弥漫了整个库房。

那老太婆塞了满嘴东西，一面嚼着，一面嘟哝：

“别喷那些臭烟，让我安稳地吃顿饭好不好？一天到晚，就是抽烟。”

老头子挖苦地哈哈笑着说：

“怕饿瘦了吗？再过些时候，怕连那扇门都挤不过去了。该让那个孩子吃一点，别只往自己的肚子里塞。”

老太婆恼怒地把手一摆说：

“我要他吃，是他自己不愿意吃。我的事不用你管。我又不是吃你的份儿。”

姑娘转过脸来对着造私酒的老太婆，又向保尔·柯察金那边点了点头，问道：

“您知道他为什么坐牢吗？”

老太婆一听到有人跟她说话，心里乐起来，高高兴兴地回答说：

“他是本地老妈子柯察金娜的小儿子。”接着她弯下身子，贴着耳朵说：“他放走了一个布尔什维克。那个人是一个水兵，住在我的邻居佐祖利哈家里。”

姑娘想起司令官说的话来——“我正呈请司令部批准我枪毙他。”

兵车一列接着一列开进车站。谢乔夫狙击师的各个部队乱哄哄地从车上跳下来。由四辆包着钢板的车厢组成的装甲列车“扎波罗什哥萨克”号沿着铁轨缓缓地爬着。大炮从敞车上卸下来。马匹从货车上拉下来。骑兵们就地整鞍上马，挤开杂乱的步兵群，朝车站的广场驰去，在那儿集合整队。

军官们来往奔跑，喊着各自部队的番号。

车站上像一窝蜂似地嗡嗡叫。喧嚷和混乱的人群渐渐组成了许多长方形的队伍，于是，一股武装的人的洪流就朝镇上涌去。直到黄昏，还有谢乔夫狙击师的那些辎重马车和随军人员沿着公路朝镇上开去。

最后是司令部的警卫连，那一百二十个喉咙，一边走一边乱七八糟地大声唱着：

为什么喧嚷？
为什么呐喊？
因为彼得留拉
来到了乌克兰……

保尔站起来，走到小窗户跟前。透过黄昏的薄暗，他听到了沿街的车轮的辘辘声、无数沉重的前进的脚步声以及许多人的歌唱声。

他听见身后有人轻轻地说：

“哦，看来军队已经进城了。”

保尔转过身来。

说话的就是昨天被关进来的那个姑娘。

他已经听过她的叙述了，那个造私酒的老太婆终于达到了目的。原来这个女孩子的哥哥格里茨科是一个红色游击队员，村里建立苏维埃政权的时候他作过贫农委员会的主席。

红军撤退的时候，格里茨科也束起机枪子弹带跟着一道撤走了。因此现在全家一刻也不能安宁。她家里仅有的一匹马被牵走了。她的爸爸已经被抓到城里去，在牢里受尽了折磨。村长因为吃过格里茨科的苦头，现在他就故意把各式各样的坏人分配到她家去住，结果把她家弄得一贫如洗。昨天，谢佩托夫卡的司令官到村里去抓人，村长又把他带到她家里去。司令官看中了她，第二天早上就把她带到城里来“审问”。

保尔睡不着，他的心一点也不安宁。他脑子里只有一个无法摆脱的念头：“往后还会怎样呢?”

他的身体被打得到处疼痛。那哥萨克押送兵像野兽一样狠狠打了他。

为了忘掉这些恼人的思想，他开始倾听牢房里两个妇女的小声谈话。

那少女非常小声地述说着司令官怎样要污辱她，怎样威逼她和企图说服她，后来，因为她还是不答应，他气得发疯了。“我把你关进地牢里，”他说，“你一辈子也别想出来。”

黑暗渐渐笼罩了牢房的每个角落。令人窒息的和不宁静的夜又向他们袭来了。思绪又转向了不可预测的明天。这是他入狱的第七夜，可是仿佛过了好几个月似的。他躺在硬地上，疼痛始终不停。现在牢里只有三个人。那老头子正在木板床上睡着，打着呼噜，就像睡在家里的热炕上一样。老头子能够随遇而安，所以他每夜都睡得香甜。造私酒的老太婆被司令官放出去替他们找酒去了。赫里斯季娜和保尔都睡在地板上，简直是肩挨肩地躺着。昨天保尔从窗子里看见谢廖沙在街上站了很久，悲伤地眺望着牢房的窗户。

“显然，他已经知道我在这儿了。”

一连三天都有人送来带酸味的黑面包。是什么人送来的呢，他们没说。两天以来，司令官不断地提审他。

这是怎么回事呢?

拷问的时候他什么也没供出来，一切都否认。他为什么一句话也不肯说，连他自己也不知道。他要做得勇敢，做得倔强，像他在书里看到的那些人一样。可是在把他解到牢房去的那天晚上，夜很深，经过面粉厂的大房子旁边，他听到一个押送兵说：

“司令官为什么要把他拖到这里来？从后面给他一颗子弹——不就完了！”听了这话他真有点怕起来。是呵，十六岁就死，真是太可怕了！一死就永远也不能再活了呵！

赫里斯季娜也在想事情。她比她旁边的那个少年知道得更多。大概，他还不知道……但是她已经听到了。

他每夜总是翻来覆去地睡不着。赫里斯季娜很可怜他，呵，她多么可怜他，但是她又有她自己的苦难——她脑海里老想着司令官那些可怕的话：“明天我再和你算账。要是你再不依我，我就把你交给卫兵们，那些哥萨克兵决不会说不要的。你自己看着办吧。”

呵，想到这些，多么令人难过，从哪里也得不到怜悯！格里茨科跟红军走了，她有什么过错呢？“呵，这年头活在世上是多么艰难呵！”

痛苦哽住了喉咙，无可奈何的绝望和恐怖折磨着她，赫里斯季娜失声哭了起来。

她全身都因为悲愤和绝望而颤抖。

一个身影在墙角里动了一下。

“你这是为什么？”

赫里斯季娜激动地低声讲起来——她把她的悲痛都倾诉给这个沉默的难友了。他一声不响地听着，并把一只手放在赫里斯季娜的手上。

“那些该死的畜生，他们想糟蹋我！”她咽着眼泪，怀着一种模模糊糊的恐惧低声说。“我算完了：刀把子在他们手里呵！”

保尔能对这个少女说些什么呢？他找不到适当的话。没有什么可说的。生活正把他们两个紧箍在一个铁环里。

明天早晨不让他们带走她吗？斗一场吗？那么，他们一定把他打得死去活来，甚至用军刀砍他的头——那也就完结了。

为了多少给这个可怜的痛苦的少女一些安慰，他温柔地抚摸着她的胳膊。她不哭了。门口的哨兵不时向过路的人们喊叫："口令！"随后又沉静了。老头子睡得正香。时间不知不觉地溜过去了。当她的双臂突然紧紧地搂住他，把他拉向她的时候，他开头对这举动还是不理解的。

"你听着，亲爱的，"她那热烈的嘴唇小声地诉说着，"我无论如何是要失身了：要不是那军官，那些大兵也要来污辱我的。我把我这姑娘家的身子给你吧，亲爱的，我给你吧，我不让那个畜生来破坏我的处女身。"

"赫里斯季娜，你说什么？"

但是她的有力的胳膊紧紧地抱住他。她的嘴唇温暖而且丰满，实在难于逃避。那少女的话是简单而温柔的，——他明白这些话是什么意思了。

眼前所有的苦痛全消逝了。他忘记了门上的锁、红头发的哥萨克兵、残酷的司令官、兽性的鞭挞和七个令人窒息的失眠的夜，在这一瞬间只剩下了温暖的嘴唇和眼泪浸湿的脸庞。

突然他想起了冬妮亚。

"怎么竟把她给忘记了呢？……那对美丽的、可爱的眼睛！"

他找到了挣脱的力量。他像喝醉了一样站起来，紧紧地抓住铁窗子。赫里斯季娜双手摸到了他。

"你怎么不来呢？"

这问话含着多么深厚的感情呵！他弯下腰，紧紧握住她的手说：

"赫里斯季娜，我不能这样。你是多么好呵……"他还说了些别的连他自己都不懂的话。

他站直了身子。为了打破那难堪的寂静，他走到木板床旁边，坐在床沿上，推着那老头子说：

"老大爷,请给我口烟抽吧!"

姑娘裹着头巾,坐在角落里痛哭起来。

第二天上午,司令官带着几个哥萨克兵把赫里斯季娜带出去。她用眼睛向保尔告别,眼里含着责备的神情。牢房的门在她背后砰的一声关上了,他的心感到格外沉重和阴暗。

老头子直到天黑也没有从他嘴里引出一句话来。卫兵和司令部的值勤人员都换了班。傍晚时候又带来一个新的犯人。保尔认出他是糖厂的木匠多林尼克。他是一个结实矮胖的人,穿着褪了色的黄衬衫和褴褛的上衣。进来的时候,他用尖锐的目光把牢房察看一遍。

保尔在一九一七年二月里见过他,那时候革命第一次冲击这个市镇。在那许多次喧嚷的示威中,他只听到一个布尔什维克的演说。那个人就是多林尼克。他爬上马路旁边的墙头,向士兵们发表演说。保尔还没有忘记他当时的结束语:

"弟兄们,请始终信赖布尔什维克,他们决不会出卖你们!"

从那以后保尔一直没有见过他。

老头子见到了生人十分高兴。显然,他觉得整天坐着一声不响是很难过的。多林尼克坐在他那木板床的边儿上,跟他一道抽烟,询问他各种事情。

接着他又坐到保尔旁边。

"有什么好消息告诉我吗?"他问。"你是为什么关进来的?"

多林尼克得到的回答是非常简单的,他感觉到保尔不信任他,不愿意多说话。但是当他知道了保尔的罪名之后,他就用他那对机灵的眼睛惊讶地瞪着保尔,然后坐在他身旁。

"这么说,是你把朱赫来放走的,是不是?原来是这样。我还不知道他们已经把你抓住了呢。"

保尔十分惊讶,他用胳膊肘撑起身子来,说:

“你说哪一个朱赫来呀？我什么也不知道。什么罪名都可以硬往我身上安呀。”

多林尼克笑了，更靠近他一些。

“得了吧，小朋友，”他说，“你用不着瞒我。我知道的比你多。”

他的声音很低，为的是不叫老头子听见。他接着说：

“是我亲自把朱赫来送走的。现在，他或许已经到了目的地了。他把全部经过都告诉我了。”

沉默了一会儿，他似乎在想什么事情，接着说：

“你这样做是对的，孩子。但是你要知道，既然被捕了，他们又知道这件事情的经过，这事就棘手。老实说，这事真是糟透了。”

他脱下上衣，铺在地板上，靠着墙根坐下，开始卷另一支纸烟。

他末了所说的那些话，已经等于把所有的事情都告诉了保尔。显然：多林尼克是自己人。既然他送走了朱赫来，这就是说……

黄昏时候，他知道了多林尼克是在彼得留拉士兵中间进行煽动的时候当场被捕的，当时他正在散发省革命委员会号召士兵投诚加入红军的传单。

多林尼克很机警，他告诉保尔的不多。

“谁能说得准？”他心里想。“他们会用通条抽他的。他还年轻。”

晚间，当他们准备睡觉的时候，他用简短的话表达出他的不安来。他说：

“柯察金，你我的处境可以说是糟透了。结果怎样，我们等着瞧吧。”

第二天,牢房里又添了一个新犯人,是全镇闻名的理发匠什廖马·泽利采尔,一个大耳朵细脖子的家伙。他激动地指手画脚地对多林尼克说:

"瞧,是这么回事,福克斯、勃卢夫斯坦、特拉赫坦贝格那些家伙都准备用盐和面包欢迎他呢。我对他们说,要是你们愿意欢迎,那就欢迎好了。但是想叫谁跟他们一起签名,代表全体犹太居民呢?对不起,一个也没有。他们有他们的打算。福克斯有他的商店,特拉赫坦贝格有他的面粉厂,但是我有什么呢?别的犹太穷光蛋又有什么呢?我们这些穷光蛋什么也没有。不过,我倒有一条长舌头。今天,我正给一个军官刮脸,这家伙刚到不久。'请您告诉我,'我问他,'大头目彼得留拉知道不知道上次虐杀犹太人的事件?他会接待犹太代表团吗?'唉,我这长舌头给我惹来了多少麻烦!你猜猜看,当我替那军官刮完了脸,扑完了粉,什么都弄妥贴之后,他怎样对待我?他站起来,不但不给我钱,反而说我煽动反对政府,当场把我逮捕了!"泽利采尔用拳头捶着胸脯,又说:"什么煽动?究竟我说了什么?我只不过向那个人问了一下……他们就把我关了进来……"

泽利采尔十分激动,他说话的时候,不是扭着多林尼克衬衫上的钮扣,就是揪着他这只或那只胳膊。

多林尼克听着气呼呼的泽利采尔的谈话,不由得笑了。等泽利采尔说完,多林尼克很郑重地说:

"唉,什廖马,你是个聪明人,却做出这种糊涂事来。为什么你偏偏在这时候乱扯呢?我觉得你被抓到这儿来,恐怕有点不妙。"

泽利采尔会意地看了他一眼,失望地挥挥手。这时候牢门开了,保尔认得的那个造私酒的老太婆又给推了进来。她狠狠地诅咒那个押她的哥萨克兵:

"喝了我的酒不给钱，还把我关起来，叫你和你们的司令官都不得好死。"

哥萨克兵随手把门砰的一声带上，接着就是下锁的响声。

她坐在木板床上，老头儿开玩笑地说：

"怎么，又回来了吗，长舌头的老太婆？请坐请坐，欢迎欢迎。"

她狠狠地瞅了他一眼，提着包袱走开，坐在多林尼克旁边的地板上。

原来那些兵从她那里弄到几瓶私酿酒之后，又把她押了回来。

突然，他们听见从门外卫兵室里传来了一阵呼喊声和脚步声，一个人高声地发着命令。牢房里所有的犯人都转过头来听着。

在广场上，在那顶上有一座古老钟楼的简陋难看的教堂旁边，正发生着本镇少见的新奇事情。全副武装的谢乔夫狙击师的部队，正列成长方队形从三面把广场围了起来。

前面由教堂的台阶起，后面直到学校的围墙，有三个步兵团列成棋盘式的四方阵形。

彼得留拉"政府"的这个战斗力最强的师团的士兵站在那里，他们穿着肮脏的灰军服，头上戴着可笑的、像是切成两半的西瓜似的俄罗斯钢盔，步枪挨着大腿，身上挂满子弹带。

这个师团穿的是前沙皇陆军剩下的很好的制服和靴子，其中一大半人是顽固地反对苏维埃的富农分子，这次调到谢佩托夫卡来，是为了保护这非常重要的、有战略价值的铁路枢纽。

闪亮的铁轨由这个镇向五个方向伸去。如果彼得留拉失去这个地方，就等于失去了一切。现在他那"政府"所统治的地盘已经很小了。他只好把温尼察那样的小城当作首都。

“大头目”决定亲自检阅各部队。为了迎接他，镇上一切都准备就绪。

新编的一个团被安排在不容易看见的地方——广场最远的一个角落里。这是一些光着脚，穿着各种颜色服装的青年人。他们不是夜里给巡查队从炕上拉来的，就是从街上抓来的。这些青年农民没有一个愿意打仗，全都说：

“谁也不是傻瓜。”

彼得留拉军官们的最大成就，就是用武装把拉来的壮丁押到镇上，再把他们分成中队和大队，并把枪械发给他们。

但是，就在第二天，有三分之一的人已经不见了，后来人数也是一天比一天少。

要是发靴子给他们，那未免太蠢了，而且根本就没有那么多的靴子。于是下了一道命令：要他们都穿好鞋袜参军。这个命令的效果是惊人的。谁知道他们从什么地方收集了那么些破烂鞋子，这些鞋全靠铁丝或麻绳缚在脚上。

这样，只好带他们光着脚来参加阅兵式。

步兵后面横列着戈卢勃的骑兵团。骑兵挡住那密密的好奇的人群。所有的人都想看看阅兵式。

“大头目”本人要来！这样的事情在镇上是少有的，谁也不愿意放过这个免费参观表演的机会。

教堂的台阶上站着一群校官和尉官、神父的两个女儿、一伙乌克兰教师、一伙“自由”哥萨克，和稍微有点驼背的市长——总之，都是代表“上流社会”的人物，而在他们中间，穿着契尔克斯袍子的，是步兵总监。他是阅兵式的指挥官。

在教堂里，瓦西里神父也穿起了复活节穿的法衣。

欢迎彼得留拉的盛大仪式准备好了。蓝黄色的旗帜也升起来了，因为新兵要向它举行效忠宣誓。

师长乘着一辆破旧的、痨病鬼似的福特牌汽车到车站去迎接彼得留拉。

步兵总监把身材很好、留着两撇拈得很考究的小胡子的切尔尼亚克上校叫到身边，对他说：

"带一个人去检查检查城防司令部和后方机关，看看一切是否都清洁整齐。假如有囚犯的话，就查问一下，把不重要的废料统统赶走。"

切尔尼亚克叩着靴后跟敬了个礼，拉着身边一个哥萨克骑兵上尉，一道骑马走了。

步兵总监非常温存地对神父的大女儿说：

"宴席怎么样了？是不是都预备好了？"

"是呀，城防司令官正在那儿照料呢，"她回答，同时向漂亮的步兵总监瞟了一眼。

突然，人们骚动起来了：一个骑马的人伏在马背上，沿着公路飞一般地跑来。他挥着手喊道：

"他们来了！"

"各——就——各——位！"总监大声喊着。

所有的军官都慌忙跑回各自的队伍去。

当那辆福特牌汽车在教堂的正门口喘息的时候，军乐队开始奏起《乌克兰仍活在人间》来。

大头目彼得留拉本人在师长后面，呆头呆脑地走下车来。他中等身材，一个有棱角的大脑袋牢实地栽在紫红的脖子上，穿着头等蓝呢料子做的近卫军的上衣，束着黄色的皮带，佩着一支精巧的、藏在软皮套里的勃朗宁手枪，头上戴的军帽嵌着一只三叉枪的帽徽。

西蒙·彼得留拉完全不像个军人，他连一点儿威武的气概也没有。

他听着步兵总监简短的报告，不知为什么现出了不满的神情。接着是市长对他致欢迎词。

彼得留拉一边心不在焉地听着，一边从市长的头上望过去，眺望着排列好的队伍。

“我们开始检阅吧。”他对总监点着头说。

他走上那旁边竖着军旗的小检阅台，向士兵作了十分钟的演说。

这演说没有一点儿说服力，他一直提不起精神来，显然他在路上累乏了。演说结束的时候，士兵们就按照事先安排好那样齐声喊着：“万岁！万岁！”接着他走下检阅台，用手巾揩去前额的汗珠，在总监和师长陪伴之下，开始检阅各个部队。

走过新兵队伍的时候，他气愤地咬着嘴唇，轻蔑地皱着眉头。

检阅快要结束的时候，新兵参差不齐地一排跟着一排向旗子走去。旗子旁边站着瓦西里神父，手里拿着一本圣经。新兵们先吻了圣经，接着又吻了旗子的一角。就在这时候，突然发生一桩意外的事情。

谁也不知道怎么会有一个请愿团挤到广场上来，走到彼得留拉面前。富有的木材商人勃卢夫斯坦走在代表团的前头，按照惯例，双手捧着一盘面包和食盐（这是款待的象征），跟在他后面的，是杂货商人福克斯和别的三个富商。

勃卢夫斯坦像奴仆一样地弯着腰，把面包和食盐献给彼得留拉。站在彼得留拉旁边的一个军官代他收起了这些献物。于是勃卢夫斯坦说：

“敝镇的犹太居民，对阁下，国家的元首，表示深切的感激和敬意。请阁下接受这份犹太人签名的祝贺书。”

“好的，”彼得留拉草草地看着祝贺书，哼了一声。

这时候福克斯说话了。

“我们极其恭顺地请求阁下，准我们开店营业，并保护我们犹太人不受迫害。”福克斯吃力地挤出这难以说出口的话来。

彼得留拉恶狠狠地皱着眉头回答说：

“我的部下不会迫害犹太人。这一点你要好好记住。”

福克斯双手一摆，做了个绝望的姿势。

彼得留拉生气地耸了耸肩膀。请愿团恰恰在这个时候出场，叫他非常生气。他转过身来，戈卢勃正站在他的后面咬着他的小黑胡子。

“上校，这些人正在控诉你的哥萨克兵。请你调查一下，给以适当的处置，”彼得留拉说。接着他又转向总监，命令说：“阅兵式开始。”

倒霉的请愿团全没有料到会碰上戈卢勃，他们赶快溜走了。

现在观众的全副精神都贯注到检阅的部署上面了。尖锐刺耳的口令声到处响着。

戈卢勃赶上勃卢夫斯坦，脸色非常镇静，但是恶狠狠地、清清楚楚地低声对他说：

“赶快给我滚开，你们这些该死的异教徒，要不，我就把你们剁成肉酱。”

军乐响了，第一批部队开始通过广场。士兵们一走到彼得留拉站着的地方，就一齐机械地高呼“万岁！”然后沿着公路转到侧面的街道上去。在各中队的前头，是穿着崭新的茶色军服、像在散步时一样手里摆弄着手杖随便走着的军官们。这种军官们摆弄着手杖和士兵们持着步枪通条行进的派头，都是谢乔夫狙击师的部队首先兴下的。

最后是那些才抓来的新兵，他们乱挤乱碰地走着。

他们的光足发出柔软的沙沙的脚步声，军官们尽力使他们保持秩序，但是办不到。当第二中队走近的时候，右翼排头的一个穿麻布衬衫的小伙子，只顾出神地张着嘴巴看"'大头目'"，不提防，一脚踩进泥坑里，扑通一声摔倒在公路上。

步枪摔在石头上，哗啦啦地滚出好远。他拚命想爬起来，但是后面的人立刻又把他撞倒了。

观众哈哈大笑起来。队伍混乱了。士兵们乱七八糟地通过了广场。那倒霉的小伙子急忙捡起步枪，赶上自己的队伍。

彼得留拉转过身去，不愿意看这不愉快的表演。他没有等到队伍过完，就向汽车走去。总监跟在他后头，小心地问道：

"长官阁下，不留在这儿吃午饭吗？"

"不！"彼得留拉愤愤地说。

谢廖沙、瓦莉亚和克利姆卡也杂在人群里，站在高高的教堂围墙后面瞧热闹。

谢廖沙两手紧紧地抓住铁栏杆，用充满憎恨的眼睛眺望着下边的士兵们。

过了一会儿他离开栏杆，故意用一种挑衅的语调，同时提高嗓门叫别人都能听到的对瓦莉亚喊道：

"我们走吧，瓦莉亚，这杂货店快关门了！"

别的人都惊奇地转过脸去看他，但是他毫不理睬，只管朝栅栏走去，瓦莉亚和克利姆卡也跟着他走了。

切尔尼亚克上校和那个哥萨克上尉副官飞马到了城防司令部门前，跳下马，把马交给一个勤务兵，大步走进了卫兵室。

切尔尼亚克厉声问一个卫兵：

"司令官在哪儿？"

"不知道，他出去了，"卫兵结结巴巴地回答。

切尔尼亚克看了看那肮脏的、从来没打扫过的卫兵室。所有的床上都是一塌糊涂，那些守卫的哥萨克兵随便躺在上面，甚至连长官进去也不想站起来。

“你们这叫作什么呀？这儿简直是猪圈！”切尔尼亚克咆哮着说。“你们为什么像一群猪崽似地躺着？”他说着就朝那些躺着的人走去。

有一个卫兵坐起来，打了一个饱嗝，然后不客气地对他吼道：

“你到这儿来吼叫什么？我们这儿也有自己的长官呵！”

“你说什么？”切尔尼亚克向前抢进一步。“你知道你在跟谁说话吗，畜生？我是切尔尼亚克上校，听见过没有？你这狗养的。马上给我爬起来，要不，我就打你们一顿棍子，”大发雷霆的切尔尼亚克在卫兵室来回走着。“马上把脏东西都给我打扫干净，床铺也要整理好，还要把你们的那些鬼脸也收拾得像个人样子。你们说，你们像什么样子？你们哪里还是哥萨克兵，简直是一群土匪。”

他的脾气是发不完的。他发疯似的一脚把摆在过道上的一只脏水桶踢翻。

那副官也不比他落后，不住嘴地臭骂那些卫兵，同时又不停地挥动着他那条三根皮带的马鞭，把那些懒虫一齐赶下床。

“‘大头目’正在检阅，他也许要上这儿来。赶快起来，把一切都收拾好！”

那些哥萨克兵看出事态很严重，说不定真地要挨鞭子——他们全都知道切尔尼亚克这名字，大伙就像发疯一样东冲西撞，拚命打扫。

他们起劲地干起来了。

“我们还应当去看一看那些囚犯，”副官提议说，“谁知道他们这里关了些什么人。要是‘大头目’看见，可就糟糕了。”

切尔尼亚克问卫兵说：“钥匙在谁那里？马上把门打开。”

班长急忙走上去，把门打开。

“司令官究竟在什么地方？难道我能老在这儿等他吗？马上去找他，叫他到这儿来，”切尔尼亚克命令说。“叫卫兵在院子里站队……步枪为什么不上刺刀？”

“我们是昨天才换班的，”班长解释说。随后他就冲到门外找司令官去了。

副官踢开牢房的门。里面有几个人站起来，其余的仍然躺着。

“把门全打开，”切尔尼亚克命令说。“这儿太黑了。”

他仔细看着囚犯们的脸。

“你是为什么给抓来的？”他厉声问那个坐在木板床上的老头子。

老头儿扯着裤子站起来，他给这严厉的喊声吓得昏头昏脑，讷讷地说：

“我自己也不知道。他们把我关在这里，我就呆着吧。有一匹马在我的院子里丢了，可是那并不是我的过错呀。”

“谁的马呢？”副官插嘴问。

“是公家的马呀。住在我家里的那些人把它换了钱买酒喝了，却把罪名加在我头上。”

切尔尼亚克迅速地从头到脚地把那老头子打量了一番，不耐烦地耸了耸肩膀。

“收拾你的东西，赶快给我滚出去！”他喊道，同时转向那个造私酒的老太婆。

那老头子一下子还不相信真地放他出去，就眯着那对半瞎的眼睛，问那副官：

“那么,我真地可以走了吗?”

副官点了点头:“是的,赶快滚出去,越快越好。”

老头子慌忙由木板床上拿起他的袋子,侧着身子跑出门去。

“你是为什么被捕的呢?”切尔尼亚克问那个老太婆。

老太婆连忙把嘴里的肉饼子吞下去,罗哩罗嗦地说:

“老爷,我被关起来可真冤枉。听我说,老爷,我是一个寡妇,他们喝了我自己造的酒,随后还把我押到这儿来。”

“哦,你是卖私酒的吗?”切尔尼亚克问。

“老爷,你把这叫做买卖吗?”那老太婆气愤了。“他,司令官,拿了我四瓶酒,连半个铜板也没有给我。他们全都这样,喝我的酒不给钱。你说这是什么买卖呀?”

切尔尼亚克拦住她说:“够了,够了,滚出去吧。”

老太婆没有等第二次再发命令,就抓起篮子,向他深深地鞠了一躬,一面向门口退,一面说:

“好老爷,祝你长寿百岁!”

多林尼克瞪着眼睛看着这出喜剧。囚犯们谁也不明白这是怎么一回事。但是有一点他们是明白的——新来的这些人都是大官儿,他们有释放囚犯的权力。

切尔尼亚克接着便问多林尼克:

“你犯的是什么罪?”

“上校老爷对你说话,你应该站起来。”副官叱责他。

多林尼克慢条斯理地从地板上爬起来。

“我问你,你犯什么罪?”上校又重复说了一遍。

多林尼克有好几秒钟呆呆地看着上校刮得光光的脸和拈得很考究的小胡子,随后又看看他那顶克伦斯基式的新帽子的遮檐和三叉枪的帽徽,突然,一个模糊的念头在他的脑海中一闪——“说不定能混过去呢?”

“我是因为夜里八点钟以后在镇上走路被捕的。”他把脑子里首先想到的话说了出来。

他在苦痛的紧张心情中期待着。

“你为什么要在深夜里上街呢?”

“不是深夜呀,那时候也就十一点。”

他说这话的时候简直不相信会有那样大的好运气。

“出去吧!”他听到这简短的命令,两条腿甚至哆嗦了一下。

他连上衣都忘了去拿,就大步走了出去。这时候副官已经在审问另一个犯人了。

保尔是在最后。他仍然坐在地板上,眼前发生的事情他完全糊涂了。他甚至不明白多林尼克为什么也被放出去了。他们都被释放了。但是多林尼克,多林尼克……他说是在戒严以后上街被捕的。……终于,保尔也明白了。

上校开始用老一套话审问枯瘦的泽利采尔:

“你为什么被捕?”

脸色苍白、心神不安的理发匠急躁地回答说:

“他们说我进行煽动,但是我不明白,我煽动了什么。”

切尔尼亚克立刻警惕起来:

“什么?煽动?煽动什么?”

泽利采尔把两手一摊,说:

“我也不知道。我只说有人正在召集犹太人,在给‘大头目’的请愿书上签名。”

切尔尼亚克和副官全都走到泽利采尔跟前。

“你说的是什么请愿书?”

“是恳求停止迫害犹太人的请愿书。你们知道,我们这儿对犹太人有过惊人的抢劫和屠杀。居民全很害怕。”

“我明白了,”切尔尼亚克打断他的话说。“我们会替你们这些犹太鬼起草请愿书的。”他转向那哥萨克副官说:“这家伙最好关到最安全的地方。把他带到总部去。我要亲自问他,看看究竟是什么人打算呈递请愿书。”

泽利采尔还想分辩,但是副官已经愤怒地扬起手,用马鞭在他背上狠狠地抽了一鞭子。

“住口,你这畜生!”

泽利采尔疼得扭着身子,倒在后面的角落里;他的嘴唇不住地打颤,好容易才抑止住哭声。

就在这时候,保尔站了起来。现在牢房里只剩下他和泽利采尔了。

切尔尼亚克站在保尔前面,他那对黑眼睛上下打量他。

“喂,你是为什么关进来的?”

上校的问题得到了迅速的回答:

“我把旧马鞍子的一边割下来做鞋底。”

“谁的马鞍子呢?”切尔尼亚克不明白。

“有两个哥萨克兵住在我们家里,我把他们的一只旧马鞍子割一块下来做鞋底,哥萨克兵就把我带到这儿来了。”因为满怀着可能得到释放的狂热希望,他又补充说:“要是我知道这是不许可的……”

上校不在意地看了看保尔。

“我真不明白这个城防司令官干的是什么事情,关了这么多这样的犯人!”于是他转向门口,喊道:“你回家去吧。告诉你父亲,以后要好好地管教你。唔,赶快走吧!”

保尔简直不相信他的运气,心几乎要从胸口跳出来,他抓起了多林尼克放在地板上的上衣,朝门口冲去。他穿过卫兵室,从刚走出来的切尔尼亚克后面溜进院子里,再从这里跑出边门,走上大街。

现在只剩下不幸的泽利采尔一个人留在牢房里了。他怀着极度的苦痛看看四周,本能地朝门口走了几步,就在这时候,一个哨兵走进卫兵室,关上门,上了锁,坐在门边的板凳上。

在台阶上,切尔尼亚克很得意地转过脸来对副官说:

"幸亏我们到这里看了一下。你瞧,这里关了多少废料……我们倒应该把这个司令官也关他两个星期。好了,咱们走吧?"

班长已经在院子里把他的队伍排好了。一看见上校出来,就慌忙跑到他跟前报告说:

"上校大人,全班在此听候命令。"

切尔尼亚克一只脚踩上马镫,轻轻地跳上马鞍。可是副官在跨上他那匹调皮的马的时候倒很费劲。切尔尼亚克紧紧地拉住马缰绳,对班长说:

"告诉司令官,说我已经把他关在这里的一群废物都放走了。并且对他说,凭他在这儿做的这些事情,我得把他关两个星期。那里还扣留着的那个家伙,马上给我送到总部来,注意警卫。"

"是,上校老爷。"班长向他敬礼。

上校和副官用马刺驱着马,跑向广场,那儿的阅兵式已经快要结束了。

保尔翻过第七道栅栏就停下来了。他已经没有力气再往前跑了。

在那个憋死人的牢房里饿了这些天,他一点劲儿也没有了。他不能回家,要是到谢廖沙家,万一被谁知道,那么谢廖沙全家定要遭殃。他到什么地方去呢?

他不知道怎样办才好,只好继续跑,跑过许多菜园和庄园的后院,直到胸脯撞到一道栅栏上,他才清醒过来。他看了一眼就楞住了:在这高高的木板栅栏后面就是林务官的花园。瞧,他那两条疲乏的腿竟把他拖到什么地方来了！难道是他打算跑到这儿来的吗？不是的。

但他为什么不到别处,偏偏到了这儿呢?

这个问题他自己也不能答复。

他最需要的是到什么地方好好休息一下,然后再考虑下一步怎么办。他知道花园里有一个凉亭,在那里谁也不会发现他。

他纵身一跳,一只手抓住栅栏的上端攀上去,跳进了花园。他看了看那隐现在树林后的房子,随后就朝凉亭走去。凉亭的四面差不多都是敞着的。夏天还有野葡萄掩住它,现在却没有什么遮拦。

他正要转回栅栏那里去,但是已经晚了:他听到后面有狗叫声。一只大狗从屋子里跑出来,沿着树叶掩蔽的小道迎面向他扑过来。

保尔准备防御了。

第一次的进攻被他一脚踢回去。但那只狗又准备作第二次的猛扑。谁知道这场战斗会怎样结束呢？可是这时候有一个保尔熟悉的、响亮的声音在喊:

"回来,特列左尔,回来!"

冬妮亚沿着小道跑过来了。她上前拉住特列左尔脖子上的皮带,对着靠栅栏站着的保尔说:

"您怎么到这里来呢？这条狗会咬伤您的。幸亏我……"

她突然愣住了。她的眼睛睁得大大的。这个不知道怎样闯到这儿来的少年,多么像保尔·柯察金呀!

那个靠着栅栏的少年动了一下,低声说:

"你……您认得出我吗?"

冬妮亚叫了一声,疾速地朝保尔走去。

“保尔,亲爱的,是你?”

特列左尔把她的叫声当作袭击的信号,用力一跃扑上前去。

“回去!”

特列左尔被冬妮亚踢了几脚,不高兴地夹着尾巴向屋子走去。

冬妮亚紧握住保尔的双手,问道:

“你自由了吗?”

“难道你已经知道了吗?”

冬妮亚压不住自己的激动,急促地回答说:

“我全都知道。莉莎告诉我的。但是你怎么跑到这儿来的呢?是他们放你出来的吗?”

保尔有气无力地回答说:

“他们错放了我,我才跑了出来。他们现在一定又在搜查我了。我是无意间跑到这儿来的。本来打算在凉亭里歇一下。”接着,像是抱歉似地补充说:“我实在累极了。”

她凝视了他好一会儿,心里交织着惊和喜的感情,一股怜悯和温柔的浪潮席卷了她。她紧紧地握住他的手,说:

“保夫鲁沙,我亲爱的保尔,我亲爱的,我心上的人……我爱你。……你听见了吗?……你这倔强的孩子,那天你为什么要走开呢?现在你就和我们,和我住在一起吧。我怎么也不放你走了。这儿很清静,你要住多久就住多久。”

但是保尔摇了摇头。

“要是他们在这儿找到了我,那怎么办呢?我不能够到你家去!”

她的手更紧地握着他的手指头,她的睫毛在颤抖,眼睛在闪光。

“要是你不到我家去,你以后永远别再见我。你要知道,阿尔焦姆已经不在这儿,他已经被押去开车了。所有的铁路工人都被征调去了。你说你到哪儿去呢?”

保尔了解她的烦恼,但是他又怕连累这个心爱的姑娘。连日的折磨已经使他无法支持,他很想休息一下,又饿得难受,他终于答应了。

当他坐在冬妮亚房间里的沙发上的时候,厨房里的母女俩正在谈话:

“听我说,妈妈。我的那个学生,保尔·柯察金现在正坐在我的房间里。你还记得他吗? 我一点也不想瞒你。他因为放走了一个布尔什维克水兵被捕了。现在他逃了出来,没有躲藏的地方。”她的声音颤抖了。“妈妈,我请求你,让他暂时住在我们家里。”

她的眼睛在恳求着。

母亲想探出冬妮亚的心思,就说:

“好的,我不反对。不过你打算把他安顿到什么地方呢?”

冬妮亚满脸绯红,非常难为情而又激动地回答说:

“我打算把他安顿在我房里的长沙发上。不过,我们可以暂时不告诉爸爸。”

母亲盯着冬妮亚的眼睛,问她:

“哦,这就是你哭的原因吗?”

“是呵。”

“但是他还完全是一个孩子呵。”

冬妮亚激动地扯着自己的罩衫的衣袖:

“是的,可是,要是他不逃出来,他们会把他当作一个大人枪毙的。”

保尔在她们家里,这使冬妮亚的母亲很担心。保尔的被捕和冬妮亚对他的肯定无疑的爱情,都使她不安;况且,她对保尔一点也不了解。

冬妮亚热心地张罗起来了，她对母亲说：

“妈妈，他要洗个澡才好。我马上就去预备。他实在脏得跟一个真正的火伕一样。他好久连脸都没有洗……”

她跑出去忙着收拾浴室、准备衣服和烧水去了。接着，她跑进她的房间，一句话也不说就抓住保尔的手，把他拉到洗澡间去。

“你把身上的衣服都换下来。这是一套替换的衣服。你的衣服都得洗一洗。你穿这一套吧。”她指着椅子上那叠得整整齐齐的、领子带白条的蓝色水手衫和肥腿裤子。

保尔惊讶地望望四周。冬妮亚笑嘻嘻地说：

“这是我在舞会扮男装用的衣服。你穿起来一定很合适。好，你就洗吧，我走了。趁着你洗澡，我给你准备吃的东西去。”

她随手带上了门。保尔只好赶快脱去衣服，跳进澡盆。

一小时后，三个人——母亲、女儿和保尔——开始在厨房里吃午饭了。

保尔因为饥饿，不知不觉已经吃完了第三盘。开头，他在冬妮亚的母亲面前觉得有点不好意思，后来看到她对他的态度很热情，也就不再拘束了。

吃过了午饭，他们一齐到冬妮亚的房间里。保尔答应冬妮亚母亲的要求，把他所遭受的苦难源源本本地述说了一遍。

“那么，您打算以后怎么办呢？”冬妮亚的母亲问。

保尔思索了一下，回答说：

“我想见见我哥哥阿尔焦姆，然后离开这儿。”

“到哪儿去呢？”

“我想到乌曼或是基辅去。连我自己也定不下来，但是不管怎么样，我必须离开这儿。”

保尔简直不相信他的环境变化得这样快——早上他还在牢房里，而现在，他却与冬妮亚并肩坐着，穿着洁净的衣裳，特别是，他现在已经自由了。

生活有时候就是这样变幻莫测——一会儿是满天云雾，转眼间又现出了灿烂的太阳。要是他没有再度被捕的危险，这时候他真可以说是幸福的人了。

然而，正是现在，在这宽大而安宁的屋子里，他还有被抓走的可能。

他必须离开这儿，什么地方都行，就是不能留在这儿。

可是他又觉得，他一点也不想离开这儿，真不像话！以前读英雄加里波第传记，那是多么激动人心呵！他是那样地羡慕他，加里波第的生活是艰苦的，敌人在全世界各处追逐他。而他，保尔，仅仅才经过了一星期的可怕的苦难，就好像是过了一年似的。

显然，他是不会成为一个了不起的英雄的。

"你在想什么呀？"冬妮亚俯下身子问他。他觉得她的碧蓝的眼睛像无底的深渊一样。

"冬妮亚，要我把赫里斯季娜的事情告诉你吗？"

"你说吧……"冬妮亚兴奋地说。

"……她就是这样一去不复返了。"他很吃力地说出了最后这句话。

屋子里的时钟有节奏地滴答滴答地响着。冬妮亚低着头，紧紧地咬着嘴唇，几乎哭了出来。

保尔看了看她，然后坚决地说：

"我今天就得离开此地。"

"不，不，今天你无论如何不能走，什么地方都不许去！"

她那温柔的纤细的手指头轻轻地伸到他那蓬乱的头发里，

亲切地抚摸它……

“冬妮亚,你应该帮助我。请你到调车场去替我找找阿尔焦姆,并且送一个条子给谢廖沙。我有一支手枪藏在老鸹窝里。我不能去拿,叫谢廖沙拿下来吧。这些你能替我办吗?”

冬妮亚立刻站起来说:

“我马上就去找莉莎,跟她一道到调车场去。你这就写给谢廖沙的条子吧,我送去。他住在哪儿?要是他想见见你,我可以告诉他你现在在哪儿吗?”

保尔想了一下,回答说:

“让他今天晚上把手枪送到花园里来吧。”

冬妮亚回来时,天已很晚了。保尔睡得正香。她的手一碰到他,他立刻就醒了。她快乐地微笑着说:

“阿尔焦姆马上就到这儿来。他刚刚出车回来。由莉莎的父亲担保,他请假出来一个钟头。机车正停在车厂里。我不能告诉他说你是在这儿。我只说,我们有非常重要的事情要转告他。你瞧,那不是他来了!”

冬妮亚跑向门口。阿尔焦姆正惊讶地站在那里,简直不相信自己的眼睛。他进来以后,冬妮亚随手把门关上,这样,她的患伤寒病刚好、正躺在书房里休养的父亲,才不会听到他们的谈话。

阿尔焦姆的双臂紧抱着弟弟保尔,抱得保尔的骨节咯咯地响起来。

“亲爱的弟弟!保尔!”

最后,他们决定了:保尔明天就动身。阿尔焦姆设法让他坐在谢廖沙的爸爸开的机车上到卡扎亭去。

素来刚强的阿尔焦姆,这些天来担心弟弟的命运,为他着急，十分痛苦，现在他已情不自禁，感到实在说不出是多么舒畅。

“就这样，明天早上五点钟你到材料库那里去，当机车在装木材的时候，你就坐上去。我本来还想跟你谈一会儿，但是现在我必须回去了。明天早上我送你走。我们已经被编成一个铁路员工大队。就跟在德军占领的时候一样，在武装卫兵监视下干活。”

他告别后就走了。

天已经黑了，这正是谢廖沙该到花园来的时候。保尔一面等他，一面在黑暗的房间里来回地踱着。冬妮亚和她母亲一块儿陪着她爸爸。

在黑暗里，他同谢廖沙见面了。他们互相紧紧地握着手。瓦莉亚也同他一起来。他们低声谈着。

“我没有把手枪带来。你们院子里尽是彼得留拉的兵，他们把马车停在那儿，还生起了火。要爬到树上无论如何是不可能的，真倒霉，”谢廖沙这样解释着。

“不管它吧。”保尔安慰他说，“说不定这样反而好些。在路上，他们可能查出来，那会掉脑袋的。不过，以后你一定要把它拿走。”

瓦莉亚凑近他问：

“你什么时候动身？”

“明儿，瓦莉亚，天一亮就动身。”

“你是怎样逃出来的？你讲一讲吧。”

保尔低声地、迅速地把经过情形告诉了他们。

他们互相亲切地告别。谢廖沙不开玩笑了，他心里很难过。瓦莉亚痛苦地说：

“保尔，祝你一路平安，不要忘了我们呵！”

他们走了，黑暗立刻吞没了他们。

房间里静悄悄的。只有时钟在迈着准确的、不倦的步伐继续走着。两个年轻人谁也没有心思睡觉,因为再过六个钟头他们就要分离了,而且说不定将永远不能再见。在这短短的时间里,他们两个人心里的千言万语难道能够说得完吗?

呵,青春,无限美好的青春呵,当情欲还没有萌发,只是从急速的心跳而隐约地被感到的时候;当无意间触及爱人胸脯的手像受惊一样地颤抖和赶快移开的时候;当纯洁的青春的友情阻住最后一着的时候;还有什么能比爱人搂着脖颈的手臂,比像触电一样的热烈的亲吻更甜蜜的呢!

在他们建立友情以来,这是第二次的接吻。除了自己的母亲,谁也没有抚爱过保尔,相反,他经常挨打。冬妮亚的爱抚使他感到分外激动。

他没有想到在残酷的、受迫害的生活里还有这样的欢愉。在人生的道路上遇到这个姑娘,真是极大的幸福!

在黑暗里,他闻到了她的发香,又似乎看到了她的眼睛。他说:

"冬妮亚,我是这样地爱你!我说不出多么爱你——我不知道怎样对你说。"

他的脑子很乱……她那柔软的肉体是多么惹人呵……但是青春的友情比别的一切都更高贵。他对她说:

"冬妮亚,等太平的时候,我一定要作一个电工。如果你不拒绝我,如果你对我的爱是真诚的,不是儿戏的话,那时我愿意作你的好丈夫。我永远不欺负你,要是我得罪你,就让我死。"

他们不敢拥抱着睡觉,恐怕她的母亲看见了不高兴,因此他们分开了。

他们睡着的时候天已经渐渐透亮了,临睡时他们约定了谁也不许忘记谁。

早晨,冬妮亚的母亲很早就把保尔叫醒了。

他急忙起身。

当他在浴室里换上他自己的衣服、鞋子和多林尼克的上衣的时候,冬妮亚的母亲又唤醒了冬妮亚。

他们匆忙地冒着潮湿的朝雾走到车站,又绕过车站走到木堆旁边。这时,阿尔焦姆正在一辆装满了木柴的机车附近等得十分焦急。

巨大的机车在嗤嗤响着的蒸气中慢慢地朝他们开过来。

老勃鲁扎克在机车的窗子里张望着。

他们慌忙互相告别。保尔紧握住机车的扶梯,爬了上去。他一回头,看见了站在岔道上那两个熟识的人影:高大的阿尔焦姆和苗条的娇小的冬妮亚。

晨风猛卷着冬妮亚的罩衫的领襟,摇着她那栗色的鬈发。她在向他挥手。

阿尔焦姆瞟了好容易才抑住啜泣的冬妮亚一眼,心里想:

"要不我就是个十足的傻瓜,要不就是这两个年轻人有点反常。保尔,保尔,你这个不安分的毛孩子呵!"

列车转弯的时候,他转过身来对冬妮亚说:

"唔,我想我们两个可以作朋友了吧?"于是冬妮亚的小手就握在他那巨大的手掌里了。

这时候,从远方传来了正在加快速度的火车的轰隆声。

7

整整一个星期,这个给战壕和蜘蛛网一样的带刺铁丝网围绕着的小镇,总是在隆隆的炮声和尖脆的枪声里醒来或睡去。只有在夜深时候才是安静的,但是偶尔还有一阵枪声冲破深夜的沉寂:那是双方的岗哨在互相试探。天一透亮,士兵们就聚在许多大炮周围忙碌起来。大炮张开黑嘴,凶猛地、吓人地咳嗽起来。人们连忙把新的炮弹装上去。炮手把绳子一拉,大地便震颤起来。炮弹嘶嘶地飞到离小镇三俄里外被红军占领的村庄上落下来,轰隆一声炸开,把无数的泥块抛向空中。

红军的炮队设在一座古老的波兰修道院的院子里。这个修道院在村子正中的高岗上。

炮兵队政委扎莫斯京同志骤然从睡梦中跳起来。他刚才用炮身作枕头睡了一觉。他紧了紧挂着沉重的手枪的皮带,然后侧着耳朵倾听炮弹的呼啸,等候它的爆炸。接着他那响亮的喊声就在院子里响起来:

"同志们,起来,明天我们再补睡吧。是时候了,起——来!"

炮兵们都在大炮周围睡觉。大伙全像政委一样敏捷地跳了起来。只有西多尔丘克起得晚,他懒懒地抬起他的头。

"你们这些混蛋,天还没有亮,就哇啦哇啦叫起来——真是一群讨厌的家伙!"

扎莫斯京哈哈大笑,说:

"呵! 西多尔丘克,弟兄们真是太不自觉了,竟没有照顾到你还没有睡够。"

炮兵西多尔丘克起身了,仍然不满意地嘟哝着。

几分钟后,修道院院子里的大炮怒吼起来,炮弹在镇上爆炸了。白军在镇上糖厂那座高烟囱上用木板搭了一个瞭望台,上面坐着一个军官和一个电话员。他们是沿着烟囱的铁梯爬上去的。

全镇的情况一目了然。他们就在这里指挥炮兵射击。围城红军的每一动作,他们都看得清清楚楚。今天红军方面表现得特别活跃。从蔡斯望远镜可以看到红军部队的移动。一列装甲火车慢慢地沿着铁路朝波多尔斯克车站开去,不停地开炮。后面就是步兵的散兵线。红军一连进攻了几次,想攻下这个市镇,但是白军却掩蔽在近郊的战壕里固守着。各个战壕喷出了猛烈的炮火,到处都是密集的枪声。当进攻最紧张的时候,这声音就变成了不断的怒吼。在弹雨下面,红军支持不住,又撤退了,战场上留下了不动的尸体。

今天对本镇的轰击比过去更凶猛、频繁、坚决。大炮不断的轰击使得空气震颤起来。从糖厂的烟囱上头可以清楚地看见布尔什维克的战线正向前推进。布尔什维克的战士们卧在地面上,跌倒又爬起来,向前进攻。他们差不多把车站占据了。谢乔夫师团把所有的后备队全都调了上来,可是还堵不住火车站上被打开的缺口。那些抱着拚命的决心的布尔什维克已经冲进了车站周围的各条马路了。在一阵短促而猛烈的攻击之后,守卫车站的彼得留拉谢乔夫狙击师的第三大队终于被迫退出他们最后的阵地——近郊的各个花园与果园,狼狈地、三五成群地向镇里逃去。红军的先头部队不让他们有喘息的机会,继续挺进,用刺刀开路,扫除了白军的后卫,占据了各条街道。

谢廖沙和他全家以及他们的近邻们一道躲在地窖里,但是现在,任何力量也不能叫他再呆在地窖里了。他要到上面去。他不管母亲的反对,径自跑出了那阴森森的地窖。装甲汽车"萨盖达奇内"号正辘辘地从他家门口开过去,一面退却一面疯狂地扫射着。彼得留拉的败兵慌乱地跟在它后头逃跑。其中有一个闯进了谢廖沙家的院子里。他慌忙抛下钢盔、步枪和子弹袋,然后爬过篱笆,钻到菜园里去了。谢廖沙决心到街上去看看。彼得留拉的败兵正沿着通向西南车站的大道逃窜。装甲汽车在掩护他们退却。通到镇上的大道上空无一人。忽然,一个红军战士跑到大道上来了。他迅速地卧倒,向大路的那一头射击。接着又出现了第二个,第三个……谢廖沙看见他们一面跑一面弯着身子追击。其中有一个脸上晒得黝黑、眼睛发红的中国人,上身只穿着一件贴身衬衫,胸口交束着机枪的子弹带,两只手都握着手榴弹,一点也不掩蔽地猛追过来。跑在最前头的那个红军战士还很年轻,手里提着一架轻机枪。这是首先冲到镇上来的红军部队。一阵狂喜的感情支配了谢廖沙。他一直跑到大路上,尽力高声呼喊:

"万岁!同志们,万岁!"

他的出现是这样突然,那个中国人差点把他撞倒。那个中国人开头打算用尽全力向谢廖沙扑去,但是这年轻人的高兴的表情阻止了他。

"彼得留拉的兵,逃到哪里去了?"呼呼地喘着气的中国人这样问。

但是谢廖沙没有听见他的话。他迅速地跑进了院子,抓起那白军丢下来的步枪和子弹带,飞一样地跑出去追上了队伍。红军战士们一点也没有注意到他,直到大伙进了西南车站,方才发现了他。他们截住了几列白军的满载枪械与弹药的火车,把残敌赶进树林里,然后才停下来休息,整顿队伍。这时那个年轻的机枪手跑到谢廖沙面前,惊讶地问他:

"同志,你是从哪儿来的?"

"我是本地人,就住在这小镇上。"谢廖沙回答。"我早就在等着你们来啦。"

红军战士们把他围起来。

"我认得他,"那个中国人高兴地笑着说。"在我们刚冲进镇上来的时候,他高声喊'同志们,万岁!'他是布尔什维克——是我们年轻的好朋友!"那个中国人又拍着谢廖沙的肩膀称赞了几句。

谢廖沙的心快活地跳着。他们立刻接受了他，把他当作他们中间的一个。他和他们一道参加了攻打车站的肉搏战。

小镇又活跃起来了。受尽苦难的居民都爬出了地下室和地窖，忙着跑到门口去看进城的红军。谢廖沙的母亲和瓦莉亚，看到连帽子也没有戴的谢廖沙也背着步枪，束着子弹带，在红军中间走着。

他的母亲生气了。她急得直搓手。

谢廖沙，她疼爱的儿子谢廖沙，也去打仗啦！唉，这还了得！想想看，他竟在全镇人的面前，背着枪，大摇大摆地走着，以后怎么办呢？

想到这里，她实在忍不住了，就大声喊道：

"谢廖沙，快回家去，马上就给我回去！我要教训教训你，你这个小流氓，你要打仗，给我回家打去！"说着她就跑到她儿子跟前，想把他拉出来。

但是，她的谢廖沙，她揪过那么多次耳朵的小谢廖沙，却冷冷地瞪了她一眼，又羞又恼，红着脸，斩钉截铁地回答说：

"吵什么，我是怎么也不离开这个队伍了！"他连停也不停，就从她身旁走了过去。

这一下可把他母亲惹火了：

"哦，你就这样对你妈说话呀！"他母亲对他喊："好，你以后别想回家来！"

谢廖沙头也不回地回答说：

"我就是不回来了！"

这可怜的妇人呆呆地站在路上。这时候，一队队的脸色黝黑、满身灰尘的战士们，正打她身旁走过。一个响亮的开玩笑的声音传了过来：

"别哭啦，老大娘，我们要选你儿子作政委呢。"

队伍里发出了一阵愉快的笑声。应着由队伍前面传来的雄壮和谐的歌声，他们开始唱道：

同志们勇敢地齐步走，
到战斗中去锻炼，
用我们的胸膛开条路，
通到自由的乐园……

在这合唱的歌声里可以听出谢廖沙的嘹亮的高音。他已经找到一个新的家了。在这个新家所有的步枪里，也有一支是他谢廖沙的。

列辛斯基的院子的大门口钉着一张硬纸，上面写的是："革委会"。

旁边还贴着一张红色的宣传画。一个红军战士眼睛逼视着、指头直指着看这张画的人。宣传画的题字是：

"你参加红军了吗？"

昨天夜里，政治部的工作人员已经把那些无声的鼓动员贴了出来。同时，还贴出来革命委员会第一张告谢佩托夫卡全体劳动人民书：

同志们！

无产阶级的军队已经占领了本镇。苏维埃政权已经建立起来。我们希望所有的居民保持镇静。那些虐杀犹太人的吸血的匪徒们已经被击败了，但是为了不让他们卷土重来，为了把他们彻底消灭，大家参加红军吧！用你们所有的力量来维护这劳动者的政权！本镇的军权属于卫戍司令员，政权属于革命委员会。

革委会主席　多林尼克

在列辛斯基的住宅里出出进进的是新人物了。“同志”这个字眼，昨天还有许多人为它牺牲了性命，现在到处可以听到了。“同志”——这真是一个激动人心的字眼呵！

多林尼克忘记了睡眠和休息。

这木匠正忙着建立本镇的革命政权。

在这住宅的一间小房子门口贴着一张用铅笔写的纸条，上面写着“党委会”。这里的负责人是伊格纳季耶娃同志，她是一个沉静而坚强的女人。政治部委派她和多林尼克两个人来建立苏维埃政府的各个机构。

仅仅过了一天，就有许多工作人员坐在桌子旁边了。打字机哒哒地响着，粮食委员会也建立起来了。粮食委员蒂日茨基同志是个活泼而性急的人。蒂日茨基以前是糖厂的助理技师。本镇苏维埃政府刚刚建立起来，他就以罕见的顽强精神开始斗争，决心摧毁工厂管理部门那些内心仇视布尔什维克的上层贵族分子。

在全厂大会上，蒂日茨基用波兰话发表了激烈而坚决的演说。他猛力地敲着讲台的栏杆，向他周围的工人们说：

“旧时代当然不会再回来了。咱们的父亲和咱们自己一辈子为波托茨基当牛马的时代也都过去了。咱们为他们造了宫殿，可是伯爵大人给咱们的是什么呢？他让咱们挨饿给他干活，只要饿不死就行。

“大家想一想，波托茨基伯爵们和桑古什卡公爵们骑在咱们的脖子上已经多少年了？难道咱们波兰工人不也像乌克兰和俄罗斯工人一样受着他们的奴役吗？可是现在，那些拍伯爵大老爷们马屁的人却在工人中间散布谣言,说什么苏维埃政权要用铁拳对付波兰工人!

"同志们,这是最无耻的诽谤。各民族的工人,从来还不曾得到过像现在这样的自由。

"所有的无产者都是兄弟,但是那些贵族老爷们,请大家相信,我们是不会轻易放过他们的。"

他用手在空中画了一个弧形,然后又用手使劲地敲着讲台的栏杆。

"究竟是什么人在离间我们各民族,使我们的弟兄们自相残杀呢?几世纪以来,国王和贵族总是不断地唆使波兰的农民去和土耳其人打仗,这一个民族侵略别一个民族的事,从来没断过。有多少人被毁灭了!已经发生了多少灾难!谁愿意这样?难道我们愿意这样吗?可是,所有这一切都要结束了。这些毒蛇们的死期已经到了。布尔什维克向全世界喊出了资产阶级最害怕的口号:'全世界无产者联合起来!'工人和工人都是兄弟,只有这样我们才能得救,才能得到幸福的生活。同志们,加入共产党吧!

"波兰也要成立共和国,不过是苏维埃共和国,而不是波托茨基之流的共和国。咱们要把那些家伙连根拔掉。在苏维埃的波兰,咱们自己是主人。诸位哪一个人不晓得勃罗尼克·普塔申斯基?革命委员会已经派他当咱们工厂的委员了。'不要说我们一无所有,我们要做天下的主人。'我们一定会有快乐幸福的一天,同志们,千万别听信那些狡猾的毒蛇们的鬼话!要是咱们工人们彼此能够信任,那么,咱们就可以把全世界各民族的工人弟兄们完全团结起来!"

蒂日茨基从他的心坎里,从一个普通工人的心坎里,发出了这清新的呼声。

当他走下讲台的时候，青年人都赞成地高声欢呼。可是那些老年人都不敢表示意见。谁说得准——也许布尔什维克明天就退出去，那时候，每一句话都得付出代价。假如不绞死，也一定要被赶出工厂。

教育委员是那个又瘦又高的中学教员切尔诺佩斯基。这是目前本地教育界唯一对布尔什维克忠心的人。在革命委员会对面驻扎了一个特务连。革委会的警卫就是由他们担任的。一到晚上，花园里、大门口，就架起上好子弹带的马克沁机枪。它的旁边是两个拿着步枪的战士。

伊格纳季耶娃同志正到革委会去。在门口，一个年纪很轻的红军战士引起了她的注意，她问他：

"同志，您今年多大了？"

"快十七岁了。"

"是本地人吗？"

他笑嘻嘻地说：

"是的，我是在前天战斗的时候才加入红军的。"

伊格纳季耶娃注视着他。

"你爸爸是做什么的？"

"火车上的副司机。"

这时候多林尼克跟一个军人朝栅栏门走来。伊格纳季耶娃对他说：

"你瞧，我给共青团区委会物色到了一个领导人，他是本地人。"

多林尼克迅速地把谢廖沙打量了一番。

"你是谁家的？"

"勃鲁扎克……"

"哦，是扎哈尔的儿子！那好了，你干去吧，把那些小弟兄们组织起来吧!”

谢廖沙觉得挺奇怪,看了看他们两个,说:

“可是,我连里的事情怎么办呢?”

多林尼克已经走上台阶,又回过头来说:

“这个我们自有安排。”

第二天傍晚,乌克兰共产主义青年团的地方委员会就建立起来了。

新的生活意外而迅速地冲进来了。它占据了谢廖沙整个的身心,把他卷到它的漩涡里去。谢廖沙把他的家完全丢在脑后了,虽然他的家是离得那么近。

他,谢廖沙·勃鲁扎克,现在已经是一个布尔什维克了。他十次八次地从衣袋里掏出那张盖着乌克兰共产党(布)印章的白纸片,那上面写着:谢廖沙·勃鲁扎克,共产主义青年团团员,区委员会书记。要是有谁怀疑这一点,那么,在他的紧身制服外面的皮带上还挂着一支带帆布枪套的“曼利赫尔”手枪,——这是他的好朋友保尔送给他的礼物。这是最可靠的证件。唉,可惜保尔不在这儿!

谢廖沙整天都在忙着执行革委会的指示。这时候伊格纳季耶娃正在等候他。他们要一道上火车站里的政治部去领取发给革委会的宣传品和报纸。他急忙跑到街上,政治部的一个工作人员已经预备好汽车在那里等候他们。

到车站去的路很远。苏维埃乌克兰第一师的参谋部和政治部就设在车站的列车上。伊格纳季耶娃利用乘车的时间,问了谢廖沙许多问题:

“你在你那一部门做了一些什么工作?建立了组织吗?你应当在你的朋友们中间——在那些工人阶级的孩子们中间进行鼓动工作。要在最短期间把共产主义青年团建立起来。明天我们就起草一篇共青团的宣言，把它印出来，然后把青年召集来，在戏院里开一个大会；同时我再介绍在政治部工作的乌斯季诺维奇同你认识认识。她似乎正在作青年工作。”

丽达·乌斯季诺维奇是一个十八岁的姑娘，一头乌黑的短发，穿着茶色的新制服，腰里束一条窄窄的皮带。谢廖沙从她那里学到了许多新的东西。她还答应帮助他开展工作。当他们分手的时候，她给了他一包宣传品，另外又特地给他一本印有共青团的纲领和章程的小册子。

他们很晚才回到革委会来。瓦莉亚一直在花园里等他。她跑到他面前，抱怨说：

“你怎么不害羞呀！怎么，你完全脱离家庭了吗？为了你，妈妈天天哭，爸爸也生气。准要闹出事来的！”

“没有关系，瓦莉亚，什么也不会的。我没有工夫回家。说真话，实在没有工夫。今天我也不能回去。我正好有话要和你谈谈。到我这儿来吧。”

瓦莉亚简直认不出她的弟弟来了。他完全变了。就像有人给他充了电似的。他叫他姐姐坐在一张椅子上，接着就开门见山地说：

“是这么一回事。你也加入共青团吧。你不明白吗？就是共产主义青年团。我就是团的书记。你不相信吗？得，你看看这个！”

瓦莉亚看完了他的证件，不知所措地看着他，说：

“我加入共青团能做什么事呢？”

谢廖沙把两手一摊说：

“做什么事？怕没事做吗？我的好姐姐！我忙得连睡觉的工夫都没有呢。要大大展开宣传鼓动工作。伊格纳季耶娃说，我们应当召集所有的青年到戏院里开个大会，详细地给他们解释什么叫作苏维埃政权。她说我必须发表演说。我想了想,觉得不成,因为我实在不知道该说什么。我准说不出话来。好吧,你说,你愿不愿意加入共产主义青年团?”

“我不知道。要是我这样做,妈妈简直会气疯的。”

“你别管妈妈吧,瓦莉亚,”谢廖沙说。“她不懂这些事情。她只想让她的孩子们守在她身边。她丝毫没有反对苏维埃政权的意思。恰恰相反,她倒是同情的。但是她只让别人到前线打仗,却不愿意叫她自己的孩子们参加。你说这公道吗?你还记得朱赫来告诉我们的话吗?你看保尔,他就不管他母亲,自己走了。现在咱们有了真正生活的权利了。那么,瓦莉亚姐姐,难道你还会说个不字吗?呵,你想想,这该有多好呵!你在女孩子们中间工作,我在男孩子们中间工作。我今天就叫红头发的克利姆卡参加进来。瓦莉亚,你究竟参加不参加我们的组织呢?我这儿有关于这事情的小册子。”

他从衣袋里掏出一本小册子,交给她。瓦莉亚的眼睛盯着弟弟,低声问他:

“要是彼得留拉的兵再打回来怎么办呢?”

谢廖沙第一次考虑到这个问题。

“我当然要跟大家一道走。但是你怎么办呢?妈妈那时候一定会很痛苦的。”他沉默了。

“谢廖沙,你把我的名字填上去,不叫妈妈知道,除了你我之外,谁也不告诉。我一定尽力帮你,这是比较好的办法。”

“对的,瓦莉亚。”

这时候伊格纳季耶娃走进来了。谢廖沙对她说:

“伊格纳季耶娃同志,这是我的姐姐瓦莉亚。我正和她谈思想问题呢。她是一个很合适的共青团员,但是,你知道,我们的母亲太严厉。我们可以让她秘密参加吗?比方说,万一我们不得不撤退的话，不用说，我是要拿起枪来一同走的，可是她不愿意叫母亲难过。”

伊格纳季耶娃坐在桌子的一头，注意听着他的话，接着说：

“好的，这个办法比较妥当。”

戏院里挤满了喊喊喳喳的青年们，他们都是看到镇上到处张贴的布告以后来的。糖厂工人的管乐队在演奏。到会的大部分是学生——男女中学生和小学生。

他们到这里来，与其说是为了开会，倒不如说是为了看演出。

幕终于拉开了，刚刚从县里来的县委书记拉津同志在舞台上出现了。

这个长着尖鼻子的瘦小的人立刻引起了全场的注意。大家很注意地听着他的演说。他说到全国各地的斗争，他号召青年们紧紧地团结在共产党的周围。他像一个真正的演说家一样讲话，不过在他的讲词里，什么“正统的马克思主义者”、“社会沙文主义者”等等名词用得过多，而这些名词，听众当然都不懂。他讲完的时候，全场报以热烈的掌声。他让谢廖沙继续讲话，自己先走了。

谢廖沙担心的事情果然发生了。他上了台说不出话来。“说什么呢？有什么话可说呢？”他想寻找适当的话，但是找不到，他很窘。

伊格纳季耶娃救了他，从讲台后边小声地对他说：

“你就说关于组织支部的事情吧。”

谢廖沙立刻就谈起实际问题来。

“同志们，你们什么都听到了，现在我们该做的就是组织支部了。你们有人赞成这个提议吗？”

会场里静寂无声。

丽达跑过去帮助谢廖沙。她把莫斯科的青年们怎样组织起来的情形告诉听众。谢廖沙狼狈地站在一旁。

他看到大会对组织支部的提议这么冷淡,心里非常气愤。他怒视会场。听众对丽达的演说也都是不在意地听着。他看到扎利瓦诺夫一边轻蔑地斜眼瞟着丽达,一边跟莉莎小声谈话。坐在前排的是那些小鼻梁上扑着白粉的中学高班的女生,她们交头接耳,低声谈话,那狡猾的小眼睛东张西望。在靠近舞台入口的角落里坐着一群年轻的红军战士。谢廖沙看见他认识的那个少年机枪手也在那儿。他坐在舞台脚灯的旁边,脸上现出气愤的神情,憎恨地注视着穿时髦服装的莉莎和安娜。她们正在一点儿也不在乎地同她们的情人交谈。

丽达感到大家没有听她的演讲,就赶快结束,让伊格纳季耶娃说话。伊格纳季耶娃说得非常安详,会场里的喧笑声终于静下去了。

"青年同志们,"她说,"现在,你们每一个人都可以想一想你们在这里听到的话。我相信,我们一定可以从你们中间找到一些不光是旁观、而是积极来参加革命的同志。只要你们愿意来,革命的门是开着的。我们希望大家对这件事发表自己的意见。有谁要说话,请上来。"

会场里又静下来了。可是,突然后排里有一个人说:

"我要说话!"

一个眼睛微微斜楞着、样子很像小熊的人——米什卡·列夫丘科夫,挤过人群走到舞台上来:

"既然事情是这样的,要是布尔什维克需要我们帮忙,我决不会不干的。谢廖沙知道我的。我要加入共青团。"

谢廖沙脸上现出了笑容。他立刻走到舞台中央,高兴地喊着说：

“同志们，你们看见了吧！我已经说过，米什卡是我们的人，他爸爸是铁路的扳道伕，给火车轧死了，因此米什卡失了学。他虽然没有读过中学，可立刻就懂得我们的事业。”

这时候会场里响起了一阵吵嚷声和怪叫声。一个名叫奥库舍夫的中学生，药铺老板的儿子，头发很考究地梳成鸡冠形的小家伙，请求发言。他扯了扯他的制服，然后说：

“抱歉得很，同志们，我还不大明白究竟要我们干些什么。要我们搞政治吗？那么，我们的功课怎么办呢？我们总得念完中学。要是组织一个体育协会或是俱乐部，让我们在那里聚会或读书，那倒是另一回事。但是搞政治——结果你会给绞死的。同志们，对不起，我相信谁也不愿意干这种事的。”

会场里发出了笑声。奥库舍夫走下台来，坐下了。现在那个年轻的机枪手上来说话了。他狠狠地把帽子拉到前额上，用愤怒的眼睛扫射着下面坐位上的人们，高声喊道：

“你们这些坏蛋，笑什么？”

他的眼睛像两颗烧红的煤球。他深深地吸了一口气，浑身气得发抖，接着说：

“我叫伊凡·扎尔基。我没有爸爸，也没有妈妈，我是一个孤儿；白天要饭，晚上躺在人家围墙的旁边。我挨冻受饿，无家可归。我过着狗一样的生活，全不像你们这些娇生惯养的少爷。可是苏维埃政权来到了，红军收容了我。全排都像对待自己儿子一样抚养我，给我饭吃，给我衣服穿，教我读书写字，而最主要的是叫我懂得了人生的意义。他们把我教育成了一个布尔什维克，这是我一直到死也不会改变的。我十分明白为什么而斗争——是为着我们，为着穷人们，为着工人阶级的政权！你们这些坐在那儿像马一样咴儿咴儿地叫着的人，当然不会知道在这个镇的外面有两百个同志已经牺牲了……”他的声音就像绷紧的琴弦的声音似的。“他们为了我们的幸福，为了我们的事业毫不犹豫地牺牲了自己的生命……而且在全俄罗斯都是这样，在全国各条战线都是这样，可你们却在这里寻开心。现在，同志们，”说着，他突然转过身对着主席台，“你们跟这些人说话，”他又用手指着会场，“难道他们能懂得吗？不会的！‘饱汉不知饿汉饥。’这里只有一个人跑上来，因为他是一个穷人，是一个孤儿。没有你们，我们照样干，”他愤怒地对着大会喊，“我们不再请求了，我们不需要你们这些混蛋！只好用机枪来扫射你们！”他气呼呼地喊出了最后这一句，就跳下台，对谁也不看一眼就走出去了。

主持会议的人谁也没有留下参加晚会。他们到革委会去的时候，谢廖沙苦恼地说：

“真糟糕！扎尔基说得对。找这些中学生来开会，是不会有什么结果的，只有让你生气。”

“这也没有什么奇怪的，”伊格纳季耶娃打断他的话，“那里面几乎就没有无产阶级的青年。大多数都是些小资产阶级或是城市知识分子的子女，都是些小市民。我们应当在工人阶级的青年中间进行工作。你把目标移到木材厂和糖厂去吧。不过今天这个大会还是有它的意义的。在学生中间也同样有一些很好的同志。”

丽达也赞成伊格纳季耶娃的意见，她说：

“谢廖沙，我们的任务就是不倦地把我们的思想和我们的口号灌注到每个人的心里去。党要所有的劳动者都关心每一件新发生的事情。我们应当组织许多群众大会、讨论会和代表会议。车站上的师政治部正着手开办一个夏天剧场。再过几天，一列宣传列车就要开来，那时候，我们应当好好地展开工作。别忘记列宁说的话：如果我们不能吸引千百万劳苦大众参加斗争，我们是不会胜利的。”

当天晚上，谢廖沙送丽达回车站去。临别的时候他紧紧地久久地握住她的手，比正常握手的时间长得多，丽达微微地笑了一下。

谢廖沙回镇上的时候，顺便回到自己的家里。

他一声不响地听着他母亲的责骂。但是，当他父亲开始骂他的时候，他就立刻反攻，并且把老勃鲁扎克给问得没有话说了：

“爸爸，听我说，德国兵驻在这儿的时候，你们进行罢工，还在机车上打死了卫兵，那时候，你想过家吗？你想过的。但是你仍旧做了，因为工人阶级的良心要你那样做。同样，我也想到了咱们家。我明白，要是我们不得不撤退，为了我，你们是要受迫害的。但是反过来，要是咱们胜利了呢，那咱们就翻了身了。我不能呆在家里。爸爸，这一点你自己也很明白。咱们为什么要唠唠叨叨地说这些无意义的话呢？我是在干正经事，你应该赞成我，帮助我，然而你却和我吵闹。爸爸，咱们和解吧，那么妈妈也就不会对我嚷嚷了。”他那对纯洁的、深蓝的眼睛盯着他父亲，脸上现出亲切的笑容，他相信他自己是对的。

老勃鲁扎克局促不安地坐在长凳子上。他微笑了，透过乱蓬蓬的短胡子露出了两排黄牙：

“你这小流氓，你倒用阶级的良心责备起我来了。你以为你一带上手枪，就不会再挨我的皮鞭了吗？”

但是他的口气一点也没有威胁的成份。他踌躇了一会儿，似乎不知道怎么办才好，突然，他坚决地把他那长茧子的粗糙的手伸给儿子，补充说：

“谢廖沙，孩子，你继续向前闯吧，你既然在爬坡，我绝不刹你的车,不过你要常常回家来,别让我们看不见你。”

黑夜里,一道亮光从门缝透出来,落在台阶上。在一间摆着柔软的天鹅绒沙发的大房间里,五个人围着律师用的宽大写字台坐着。这是革委会在开会。他们是:多林尼克,伊格纳季耶娃,戴着哥萨克皮帽子、像个吉尔吉兹人的肃反委员会主席季莫申科,还有两个革委会委员——瘦长的调车场工人舒季克和扁鼻子的铁路工厂工人奥斯塔普丘克。

多林尼克身子俯在桌子上,固执的眼光盯着伊格纳季耶娃,用沙哑的声音一字一句地说:

“前线需要给养。工人需要食粮。咱们刚一到来,投机商人和贩子就把物价抬高了。他们不收苏维埃纸币,买卖都用尼古拉的旧币或是克仑斯基票。今天咱们就要规定物价。咱们十分明白,这些投机商人谁也不会按定价出售。他们一定把货物藏起来。那时候,咱们就进行搜查,征发这些奸商所有的物品。对于这些奸商,咱们一点也不要客气。咱们不能让工人们再饿肚子。伊格纳季耶娃同志警告我说,我们不要太过火。我说,这是因为她还带着知识分子的软弱性。你不要生气,伊格纳季耶娃同志,我是有什么就说什么。而且,问题不在小商人身上。譬如,我今天就得到一个消息,说旅馆老板鲍里斯·佐恩就有一个秘密地窖。有好多大商人,早在彼得留拉占领本镇以前就把大量的物品囤积到这个秘密地窖里。”他带着讽刺的冷笑,特别注意地瞧了瞧季莫申科。

“你怎么知道的?”季莫申科慌张地问道。他感到又羞又恼,因为侦查这一类的事情本是他季莫申科的责任,但是多林尼克总是比他先得到这类消息。

多林尼克笑着说:

"嘿——嘿！兄弟，我的眼睛什么都看得到。我不光知道那个地窖，"他继续说，"我还知道你和师长的汽车司机昨天喝了半瓶私酒哪。"

季莫申科局促不安地坐着，苍黄的两颊现出了红晕。

"嗯，说得对！"他感叹地挤出这样一句话来。本来他还想往下说，但是他一眼瞥见伊格纳季耶娃那皱着眉头的神气，就不说了。"这个鬼木匠！他有他自己的肃反委员会。"季莫申科瞧着革委会主席，这样想。

"这是谢廖沙告诉我的，"多林尼克接着说。"他有一个朋友在车站食堂里当过伙计。他的朋友听食堂的那些厨师说过，食堂里所需要的一切东西，从前都是由佐恩大批供给的。昨天谢廖沙又得到了确实的报告：佐恩的确有一个地窖，应当找到它。季莫申科，你带着弟兄们和谢廖沙去吧。就在今天，务必把它找到！要是能够找着，咱们就不愁没有东西供给工人们和师的供给委员会了。"

半点钟后，八个武装士兵走进旅馆老板的家里，留下两个人守住大门。

老板是一个矮胖子，样子很像一只大酒桶，脸上长着几天没剃的红毛，他一面拐着木腿，堆着谄媚的笑容迎接走进来的这些人，一面用嘶哑的声音问道：

"同志们，有什么事情呀？为什么这么晚才来呢？"

站在佐恩后面的，是他的几个女儿。她们身上披着睡衣，给季莫申科的手电筒的亮光射得眯着眼睛。隔壁房间里，那个肥胖的老板娘正在一面穿衣服，一面嘟哝着。

季莫申科只作了两个字的解释：

"搜查。"

地板上的每一方寸都检查过了。大板仓、柴堆、储藏室、厨房、很大的酒窖,全都搜查过了。但是连一点儿秘密地窖的痕迹也没有发现。

在厨房旁边的一个小房间里睡着一个女仆。她睡得那么香,连有人进去她都不知道。谢廖沙小心地把她唤醒。

"你是什么人? 是在这儿做工的吗?"他问这个没睡醒的姑娘。

她拉着被头盖住肩膀,用手遮住手电筒的亮光——她不知道发生了什么事情,惊疑地回答说:

"是的,我是这儿的佣人。你们是谁呀?"

谢廖沙向她说明了来意,就走开了,叫她穿好衣服。

季莫申科正在那宽大的食堂里审问老板。老板气得发昏,溅着唾沫星子激动地说:

"你们打算怎样呢? 我只有一个地窖。你们再搜查也是白费时间。我保证你们是白费时间。不错,从前我开过旅馆,但是现在我已经成了穷人了。彼得留拉的大兵早把我抢个精光,几乎把我打死。我是非常喜欢苏维埃政权的,但是我所有的东西,你们都看到了。"他说话的时候老是伸开他那两只滚圆的短胳膊。他那对充满了血丝的眼睛不住地从肃反委员会主席的脸上溜到谢廖沙的脸上,再从谢廖沙的脸上溜到某一个角落和天花板。

季莫申科愤愤地咬着嘴唇:

"这就是说,你还想继续瞒着我们? 我最后一次劝告你,赶快告诉我们地窖在什么地方。"

"哎,您怎么啦,长官同志,"老板娘插嘴了,"我们自己都在挨饿哪。我们的东西都叫人家抢光了。"她很想放声大哭,但老挤不出眼泪来。

"挨饿,你们还雇用女仆呢!"谢廖沙说。

“唉，那怎么能说是女仆呢？只是收留的一个穷女孩子罢了。因为她无家可归。叫赫里斯季娜自己说说吧。”

“得啦，”季莫申科喊了一声，他已经忍耐不住了，“我们再搜查！”

天已经亮了，旅馆老板的房子里还在进行着顽强的搜查。季莫申科因为搜查了十三个钟头都没有结果，心里十分气愤，已经决定停止搜查了，可是就在这时候，正要走出那女仆的小房间的谢廖沙，听到她低声说道：

“一定是在厨房的壁炉里面。”

十分钟后，那个巨大的俄国式的壁炉被打开了，里面现出一个活动的铁板门。又过了一个钟头，一辆载重两吨的卡车载着许多桶子和袋子，在围着看热闹的人群中，从旅馆老板的屋子那里开走了。

一个热天的中午，柯察金的母亲带着一个小包袱从车站走回家来。她听着阿尔焦姆述说保尔吃官司的经过，哭得十分伤心。悲惨的日子一直在折磨她。她实在没有法子过活了，只好给红军洗衣服，战士们设法替她弄到一份口粮。

有一天晚上，阿尔焦姆的脚步比平常更快地从窗户前面走来。他一边推开房门，一边在门口喊着：

“保尔来信了。”

保尔信上这样写着：

亲爱的阿尔焦姆哥哥：

哥哥，我告诉你，我还活着，不过不很健康。我大腿上中了一颗子弹，可是现在已经快治好了。医生说，没有伤着骨头。你不必为我担心，它就会好的。我出院之后，也许可以休假，那时我一定回来看你。我临走时没能见到母亲，但是事情变化得这样快，我现在已经是科托夫斯基骑兵旅的一个战士了；不用说，你已经听到过英勇的科托夫斯基的名字。我从来没见过像他这样的人，我对我们这个旅司令员非常敬佩。母亲回家了吗？要是她在家，她的小儿子在这里顶亲热地问候她。请原谅我让你们操心。

你的弟弟保尔

再者，阿尔焦姆哥哥，请到林务官家里，把这信里说的告诉她。

母亲又痛哭了一番。她那不成器的儿子连医院的地址都没有告诉她。

谢廖沙时常到车站上那节写着"师政治部宣传鼓动科"的绿色客车去。丽达和伊格纳季耶娃两个就在这节车厢的一个小房间里工作。伊格纳季耶娃永远叼着一支烟卷儿，嘴角上现出得意的微笑。

共青团区委书记不知不觉地跟丽达亲近起来了，在每一次简短的会见中，除了一卷卷的宣传品和报纸之外，他还从车站上带着一种模糊的愉快的感情返回镇上去。

政治部的露天剧场每天都挤满工人和红军战士。在轨道上停着的第十二军的宣传列车车身到处都贴着色彩鲜艳的宣传画。这宣传列车昼夜都在紧张地活动着。它有一个印刷部，成天忙着排印报纸、传单和布告。前线离得很近。有一天晚上，谢廖沙偶然走进剧场。他在红军战士中间找到了丽达。

夜深了，当他送她回车站（政治部的工作人员都住在那儿）去的时候，谢廖沙自己也莫名其妙地突然对她说：

"丽达同志，为什么我老想看见你呢?"接着他又补充说:"跟你一起是那么愉快！每一次和你见面之后，我就觉得受到鼓舞，我就愿意不停地工作下去。"

丽达站住了，说：

"我告诉你，勃鲁扎克同志，咱们来个约定吧，今后你不要再做这些抒情诗啦。我不喜欢这样。"

谢廖沙就像一个被斥责的小学生似的，满脸绯红，回答说：

"我对你说这话是把你当作一个知心朋友，而你却这样对待我……难道我说的是反革命言论吗？往后，丽达同志，我当然不会再说了！"

他急促地握了握她的手，转过身就往镇上跑去。

此后一连几天谢廖沙都没有到车站上去。要是伊格纳季耶娃叫他去，他就推托，说他工作很忙。事实上，他的确很忙。

有一天晚上，舒季克回家，在糖厂高级职员——都是波兰人——的住宅附近，有人对他开枪。搜查住宅的结果，发现了皮尔苏茨基[①] 分子所组织的"狙击队"的枪械和文件。

革委会开会了，丽达也出席。她把谢廖沙拉到一旁，平心静气地问：

"你怎么了，伤了你那小资产阶级的自尊心了？你打算让私人的事情影响工作吗？同志，这样是不对的。"

于是，一有机会谢廖沙又到绿色客车上去了。

接着，县代表大会开会，谢廖沙也参加了。他们进行了两天激烈的争论。第三天，他跟全体代表一同带着武器，在河对岸的森林里追击扎鲁德内所率领的彼得留拉残余匪帮，追了一天一

① 皮尔苏茨基，当时的波兰国家元首，反动的资产阶级民族主义者。

夜。他回来之后,在伊格纳季耶娃那里碰到了丽达。他陪着她回车站,在临别的时候,他紧紧地、紧紧地握住她的手。

丽达很生气地把手抽回去了。从此以后,谢廖沙又有很长的时间没有到宣传列车上去。他故意避开丽达,甚至在工作上需要和她接触的时候也是这样。最后,当她固执地要求他解释这种行为时,他气愤地说:

“我有什么可向你解释的?你又会给人家扣上帽子:什么小市民习气啦,什么背叛工人阶级啦。”

高加索红旗师的军车开进车站来了。三个脸色微黑的指挥官来到了革委会。其中有一个瘦高个子,身上紧紧地束着一条镶银的武装带,他走近多林尼克,说:

“闲话少说。要一百车干草。马快饿死了。”

他们派谢廖沙和两个红军战士去征发干草。在一个村庄里,谢廖沙他们突然受到了富农匪帮的袭击。匪徒们解除了他们的武装,把他们打个半死。谢廖沙比另外两个受伤轻一些,因为他年纪小,他们就稍微留情点儿。贫农委员会的会员把他们送到镇上来。

一队战士被派到村里去。第二天,他们就把干草征发来了。

谢廖沙不愿意惊动他家里的人,所以就在伊格纳季耶娃的房间里休养。当天晚上,丽达来看他,她头一次那样热烈、那样亲切地握他的手。这样的握手他从来是不敢的。

一个酷热的中午,谢廖沙跑到宣传列车上去,把保尔的来信念给丽达听,还把这个同志的事情告诉了她。临走的时候,他无意间对她说:

“我要到树林里去,下湖洗个澡去。”

丽达放下她的工作，拉住他说：

"等一下，咱们一块儿去。"

在镜子一样的湖水旁边，两个人停下了。透明而温暖的湖水是诱人的。

"你到大路口那儿等一会。我要洗澡。"丽达命令似地说。

谢廖沙坐在小桥旁边的石头上，脸朝着太阳。

他听到了后面溅水的声音。

透过丛林，谢廖沙看见冬妮亚和宣传列车的政委丘扎宁正沿着大路走过来。丘扎宁很漂亮，穿着时髦的弗伦奇军服，束着军官武装带，登着吱吱响的软皮马靴。他挽着冬妮亚的胳膊，一边走一边和她谈着什么。

谢廖沙认出她就是那个替保尔给他送信的姑娘。冬妮亚也紧紧地盯着谢廖沙，显然也认出了他。当她和丘扎宁走近他的时候，他从口袋里掏出信来拦住她说：

"请稍停一下，同志。我这里有一封信，其中有一部分是与您有关系的。"

他把一张写得满满的信纸交给她。冬妮亚由那个男人手里抽回手来，读着保尔的信。信纸在她手里微微发颤。接着，她把信交还谢廖沙，问他：

"您还听到他的其他情况吗?"

"没有。"谢廖沙回答。

丽达从后面走来，从她脚下传来碎石头的响声。丘扎宁一看到她，就低声对冬妮亚说：

"我们走吧。"

但是，丽达的轻蔑而讥讽的声音拦住了他：

"丘扎宁同志，列车上整天都在找你呢。"

丘扎宁恶意地斜着眼看了看她，说：

“没有关系，他们没有我也行。”

他们两个走开以后，丽达在后面瞧着他们说：

“什么时候才能把这个狡猾的家伙清洗出去呀！”

树林在低语，高大的橡树在频频点头。小湖的水是清新诱人的。谢廖沙想洗澡了。

出水以后，他在离小道不远的地方找到了丽达，她正坐在一棵倒下的橡树上。

他们一边谈着话，一边向树林的深处走去。走到一条野草很高的小道上，他们决定在那里休息一会儿。树林里很静。只有橡树在小声谈话。丽达躺在嫩草上，枕着她那弯曲的胳膊。她那健美的双腿和补了又补的皮鞋，隐没在高高的野草里。谢廖沙偶然望一望她的脚，看见那双补得很整齐的鞋子，又看了看他自己的靴子，脚趾正从那个大洞里露出来。他笑了。

“你笑什么呀？”丽达问。

谢廖沙指着靴子说：

“穿着这样的靴子，叫咱们怎样去打仗？”

丽达没有回答。她轻轻咬着草叶，正想着别的事情。

“丘扎宁是一个很坏的共产党员，”她终于说了。“我们所有别的政治工作人员都穿得破破烂烂，但是他只知道怎样把自己打扮漂亮。他是我们党里的投机分子。……现在，前线的情况实在很严重。我们的国家必须坚持长期而残酷的斗争。”她静默了一会儿，接着又说：“照我看来，谢廖沙，我们不光应当用语言，而且应该用枪去战斗。你知道中央委员会动员四分之一的共青团员上前线去的决议吗？我想，我们在这儿决不会呆长久的，谢廖沙。”

谢廖沙听着她说的每一个字，他从她的声音里辨出了一种不平常的音调来。他觉得有点惊讶。她那对又黑又亮的水汪汪的眼睛，正紧盯着他。

他几乎要情不自禁地告诉她说：她的眼睛就像一面镜子，他可以从那里看见一切，但是他及时地控制了自己。

丽达用手腕支着，欠起身子。

“你的手枪在哪儿？”

谢廖沙摸摸他的皮带，伤心地说：

“在征发干草的时候，给富农匪帮抢去了。”

丽达把手插进制服的口袋，摸出了一支发亮的勃朗宁手枪。

“谢廖沙，看那棵橡树！”她用枪口指着二十五步开外的、有深深裂痕的树干，然后就举起右手，让它和眼睛成一直线，简直不加瞄准就开了一枪。被打碎的树皮落了下来。

“看见了吗？”她非常得意地说，接着又放了第二枪，树皮又落在草地上。

“你来吧，”她把手枪递给谢廖沙，笑嘻嘻地说，“看你的了。”

谢廖沙打了三枪，只有一枪没有中。丽达微笑着说：

“我以为你不会打得这么好呢。”

她把手枪放下，躺在草地上。从她的制服上身里，可以看出她那富有弹性的胸脯的轮廓。

“谢廖沙，你到这儿来，”她轻轻地说。

他的身子向她那里移了一下。

“看那天空，它是碧蓝的，你的眼睛也跟天空一样碧蓝。这样不好。你的眼睛应该是灰色的，像钢铁一般的颜色。碧蓝的颜色——未免太温柔了。”

突然，她抱住他那长着淡黄色头发的脑袋，纵情地在他的双唇上吻着。

两个月过去了。秋天又到了。

黑暗的帷幕盖住了树林,夜不知不觉地又降临了。师司令部的报务员,在电报机旁边,弯着身子收报。机上溜出来窄长的纸条,他迅速地把那些点和短线译成了如下的文字,写在格纸上:

> 师部参谋长并抄送谢佩托夫卡革委会主席。收到电报后十小时内,镇上所有机关一律撤退。镇上留一个营,归本战区指挥官N团团长指挥。师参谋部、政治部,以及所有军事机关,一律撤至巴兰切捷夫车站。执行结果立即向师长报告。(签名)

十分钟后,一架摩托车亮着车灯,在镇上静寂的街道上奔驰。它在革委会的门口哒哒地停下来,通讯员把电报交给了主席多林尼克。人们都行动起来了。特务连马上整队。一点钟以后,一些满载着革委会物件的车子从镇上开过去。大家正在波多尔斯克车站上装车。

谢廖沙看完电报就跟着通讯员跑到外边。

"同志,我可以搭你的车子到车站去吗?"

"坐在后边,不过,要把牢。"

在离那已经挂好就要开出的绿色车厢十步左右的地方,谢廖沙双手抱住丽达的肩膀,感到就要失掉他无限珍爱的东西,低声说道:

"再见了,丽达,我亲爱的同志! 我们会再见的,你千万别忘记我。"他怕自己马上会放声哭出来。他不得不走了。他不能再说话,只有紧紧地握着她的手,甚至把她的手都握疼了。

第二天早晨,被遗弃的小镇和车站显得十分荒凉。最后一列车的机车,仿佛告别似的,在车轮转动的时候嘶嘶地拉了几声汽笛。车站外面的铁道两旁,分列着留守本镇的营的警戒线。

黄叶凋零了,树木秃了。秋风卷着落叶,轻轻地在路上打转。

谢廖沙穿着红军外套,束着帆布做的子弹带,跟着别的十几个红军战士,在糖厂外面的十字街口守卫,等候波兰军到来。

阿夫托诺姆·彼得罗维奇轻轻地敲着他的邻居格拉西姆·列昂季耶维奇的门。格拉西姆还没有穿好衣裳,就由敞开的门里向外张望一下,问道:

“发生了什么事情?”

阿夫托诺姆·彼得罗维奇指着那些持枪行进的红军部队,向他的朋友点了点头,丢个眼色,说:

“走啦。”

格拉西姆·列昂季耶维奇心神不安地看了看他,说:

“你晓不晓得波兰人用什么旗子?”

“似乎是独头鹰。”

“哪儿可以找到这种旗子呢?”

阿夫托诺姆·彼得罗维奇焦急地搔了搔头皮。

“他们有什么关系?”他想了一下说,“说走就走。只苦了我们,又得想尽方法去适应另一个新政权。”

一架机枪哒哒地响起来了,枪声冲破了沉寂。骤然,车站上传来了机车的汽笛声,大炮也轰隆地响了一声。重炮弹嗡嗡地飞过高空,落在糖厂后面的大路上。路旁的丛林立刻隐没在深蓝色的硝烟里。这时候,沉默的、不屈的红军的队伍一边沿着大街撤退,一边不时回头看看后边。

一颗冷冷的泪珠,顺着谢廖沙的脸流下来。他慌忙把它揩掉。他看了看周围的同志们，还好，没人看见他流了眼泪。

和谢廖沙并排走的是又瘦又高的木材厂工人安捷克·克洛波托夫斯基。他的手指扣住步枪的扳机，一路上沉默，忧郁。他的眼睛碰着谢廖沙的视线，于是他把他内心的忧虑都对谢廖沙倾诉：

"现在，我们的人可要遭殃了，特别是我家里的人。他们会说：'一个波兰人竟反抗波兰的军队。'他们一定会把我爸爸赶出木材厂，用鞭子抽打他。我本来叫他跟我们一道走，但是他老人家却舍不得丢掉这个家。哎，他妈的，赶快碰上他们拚一下吧！"安捷克愤愤地把滑到额上来的尖顶红军帽往头顶上推了推。

"……再见吧，我的故乡；再见吧，你这个难看的、肮脏的、有着丑陋的房屋和发臭的街道的亲爱的小镇！再见吧，亲人们！再见吧，瓦莉亚！再见吧，转入地下工作的同志们……异族的、凶狠残酷的白色波兰军队开来了。"

穿着油垢的衬衫的铁路工厂的工人，一个个都用悲愁的目光送着红军战士们。谢廖沙激动地向他们喊道：

"我们还要回来的，同志们！"

8

在黎明前的薄雾里，第聂伯河模糊地闪着光，河水冲击着岸边的石子，哗啦哗啦地响。两岸附近的河水是平静的，银灰色的水面好像凝滞不动似的。可是河的中央是深黑色的、翻滚着的，可以看出正在急速地往下流动。这是一条美丽的、庄严的河。"第聂伯河是神奇美妙的……"果戈里关于它的描写是不朽的。它的高高的右岸是俯视着水面的陡峭的悬崖，就像一座高山在行进中突然给宽广的河水阻住一样。左岸很低，是一片沙地，这是第聂伯河在春汛退走以后淤积下来的。

河边的一条狭窄的战壕里有五个人。他们紧紧地挨着，趴在一挺圆鼻子的马克沁机枪旁边。他们是第七步兵师的前沿潜伏哨。谢廖沙就在机枪旁边，脸朝着河，侧着身子躺着。

昨天，由于波兰人那猛烈的炮火，由于给不停的战斗弄得精疲力尽，我们的队伍终于放弃了基辅，撤到了左岸，在这里扼守。

但是这次的退却、惨重的伤亡以及最后的放弃基辅，对战士们的情绪产生了严重影响。本来第七师曾经英勇地突破重围，穿过森林，进到马林车站附近的铁路线，经过猛烈的攻击，赶走了占据车站的波兰军队，把他们赶进森林，打通了到基辅去的道路。

现在，这美丽的城市又被迫放弃了！红军战士都为此而伤心。

波兰白军在击退了达尔尼查城的红军之后，便占领了左岸铁桥附近一个不大的据点。

然而不管他们怎样努力，再想前进一步已不可能了，他们每次都遭到红军的猛烈反击。

谢廖沙凝视着流动的河水，不禁想起了昨天的情景。

昨天，在晌午时候，他们大伙怀着对敌人的深仇大恨，向波兰白军发起猛烈的反攻；他第一次和一个没有胡子的波兰兵拚了刺刀。那家伙端着步枪，枪尖插着跟马刀一样长的法国刺刀，一边莫名其妙地喊着，一边像野兔似的蹦着朝他扑过来。这时候谢廖沙看见了他那恶狠狠地瞪着的眼睛。就在这一刹那间，他用刺刀尖挑了那个波兰兵的刺刀一下，于是那闪闪发亮的法国刺刀被拨到旁边去了。

波兰白军倒下去了。……

谢廖沙的手并没有打颤。他知道他以后还要杀人。他，谢廖沙，是能够那样温柔地恋爱，也能够那样珍惜友谊的人。他不是一个本性狠毒和残酷的人，然而他知道那些被世界上的寄生阶级所欺骗、所教唆、所驱使的士兵，都是带着野兽般的仇恨来进攻他的亲爱的共和国的。

因此，他，谢廖沙，为着使人类不再互相残杀的日子快点到来而杀人了。

谢廖沙正想得出神的时候，帕拉莫罗夫拍着他的肩膀说：

"我们走吧，谢廖沙，敌人马上就要发现我们。"

保尔·柯察金坐在机枪车和炮车上，或是骑着一匹割去了一只耳朵的灰马，在祖国的大地上来往行军已经一年了。他已经长成大人，也更加强壮了。他已经在灾难和痛苦中成长起来了。

给沉重的子弹带磨得出血的皮肤已经长好，步枪的皮带磨出来的那块厚厚的硬茧子却退不掉了。

这一年他经历了许多可怕的事情。他和几千个同他一样的战士们在一起，大家都衣不蔽体，但是为建立本阶级的政权而斗争的意志却像烈火一样永不熄灭。他走遍了乌克兰，只有两次离开过这革命的风暴。

第一次是他大腿上受了伤，第二次是在严寒的一九二〇年的二月染上了发高烧的伤寒。

斑疹伤寒给第十二军各师战士们的致命威胁，比波兰军的机枪还要可怕得多。这个军当时分布在非常广大的地区，几乎横跨整个北乌克兰，阻挡着波兰白军进一步的推进。保尔还没有完全痊愈，就回到了自己的部队。

那时候，他那一团正占据着卡扎亭—乌曼支线上的弗隆托夫卡车站附近的阵地。

车站是在树林子里。这个车站不大，旁边是一些被丢弃的、被破坏的小房子。这些地方已经不能住人了。三年以来,这个小站是个拉锯战的地方。弗隆托夫卡车站在这个时期见到的部队可真是太多了!

大战又在酝酿着。第十二军受了极大的损失,有一部分业已瓦解,当它在波兰白军压迫下陆续向基辅退却的时候,无产阶级共和国就已经在部署给那些打了胜仗而乐得发狂的波兰白军一个歼灭性的打击。

身经百战的骑兵第一军的各师正迅速地由遥远的北高加索向乌克兰调动,这是军事史上空前伟大的行军。第四、第六、第十一、第十四各骑兵师,陆续向乌曼推进,在前线后面集中。在走向决战的途中顺便清除了马赫诺匪帮。

这是一万六千五百把战刀,这是一万六千五百个在酷热的草原上经过风吹日晒的勇士!

红军最高统帅部和西南战线指挥部都十分注意,不让这个正在准备着的决定性打击预先被皮尔苏茨基的部下发觉。共和国和各战线司令部都非常谨慎地避免暴露这些骑兵师的集结。

乌曼前线停止了积极的战斗。由莫斯科直通哈尔科夫前线司令部的专线不断地发来电报——再从这儿发到第十四军和第十二军的司令部。窄长的纸条上印着密码写成的命令:“勿使波兰人注意到骑兵的集结。”只有在波兰军队的前进可能把布琼尼的各骑兵师卷入战争的时候,才许进行积极的战斗。

篝火的火舌像破碎的红布条一样抖动着。大股的黄褐色烟柱不住地盘旋上升。蠓虫是不喜欢烟的,它们成群地飞来飞去。战士们稍稍离开火堆,列成扇形坐着,脸迎着火光,现出古铜颜色。

篝火旁边有几个饭盒放在蓝色炭灰里。

盒里的水开始冒泡了。狡猾的火舌从燃烧着的木柴下面往上一蹿，舐了一下正低着头的人那蓬乱的头发，那人慌忙向后一躲，嘟哝着说：

“呸，真见鬼！”

周围的人都笑起来。

一个穿着呢子制服、留着短胡子的中年人，冲着火光检查完了他的枪筒，就用他那粗嗓子说：

“这小伙子多用功呀，连火烧着了都不觉得。”

“柯察金，把你看过的给我们讲讲吧，”另一个人说。

那年轻的红军战士搔着烧焦了的头发，笑着说：

“呵，安得罗修克同志，这本书，真称得起是一本好书。我一拿到手，就怎么也放不下了。”

坐在保尔旁边的一个翘鼻子的青年正忙着修理背囊的皮带，他一面用牙咬断一根粗线，一面好奇地问：

“喂，书里说的什么呀？”说着，他把针插在军帽上，又把剩下的线缠在针上，然后补充说：“要是谈恋爱的，我倒想听听。”

周围的人都笑起来了。马特维丘克抬起他那剪平的头，眯着一只狡猾的眼睛，斜看着那个青年人，说：

“不错，谢列达，恋爱倒是好事。你又这么漂亮，简直跟油画里的美男子一样！你到了哪里，哪里的女孩子们就成群跟在你屁股后头。可惜的是，你还有个小小毛病，就是鼻子太翘了一点。不过，这个毛病也还有办法补救。只要把一颗十磅重的诺维茨基手榴弹[①] 挂在鼻子尖上，保险明天早上就会塌下去。”

突发的笑声把拴在机枪车上的马吓得直喷鼻子。

谢列达懒懒地转过身来：

“光漂亮有什么用，脑袋瓜才值钱。”他富于表情地拍着自己

---

① 诺维茨基手榴弹，重四公斤，是炸铁丝网用的。

的前额说。“比方，拿你说吧，你的舌头挺能挖苦人，但是你是一个地道的笨蛋，你的耳朵是冰凉的。”

班长塔塔里诺夫站起来，把两个准备厮打的同志隔开了。他说：

“得啦，得啦，同志们，为什么要吵架呢？要是这本书真有价值的话，还是让柯察金把它念给大伙听听吧。”

“好，保尔，你就快点念吧。”周围一齐这样喊着。

保尔把马鞍移近火堆，坐了上去，然后把那本厚厚的小开本的书打开，放在膝盖上。

“同志们，这本书叫《牛虻》①。是我从营政委那里借来的。这部小说使我非常感动。要是你们能安静一点呆着，我就念。”

“快念吧！还说什么！谁也不会打搅你的。”

当团长普兹列夫斯基和政委一道悄悄地骑马走过来的时候，他看见十一对动也不动的眼睛，正盯着那个念书的人。

普兹列夫斯基回过头来，指着那一群战士，对政委说：

“我们团的侦察兵，一半就在那儿。其中有四个，都还是非常年轻的共青团员，可是每一个都不愧是优秀的战士。你瞧，那一个念书的叫柯察金，还有那边的一个，看见了吗？那一个眼睛像小狼的叫扎尔基。他们两个是好朋友。可是，他们暗地里却在较劲。柯察金一向是我顶好的侦察兵。现在他遇上了一个势均力敌的对手。你瞧，他们在悄悄地进行政治工作，但是影响非常大。有人给他们起了个非常好的称号——‘青年近卫军’。”

“那个念书的是不是侦察队的政治指导员？”政委问。

---

① 英国女作家伏尼契(1864—1960)的一部长篇小说，书中塑造了资产阶级革命家牛虻的形象，反映了十九世纪意大利民族民主革命斗争。

“不,政治指导员是克拉麦尔。”

普兹列夫斯基催马走到跟前。

“同志们,你们好!”他大声喊着。

所有的人都转过头来。团长敏捷地跳下马,走到围坐的战士们跟前。

“烤火吗,朋友们?”他笑着问。他那刚毅的面孔和有点像蒙古人的细长的眼睛不再有严厉的神情。

大家把团长当作朋友、当作一个好同志来热烈欢迎他。政委还骑在马上,因为他还要赶路。

普兹列夫斯基把带套的毛瑟枪推到背后,蹲在保尔坐的马鞍旁边,向大家提议说:

“大家都抽口烟好不好?我弄到了一些上等烟叶。”

他抽起一支自己卷的烟卷儿,转脸对政委说:

“你先走吧,多洛宁,我留在这儿。如果司令部要找我的话,请通知我。”

多洛宁走了,普兹列夫斯基就对保尔说:

“继续念下去吧,我也要听一会儿。”

保尔读完了最后几页,把书放在膝盖上,深思地盯着火焰。

好几分钟大家都没有说一句话。所有的人都被牛虻的死感动了。

普兹列夫斯基抽着烟,等着听他们的意见。

“这个故事太悲惨了,”谢列达打破了周围的沉默。“这就是说,世界上真有那样的人。本来是谁都不能忍受的,但是当一个人获得了什么主义支持的时候,他真的就能忍受了。”

他说这些话的时候,显得非常激动,这故事给他的印象太深刻了。

安德留沙·福米乔夫原是白教堂城一个鞋匠的助手,他也激忿地喊着说：

“这个硬把十字架往牛虻嘴里送的该死的神父，要是我碰到，我一定马上揍死他，这畜生！”

安得罗修克用一根小木棍把一个饭盒往火中间推了推，很自信地说：

“知道为什么而死，问题就不同了。懂得这个道理的人，就会有力量。要是你感到真理是在你那一边，你就会死得从容。英雄的行为就是这样产生的。我认识一个小伙子，他名叫波莱卡。事情是这样的：当他在敖德萨地方被白党包围了的时候，他一冒火，就独自一个向一整排敌人冲了上去。白军的刺刀还没有碰着他，他拉响的一颗手榴弹在自己脚底下爆炸了。他自己固然被炸得粉身碎骨，那些白军也成堆地陪着他倒下了。从外表看，他一点儿也不出众，也没有人把他的事迹写成书，但这是值得写的呵！在我们弟兄们中间，这种人可有的是。”

他拿了一个汤匙在饭盒里舀了一点茶，用嘴唇尝尝，又继续说：

“可是也有像癞狗一样死去的。死得糊里糊涂，毫不光彩。我们在伊贾斯拉夫城下作战的时候——那是一座古城，早在大公统治的时代就建立起来了，它就在哥伦河岸上，——遇到一桩事情。那里有一个波兰教堂，像堡垒似的，很难攻。那天我们就向那儿冲过去。我们列成散兵线沿着小巷向前摸。我们的右翼是由拉脱维亚人担任的。我们跑到公路上一看：一所花园的墙边拴着三匹马，全都备着鞍子。

“我们想，这回该活捉波兰人了。我们十来个人就一齐冲进那个小院子。那个拉脱维亚人连长，拿着毛瑟枪走在前头。

“跑到房子跟前，我们看见门开着，马上就冲了进去。我们想：那儿一定有波兰鬼子，可是结果完全不是那么回事。原来是我们自己的三个骑兵侦察员。他们比我们早来了一步。我们看见的情况很不妙。事实摆在眼前:他们正在欺负一个女人。这里住的是一个波兰小军官。那时候,他们已经把他的老婆按在地上。那个拉脱维亚人连长什么都清楚了,就用拉脱维亚话喊了一声。那三个人被抓起来拖到院子里去了。我们的人里面,只有两个是俄罗斯人,其余全是拉脱维亚人。连长叫勃列季斯。虽然我不懂他们的话,但事情是看得清清楚楚的——他们是要送这三个人'回老家'。那些性情刚烈的拉脱维亚人,真了不起。他们把那三个人拖到了石头马圈跟前。我想,这回完了,准是啪啪给他们几枪!其中有一个小伙子,那副嘴脸难看极了,他不让绑,极力挣扎,还破口大骂。他说:'难道为了一个女人就该枪毙?'其余的两个都在求饶。

"我一看见这情景,心就凉了半截,我跑到勃列季斯跟前说:'连长同志,把他们交给军事法庭审判好了。为什么你要让他们的血弄脏你的手呢?城里的战斗还没有结束,咱们却在这里跟这些家伙算账。'他马上转过来,对着我,脸色是那样地可怕,两只眼睛就像老虎眼似的,我立刻懊悔我的失言。他用枪指着我的鼻子。我打了七年仗,都没害怕,可是这回,我真有点害怕了。我看出来,他会不容分说把我打死的。他用刚刚能听得懂的俄语喊着对我说:'红旗是用我们的鲜血染的,而这些家伙,让全军丢脸!当匪徒,就得枪毙。'

"我不忍看下去,就跑到街上去了。我听到了后面的枪声。我知道,那三个家伙完蛋了。当我们又列成散兵线前进的时候,城市已经是我们的了。瞧,这几个家伙就像狗似的死去了。后来我才知道,这几个侦察员是在美利托波尔战役中投降过来的。他们从前在马赫诺匪帮干过,原来就是些坏坯。"

他把饭盒放在脚边,解开装面包的背囊,继续说:

“有些败类混进咱们的队伍里来。你不能把所有的人都看得很清楚。他们好像也在努力干革命。‘一只老鼠坏一锅汤。’这件事叫我很难过，到现在我还忘不了。”他说完了，就开始喝茶。

骑兵侦察员们睡觉的时候，已经是深夜了。谢列达高声地打着呼噜。普兹列夫斯基也在那儿枕着马鞍睡了，只有政治指导员克拉麦尔还在他的笔记簿上写着什么。

第二天，保尔侦察回来，把马拴在树上，用手招呼刚刚喝完茶的克拉麦尔到他的身边，对他说：

“指导员，我想转到骑兵第一军去，你看怎么样？他们以后一定要大干一场。我看他们这么多人聚集在一起，一定不是专为练习骑马的。而我们呢，好像要永远呆在这儿似的。”

克拉麦尔惊异地看了看他，然后说：

“怎么转过去呢？你把红军看成什么了——是电影院吗？这像什么话？要是我们大伙儿都要从这一个部队跑到另一个部队去，那可就热闹了。”

“在什么地方作战不都是一样吗？”保尔打断他的话，说。“我又不是临阵脱逃。”

可是克拉麦尔断然地反对他：

“不行，你把纪律看成了什么？保尔，你什么都好，不过就是带点儿无政府主义的气味。你要怎样——就非得怎样不可。可是我们的党和共青团是建立在铁的纪律上面的。党——高于一切。因此，每个同志不是想到哪儿去就到哪儿去，而是什么地方需要他，就到什么地方去。普兹列夫斯基不是也拒绝了你的要求吗？那就得了，什么话都不用说了。”

面色发黄、又高又瘦的克拉麦尔因为十分激动而咳嗽起来。印刷厂的铅粉早已牢固地侵入了他的肺部，他的双颊时常现出不健康的红晕。

他咳嗽了一阵之后,保尔低声地、但是坚决地对他说:

“你说的都对,不过我还是要转到布琼尼的骑兵队里去,我已经决定了。”

第二天晚上,在篝火旁边已经看不到保尔的影子了。

在邻近一个小村子里的学校附近,许多骑兵聚集在一个土坡上,围成一个大圆圈。布琼尼骑兵队一个健壮的战士,小帽推到后脑勺,正坐在炮车的车尾,奏着手风琴。另一个穿着红色宽裤子的骑兵正绕着圈子跳着狂热的果帕克舞,手风琴不合拍地发出嗄哑的声音,跳舞者的脚步也乱了。

村里的男女青年都跑过来,爬上机枪车或抓住篱笆,围着看这些刚开到村里来的骑兵旅的大胆的舞蹈家们。

“托普塔洛,使劲跳吧! 把地踏平吧。喂,老兄,加把劲! 那个拉手风琴的,也加油呀!”

但是叫那位音乐家的粗大的手指头要扳弯一只马蹄铁倒好办,要叫它们灵活地去按琴键,可真办不到。一个脸色黝黑的骑兵这时候就说:

“唉! 真可惜,阿法纳西·库利亚勃科被马赫诺匪帮杀死了,他能拉一手很好的手风琴,他是骑兵连的排头。可惜他死了。他是一个好战士,也是一个好手风琴手。”

保尔也站在那儿。他听到最后这句话,就挤到炮车前面,把手放在手风琴的风箱上。手风琴马上不响了。

“你干什么?”拉手风琴的青年人瞟了他一眼。

舞蹈的人也立刻停住了。周围发出了不满意的喊声:

“你是干什么来的? 为什么捣乱?”

保尔伸手握住手风琴的皮带说:

“拿来，让我来试一试。”

那个拉手风琴的布琼尼骑兵不信任地看了看这位不认识的红军战士，犹豫不决地从肩上把皮带卸下来。

保尔照老习惯把手风琴放在膝盖上。手风琴的波浪式的风箱像扇子一样展开了，一伸一缩地鼓着整个风箱的气，奏出了或高或低的动听的声音。

喂，小小的苹果，
你滚到哪儿去呀？
要是落到省肃反委员会手里，
你就别想回来啦。

那个跳舞的骑兵马上随着那熟悉的节拍跳起来了。他的胳膊像鸟翅膀一样地扇动，他飞快地绕着圈子，做着各种令人眼花缭乱的动作。他的两手一上一下地使劲拍着皮靴筒、膝盖、后脑勺、前额，接着又用手掌把靴底拍得震天响，最后是拍着张开的嘴巴。

手风琴不停地用琴声鞭策他，用急骤而热狂的旋律驱赶他。于是，跳舞的人就把两只腿轮流伸出去，像陀螺一样团团转，口里“嘘嘿，嘘嘿”地喘着。

一九二〇年六月五日，经过几次短促而激烈的接触之后，布琼尼的骑兵第一军就在波兰第三军和第四军的接合点上冲垮了波军的阵线，把企图堵截它的萨维茨基将军的骑兵旅杀了个落花流水，然后一直向鲁任挺进。

波军司令部为了堵住战线的缺口，正发狂地拼凑突击部队，并且把刚从波格列比谢车站的货车上卸下来的五辆坦克急忙开到作战的地点去。

但是布琼尼的骑兵已经绕过了波军组织反攻的根据地扎鲁德尼齐，进入敌军的后方。

这时候他们急派科尔尼茨基所统率的波兰骑兵师去追击布琼尼的骑兵第一军。波军司令部判断，骑兵第一军的目的是要拿下波兰白军后方的一个极重要的战略据点——卡扎亭。这个师便负有由背后攻击骑兵第一军的任务。但是这一行动并没能改善波兰白军的处境。虽然他们在第二天就堵住了前线上被冲破的缺口，在布琼尼大军的背后又把战线联接起来，但是强大的骑兵第一军已经在他们的后方出现，并且摧毁了他们许多根据地，准备着攻击基辅周围的敌军了。当各骑兵师继续前进的时候，沿途还破坏了许多铁路和桥梁，截断了波军的退路。

他们从俘虏的口里知道了波军有一个军司令部设在日托米尔，——事实上连方面军司令部也设在那儿，——因此骑兵第一军指挥部决心占领重要的铁路枢纽和行政中心日托米尔和别尔季切夫。六月七日黎明，骑兵第四师就向日托米尔进发了。

保尔在一个骑兵连顶替已牺牲了的库利亚勃科，正在右翼上策马前进。因为战士们不愿意放走这出色的手风琴手，在集体的要求之下，他就被编进了这一连。

他们马不停蹄地在日托米尔附近展开了扇样的阵形。银色的军刀在阳光中闪烁。

大地在马蹄下呻吟，战马在喘息，战士们屹立在马镫上。

脚下的大地向后飞过去，一座到处是花园的大城冲过来迎接他们。红军骑兵飞也似的驰过郊区的一些花园，冲到了市中心；像死神一样叫人恐怖和胆寒的“杀呀！杀呀！”的喊声，在空中震荡着。

惊惶失措的波军几乎没有丝毫的抵抗。城里的卫戍部队被击溃了。

保尔伏在马背上，向前奔驰；在他旁边，骑着一匹瘦腿黑马的，正是那个跳舞的骑兵托普塔洛。

保尔亲眼看见这个英勇的红骑兵挥起了军刀，一下子就把一个来不及瞄枪的波兰兵砍倒了。

马蹄猛踩着石子路，发出嘚嘚的响声。突然，在一个十字路口出现了一挺机枪，摆在路的正中央，三个穿蓝色制服戴四方军帽的波兰士兵弯腰守着它。另外还有一个军官，领上镶着蛇形的金线条，看见红军骑马冲过来，就举起了手里的毛瑟枪。

保尔和托普塔洛都勒不住马了，只好一直向死神的爪子——机枪冲过去。那军官先对保尔打了一枪，但是没有打中，子弹像一只麻雀似的在他的脸旁嗖地一声飞过去。马的胸脯把这个中尉撞倒了，他仰面朝天倒下去，他的头撞在路面的石头上。

就在这一刹那间，像患着热病的机枪开始发出剧烈而野蛮的笑声。托普塔洛和他那匹黑马，就像给数十只大黄蜂螫着似的一起倒下了。

保尔的马吃惊地扬起前蹄，站着嘶叫起来。但是它立刻又带着保尔，跳过死者的尸体，向机枪旁边的人冲去。于是，军刀在空中画了个闪光的弧形，向一个蓝色四方帽劈下去。

保尔的军刀又举起来，刚要砍另一个人的脑袋，但是疯狂的马却蹦到路旁去了。

这时骑兵连的人马已经像一股奔腾的山洪，向十字路口直冲过来，几十把军刀在空中呼呼地响着。

牢狱的窄长的走廊里喊叫声连成一片。

在挤得水泄不通的牢房里，那些受尽磨难的憔悴的犯人骚动起来了。巷战正在城里进行——莫非是自己的军队又从什么地方回来了？莫非是他们马上就可以自由了？

牢狱的院子里也有了枪声。有人在走廊里跑。突然，一个亲切的，无限亲切的声音喊道：

"快出来吧，同志们！"

保尔跑到锁着的牢门跟前，牢门的小窗上出现了几十对眼睛。他狂怒地用枪托猛砸牢门的铁锁，左一下右一下地猛砸！米罗诺夫拦住他，从袋子里掏出一颗手榴弹来，说：

"等一等，让我用这个家伙对付它。"

排长齐加尔钦科把手榴弹夺过去，说：

"住手，你这傻瓜！你发疯了吗？钥匙马上就拿来啦。砸不开，我们用钥匙来开。"

人们已经把狱卒押到走廊上来了，用手枪逼着他打开了牢门。接着，走廊上就挤满了褴褛而脏肮的乐得发狂的人们。

保尔推开宽大的牢门，走进牢里：

"同志们，你们统统自由了。我们是布琼尼的骑兵，我们的师已经把本城占领了。"

一个两眼泪汪汪的妇人，扑到保尔面前，一边哭，一边紧抱住他，好像他就是她的亲儿子似的。

释放了被波兰白军关在石洞里、只等着枪毙和绞杀的五千零七十一个布尔什维克和二千个红军的政治工作人员，这比别的什么战利品、比什么胜利都可贵。对这七千多个革命者来说，漆黑的夜骤然变成了炎热的、阳光灿烂的六月天！

被释放的囚犯里有一个脸黄得像柠檬的人，欢欢喜喜地跑到保尔面前。他是谢佩托夫卡的排字工人萨穆伊尔·列赫尔。

保尔听着萨穆伊尔的叙述。他的脸蒙上了一层灰色的阴影。萨穆伊尔是在讲他们故乡谢佩托夫卡的流血的悲剧。他的每一个字，都像灼热的铁水一样，一滴一滴地落在保尔的心头。

“在一个深夜里，我们全体一下子全给抓起来了，是一个无耻的叛徒出卖了我们。我们大伙落到了宪兵队的手里。保尔，你知道我们受的刑是多么可怕呵！我挨的打比别人轻，因为他们只打了我几下，我就昏倒在地板上了，但是别的同志身体比较结实。我们没有什么可隐瞒的。宪兵队知道的比我们还详细。我们干的每一件事，他们全清楚。

“显然，在我们中间混进了奸细。那些日子的事我没法说。保尔，牺牲的人们有许多是你认识的：瓦莉亚，县城里的罗莎，她简直还是个小孩呢，刚十七岁，那么好的一个女孩子，那么一对信任人的眼睛。其次，还有萨沙·邦沙弗特，你记得，他是我们的排字工人，是那么一个快乐的青年，总是画讥讽老板的漫画。此外，还有中学里的两个学生——诺沃谢利斯基和屠日茨。这些人，你都认得。还有别的由各处抓来的人，一共是二十九个，其中六个是女的。他们像野兽般地残害我们。瓦莉亚和罗莎在第一天就被强奸了。那些野兽，谁高兴怎样干，就怎样干。她们被拖回牢里来的时候，都已经半死不活了。罗莎回来以后就不住嘴地说胡话，又过了几天，她就完全疯了。

“那些野兽不相信她真地疯了，认为她在装疯，因此每逢审问就拷打她。她被枪毙的时候，样子真可怕。她的脸给打成了黑色的，两眼发呆，样子完全像个老太婆。

“瓦莉亚直到最后一分钟始终表现得很好。他们死得全都像真正的战士。我不知道他们哪里来的那股力量，但是，保尔，我能够把他们被处死的情形完全都告诉你吗？不能，我不能。他们死得那么惨，我简直不能用言语形容。……瓦莉亚参加的是最危险的工作——她跟波军司令部的无线电报务员保持联系，还被派到乡村里去做情报工作。他们搜查她家的时候，又在她的房间里找到了一支毛瑟枪和两颗手榴弹。拿手榴弹给她的，就是那个出卖我们的叛徒。一切都是事先布置好来陷害她的——说是她企图炸毁波军的司令部。

“呵，保尔，我实在不忍讲出他们临死之前的情形，不过，你既然一定要我说，我也只好对你说了。军事法庭判决了：把瓦莉亚和别的两个人绞死，其余全都枪毙。

“我们曾经策反过的那些波兰兵，是比我们早两天受审的。

“一个年轻的班长，无线电报务员斯涅古尔科，战前曾在罗兹当电工，他的罪名是背叛祖国和在士兵中间进行共产主义宣传，被判枪毙。他并没请求赦免，判决二十四小时后就被枪决了。

“瓦莉亚曾被传去作这个案件的证人。她告诉我们说，斯涅古尔科承认他进行过共产主义的宣传，但是坚决否认他背叛祖国。他说：‘我的祖国是波兰苏维埃社会主义共和国。是的，我是波兰共产党的党员；我是被迫当兵的。我一向竭力使跟我一样的、被你们赶到前线来的士兵们，睁开他们的眼睛。为了这个，你们可以绞死我，但是我否认我背叛自己的祖国，我永远也不背叛它。不过我的祖国跟你们的不同。你们的祖国是贵族老爷们的，而我的祖国却是工人和农民的。我深信我的祖国会建立起来的。在我的祖国——决没有一个人会说我是叛徒。’

“判决之后，我们都被关在一起。行刑之前他们把我们投进了监牢。夜间，他们在监狱对面，就是医院的旁边，竖起了绞架；同时，又选定了稍远一点，在大路旁边陡坡上靠近树林的地方，作为枪决的刑场。在那里，他们给我们掘了一个大坑。

“判决的告示张贴出来了，全镇的人都知道了这件事。他们又决定在白天，当着居民的面行刑，让每个人看了都害怕。从那天早上起，他们就开始把镇上的人赶到绞架这边来。有些人出于好奇，虽然觉得可怕，还是来了。绞架周围挤满了人。人头攒动，一望无际。你是知道的，监狱周围有一排栅栏，绞架就竖在那儿。我们都可以听到嘈杂的人声。他们在后面街上又架好机枪，而且把镇上各处骑马的和步行的宪兵都调了来。还有一整营的兵士在周围警戒。他们给那些被判绞刑的人掘了一个大坑，这大坑就在绞架下面。我们默默地等着最后一刻的到来，只有几个人偶尔说一两句话。该说的话前一天都说了，并且也互相诀别了。只有罗莎躲在牢里的一角，自言自语地说些听不明白的话。瓦莉亚因为挨打和被强奸，已经折磨得走不动了，一直躺在那儿。两个由乡下捉来的女共产党员，是一对亲姐妹，互相紧紧地拥抱着，无法抑制住自己，放声大哭起来。这时候，斯捷潘诺夫，这个跟大力士一样健壮的青年人——他在被捕时曾打伤了两个宪兵——就坚决地对她们说：'同志们，别流泪！要哭就在这儿哭吧，到外面可别哭了。咱们决不叫那些吸血的恶鬼们开心。不管怎样，咱们是死定了。所以咱们应该从从容容地死。咱们谁也不能跪下。同志们，别忘记，要死得光荣！'

"接着，他们来押解我们了。在前面走的是侦探局长什瓦尔科夫斯基，他是一个色情狂的刽子手，一只疯狗。要是他自己不强奸，他就叫宪兵们动手，自己站在旁边看着取乐。在由监狱到绞架的路上，由两排宪兵排成一条走廊。那些'黄鬼'——因为他们戴着黄色的肩带，所以我们这样叫他们——都抽出刀来，站在两旁。

"他们用枪把子把我们赶到监狱的院子里，每四人一排，然后打开大门，把我们押到大街上。他们叫我们一齐站在绞架跟前，让我们先亲眼看着我们的同志怎样被绞死，然后再轮到我们自己。那些绞架都很高，全是用粗木头搭的，在上面的横梁上，系着三个用很粗的绳子结成的圈套，下面是一个带斜梯的平台，平台用一根活动的木桩子支着。茫茫的人海不停地蠕动，发出了隐约可闻的嘈杂声。他们的眼睛全盯着我们。我们能够辨认出自己的亲属。

“好些波兰的小贵族们，其中也有波兰军官，手里拿着望远镜，聚集在稍远一点的台阶上。他们是来欣赏怎样绞死布尔什维克的。

“地上的雪是松软的，树林是一片白色，树木都像洒上一层棉絮。雪片在空中缓缓地打转，扑到我们灼热的脸上，立刻融化了。绞架的平台上铺满了雪花。我们的衣服几乎都被剥光了，但是谁也不觉得冷，斯捷潘诺夫甚至没有理会到他只穿着袜子。

“军事检察官和高级军官们都站在绞架旁边。最后，把瓦莉亚和其他两个被判处绞刑的同志从牢狱里拖出来了。他们三个人胳膊挽着胳膊，瓦莉亚站在中间——她实在衰弱得走不动了，所以那两个同志搀着她，同时，她也竭力抬起腿来。她记着斯捷潘诺夫的话——‘我们要死得光荣。’她没穿外套，只穿一件绒线衫。

“疯狗什瓦尔科夫斯基显然不满意他们挽着胳膊走，就推了他们一下。瓦莉亚说了一句什么话，立刻一个骑马的宪兵扬起鞭子使劲朝她脸上猛抽了一鞭。

“这时候，人群里有一个妇人发出了凄厉的叫声。她呼天抢地，拚死挣扎，竭力要挤过人群，冲到三个人跟前。但是她被抓住，并且被拉到什么地方去了。老妇人一定是瓦莉亚的母亲。他们走近绞架的时候，瓦莉亚就唱起来了。我从来没有听过那样的歌声——只有视死如归的人才能有那样的激情歌唱。她唱着《华沙革命歌》，那两个同志也和着她唱。宪兵抽打他们，像疯子一样抽打我们的同志，但是他们好像没有感到疼痛。于是宪兵就打倒他们，拽着他们的脚，像拖袋子一样把他们拖到绞架跟前，草草地念完判决书，就把绳圈套在他们的脖子上。这时候，我们大伙就高唱起《国际歌》来：

起来！饥寒交迫的奴隶……

"他们从四面八方向我们扑过来；我只看见一个兵用枪托把支着平台的木桩子推开，这样他们三个就吊在绳套子上了……

"就在我们十个人站在墙根等着枪毙的时候，向我们宣读了判决书，说将军把死刑给改为二十年苦役。其余的十六个全给枪决了。"

萨穆伊尔撕开了衬衫领子，好像勒得他不能喘气似的。

"他们的尸体整整地吊了三天，日夜都有匪兵站在绞架旁边看守。后来新关进来的犯人告诉我们：'他们三个中间最重的托鲍利金同志的绳子在第四天断了。这样他们才把那两个也解下来，就地埋了。'

"但是绞架还没有拆掉。我们被押到这儿来的时候，看见那绳子还在绞架上悬着，还在等待着新的牺牲者。"

萨穆伊尔不说了，目光呆呆地盯着遥远的什么地方。保尔没有注意到他的话已经讲完了。

那三个死尸的样子清楚地显现在他的眼前，他们脸相很可怕，脑袋歪向一边，在风中默默地摆动着。

骤然，街上吹起了集合号，号声震醒了保尔。他用低得几乎听不见的声音说：

"我们到外面去吧，萨穆伊尔！"

在大街上，波兰俘虏正在走过去，骑兵在西边押送他们。团政委站在牢狱的门边，已经在阵地记事册上写完了一道命令。

他把它交给矮胖的骑兵连长，说：

"安季波夫同志，你拿着这命令，派一班骑兵，把这些俘虏押解到诺沃格勒—沃伦斯基。那些负伤的，要给缠上绷带，抬到车上，也往那个方向运。送到离城二十俄里的地方，就让他们回去吧。我们没有工夫多管他们。注意，不许虐待俘虏。"

保尔跨上马，转过头来对萨穆伊尔说：

"你听见没有？他们绞死我们的同志，而我们却要好好地把他们送到他们自己人那边去，而且还不许虐待！这怎么办得到？"

团长回过头来，注视着他。保尔听到他好像在自言自语似地说出这坚决而严肃的话来：

"虐待解除了武装的俘虏，是要受枪决处分的。我们不是白军！"

当保尔策马离开监狱大门的时候，他想起了苏维埃革命军事委员会最近的命令，这命令曾向全团的士兵宣读过，其中最后几句这样说：

"工农的国家爱护它的红军，以它的红军为荣耀，并要求不要在它的旗帜上染上一个污点。"

"不要染上一个污点！"保尔的嘴唇微微地动着说。

当骑兵第四师占领了日托米尔的时候，第七步兵师的第二十旅——这是戈利科夫同志的突击部队的一部分——也在奥库尼诺沃村附近强渡了第聂伯河。

由第二十五步兵师和巴什基尔骑兵旅编成的部队已经接到命令，准备渡过第聂伯河，在伊尔沙车站附近切断基辅至科罗斯田的铁路线。这次作战计划的目的是截断基辅波军的唯一退路。谢佩托夫卡共青团组织的团员之一米什卡·列夫丘科夫就在这次战役中牺牲了。

当他们经过摇摇晃晃的浮桥时，忽然从山后发出了吓人的响声。一颗炮弹飞过头顶落在水面上爆炸了。米什卡就在这一刹那间翻身跌到搭浮桥的小船底下去了。河水立刻吞没了他。只有淡黄色头发的、戴着掉了遮檐的破军帽的亚基缅科，惊骇地叫了一声：

"哎哟，瞧，米什卡掉到河里去了！他淹死了，他完了呵！"他停住了脚步，呆望着那黑茫茫的水流，但是后面的人已经跑了上来，推着他喊道：

"喂，你这个傻瓜，为什么张着嘴站在这儿？走呀！"

当时实在没有工夫为一个同志操心。因为这个旅已经比别的部队落后了，他们早就占领了右岸。

四天以后谢廖沙才知道米什卡死了。那时候他们那一旅已经在一次激战之后占领了布恰车站，随即转过来向基辅进攻，打退了企图以猛烈的冲锋向科罗斯田突围的波军。

亚基缅科趴在谢廖沙的旁边。他停止了猛烈的射击，用力拉开灼热的步枪的扳机，然后将头靠着地面，对谢廖沙说：

"步枪要休息一下才好，它简直烫得像火一样了！"

枪炮的声音是那么大，谢廖沙几乎听不清他说的话。过了一会儿，枪声稍稍停息了，亚基缅科就好像顺便提起来似的说：

"在路上，你的那个同伴掉到第聂伯河里，被水冲走。我措手不及，毫无办法。"他说完，就打开扳机，从子弹袋里拿出一排子弹来，聚精会神地把它压进弹仓里。

攻打别尔季切夫的第十一师，在城内遇到了波军顽强的抵抗。

每条街都发生了血战。他们用机枪扫射，阻拦骑兵的前进。

然而第十一师终于占领了该城,被击溃的残余波军狼狈地逃跑了。在车站上缴获了他们许多列火车。但是波军所受的最大打击还是一百万颗炮弹的爆炸——整个波军的军火库被毁了。碎玻璃片像雨一样落遍全城,房屋仿佛是厚纸糊成的一般,给炮弹的爆炸震得直摇晃。

日托米尔和别尔季切夫的相继被攻陷,使波军后方受到极大的打击。因此他们慌忙分成两大股,退出了基辅,想拚死杀出一条路,冲破围困他们的铁环。

保尔已经完全忘记了他个人,每天都在狂热的激战里。保尔·柯察金已经溶化在集体里面了;他,像每个战士一样,已经把"我"字给忘了,只知道"我们"——他们说:我们团,我们骑兵连,我们旅。

同时,各种事件正以飓风一样的速度进展,每天都有新的消息传来。

布琼尼的骑兵排山倒海一般地前进,接连不断地打击敌人,粉碎了整个波军的后方。满怀胜利喜悦的各骑兵师猛攻着诺沃格勒—沃伦斯基——波兰白军后方的心脏。

他们像冲击峭壁的巨浪一样退回来,但稍停一会儿,又发出可怕的"杀呀!"的喊声,冲上去。

不论是铁丝网或是防守部队的拚命抵抗,都不能挽救波兰白军。六月二十七日早上,布琼尼的骑兵渡过了斯卢奇河,进入了诺沃格勒—沃伦斯基,并继续追击朝科列次镇退却的波兰白军。同时,第四十五师也在新米罗波利渡过了斯卢奇河,而科托夫斯基骑兵旅也在进攻柳巴尔镇。

骑兵第一军的无线电台不久就接到了前线总指挥部调动所有骑兵夺取罗夫诺的命令。所向无敌的红军追击溃退的、士气沮丧的白军。匪徒们只好四散逃命。

有一天，保尔被旅长派到停着铁甲列车的车站去送公文，他竟遇见一个他怎样也想不到会碰见的人。他的马跑上了很陡的路基。到了第一节灰色车厢跟前，他用力勒住马。那坚固的车身和那些隐在炮塔里的大炮的黑洞洞的炮口，多少有点吓人。几个满身油污的人正在车旁忙着揭起一块保护车轮的沉重的钢甲。

“请问铁甲列车的指挥员在什么地方？”保尔问一个穿着皮上衣、提着水桶的红军战士。

“就在那儿，”他用手指着机车说。

保尔走到机车旁边，问道：

“哪一位是指挥员？”

一个从头到脚裹着皮革的满脸麻子的人，转过脸来说：

“我就是。”

保尔从口袋里摸出一封公文，交给了他。

“这是旅长的命令。请在信封上签个字。”

指挥员把信封放在膝盖上，开始签名。在机车的第二个轮子旁边有一个人正在那里加油。保尔只能看到他的宽阔的后背和从那人的皮裤口袋里凸出来的七响手枪枪柄。

“这是给你的收条，”指挥员把信封交给了保尔。

保尔正拉着马缰绳，准备掉头回去，这时候那个加油的人突然直起身子，转过脸来。就在这一瞬间，好像有谁把他从马身上推下来似的，他一下子跳到了地上，喊道：

“阿尔焦姆哥哥！”

那满身油垢的司机立刻放下油罐，像大熊一样抱住年轻的红军战士：

“保尔！你这小东西！原来是你呵！”阿尔焦姆这样喊，他简直不相信他自己的眼睛。

铁甲列车的指挥员惊讶地看着这一幕剧。列车上的炮兵们快乐地大笑起来,说:

“看呵！弟兄俩喜相逢了。”

八月十九日,在利沃夫附近,保尔在激战中失落了他的军帽。他把马勒住,但是前面的弟兄们已经冲进了波兰白军的散兵线。杰米多夫从洼地的丛林中冲出来。他一面朝河岸那边跑,一面大声叫喊:

“师长牺牲了!”

保尔吓了一跳。他的师长,英勇的、不屈不挠的列图诺夫同志,就这样死了！疯狂的愤怒支配了他。他用刀背狂抽着他的坐骑格涅多克——它已经疲乏了,马辔子上染着点点的鲜血——直向厮杀着的人群冲去。

“砍死这些野兽！砍死他们！砍死这些波兰小贵族！他们杀死了列图诺夫!”他狂怒地、不顾一切地向一个穿绿制服的人劈去。由于他们师长的死,全连燃起了复仇的怒火,把波军的一个排都杀光了。

他们一齐向旷野驰去,追逐溃逃的敌军,可是这时波兰炮队对准他们发炮了;榴霰弹在空中爆炸,向四面散布着死亡。

一片绿火像镁光似的从保尔眼前闪过,霹雳声震着他的耳朵,一块烧红的铁片钻进了他的脑袋。大地可怕地、不可思议地旋转起来,开始缓缓地向一旁倒下去。

保尔像一根稻草似的被打下马鞍,翻过马头,沉重地摔在地上。

黑夜立刻降临了……

9

章鱼有一只鼓鼓的、大小像猫头一样的、周围是暗红色、中间有个绿色圆点的眼睛，这眼睛闪闪发光。它的几十条触须像一群小蛇似地蜿蜒蠕动，上面的硬鳞发出讨厌的沙沙的磨擦声。章鱼本身也在蠕动。他看见它就在自己的眼睛旁边。那些触须在他身上爬着，它们是冰凉的，像荨麻一样螫人。章鱼伸出它的毒刺，像水蛭一样地钻进他的头，一下一下地收缩，吸着他的血液。他觉得他的血液正由自己体内流进章鱼那膨胀起来的肚子里去。它的毒刺就这样吸着，吸着，他头上被毒刺刺着的地方，疼得难忍。

他听见好像有什么人在远远的地方说话：

"现在他的脉搏怎么样？"

另一个人的声音比较轻柔，像是女人的声音，回答说：

"脉搏一三八次。体温三九·五度。始终昏迷。"

章鱼不见了，但是刺的地方还疼。保尔觉得有一个人的手指头正按着他手腕上的脉。他想睁开眼睛，但是眼皮很重，张不开。为什么这样热呢？呵，一定是母亲生了火炉。又有人在说话了：

"脉搏现在是一二二次。"

他竭力想睁开眼睛。但是他体内有一团火，他喘不过气来。

想喝水，他多么想喝水呵。他巴不得立刻跳起来大喝一顿。但是为什么起不来呢？他刚想动一动，立刻觉得那不是他自己的身体，而是别人的，它不听他使唤。大概母亲马上会拿水来吧。他想对她说："我渴死了。"在他旁边，有什么东西正在动着。是不是那章鱼又爬上来了？呵，不错，就是它，那两只红色的眼睛……

他听见远处有轻轻的声音说：

“佛罗霞，你拿点水来！”

“这个叫佛罗霞的人究竟是谁？”保尔使劲回想，但是他一使劲，就又掉到无边的黑暗里去了。当他从黑暗中冒出来的时候，他又想起：“我渴死了。”

他又听到了说话的声音：

“我想，他又清醒了。”

接着那和蔼的声音更近更清晰了：

“病号同志，您要喝水吗？”

“他叫我‘病号同志’，难道我害病了吗？要不，就是他们在同别的人说话？”他对自己说。“是的，我害了伤寒。”于是他第三次试着睁开他的眼睛，这回终于睁开了。从那睁开的眼睛的小缝里，他最初看到的是一个红色的圆球，但是有一个什么乌黑的东西挡住它。那乌黑的东西正在他上面弯下来，于是他的嘴唇就触着一个玻璃杯的硬边，并且感到了润湿，那甘露般的液体。他身体里的火已经多少熄掉一些了。

他非常满足，低声说：

“现在可真舒服。”

“同志，您看得见我吗？”

这声音是那俯在他头上的暗黑的东西发出来的，但是他随后就又昏睡了，不过他还来得及回答：

“我看不见，只能够听见……”

“谁会想到他会活过来？可是，您瞧，他到底挣扎着活过来了。真是顶结实的体格。尼娜·弗拉基米罗夫娜，您真可以骄傲。这完全是您护理得好呵。”

女人的声音非常兴奋地回答说：

“呵,我真是高兴极了!”

昏迷了十三天之后保尔才恢复知觉。

他那年轻的身体不肯死,体力也慢慢地恢复了。这是他的新生,什么东西好像都是新奇的、不平常的。只有他的头还昏沉沉的,在石膏箱里不能动弹。身体的感觉已经恢复,甚至连他的手指头也都能屈能伸了。

陆军医院的青年医生尼娜·弗拉基米罗夫娜坐在她寝室里的小桌子旁边,翻着她那本厚厚的淡紫色的日记本,里边是她用优美的斜体字所作的记录:

1920年8月26日

今天救护列车送来了一批重伤员。一个头部受伤的红军战士被安置在病房角落靠窗的病床上。他只有十七岁。人们把一包在他的衣袋里找出的证件和医生诊断书交给了我。他的名字叫作保尔·安德列耶维奇·柯察金。证件有:一个磨破了的乌克兰共产主义青年团第九六七号团证、一个红军战士证明书,还有一张红军团长给他的嘉奖令的摘录,上面写着:“对英勇进行侦察工作的红军战士柯察金予以嘉奖。”此外还有一张似乎是他亲笔写的纸条:

> 拜托诸位同志,在我战死的时候,请通知我的家属:谢佩托夫卡镇调车场钳工阿尔焦姆·柯察金。

他从八月十九日被炮弹片打伤的时候起,一直处在昏迷状态中。明天阿纳托利·斯捷潘诺维奇要给他作检查。

8月27日

今天检查了柯察金的伤。伤口很深,颅骨穿透了,所以整个头的右部都麻痹了，右眼发肿，眼内溢血。

阿纳托利·斯捷潘诺维奇想取出他的右眼，以免发炎，但是我劝他，只要病人还有消肿的希望，暂时不必这样办。他同意了。

我这样主张，完全由于爱美的观点，要是这个青年可以活过来，为什么要把他的眼睛剜出来，让他破相呢？

他不断地说梦话，没完没了地折腾，他身旁必须经常有人看护。我在他身上花了很多时间。他太年轻了，我真可怜他。因此，我愿意尽力把他从死神手中夺回来。

昨天换班之后我又在病室里呆了几小时，他的伤是最重的。我仔细听着他说梦话。有时候他说梦话就像讲故事一样。我从他的梦话里知道了他生活里的许多事情，可是他时常说出不堪入耳的骂人的话。我不晓得为什么听了他那些可怕的咒骂心里很难过。阿纳托利·斯捷潘诺维奇说他一定不会活的。老头子生气地嘟哝着说："我真不懂，几乎还是一个娃娃呢，怎么部队就会把他收下？这真叫人愤慨。"

8 月 30 日

柯察金仍然没有恢复知觉。现在已经把他移到专门病房去了，那里都是将要死的人。一个叫佛罗霞的女护士差不多成天地坐在他身旁。她原来是认识他的。他们从前在一起做过工。她对待那个病人多么温存呀！不过，现在连我也觉得他是没有希望的了。

9 月 2 日晚 11 时

今天是我的好日子！我的病人柯察金已经恢复知觉了，他又活了。危险期已经过去了。这两天我一直没有回家。

现在我的愉快真是难以形容，因为我又救活了一个人。我们的病房里又可以少死一个人了。在我个人的劳累的工作中，最令人高兴的就是看见病人恢复健康。他们都像小孩一样地依恋着我。

他们的友情都是真挚而朴实的,所以在分别的时候,我有时甚至要哭出来。这未免有点好笑,但这是事实。

9月10日

今天我替柯察金写了一封家信。他在信里说他受的是轻伤,很快就可以治好,一定要回家看望他们。实际上他流了很多血,脸跟纸一样白,现在还非常虚弱。

9月14日

今天柯察金第一次微笑了。他的笑容很动人。他一向是严肃的,显出少年老成的样子。他的健康在恢复,快得惊人。他同佛罗霞是朋友。我老是看见她坐在他的床边。显然,她已经把我的事情告诉了他,不用说,是过分地夸奖了我。因此每逢我进去的时候,病人脸上总是微微露出一点儿笑容。昨天,他问我:

"大夫,您手上为什么有那些黑紫的伤痕?"

我没告诉他这是他昏迷的时候用手把我攥成这个样子的。

9月17日

柯察金额上的伤口已经长得很好了。换药的时候,他那惊人的忍耐力使我们所有的医生都吃惊。

一般人在这时候常常不断地呻吟或是发脾气。可是他却不作声,并且每次给他的伤口上碘酒的时候,他都不畏缩,只是把身体挺得像绷紧了的弦。他时常疼得几乎失去了知觉,但是从来也不叫唤一声。

我们已经全都知道:要是他呻吟了,那准是他昏迷了。他怎么会有这样的顽强精神呢?我真不明白。

9月21日

今天柯察金第一次坐着轮椅,被推到医院的阳台上。他看见了花园和呼吸着户外清新空气的时候，现出了什么样的表情呵！从他那缠着纱布的脸上只露出一只眼睛。这只眼睛是活泼的、明亮的，它眺望着周围的景致，好像他是初次看到那些东西似的。

9月26日

今天有人叫我到楼下的接待室里去，我看见两个姑娘在那儿等着我。其中一个很漂亮。她们要看柯察金。她们是冬妮亚·杜曼诺娃和塔季亚娜·布拉诺夫斯卡亚。冬妮亚这名字我是知道的——柯察金在说梦话时常常喊着她。我允许她们进去见他。

10月8日

今天柯察金第一次独自到花园里去散步。他屡次问我，他什么时候可以出院。我告诉他说快了。那两个姑娘一到接见的日子就来看他。现在我明白他疼痛的时候为什么不呻吟的道理了。我问他为什么不呻吟时，他回答说：

“您读读《牛虻》，就明白了。”

10月14日

柯察金今天出院了。我们亲切地握手道别。他那只眼睛上的绷带已经解掉了，只有前额还包扎着。那只眼睛是瞎了，但是表面上看来还是正常的。跟这样一个好同志分手，我感到十分难过。

总是这样：病人痊愈了，就离开我们，并且希望不要再回到我们这里来。

临别的时候，柯察金说：

“要是左眼瞎了，倒好一点儿——现在我还怎么打枪呢？”

他还是想着前线。

保尔出院之后，开头是住在冬妮亚寄宿的布拉诺夫斯基家里。

他立刻想吸引冬妮亚参加他们的工作。他邀请她参加城里共青团的全体大会。她答应了，但是当她换了衣服从她房里走出来的时候，保尔却紧咬着嘴唇。她打扮得那么漂亮，故意穿得很讲究，弄得他简直不想带她到自己的同志们那里去了。

于是他们之间发生了第一次的冲突。他问她为什么要打扮得那样漂亮，她生气地说：

“我从来就不喜欢跟别的人一个样子；要是你不便带我去，我就留在家里。”

那天在俱乐部里，她的漂亮衣服在那些褪色而褴褛的服装里是那样特出，弄得保尔十分为难。同志们都把她看作外人。她也觉出来了，所以就用挑衅的、轻蔑的眼光看着他们。

货运码头上的共青团书记潘克拉托夫，一个宽肩膀的、穿着粗帆布衬衫的码头工人，把保尔叫到一边。他不客气地看了保尔一眼，又瞟了冬妮亚一下，说：

“这漂亮的小姐是你带来的吗？”

“是我，”保尔粗声回答说。

“唔！——”潘克拉托夫拉长声音说。“她的样子完全不像我们的人，很像资产阶级。怎么能让她到这儿来？”

保尔的太阳穴不断地跳动。他说：

“她是我的朋友，所以我把她带到这儿来，明白吗？她并不敌视我们，只是在服装的问题上，的确有可以批评的地方，但是你不能单凭服装来判定一个人。我也懂得什么人才可以带到这儿来。你用不着故意挑我的毛病，潘克拉托夫同志。”

他本来还想说出一些更激烈的话，但他克制了，因为他明白潘克拉托夫的话是代表大家的意见的。这么一来，他就把一肚子气都转到冬妮亚身上去了。

“我早就告诉她了！她为什么要这样出风头呢？”

那天晚上是他们俩的友情破裂的开始。保尔怀着痛苦和惊讶的心情看着那一向似乎是很牢固的友谊逐渐地破裂了。

又过了几天，每一次的会面、每一次的谈话，都使他们的关系更加疏远，更加不愉快。冬妮亚卑鄙的个人主义渐渐使保尔难以容忍了。

这样，他们两个都知道感情的破裂是不能避免的了。

这一天他们一起来到黄叶满地的库佩切斯基公园，去作最后一次的谈话。他们站在陡坡上的栏杆旁边；第聂伯河的灰暗的水在栏杆下面闪烁；一只拖着两个驳船的小轮船，正逆着水从桥孔里钻出来，用它的轮翼疲倦地拍着水面，缓缓地向前行驶。落日给特鲁哈诺夫岛涂上一层金黄色，把各家窗户上的玻璃照得像火一样红。

冬妮亚看着金黄色的夕照，十分忧伤地说：

“难道我们的友谊真地就像这落日一样完了吗？”

他的眼睛盯着她，紧紧地皱着眉头，低声回答说：

“冬妮亚，这件事我们早都谈过了。自然，你知道我曾经爱过你，而且就是现在，我对你的爱情还是可以恢复的，不过你必须跟我们在一起。我已经不是你从前认得的那个保尔了。同样，如果你要求我把你放在党的前头，我就不会是你的好丈夫。我首先是属于党的，其次才是属于你和别的亲人们的。”

冬妮亚悲伤地望着碧蓝的河水，两眼饱含着泪水。

保尔注视着她的脸庞的轮廓和她那栗色的头发，禁不住对他曾经那样疼爱又那样亲近过的姑娘产生了怜悯心。

他温存地把手放在她肩膀上，对她说：

“你摆脱一切束缚，到我们的队伍里来吧。让咱们一道为摧毁统治阶级而奋斗。我们这儿有许多优秀的姑娘，她们和我们一道进行着残酷的斗争，和我们一道忍受着饥寒困苦。她们也许不像你那样受过很好的教育，但是为什么，为什么你不愿意和我们在一起呢？你说，丘扎宁曾经想用暴力来污辱你，但是丘扎宁是一个堕落的坏蛋，不是一个战士。你又说，我的朋友们都敌视你；但是你为什么要像参加资产阶级的跳舞会似的穿得那么漂亮呢？骄傲把你害了。你不愿意跟那些穿着脏制服的人们一个样子。你既然有勇气爱一个工人，却不能爱工人阶级的理想。跟你分手，我感到遗憾，我也愿意你给我留下美好的记忆。”

他不再说了。

第二天，保尔在街上看到一张有着省肃反委员会主席签名的布告，那个签名的人正是费奥多尔·朱赫来。他的心跳起来了。他好容易找到了他办公的地方，但是门岗不让他进去。他死气白赖地磨来磨去，门卫几乎要把他抓起来。但他终于进去了。

这次和朱赫来的会面很好。朱赫来已经给炮弹炸去了一只胳膊。他们两个当时就把工作问题谈妥。朱赫来对他说：

“你暂时还不适宜到前线去。你就在这儿帮助我搞肃清反革命的工作吧。你明天就到这儿来。”

和波兰白军的战争结束了。已经打到华沙城下的红军，因为消耗了过多的人力和物力，同时又远离了自己的大后方，没能攻下这个最后的堡垒就撤退了。波兰人把这次红军的撤退叫作“维斯瓦河上的奇迹”。这样一来，地主的白色波兰又可以存在一些时候，而成立波兰苏维埃社会主义共和国的希望也暂时不能实现了。

流血过多的国家，需要暂时的休息。

保尔没能回去看他的家人,因为谢佩托夫卡又被波兰白军占领了,而且变成了双方战线的临时分界线。和平谈判已经开始。保尔日夜都在肃反委员会工作。朱赫来的房间成了他住宿的地方。他听到波兰白军占领了谢佩托夫卡的消息,心里非常忧愁。他对朱赫来说:

“怎么办呢,费奥多尔,要是这样媾和的话,我母亲不是要留在国外了吗?”

但是朱赫来安慰他说:

“边界一定是沿着哥伦河划分的,所以谢佩托夫卡一定还是我们的。我们很快就可以知道了。”

许多师团由波兰前线调到南部去。当时,因为共和国正把所有的力量集中在波兰前线,弗兰格尔就乘这个机会,带领他的匪帮由克里木爬过来,沿着第聂伯河北进,逼近了叶加特林诺斯拉夫省。

现在和波兰的战争既已结束,国家就把军队调到克里木以消灭这个反革命的最后巢穴。

列车不断地经过基辅向南开——上面满载着士兵、车辆、锅灶和大炮。保尔所参加的铁路肃反委员会正忙得一塌糊涂。列车像水流一样,不断地汇集在这儿,车站挤得水泄不通,一条空路轨也腾不出来,因此交通阻塞了。收报机不停地收到许多最后通牒式的电报,要委员会腾出路轨,让这个或那个特别的师开过去。这样的电报简直没有个完,每一件电报都使用着同样的字句,如“应比其他优先……”“视为作战命令……”“迅即腾出路轨……”而且差不多每道命令上都有着这样的警告:如不执行这一命令,负责人将被交给军事法庭,受军法的审判。

铁路肃反委员会就是负责军运畅通的机关。

各个部队的指挥员都急急忙忙地跑过来,一面挥动手枪,一面坚持着说，根据某某军司令员所发的某某号的电报，他们的列车应当先开。

他们谁也不愿意听："这个办不到。"他们都说："不行，得让我们先开。"接着就是一场可怕的争吵。在问题特别难解决的时候，就赶紧把朱赫来找来。于是，气势汹汹就要动枪的人们立刻安静下来了。

这个钢铁一般的人的形象，他那冷静沉着的态度，坚决的不容分辩的声调，时常使那些挥舞着的手枪重新插进枪套里去。

肃反委员会的繁忙的工作损害了保尔的神经。他的头时常疼得像针扎的一样，可是还得跑到月台上去。

有一天，他突然看见谢廖沙坐在一个堆满弹药箱的敞车上。谢廖沙一下就跳下来，差一点没有把他撞倒，紧紧地抱住他说：

"保尔，你这鬼家伙！我一眼就把你认出来了。"

两个朋友简直不知道互相问些什么，互相说些什么才好。因为他们分别之后经历的事情太多了！他们相互提出一大串问题，可没等到对方回答，自己又说开了。他们甚至没有注意到汽笛的响声，直到车轮开始缓缓地转动了，他们互相搂着的胳膊方才松开。

有什么办法呢？他们刚刚见面，又要分别了。火车的速度渐渐地加快，谢廖沙怕误了车，慌忙地最后招呼他朋友一声，就沿着月台跑去，紧抓住一辆车厢的把手；车上许多只手把他拉了上去。保尔呆呆地站在那儿望着，这时候他才想起没有把瓦莉亚的事情告诉他。谢廖沙一直就没有回过自己的故乡谢佩托夫卡。可是保尔又给这意外的会见弄得昏头昏脑，完全忘记了把这件事告诉他。他对自己说：

"不让他知道也好，免得他在路上心里难过。"他没有料到，这就是他和谢廖沙最后一次的会面。站在车顶上、胸脯迎着秋风的谢廖沙也没有想到,死神正在前面等待着他。

军大衣背上给火烧了一个窟窿的战士多罗申科劝谢廖沙说:

“坐下吧,谢廖沙。”

谢廖沙笑了笑,回答说:

“不要紧的,风是我的老朋友,让它吹个痛快吧。”

一个星期后,第一次投入战斗,谢廖沙就倒在乌克兰秋天的原野上了。

由远处飞来的一颗流弹打中了他。

中了弹,他哆嗦了一下。他向前迈了一步,胸口像钉上一根烧红的钉子一样疼。他没有喊叫,左右摇晃一下,双臂像抱什么东西那样紧紧地抱起来,捂着胸口,随后就像要跳跃似的,弯着身子,他那僵硬的身体一下就摔倒在地上了。那对没有表情的蓝色眼睛,凝视着无边的原野。

肃反委员会的紧张工作严重地影响了保尔还没有恢复的健康。伤口常常疼。终于,他在两宵没有睡觉之后,失去了知觉。

这时,他对朱赫来说:

“费奥多尔,你看我是不是应当调换一下工作?我很想到铁路工厂去干我的老本行,我总觉得这儿的工作我干不好。医务委员会的人都告诉我,说我不适于在军队里服务。这儿的事情比前线还要紧张。这两天兜捕苏蒂里匪帮的工作完全把我累垮了。我想摆脱这不断的突击工作。费奥多尔,你看我站都站不稳,我是干不好紧张的肃反工作的。”

朱赫来关切地看了看他说:

“你的身体的确很不好。我早就应该解除你的工作,这是我的过错,我照顾得不周到。”

谈话的结果，保尔拿了一张证明书到共青团省委会去了。介绍信上说，请共青团省委会另安排他的工作。

一个故意把鸭嘴帽拉到鼻梁上的调皮小伙子，看了看介绍信，对保尔挤了一下眼睛，说：

"从肃反委员会出来的吗？嘿，那是好机关。好吧，我们马上就可以派你工作。我们正急着要人呢。你愿意到什么地方去？到省粮食委员会去怎样？不愿意？不愿意就算了。那么，到码头上的宣传鼓动站去怎样？也不愿意？哦，那你可就错了。这是好地方，可以领到头等的口粮。"

保尔截住他的话头，说：

"我到铁路上去，我想到铁路总厂去。"

那青年人惊疑地看了看他：

"到铁路总厂去？嘿，……这地方不要人。那么好吧，你到乌斯季诺维奇同志那儿去。她一定可以给你安排一个地方的。"

他和那个脸色微黑的姑娘谈了一会儿，就决定了：保尔到铁路总厂去担任共青团的书记，不脱产。

就在这时候，在克里木的大门那里，在这个连结着半岛与大陆的狭小的喉管上，也就是在很久以前曾经是克里木的鞑靼人和扎波罗什的哥萨克部落分界的地方，白卫军重建了一个非常坚固的要塞——彼列科普。

从全国各地被赶来的、而且注定要灭亡的那些旧世界的余孽，都自以为在彼列科普后面的克里木是绝对安全的，他们在那儿正尽情痛饮他们的美酒呢。

在一个阴冷的、潮湿的秋夜，千万个劳动人民的儿子，涉进海峡的冷水，预备连夜渡过锡瓦什湖，从背后去进攻躲在坚强工事里的敌人。伊凡·扎尔基是这千万人中的一个，他正小心地把机枪顶在头上前进。

天刚亮,先头部队就渡过了锡瓦什湖,在敌军后方的利托夫斯基半岛登陆。他们越过了障碍物,从正面冲上去。彼列科普立刻翻腾起来了。伊凡·扎尔基是最先爬上石头岸的人们中的一个。

一场空前残酷的血战开始了。白军的骑兵不顾一切,像野兽一般向爬上岸的人们冲过来。扎尔基的机枪不住向周围喷射着死亡。人马成堆地倒在弹雨下面。扎尔基用狂热的速度,一次又一次地装着机枪的子弹盘。

几百尊大炮在彼列科普怒吼起来。千百颗炮弹凄厉地怪叫着划过长空,炸成无数的碎片,散布着死亡。脚下的大地似乎正在崩坍,陷入无底的深渊。大地被炸得泥土翻飞,黑烟遮住了太阳。

毒蛇的头终被敲碎了。红军像怒涛一般涌进了克里木。红军骑兵第一军各师的最后打击实在是可怕的。亡魂丧胆的白卫军,慌慌张张地挤上汽船逃出了海港。

共和国把金质的红旗勋章挂在那些褴褛的制服上,挂在那心脏跳动的地方。机枪手共青团员伊凡·扎尔基的胸前也挂上了一个。

跟波兰的和约签订了,正像朱赫来所预料的一样,谢佩托夫卡仍然属于苏维埃乌克兰。边界是沿着河流划定的,它离那小镇约三十五公里。一九二〇年十二月一个可纪念的早晨,列车载着保尔回到他熟识的故乡。

他走上遍地是雪的月台,看看"谢佩托夫卡一站"的路牌,就向左边的调车场走去。他寻找他哥哥阿尔焦姆,可是,他不在那儿。他扣紧外套,快步穿过森林,向镇上走去。

他的母亲玛丽亚·雅科夫列夫娜听见敲门声,转过身说:“请进!”一个满身披着雪的人在门口出现了。她认出了来人正是她亲爱的儿子。她双手抓着胸口,喜欢得连话都说不出来。

她把她那瘦小的身子紧紧地贴在儿子胸前,不停地吻着他的脸,流下了幸福的热泪。

保尔也紧抱着母亲,看着她那因为忧伤与期待而消瘦了的、满是皱纹的脸。他一句话也没说,等着她平静下来。

这受过了无数苦难的老妇人的眼睛里又闪着幸福的光芒了。在保尔回家那几天里,她看他多久也看不够,和他说多久也说不完,她本来就没有想到还会看到他。

三天之后的夜里,阿尔焦姆也背着一个包袱闯进了这间小屋子。这时候,她的喜悦真是无法形容了。这样,柯察金的一家人又团聚了。兄弟两个经过了艰苦的考验和可怕的折磨而没有死掉,现在又聚会在一起了。

“现在你们两个打算怎么办呢?”母亲问他们。

“我还是干我的老行当去,妈妈。”阿尔焦姆回答。

保尔呢,他在家住了两个星期,又回到了基辅,因为那里的工作正在等待他。

第　二　部

1

午夜。一辆末班电车早就拖着它那破旧的车身回车库了。冷冷的月光照着窗台,也照在床上,像铺上一条淡蓝色的被单,还把房间的其他部分照得半明不暗。在房间角落的一张小桌子上,台灯灯罩下面露出了一片灯光。丽达低头在一本厚厚的笔记簿上写她的日记。细细的铅笔尖迅速地滑动着:

5月24日

今天又想把近来的一些印象写下来。前头又是一块空白。已经一个半月没写一个字了。那就只好让它空着吧。

哪里有时间来写日记?已经是深夜了,我这才拿起笔来。现在一点也不想睡。谢加尔同志明天就要到中央委员会工作去了。这个消息使我们大家都很难过。他是非常好的同志。现在我才体会到他的友谊对我们全体是多么可贵。谢加尔这一走,我们的辩证唯物论小组就要垮台了。昨天我们大家都在他那里呆到深夜,检查我们的那些“辅导对象”的成绩。共青团省委书记阿基姆也在那儿,还有那个叫人讨厌的登记分配部部长屠弗塔。我就见不得这位“万能博士”!谢加尔非常高兴,因为他的学生保尔在党史方面很出色地驳倒了屠弗塔。是呵,这两个月可没有白过。既然有了这样好的成绩,你就不会惋惜耗去的精力。听说朱赫来要调到军区特勤部去工作。不知道为什么要这样调动。

谢加尔把他的学生交给了我。

“您代我教下去吧，”他说，“不要半途而废。丽达，无论是您，或是他，都有可以互相学习的地方。这个青年人还没有完全克服他那种不守纪律的缺点，他只知道用他的奔放的情感去生活，而这种旋风似的感情，会使他走弯路的。丽达，根据我对您的认识，您将是他的一个最合适的指导员。我祝您成功。不要忘了给我往莫斯科去信，”他临别时对我这样说。

团中央委员会新委派的索洛缅卡区委书记扎尔基今天来了。这个人，我从前在军队里就认识他。

明天杜巴瓦就要带柯察金来。我现在把杜巴瓦描写一下：他是一个中等身材、肌肉发达、身强力壮的人。他一九一八年入团，一九二〇年入党。他是因站在“工人反对派”方面而被撤消共青团省委委员资格的三个人中的一个。给他辅导可不是一件容易的事。每天他都向我提出些不着边际的问题来破坏研究计划。在他和我的第二个学生尤列涅娃之间，常常发生摩擦。就在头一天上课的时候，杜巴瓦把尤列涅娃从头到脚打量一番，指责说：

“我说老太婆，你的服装还不够整齐。既穿军服，就得穿皮裤裆的马裤，带马刺，戴布琼尼式的尖顶军帽，再挎上马刀，不然的话，就是个不文不武的‘四不像’了。”

尤列涅娃也不让人，我只好从中调解。杜巴瓦似乎是柯察金的朋友。今天就写到这里吧。应该睡了。

如火的太阳烤着大地。车站天桥的铁栏杆热得烫手。一群疲惫不堪的、热得无精打采的人走上了天桥。这些人并不是旅客。由铁路员工住宅区到城里去的人，多半都要经过这座桥。

保尔从天桥的最上一层台阶上看见了丽达。她比他先到了车站，正在看那些走下桥来的人们。

保尔在离她三步的地方站住了。她没有看见他。保尔怀着一种平素少有的好奇心仔细观察她。她穿着条格布的衬衫，下面是蓝色的粗布短裙，一件柔软的短皮上衣搭在她的肩膀上。晒黑了的脸衬着松蓬蓬的头发。她站在那里，头稍稍仰着，阳光使她眯着眼睛。保尔第一次用这样的神情看着他这位同志兼老师。同时，他也第一次意识到，丽达不仅是一个共青团省委会的委员，而且也是……。但是他一发觉他竟出现这种"荒唐"的念头，他就马上责备自己，并且立刻招呼她说：

"喂，我站在这儿，已经整整看了你一个钟头了，你还没有看见我。现在该走了吧，火车已经进站了。"

他们走到了检票口。

昨天省委会委派丽达代表省委去出席一个县的团代表大会，还派保尔当她的助手。今天他们必须乘车出发，这可不是一件容易的事。车次太少，发车的时候车站由掌握全权的交通管制五人小组所控制。没有该小组的通行证，任何人休想进站。所有的进出口全由该小组的值勤人员把守。一列车就是塞得满满的，顶多也只能运走十分之一急于要走的人。谁也不愿意留下，因为行车的时间没有准，说不定一等又是好几天。成千的人冲到了进出口，企图冲向那难上的绿色车厢。这些日子里车站一直处在被包围之中，有时候还闹到扭打的地步。

保尔和丽达想走进月台，怎么也办不到。

保尔熟悉这里所有的进出口，他就领着他的同伴通过行李房走进月台。他们好容易才挤到第四号车厢跟前。车门旁边站着一个满头大汗的肃反委员会的工作人员，他无数次地重复着这样的话：

"告诉你们,车上已经挤得满满的了,有命令,不许站在车厢连接板上和车顶上。"

急于要上车的人都气势汹汹地向他冲去,把交通管制五人小组所发的四号乘车证举到他的鼻子跟前。每一节车厢的前面都是这样争吵着,叫骂着。保尔看出来想用普通的方法坐这班车是不成了,但是又非走不可,要不,就赶不上开大会了。因此他把丽达叫到一边,把自己的行动计划告诉她:他先挤上车,然后再打开窗子,从窗口把她拉进去,不然的话,毫无办法。

"把你的那件短皮上衣给我,它比什么特别乘车证都有效,"保尔说。

他把丽达的皮上衣取过来穿上,把手枪往兜儿里一插,故意把枪柄露在外面。接着又把装食物的旅行袋放在丽达脚下,自己就向四号车厢走去。他很不礼貌地把旅客推开,一只手抓住了车门的扶手。

"喂,同志,你到哪里去?"肃反委员会的工作人员说话了。

保尔回头看了这矮胖的肃反委员会的工作人员一眼,然后用一种不容别人怀疑他的权力的声调说:

"我是本区特勤处的。我们马上要检查乘车的人是不是全有交通管制小组的乘车证。"

那个肃反委员会的工作人员看了看他露着的手枪柄,用袖口擦了擦额上的汗珠,冷淡地说:

"好吧,只要你挤得进去,你就检查好了。"

他用尽全身力气连推带撞,有时还得用拳头,拚命朝里面挤,有时还得伸手抓着上层的铺位,吊起身子,从别人的肩膀上悠过去,虽然他受了无数的责骂,但终于挤到了车厢中间。

"你这个该死的东西,究竟打算往哪儿闯?"当他从上面下来,一脚踏到一个胖女人的膝盖上的时候,她朝他这么叫喊。

这个胖女人像一个二百多斤的大肉球,勉强挤在下铺的边缘上,她两腿中间夹着一只油桶。所有的铺位上,都放着些铁桶、箱子、口袋、筐子。车里闷得人喘不过气来。

保尔不理这个胖女人的咒骂,问她:

"您有乘车证吗,女公民?"

"什么乘车证?"胖女人对这位突然冒出来的检查员恶狠狠地说。

一个贼头贼脑的家伙从上面的铺位上伸下脑袋来,用喇叭样的声音喊着说:

"瓦西卡,从哪里跑出来这么个可恶的家伙?你给我揍他一顿。"

一个又高又大、胸脯全是毛的家伙,在保尔的头顶上出现了,这显然就是瓦西卡了。他对保尔瞪起一对牛眼:

"为什么要找妇女的麻烦?你要什么票?"

从旁边的铺位上伸下来八只脚。这些脚的主人们勾肩搭背地坐着,非常神气地嗑着瓜子。这显然是一帮见过世面、经常在铁路上来往的投机商人。保尔暂时没有工夫和他们纠缠。让丽达上车要紧。

"这是谁的?"他指着窗户旁边的木头箱子,问一个上了年纪的铁路工人。

"唔,就是那个女人的,"老工人指着两只穿着褐色长袜子的大粗腿回答。

必须打开窗子。可是这口箱子碍手,又没有地方放它。保尔把箱子提起来,交给它的主人——那个坐在上面铺位上的女人:

"请您暂时拿一下,公民,我要开窗子。"

"你怎么乱动别人的东西?"当他把箱子放在她腿上的时候,

那个塌鼻子女人大叫着说。

“莫季卡,你看什么人在这儿胡闹?”接着,她又向她的邻座求援似地说。于是那个人就从上面用穿着凉鞋的脚踢了保尔的后背一下,说:

“喂,赶快走开,你这个癞皮狗,要不,我就揍死你。”

保尔咬着嘴唇忍受了背上这一脚,打开了窗子。

“同志,请你稍微让开一点,”他请求那个铁路工人。

他又把一个铁桶挪开了一点,腾出地方来,就站在窗口。丽达早就在车窗外面等着了,她连忙把旅行袋交给他,保尔把旅行袋往那个胖女人腿上一扔,马上把身子探出去,抓住丽达的手,把她拉进车里。一个维持车站秩序的红军战士看到这种破坏规章的举动,还没来得及阻止,丽达已经进到车厢里了。那个动作迟缓的红军战士没有办法,只好骂着走开。丽达一到车里,这帮奸商就怪叫起来,弄得她很难为情,不知如何是好。她连站的地方都没有,只好抓住上座的把手,站在一个下铺的边儿上。周围是一片谩骂声。上铺那个大喇叭似的声音咆哮起来:

“瞧这个混蛋,他自己爬进来还不算,把一个婊子也拖进来了!”

上面又有一个没露出脸来的人吱溜吱溜地叫道:

“莫季卡,照鼻梁上给他一拳!”

上面坐的那个女人也老想瞧机会,把木箱放在保尔的头上。周围全是这一帮流氓坏蛋。保尔看见丽达站在那样一个地方,后悔不该让她到这儿来,但是总得想法子给她找个坐位。于是他向那个叫作莫季卡的人说:

“公民,请你把东西从过道口挪开,这位同志还站着呢。”可是那家伙却骂了一句令人气炸肚皮的下流话。保尔右眉的上边像针扎一样疼起来。他勉强抑制着自己,向那个流氓说:“下流坯子，你对我说这些话，你要得到惩罚的！”可是马上有人从上面在他头上踢了一脚。

“瓦西卡，再给他点厉害瞧瞧！”周围的人都一齐像嗾狗似地乱叫道。

这样一来，保尔长久压抑在胸中的怒火再也不能遏制了，在这时候，他的动作像往常脾气发作时一样，是迅速而且猛烈的：

“你们这些可恶的投机奸商，你们敢欺负人？”他像蹬着弹簧似的，两手一撑就蹿到了中铺坐位上，举起拳头，朝着莫季卡的蛮横嘴脸猛力打去。他打得那么有劲，那个投机商人一下就倒栽下去，掉在过道里的人们头上。

接着他又用手枪指着上铺那四个人的鼻子，厉声喝道：“你们这些坏蛋，统统都给我滚下来，要不然，我就要你们一个个的狗命。”

这样一来，局面完全不同了。丽达也在密切地注意着周围的情况，要是有谁抓住保尔，她就准备向他开枪。上铺的人都被撵了下来。那些贼头贼脑的家伙连忙躲到隔壁的车厢去了。

保尔把丽达安置在才腾出来的空位子上，轻轻地告诉她说：

“你在这里坐着，我去和这些家伙算账去。”

丽达连忙拦住他说：

“难道你还要去和他们打架吗？”

“不和他们打架，我去一下马上就回来。”他安慰她说。

保尔又把车窗打开，跳到月台上。几分钟之后，他已经到了他的老上级铁路肃反委员会的布尔麦斯捷尔的办公室里。拉脱维亚人布尔麦斯捷尔听了保尔的话，马上下令叫四号车厢上的人都下来，检查所有人的证件。

“我早就说过，总是列车还没有进站，车上就挤满了扛着口袋的商贩。”布尔麦斯捷尔说。

由十个肃反委员会工作人员组成的检查队，把车厢来了个彻底大检查。保尔仍然像原先在肃反委员会工作时一样，帮助检查了整个的列车。保尔虽然离开了肃反委员会，但是还和朋友们保持着联系，而当他作共青团书记的时候，他也派了不少的优秀共青团员到铁路肃反委员会帮助工作。检查完了，保尔就回到丽达这儿来。现在车子里完全换了一批新的乘客——出差的干部和红军战士。

他只能在最下一层的一个角落上给丽达弄了一个坐位，旁边堆满了一捆捆的报纸。

"这样就行，咱们将就着坐吧。"丽达说。

列车开动了。这时候可以看到车窗外面那个胖女人正高高地坐在一堆口袋上，喊着说：

"曼卡，我的油桶呢？"

丽达和保尔两个被一捆捆报纸和邻座隔开，坐在一个很窄的角落里，一边高兴地想着刚才那场不太愉快的插曲，一边狼吞虎咽地吃着面包和苹果。

列车缓缓地爬行着。车辆失于检修，又超载过多，走起来咯吱咯吱直响，轮子到了铁轨接头的地方车就震动一下。傍晚的时候车厢里暗下来了，接着，夜幕便掩住了敞开的窗子，车里一片漆黑。

丽达非常疲乏，枕着旅行袋打起盹来。保尔坐在坐位的边儿上，垂着两腿抽烟。他也非常疲倦，但是没有地方可以躺下。夜晚的凉风从窗口吹进来。车身的震动把丽达惊醒了。她看见了保尔抽的烟卷的红光。"他会这样一直坐到天亮的；显然他不愿意太挨近我，怕我难为情，"丽达心里这样想，因此她开玩笑地对保尔说：

"柯察金同志，请您把资产阶级那一套礼貌丢掉吧，来，您也躺下歇一会儿。"

保尔就和她并排躺了下去，非常舒服地伸直了他浮肿的双腿。

"我们明天的工作是忙不完的。睡吧，你这爱打架的家伙。"她的胳膊亲热地搂住他，保尔感到她的头发正贴着他的脸。

在保尔心目中，丽达是神圣不可侵犯的。她是他的志同道合的朋友和同志，他的政治指导员。但是她究竟还是一个女人。这一点，是他今天在天桥上才第一次意识到的，所以她的拥抱才使他这么冲动。他感觉到她那均匀的呼吸，她的嘴唇已经跟他的十分靠近。这使他产生了一种要找到那嘴唇的强烈愿望。然而他终于用顽强的意志把那愿望克服了。

丽达似乎猜到了保尔的感情，所以她在暗中微笑了。她早已经历过爱情的欢乐和失掉爱人的痛苦。她曾经把她的爱情献给两个布尔什维克，而这两个人都先后被白卫军的子弹从她手中夺去了。一个是仪表堂堂、身材高大的旅长，一个是长着明亮的蓝眼睛的青年。

车轮的有节奏的响声很快就使保尔睡着了。直到第二天清早他才被汽笛吵醒了。

丽达很晚才回到她自己的房里，在她那不常打开的笔记本上又写了如下的几行：

8月11日

省代表大会结束了。阿基姆、米海洛，以及其他一些人都到哈尔科夫出席全乌克兰代表大会去了。整个的责任都堆到我的头上。杜巴瓦和保尔都收到了列席团省委会的证件。自从杜巴瓦被派到佩切尔斯基区共青团担任书记之后，他每天下午就不再来上课了。他的工作很忙。保尔倒还打算上课，但是，有时候我没有时间,有时候他又被派到什么地方去。由于铁路情况严重,他们经常被动员出去。扎尔基昨天到我这里来,他很不满意我们从他那里调了些人过来。他说,这些人目前他也非常需要。

8月23日

今天我从走廊里走过时,远远看见在管理处门口站着潘克拉托夫、保尔和另外一个不认识的人。我又往前走,听到保尔正在那里叙述一件什么事情,他说:

“那边都是一些典型的坏蛋,统统枪毙也不可惜。他们说:‘你们没有权利来干涉我们。这里的事自有铁路林木委员会做主,不用什么共青团来管。’瞧他们那副嘴脸……这帮寄生虫可找到了藏身之处!”

接着我又听到了一些最难听的骂人话。潘克拉托夫一看见我,就用胳膊肘碰了保尔一下。保尔一回头,看见是我,脸都白了。他甚至没敢正眼看我一下,就连忙走开了。这一下,他大概会好久不到我这里来的,因为他知道,我是不许任何人乱骂人的。

8月27日

今天举行了一次党委会的内部会议。情势越来越复杂了。我还不能把全部情形都记下来——不许可。阿基姆从县里来了。他很忧郁。昨天运粮专车又在帖帖列夫地方被人破坏出了轨。我想索性都丢开不记了,总是记得这样零零碎碎的。我在等着柯察金。今天曾经见过他,知道他和扎尔基他们五个人在组织一个公社。

一天中午,工厂里有人叫保尔去听电话。那是丽达打来的,她说她晚上有空,要他到她那里去谈谈上次没谈完的那个题目:巴黎公社失败的原因。

晚上，他走到大学环路那座房子的门口，抬头一看，丽达的窗子里有灯光。他跟平常一样地奔上楼梯，用拳头在门上敲敲，还没有等到应声，就推门进去了。

在床上，在男同志们谁也没有资格在上面坐一会儿的那张床上，正躺着一个穿军装的男人。他的手枪、行军袋和带星徽的军帽放在桌子上。丽达坐在他旁边，双臂紧紧地抱着他。他们正高兴地谈着话。……丽达把容光焕发的脸转向保尔。

那军官移开丽达搂着他的双手，站了起来。

“让我来介绍吧，”丽达握着保尔的手说，“这位是……”

“达维德·乌斯季诺维奇，”那位穿军装的人一面紧握保尔的手，一面随便地说。

“想不到，像一阵风吹来的，”丽达笑着说。

保尔跟他的握手是很冷淡的。一种怨妒的心情，像打火石的火星一样在他的眼睛里闪了一下。他看见了达维德·乌斯季诺维奇袖子上那正方形的军衔标志。

丽达正想说什么，但是保尔拦住她说：

“我只是跑来告诉你，今天晚上我要赶到码头上卸木材，你用不着等……恰巧现在你又来了客人。那么，我走了，伙伴们正在下面等着呢。”

正如突然出现一样，他又突然消失了。他的脚步声疾速地沿着楼梯响下去。下面的大门砰地响了一声。一切又都静下来。

“他一定发生了什么事情，”丽达冲着达维德那惊疑的目光，这样含糊地说。

……在下面，在天桥的下面，一辆机车正呼哧呼哧地响着。它那强大的肺管喷出了一阵阵金色的火星；它们疯狂地飘舞着，盘旋上升，接着就消失在黑暗里。

保尔靠着天桥的栏杆，望着岔道上各色信号灯的闪光，眯缝着眼睛对自己说：

“柯察金同志，我真不明白，为什么您一发觉丽达有个丈夫，就那样难过呢？难道她曾经告诉过您，她没有丈夫吗？即使她这样说了，这又有什么关系呢？为什么这件事突然叫您这样难过呢？何况，我亲爱的同志，您不是一向把这种关系只看作是精神上的伴侣吗？……您为什么要那样莽撞呢？呵？”他讥笑地反问着自己。“假如他不是她的丈夫呢？比方说，万一是她的兄弟或叔叔呢？……要是那样，你就是做了一桩蠢事——无缘无故地使一个人难堪。显然，你真是一个地道的粗人，一点礼貌也没有。是不是她的兄弟，这可以打听出来。假如他真是她的兄弟或叔叔，那你还怎么有脸向她当面解释呢？得了，以后你再也别到她那儿去啦！”

汽笛的声音打断了他的思潮。

“天已经不早，该回家了。别再想这些无聊的事情啦。”

在索洛缅卡（这是铁路工人区的名称）由五个人组成了一个小小的公社。这五个人是扎尔基，保尔，快活的金发捷克人克拉维切克，调车场共青团书记尼古拉·奥库涅夫和斯焦帕·阿尔丘欣，他是铁路肃反委员会委员，不久以前还是修理厂的司炉。

他们弄到了一间房子，下工后就擦洗、粉刷、油漆，一连忙了三天。他们的大水桶忙个不停，弄得邻居以为是失了火。他们用木板搭了床，麻袋里塞进由公园里拾来的枫叶，做了床垫。在第四天，房间里就布置整齐了。在白得耀眼的墙壁上，挂着彼得罗夫斯基[①] 的肖像和一幅大地图。

---

① 彼得罗夫斯基（1878—1958），当时乌克兰中央执行委员会的主席。

他们在两面窗户中间钉了一个搁板，摆了一堆书。两只钉着纸板的木箱做了凳子，另一只大木箱做了柜子。在房间中央，摆着一只巨大的、呢子面已经拆去的台球台，这是他们从公用事业局扛来的。这东西白天是桌子，晚上是克拉维切克的床。此外，他们又把各人的东西全搬了进来。富有管家才能的克拉维切克开了一张公社资产的清单。要不是大伙一致反对，他还想把这清单贴在墙上。现在房间里的一切东西都是公共财产了——工资、口粮和任何偶尔收到的包裹，都必须平均分成五份。只有各人的武器还是私产。公社社员一致决定：社员如果不遵守公社关于取消私有制的规定，或是欺瞒同社社员，都得受开除的处分。奥库涅夫和克拉维切克还坚持在该项条文后面附加一点：并立即逐出。

区共青团所有的积极分子都参加了公社的成立典礼。他们从邻居那里借来了一个大茶炊，又把公社所有的糖精都用来沏茶。喝过茶之后，就大声合唱起来：

茫茫世界被血泪染遍，
我们的一生受尽苦役熬煎。
可是，总有一天……

烟草工厂的塔莉亚充任指挥。她的红头巾稍稍歪向一边，眼睛就像调皮的男孩子的一样。可是这对调皮的眼睛，还没有一个人能够跑到跟前仔细瞧过它们呢。塔莉亚·拉古京娜的笑声是富于传染性的。这十八岁的糊烟盒的女工用她那青春的明亮的眼光注视着人生。她一举手，歌声就像铜号一样响起来：

我们的歌声，流传四方，

我们的旗帜在全球飘扬,
它飘扬,辉煌而明亮,
那是我们的鲜血在燃烧发光……

大家直到深夜才散,谈笑声打破了街道上的寂静。

扎尔基伸手去接电话。

"安静点,弟兄们,我一句也听不清!"他对着那些挤在团区委书记办公室里的爱说话的共青团员们喊道。

说话声立刻低下去了。

"喂,请说吧。呵,是你!是的,是的,马上就开会。你问讨论什么吗?还是那件事情——从码头上搬运木材。什么?他没有被派到什么地方去。就在这儿,要叫他吗?好的。"

扎尔基向保尔招手。

"乌斯季诺维奇同志要同你说话。"他把听筒交给他。

"我以为你一定是到别的地方去了。今天晚上我碰巧有空,你来吧。我兄弟从这儿路过,顺便来看看我,我和他已经有两年没有见面了。"

呵,果然是兄弟!

保尔没有再听她说的话。他想起了那天晚上的事情以及他随后在天桥上所作的决定。是的,今天晚上应该去看她,把他们之间的桥梁烧断。爱情给人带来许多不安的痛苦。难道现在是谈爱情的时候吗?

听筒里的声音又在说话了:

"你怎么啦,没听见我的话吗?"

"嗯,嗯,我听着呐。好的,常委会开完我就来。"

他把听筒挂上了。

他盯着她的眼睛,紧紧地抓住那橡木桌子的边沿说:

“我想,以后我大概不能再到你这儿来了。”

他说完,立刻看见她那浓密的睫毛耸了一下。她手里那支正在纸上画着的铅笔不动了,静静地搁在打开的笔记簿上面。

“为什么呢?”

“时间越来越不够支配了。你自己也知道,我们现在过的是多么困难的日子。可惜,我不得不把我的学习推到将来再说了……”

他倾听着自己的声音,觉得最后那几句话不够坚决。

“为什么又吞吞吐吐呢?这就是说,你还是没有勇气把心里的话直截了当地都说出来!”

想到这里,他又坚决地说下去:

“此外,我还有一桩事情老早就想告诉你——你讲的,我不大明白。从前我跟谢加尔同志学习的时候,我真是句句都能记住,但是跟你在一起,就怎么也不行。每次在你这里学了之后,我还不得不到托卡列夫同志那里再补习一遍。我的头脑不清楚。你最好还是另外找一个脑袋中用一点的学生吧。”

他避开她注视的目光。

为了堵死退路,他又固执地补充说:

“所以,用不着再浪费你我的时间了。”

他站起来,用一只脚小心地把椅子向后挪动一下,然后从上往下看了看她那低垂的头和在灯光下显得苍白的脸。他把帽子戴上,说道:

“好吧,丽达同志,再会了!这些天我没有对你说清楚,十分抱歉。这些话,我早就应该对你说。这是我的过错。”

丽达机械地把手伸给他。保尔突然这样冷淡,使她很吃惊,她勉强对他说：

“保尔，我不怪你。既然我过去做的不能合你的意，没能够使你了解我，那么，今天得到这个结果，只能怪我自己。”

他的两只脚像铅一样沉重。他悄悄地推开门。走到门口，他站住了——现在还可以再回去，对她倾诉……但是，为了什么呢？为了从她那儿得到轻蔑的回答，丢了脸以后再离开这儿吗？不！

铁路支线上堆积的烂车厢和不冒烟的机车越来越多。风卷着木屑在空旷的木材场上飞舞。

奥尔利克匪帮像凶猛的山猫一般，在城的四周，在茂密的丛林与幽深的峡谷里，到处活动着。白天，他们藏匿在附近的村庄或是森林里的大养蜂场上。夜里他们就爬到铁路线上，伸出他们的爪子破坏路轨，然后再爬回自己的老窝去。

列车时常出轨。车辆摔得粉碎，把睡梦中的旅客压成了肉饼，宝贵的食粮和泥土、血液混在一起。

奥尔利克匪帮时常突袭平静的村镇。鸡给吓得咯咯地叫着满街乱跑。时时是零乱的几声枪响。接着双方就在镇苏维埃白色房子外面对射一阵，枪声又尖又脆，就像踩断干枯的树枝一样。匪徒们随后骑着壮马在村庄里到处奔驰，砍杀所有抓到的人。他们把军刀挥得呼呼响，砍起人来就像劈木柴似的。为了节省子弹，他们很少开枪。

他们神出鬼没地窜来窜去。这个匪帮到处有自己的耳目。奸细们从神父的房子里和各处的富农考究的庄院里监视着镇苏维埃的白色小房子。无形的线索就从这些住宅一直通到森林的深处。子弹、鲜肉和颜色微蓝的原汁酒，都循着同一条路线输送进去；还有各种情报，也悄悄地传给小头目，再由他们经过极其复杂的通讯网,送给奥尔利克本人。

这个匪帮一共只有两三百个杀人不眨眼的强盗,但是好几次想围捕他们,都没有成功。他们分成许多小股,在两三个县里同时活动。要把他们全部抓住是不可能的。他们夜里是匪徒,白天却装成和气的庄稼人,在自家的院子里磨蹭,总是喂喂马,或是带着得意的微笑站在大门口,一边神气地吸着烟管,一边用阴沉的目光打量着从他们面前经过的红军骑兵巡逻队。

亚历山大·普兹列夫斯基领着自己的队伍,废寝忘餐地在三个县里奔忙。他不停地顽强地清剿,有时候他们也追到了匪帮的尾巴。

一个月之后奥尔利克撤走了两个县里的喽罗,他们被逼得只在一个狭窄的小圈子里打转。

城市的生活跟平时一样。五个市场全都是人声鼎沸,喧嚷嘈杂。这里有两种愿望支配着:一种是——漫天讨价,另一种是——就地还钱。各式各样的骗子都在这里大显身手。许许多多眼疾手快的人们像跳蚤一样不停地活动着。他们的眼睛表现了一切,唯独没有良心。这里,就像一个垃圾堆似的,聚集着整个城市的垃圾,但他们的目的是共同的——“骗土包子”。班次极少的火车,从自己的肚子里排泄出一堆堆扛着口袋的人。这些人,一下了车就向市场走去。

到了晚上,市场没有人了,于是那些白天做生意的一排排黑洞洞的货架子和那些小胡同,也都变得阴森可怕了。

在每一个小商亭后面都隐藏着危险。夜里,就是大胆的人也不敢深入这个死气沉沉的区域。这儿夜里,手枪时常像锤子敲洋铁板似的响了一声,就把人打死了。等到附近站岗的民警聚在一起赶到出事地点(因为一个人不敢出动),那边除了一具扭曲的尸体之外,已经什么人也找不到了。杀人的匪徒已经离开现场,逃得无影无踪,而市场区所有睡梦中的居民,都被闹得鸡犬不宁。在这区域的对面就是七星电影院。那边的街道灯火辉煌,行人拥挤。

电影院里的放映机喳喳地响着。银幕上一对情敌在决斗。片子一断,观众就怪叫起来。城内城外的生活似乎都不曾脱离正轨,甚至在革命政权的神经中枢——党的省委会——也还保持着平常的状态。但这种安静只是表面上的。

在这个城里,一场风暴已经酝酿成熟了。

知道这场即将来临的风暴的人倒是不少,这就是那些把步枪笨拙地藏在乡下人的"长衫"里进城的人,是那些装扮成小商贩的样子坐在火车顶上到城里来的人。他们一下火车并不到市场去,而是凭着记忆,扛着口袋到某一条街道和某一些住宅去。

虽然这些人都知道,但是工人区的那些工人,甚至其中的布尔什维克,却还一点儿也没想到这场即将来临的风暴。

城里只有五个布尔什维克知道这些详情。

被红军赶进白色波兰境内的彼得留拉残余匪帮,现在正跟住在华沙的外国使节们互相勾结,准备组织一次暴动。

彼得留拉匪帮的残部秘密地组织了一支突击队。

中央暴动委员会在谢佩托夫卡也有自己的组织。全体一共四十七人,其中大半是从前顽固的反革命分子,因为当地的肃反委员会过于相信他们,才没有把他们关押起来。

瓦西里神父、文尼克少尉和一个名叫库齐缅科的彼得留拉军官,就是这个组织的负责人。而神父的两个女儿、文尼克的兄弟和父亲,以及一个潜伏在执行委员会内部作办事员的萨莫蒂尼亚,都给反革命组织搞情报工作。

他们决定在暴动那天的夜里用手榴弹炸毁边防特勤处,释放所有的囚犯,可能的话,还要夺取车站。

在作为这次暴动中心的一个大城市里,军官们正在非常秘密地进行集中;而各匪帮也都移到本城附近的森林里来。从这里,通过他们的心腹,和罗马尼亚以及彼得留拉本人保持了联系。

水兵朱赫来在军区特勤部已经整整六夜没有合眼了。他是知道这一切详情的五个布尔什维克里的一个。朱赫来现在正体验着一个追捕猛兽的人在监视正要扑过来的猛兽时的紧张情绪。

现在不能喊,不能惊动它。必须把这吸血的野兽打死,才能进行和平的劳动,才用不着为了风吹草动而担心害怕。野兽是不可以惊动的。唯有猎人准确的手和镇定的心,才能使他在这场决战中获胜。

时间越来越近了。

就在这个城里的什么地方,在秘密进行阴谋的迷宫里,敌人已经决定了:明天晚上。

可是那五个事先知道这一切详情的布尔什维克却先迈一步。他们的决定是:“不,就在今天晚上。”

晚上,一列装甲火车没拉汽笛悄悄地开出了调车场,调车场的大门又悄悄关上了。

直通电报线路匆忙地传递着密码,凡是电报传到的地方,共和国的保卫者们都忘记了睡觉,立刻动手捣毁蜂窝。

阿基姆给扎尔基打电话:

“支部会议全布置妥当了吗?是吗?很好。你马上和区委书记到这儿来开会。木柴问题比我们所料想的还要严重。来吧,我们一道谈谈。”扎尔基听着阿基姆那匆促而坚决的话。

“妈的，这木柴问题快把我们弄成疯子了。”他嘟哝着说，把听筒放下。

小李特克开着汽车飞快地把两个书记送来了。他们从汽车走下来，一走上二层楼，马上就了解今晚的会议决不是为了木柴的事。

在总务主任的桌子上摆着一架马克沁机关枪，从特勤部队派来的机枪手正忙着摆弄它。各走廊上，密布着由城里来的党员和共青团员充当的警卫，他们全都不作声。在省委书记的房间里，在它那紧闭的房门后面，省党委会的紧急会议就要结束了。

两架军用电话机的电线已经穿过临街气窗引到房里来。

人们说话的声音很低。扎尔基在房间里见到了阿基姆、丽达和米海洛。丽达的装扮跟她从前当连指导员的时候一模一样：戴着红军军帽，穿着草绿色短裙，皮夹克上束着皮带，皮带上挂着一支盒子枪。

“这是怎么回事呵？”扎尔基惊讶地问丽达。

“这是紧急集合演习，伊凡。我们马上就要到你们区里去，在第五步兵学校紧急集合。所有的青年同志在开完支部会后都直接到那边去。最要紧的是设法使我们的行动不被别人发觉。”丽达对扎尔基说。

步兵学校周围茂盛的森林里静寂无声。

那些高大的静默的橡树，都是百年的大树了。水池已经在牛蒡和水草的掩蔽之下睡着了；各条小路上也没有一个行人。在森林正中间的白色高墙里面便是从前的军官学校的楼房。现在已经改为红军第五步兵军官学校了。天很晚了。楼上没有灯光。从外面望去，这儿一切都很平静。从旁边走过去的人都会以为里面的人正在睡觉。但是，为什么那扇大铁门开着呢？而那两个像大青蛙一样蹲在大门旁边的,又是什么东西呢?但是由铁路工人区各个角落到这学校集合的人都知道,既然有了夜间紧急集合令,学校里的人就不能睡觉。他们都是在开完支部会,听了简单的传达之后,就直接到这儿来的。他们走的时候都不作声,有的是一个人单独走,有的是两个人一起走,但每组决不超过三个人。在各人的口袋里,全放着一个写着“共产党(布尔什维克)”或“乌克兰共产主义青年团”字样的小本子。只有出示这个证件,才能通过那道铁门。

大厅里已经有了很多人。这儿很亮。窗子都拉上了帆布窗帘。被召集到这里来的布尔什维克都静静地抽着自己卷的烟卷,都说这演习性质的夜间紧急集合过分小心是很可笑的。谁也没觉出有什么紧急情况,以为不过是集合一下,来考验考验特勤部队的纪律罢了。但是那些有过真正战斗经验的人,刚刚一进学校大门,就觉得这气氛不像是演习。一切都是悄悄地进行。军校学生编队的时候,喊的口令跟耳语差不多;连机枪都是用手抱出来的,而且,在房子外面看不见一点亮光。

“德米特里,好像有什么严重的事情要发生似的?”保尔走到杜巴瓦跟前,低声问他。

杜巴瓦正跟一个保尔不认识的姑娘并肩坐在窗台上。三天以前,保尔在扎尔基那里也匆匆地见过她。

杜巴瓦开玩笑地在保尔肩膀上拍了一下,说:

“怎么,害怕吗?是不是你的魂都吓得出了窍?没有关系,我们会教你们怎样打仗的。怎么,你们两个还不认识吗?”说着,杜巴瓦朝那姑娘点了点头,“她的名字叫安娜,姓什么我也不知道。官衔嘛——宣传站主任。”

那姑娘一面听着杜巴瓦的滑稽的介绍,一面打量着保尔。她用手理一理露在紫丁香色头巾外面的头发。

她的目光和保尔的碰到一起，双方斗了好几秒钟。她那黑亮的眼睛冒着挑战的光芒，睫毛很密。保尔把眼光转向杜巴瓦。他觉得脸上发热，不高兴地皱了皱眉头，然后勉强笑着说：

“你们俩究竟是谁宣传谁呵？”

大厅里一阵喧哗。中队长米海洛·什科连科站到椅子上，喊道：

“第一中队的队员就在这里集合！快一点，同志们，快一点！”

朱赫来，省执行委员会主席和阿基姆一道走进大厅来。他们刚刚到。大厅里挤满了站队的人。

省执行委员会主席站在教练机枪的平台上，举起一只手，说道：

“同志们，我们把大家召集到这儿来，是为了一桩极为重要的任务。现在我要说的甚至在昨天还不能说，因为这是极重大的军事秘密。明天晚上，在这个城里，以及在全乌克兰其他城市，就要爆发反革命的大暴动。本城已经混进来很多敌人的军官。各匪帮也在城市周围集结起来了。某些阴谋者甚至混到了我们的装甲车营里，当了驾驶员。但这阴谋已经被肃反委员会发觉，所以我们现在就把整个党的和团的组织武装起来。第一和第二共产主义大队，将和由肃反委员会人员以及军校学生组成的有战斗经验的部队共同行动。军校学生的队伍已经出动了。同志们，现在轮到你们了。你们用一刻钟的时间配备武器和整队。一切行动由朱赫来同志负责指挥。各指挥官向他接受详细指示。我想现在不需要对共产主义大队详细地指出这种事情的严重性了。要紧的是我们应当在今天去制止明天的叛乱。”

一刻钟后，两个大队已经武装起来，在军校的院子里排好队伍。

朱赫来的眼睛巡视着那动也不动的行列。

在队伍前面三步，站着两个束斜皮带的人——大队长麦尼亚洛，他是来自乌拉尔的一个身高力大的铸工；另一个是政委阿基姆。在他们左面是第一中队的几个小队，在小队前面两步远的地方站着两个人——第一中队长米海洛和政治指导员丽达。他们的后面是默默无声的共产主义大队的行列。三百个战士。

朱赫来发出信号：

“出发！”

三百个人穿过没有人的街道。

全城的人都已经睡了。

他们走到野蛮街对面的利沃夫街的十字路口就停下了。行动就从这里开始。

他们一声不响地把这地段整个包围起来。司令部就设在一家店铺的台阶上。

一辆车灯明亮的汽车从市中心沿着利沃夫街开来，在司令部的旁边停下。

这一回小李特克载的是他的父亲——本城的卫戍司令。他父亲从车上跳下来，用拉脱维亚话向他儿子匆匆说了几句。汽车又飞也似地开走了，不一会儿就转了弯，向德米特里大街开去。小李特克把全副精神都放在眼睛上。他的两只手就像长在方向盘上似的——一左，一右，一右，一左，不停地转动着。

哈，现在才用得着他小李特克的飞车呐。谁也不会因为他疯狂的急转弯而把他禁闭两夜了。

因此他的车子就像流星似的在街上飞驰。

小李特克一转眼的工夫就把朱赫来从城市的这一头送到另一头。朱赫来不禁满意地说：

"小李特克,要是像这样的开法,今天一路不撞倒人,你明天就可以得到一只金表。"

小李特克喜出望外,回答说:

"我还以为,因为这样的开法会罚我十天禁闭哩。……"

第一个打击集中在作为阴谋分子司令部的房子。第一批俘虏和获得的文件都送到特勤部去了。

野蛮街有一条名字同样奇怪的胡同,这胡同的十一号里,住着一个名叫秋贝特的人。根据肃反委员会所得的情报,这人在反革命阴谋中是一个不小的脚色。他藏有企图在波多尔区行动的军官团的名单。

老李特克亲自到野蛮街来逮捕这个秋贝特。那房子有几个窗子朝着花园,越过花园的高墙就是从前的女修道院。他们在这儿没有找到秋贝特。据邻居说,他已经一整天没有回家了。他们开始搜索,找到了一箱手榴弹跟一些名单和住址。老李特克下令埋伏,自己暂时留在桌子旁边,检查搜得的文件。

花园里的哨兵是军校的一个青年学员。他可以从他站着的地方看见那透亮的窗户。一个人那样站在角落里,倒是一件怪不舒服的事。有点儿害怕。他的责任是监视那面高墙。但是墙离那叫人放心的窗户亮光很远。况且那个鬼月亮又很少照到这儿来。在黑暗里,灌木丛像在动弹。他用枪尖向周围探了探——一个人也没有。

"为什么要把我派到这儿来呢?反正谁也不能越过那道高墙——它太高了。我到窗子跟前去看一看吧。"那个学员暗想。他又看了看那墙头,然后就离开了发着霉味的墙角。他在窗前站了一会儿。老李特克正匆忙收拾文件,准备离开那房间。就在这时候,一个暗影在墙头上出现了。墙头上的人可以看见窗户外面的哨兵和房间里面的老李特克。那暗影像猫一样地敏捷,从墙头攀着树身,溜到了地面。他又像猫一样爬近了那哨兵,一挥手,那青年哨兵就倒下去了。一把海军短剑从他脖子后头刺进去,只剩剑柄露在外面。

花园里的一声枪响,就像在那些包围的人身上通了电流一般。皮靴咚咚响起来,六个人迅速地向这所房子奔去。

老李特克已经死了。他坐在桌旁的靠椅上,冒着鲜血的头伏在桌子上。窗户的玻璃被打碎了。敌人没能把文件抢走。

修道院旁边的枪声,连珠般地响起来了。凶手跳到大街上,一面拚命朝卢基亚诺夫旷场跑去,一面不断地向后开枪。他并没有逃脱:一颗枪弹追上了他。

通夜进行逐户搜查。几百个没有报户口的、身份证可疑的和藏有武器的人,都被解到肃反委员会。那里已经组织了一个审查委员会,专门进行甄审。

在某些地方,阴谋分子还进行了武力反抗。在日梁街,列别捷夫在搜查的时候被人一枪打死了。

索洛缅卡大队在那天夜里损失了五个人,而在肃反委员会里,已再也看不见那个忠实的共和国保卫者、老布尔什维克扬·李特克了。

暴动被及时地制止了。

也就在这一天的夜里,瓦西里神父和他的两个女儿,以及其余的同伙都在谢佩托夫卡被捕。

风暴平息了。

但是,新的敌人在威胁着全城——铁路运输眼看着要瘫痪了,饥饿和寒冷就会接踵而来。

一切都由木柴与粮食的供应来决定。

2

朱赫来一边想事情,一边把短烟斗从嘴里抽出来,小心地用手指按一按里面的烟灰。烟斗灭了。

十来支烟卷冒出的灰色烟雾,像浮云一般在毛玻璃的吊灯罩下面和省执行委员会主席的坐椅上面盘旋。在朦胧的烟雾中,隐隐约约可以看见围着桌子坐着的各人的脸。

在省执行委员会主席身旁,胸口贴着桌子坐着的是托卡列夫。这老人气愤地抚摸着剪短的胡须,不时斜睨那个秃头的矮家伙。那个人正用响亮的男高音,滔滔不绝地绕圈子,说些像鸡蛋壳一样空洞的废话。

阿基姆发现了托卡列夫的斜睨,这眼色使他回想起他幼年时代的事情——那时候他家里有一只绰号叫"啄眼"的好斗的公鸡,每当它准备进扑的时候,它就跟托卡列夫现在一模一样地斜眼看着对手。

省党委的会议已经开了将近两个钟头。那秃头的家伙是铁路林木委员会的主席。

他用敏捷的手指头翻弄着一叠文件,高谈阔论地说:

"……大家看,就是这些客观原因使得省委和铁路管理局的决议不可能实现。我再说一遍,甚至再过一个月,我们也还是不能供应比四百立方米更多的木材。至于这个十八万立方米的要求……那更是……"他费了一些工夫去挑选他的词儿,"……那更是乌托邦!"他说完,把小嘴一闭,露出委屈的样子。

会场上的沉默仿佛持续了很久。

朱赫来用手指头敲了敲烟斗,倒出烟灰。托卡列夫用他那从喉腔发出的低音打破了沉默:

“得了,废话用不着多说。你的意思就是说:铁路林木委员会过去没有木材,现在没有木材,将来也不会有木材……是不是?”

秃头的矮子耸了耸肩膀,说:

“同志,对不起,木材是现成的,只是没有马车运输……”他哽住了,用一块方格手巾擦了擦光秃的头顶,擦完之后,好久没能找到他衣服上的口袋,就急躁地把手巾塞在公事包底下。

“可是,您究竟采取了什么办法去运输木材呢?要知道,自从那些参加叛乱阴谋的负领导责任的专家们被捕之后,已经过了好些日子了。”捷涅科从角落里说。

“我已经向铁路管理局报告了三次,”秃头转向他说,“没有运输工具,就没有办法……”

托卡列夫打断了他的话。

“这个我们已经听说过了,”老钳工挖苦地哼了一声,狠狠地瞪着这个秃头的家伙。“怎么,您当我们都是傻瓜吗?”

这句问话吓得秃头的脊背冰凉。

“对反革命分子的活动,我是不能负责的。”他回答的声音已经很低了。

“但是您难道不知道他们是在离铁路很远的地方砍伐树木吗?”阿基姆说。

“我听说过。但是我不能把别人辖区里不正常的现象报告给上级。”

“您那里有多少工作人员?”工会主席问那个秃头。

“大约二百人。”

“这些饭桶每人一年只砍一立方米!”托卡列夫气忿忿地唾了一下。

“铁路林木委员会全体人员都领着特别的头等口粮。我们削减别人的口粮供给你们，可你们究竟做了些什么呢？我们送给工人们那两车皮面粉，你们弄到哪里去了？”工会主席继续说。

四面八方向这秃头提出许多尖锐的问题，但是他对这些问题只是一味地支吾搪塞，就像对待一些讨厌的债主似的。

他像一条泥鳅，故意躲避直接的答复，但是他的眼睛却不住地东张西望。他本能地感觉到危险是越来越近了。他又胆怯又紧张。现在他只有一个愿望——赶快离开他们回家去，在那里，他那个还不太老的妻子已经给他预备好一顿丰盛的晚餐，她正在读着保罗·德·科克[①] 的小说消磨时间，等着他回去呢。

朱赫来一面注意地听着秃头的全部答话，一面在他的笔记簿上写道：“我认为应该进一步审查这家伙：这决不是单纯没有能力的问题。我已经有了一些关于他的材料……咱们最好不要再和他罗嗦，让他回去，咱们干咱们的。”

省执行委员会主席读完了递给他的纸条，对朱赫来点了点头。

朱赫来走出房间去打电话。当他回来的时候，省执行委员会主席已经念到决议的末尾：

“……鉴于铁路林木委员会领导明显的怠工，故撤销其职务，并把此案交侦查机关审理。”

秃头本来预料结果会比这更坏。不错，因为怠工而撤了职，这显然对他的忠实性起了怀疑，但是这毕竟是小事，至于博雅尔卡的事情，他用不着担心，因为这不在他的辖区以内。“呸，我还以为他们真的已经摸到什么底了呢……”

这时候，他差不多就算放心了，一面把文件放进公事包里，

---

① 保罗·德·科克(1794—1871)，法国小说家和戏剧家。他的作品反映了当时巴黎中产阶级及贫民的生活。

一面说：

“是的，不用说，我是一个非党的专家，你们有权利怀疑我。但我是问心无愧的。要是我有什么工作没有完成，那只是因为我无能为力。”

谁也没有回答他。秃子走出房间，匆忙地跑下楼。他放心地舒了一大口气，推开了临街那扇门。

就在门口，一个穿军大衣的人问他：

“公民，您贵姓？”

秃子的心马上停止了跳动，讷讷地回答说：

“切尔……文斯基……”

这个“外人”走了之后，省执行委员会的办公室里十三个人的脑袋在那张大桌子上面紧紧地挤在一起。

“你们看，”朱赫来在打开的地图上指着。“这是博雅尔卡站，离这里七俄里的地方是伐木场。这里堆着二十一万立方米的木材。一大队工人做了八个月，付出了极大的劳动，结果却是一场骗局，铁路和本城还是得不到燃料。要到六俄里外把木材运到博雅尔卡站，就是用五千辆马车搬运，并且按一天运两趟计算，至少也要一个月。再说，最近的村庄是在十五俄里以外，奥尔利克带着他的匪帮又时常在附近出没……你们都明白了吗？……你们瞧，按照计划，伐木应该从这儿开始，然后向车站的方向推进。但是那些混蛋却向森林深处伐过去。他们算得很对：咱们不能把伐倒的木材运到铁路上来。真的，我们连一百辆马车也弄不到。他们就是这样来打击咱们的！……这比暴动委员会还要厉害。”

朱赫来把握紧的拳头沉重地放在地图上。

虽然朱赫来没有说出来，但是围着桌子的十三个人都清楚地想象到正向他们袭来的恐怖。冬天就在门外了。医院、学校、各机关以及成千上万的居民，都将受到严寒的侵袭，而车站呢——人挤得像蚂蚁窝，火车每星期只能开一次。

每个人都陷入了沉思。

“同志们，”朱赫来放开拳头说，“有一个办法。这就是在三个月之内，从博雅尔卡站筑一条窄轨铁路通到伐木场去。全长是七俄里，要在一个半月以内就修到伐木场的边上。这件事情我已经研究了一个星期了。要想完成它，”朱赫来从干燥的喉咙里发出沙哑的声音，“就需要三百五十个工人和两个工程师。在普夏-沃季查有现成的铁轨和七个火车头，这是共青团员们在仓库里找到的。因为战前曾经计划铺一条窄轨铁道从那儿通到城里来。不过，工人们在博雅尔卡没有住宿的地方，当地只有一座已经坍塌的林业学校。工人们应该分批送去，每两星期换一次班，时间再长，就支持不住。阿基姆，咱们把共青团员派去，你看怎么样？”

朱赫来不等回答，又继续说下去：

“共青团应当尽可能把团员都调到那边去。首先是索洛缅卡区的团员以及城里的一部分团员。这是一个非常艰巨的任务。但是，如果咱们向同志们说明白，只有这样才能拯救全城和铁路，那么，他们一定会完成的。”

铁路管理局局长怀疑地摇了摇头，说：

“这种办法不见得会有什么效果。在现在这样的情况下：秋天，常下雨，不久就要上冻，想在荒凉的地方铺一条七俄里的铁路。”他有气无力地说。

朱赫来看也不看他一眼，坚决地打断了他的话头说：

“安德列·瓦西里耶维奇，都怨你，没有及早多关心伐木的工作。这一条支线咱们一定要修。咱们不能抱着肩膀，干等着冻死。”

最后几只工具箱已经装到火车上去了。乘务员们也分别到了岗位。正下着细雨。丽达的皮上衣湿得发亮,大滴的水珠从衣服上滚下来。

丽达和托卡列夫分别的时候,紧紧握住老人的手,轻轻地对他说:

“祝你们成功。”

老人从他那灰白色的眉毛下面亲切地看了看她。

“是呵,真他妈的给咱们找麻烦。”老人咕哝了一句,同时把心里想着的话说了出来。“不过,你们在这里可得随时注意!要是有什么拖拖拉拉的,你们可要马上督促一下。要知道,此地这些无赖的家伙,都是离了官样文章就办不了事的!好啦,姑娘,我该上车啦。”

老人紧紧地裹起他的短外衣。火车就要开的时候,丽达好像随便地问他:

“怎么,难道柯察金不跟你们一道去吗?我怎么没有看见他。”

“他昨天就跟技术指导员坐轧道车到那儿去了,他们要在我们到达之前做好准备。”

扎尔基和杜巴瓦沿着月台匆忙地朝丽达和托卡列夫这边走来,跟在他们后面的是安娜·鲍哈特,她把短外套随便搭在肩膀上,尖尖的指头夹着一根灭了的烟卷。

丽达注意地看着他们三个,又向托卡列夫提出最后一个问题:

“保尔跟你念的功课怎么样?”

托卡列夫莫名其妙地看着她:

“什么功课?他一向不是跟你学习的吗?他常常在我面前

提到你。一提到你，夸起来没个完。”

丽达不大相信地听着，接着又问：

“托卡列夫同志，你说的是真话吗？他告诉我说，他时常到你那里，把我教给他的从头复习一遍。”

老头子笑起来了。

“到我那去？……我连他的影子也没有见过。”

汽笛尖锐地叫起来了。克拉维切克从车厢里喊道：

“喂，乌斯季诺维奇同志，你让我们的老伯伯上车吧，这样不行呵！我们没有他，还能干什么呢？”

这捷克人本来还想说什么，可是一看见朝他走来的那三个人，就不做声了。他的视线和安娜那现出不安的眼神接触了一下，接着，他又看见她给杜巴瓦一个送别的微笑，于是他的心沉下去了，迅速地离开了车窗。

秋雨打着人的脸。一堆堆深灰色的雨云，在低空缓缓移动。秋深了，森林里一望无际的林木已经光秃秃的，老榆树阴郁地站着，让褐色的苔掩住树皮上的皱纹。无情的秋天剥下了它们美丽的服装，它们只好光着枯瘦的身体站在那里。

小车站孤独地隐在树林里。它有一个装卸货物的石头月台。一条新修的路基一直从这里通到森林。人们像蚁群一样地在新修的路基周围忙碌着。

粘泥真讨厌，在靴子下面不住叭唧叭唧地响。人们在路基旁边疯狂地掘着土，铁器沉重地咚咚响着，铁锹碰着石头，发出了卡喳卡喳的声音。

像筛子筛过一般的细雨不停地下着，寒冷的雨点浸透了衣服。雨水冲坏了人们的劳动成果，泥浆像稠粥一样从路基上淌下来。

衣服都淋透了,又重又冷。但是,他们每天一直干到很晚才收工。

新筑的窄长的路基一天比一天长,不断地伸进了森林。

在离车站不远的地方,立着一座石头房子的骨架。里面一切可以搬动或拆卸的东西,都被匪帮抢走了,炉灶的铁门变成了大黑窟窿,门窗变成了张口的大洞。从破屋顶的窟窿里看得见椽子。

唯一残留的东西就是四间房子里的水泥地面。每夜,那四百个人就穿着给雨淋透了的和沾满了泥浆的衣服,躺在这块地上睡觉。大家都在门口拧衣服,泥水从衣服上流下来。大家都使劲地咒骂着这坏天气和泥泞。他们在铺着薄薄一层麦秸的水泥地上紧紧地挤着,竭力想用体温来相互取暖。衣服冒热气了,但是它从来也没焐干过。水渗过遮着窗子的麻袋,流到地上。雨点像敲鼓似地打着屋顶上残存的铁皮,冷风不断地从破门外面吹进来。

厨房是在一间东倒西歪的板棚里。早上大家在这里喝了茶,就到路基上去干活。午饭每天都是素扁豆汤,和一磅半像煤一样黑的面包。天天都是这些,真是单调得要命。

但是城里只能供给这么多东西。

技术指导员是一个又高又瘦、两颊有着深深皱纹的老头子,叫瓦列里安·尼柯季莫维奇·帕托什金。他的助手瓦库连科是一个矮胖子,他样子粗鲁,鼻子肥大。他们两个都住在站长家里。

托卡列夫住在一个名叫霍利亚瓦的车站肃反工作人员的家里。霍利亚瓦的腿很短,他像水银那样爱动。

工程队以无比的顽强忍受着饥寒痛苦。

路基一天天地向森林深处伸展。

工程队已经有九个人开了小差,几天之后,又有五个人逃跑了。

筑路工程受到的第一次打击是在第二个星期里:有一天晚上,从城里开来的火车没有带来面包。

杜巴瓦叫醒托卡列夫,把这消息告诉了他。

工作队的党委书记托卡列夫坐在床沿,把他的长毛腿吊到地板上,使劲地搔着胳肢窝。

“简直跟我们开起玩笑来啦!”他嘟囔着说,一边急忙穿起衣服。

像球一样的霍利亚瓦跑进屋子来。

“快,打电话到特勤部去,”托卡列夫对他说。“没有面包的事情,不许告诉任何人,”老头子接着又警告杜巴瓦。

跟电话接线员吵了半个钟头之后,顽强的霍利亚瓦终于和特勤部副部长朱赫来通了电话。托卡列夫听着他和电话接线员争吵,急得直跺脚。

现在朱赫来的震怒的声音在听筒上响了,他说:

“什么?面包没有送到?我马上调查这是谁干的好事。”

“你告诉我,明天我们拿什么东西给那些人吃?”托卡列夫非常生气地从听筒里对他喊。

显然,朱赫来是在考虑什么问题。过了很长时间,工程队党委书记才听到这样的回话:

“面包我们连夜送到。我派小李特克给你们送去,他认得这条路。你们明天早晨就可以得到面包。”

果然,天刚透亮,就有一辆沾满了泥、满装着面包袋子的汽车开到了车站。小李特克从汽车里走出来,因为整夜没有睡觉而脸色苍白。

为完成筑路工程而进行的斗争越来越尖锐了。铁路管理局通知说,已经没有枕木了。城里也找不到把铁轨和车头运到筑路工地去的运输工具,那些小火车头还需要大修。此外,第一批筑路工人的工作时间眼看就要到期,而接班的人还没有着落;要叫这些业已精疲力尽的人继续干下去是不可能的。

在一间旧板棚里,积极分子举行了一次会议。借着阴暗的灯光,会议一直开到深夜。

第二天早上,托卡列夫、杜巴瓦、克拉维切克动身到城里去了,还带了六个人去修理车头,并办理运送路轨的事。克拉维切克因为是面包师傅出身,被派到供给部去作检查员,其余的人都派到普夏-沃季查去了。

雨还在不停地下着。

保尔费了好大力气才把他的一只脚从泥里拔出来。他觉得脚底下冷得刺骨,这下才明白,是他的一只靴子的烂底子已经完全掉下来了。自从来到这里以后,他就为了这双烂皮靴吃了很多苦。靴子始终是湿的,一直往里灌泥,而现在,有一只靴底子完全掉了,他的一只赤脚就浸在冷得刺骨的泥浆里,这就使他没法干活了。他从泥里捡出那片靴底,失望地看着它,打破了他不再骂人的誓言。他拿着靴底跑到厨房里去,坐在行军灶旁边,打开沾满泥浆的包脚布,把那只冻得麻木的脚伸到炉子旁边。

养路工的妻子奥达尔卡在这儿当厨子的助手。她正在厨房里忙着切甜菜。造物主对待这养路工还一点也不老的妻子特别宽厚:她的肩膀跟男人的一样宽,胸脯隆起,大腿又粗又结实。她切起菜来真有功夫,不一会儿桌子上切好的甜菜便堆成了小山。

她轻蔑地看了保尔一眼,挖苦他说:

"你到这儿来干什么,等着吃饭吗?还太早点。小伙子,谁都可以看出你是开小差。你把脚伸到哪儿去了?这儿是厨房,不是澡堂呀!"她教训柯察金说。

一个上年纪的厨子走了进来。

“我的一只靴子完全烂掉了,”保尔解释他为什么到厨房里来。

厨子看了看那只破得不成样子的靴子,对奥达尔卡点了点头,然后对保尔说:

“她的男人会一点靴匠手艺,他会替你缝起来。没有靴子可真要命!”

奥达尔卡听到这话,同情地看一看保尔,开始感到有些不好意思。

“我还把您当作一条懒虫哩。”她道歉说。

保尔宽恕地笑了笑。她用内行的神气看了看他那只靴子,接着说:

“我丈夫不会补它的——已经不能补了。为了不叫你的脚冻坏,我给你拿一只旧套鞋吧。像那样的旧套鞋,我家阁楼上有一只。咳,有谁吃过这样的苦呀!说不定今天明天,就要上冻了,再这样,你就完了呵。”奥达尔卡现在非常同情他,说着就放下刀子走了出去。

一会工夫,她拿了一只长统的套鞋和一块厚布来。当他把烤热了的脚包在厚布里,穿起那只套鞋的时候,他默默地带着感谢的神情,看了看养路工的女人。

托卡列夫从城里气忿忿地回来了,他匆忙召集积极分子到霍利亚瓦的房间,把些令人不愉快的消息告诉他们。

“到处都在怠工。无论你到什么地方,都可以看到轮子在原地打转。一点儿也不往前走。足见那些坏家伙咱们抓得还太少,一辈子都要碰到这种人!”托卡列夫报告说。“同志们我对你们直说吧:情况很不妙。他们还没有把第二批人召集好,究竟能送多少人到这里来,现在还不知道。但是马上就要上冻了。咱们豁出命来也要在上冻以前把路铺过那个泥塘,要不,地冻了之后你就是用牙啃也啃不动。不过,同志们,不要泄气,那些在城里捣鬼的家伙,自然会有人收拾他们的。咱们这里必须加油干,快干。咱们豁出命来,也要把这条支线筑成。要不,咱们还能叫布尔什维克吗?那不过是个空幌子罢了……”托卡列夫说这些话的时候,他的声音已经不是平常那沙哑的声音,而是像从绷紧的钢丝发出来的一样。他紧皱着的眉毛下面那双发光的眼睛说明了他的决心和坚定。

“今天咱们就召集一次全体党员和团员的大会,把目前的情况充分向自己的同志们说明白,明天大家照常上工。非党人员明天早晨回去,党团员都留下,这是团省委的决议。”说着他把一张折成四叠的纸交给了潘克拉托夫。

保尔从这个码头工人的肩膀上看过去,看见决议上写的是:

团省委认为,全体共青团员应当留在工地坚持工作,直到第一批木材运出之后才换班。

共产主义青年团省委代理书记

丽达·乌斯季诺维奇(签字)

在作为会场的狭小的厨房里,已经没有插足的余地了。一百二十个人全挤在里头。他们有的靠墙站着,有的上了桌子,有的甚至站在灶头上。

潘克拉托夫宣布开会。接着托卡列夫说了几句话,但是他说的最后一句话让所有的人的心都凉了。他说:

“所有的共产党员和共青团员,明天都必须留在这里。”

老头子的手在空中挥了一下,表明这个决定是不能更改的。

这个手势把大家返回城里、返回老家和摆脱污泥等等的希望全都打消了。在开头一分钟,人们吵得简直什么也听不清。人体的晃动把暗淡的灯光弄得摇曳不定。由于昏暗,看不清人的脸。吵声越来越大了。有的开始谈起“家庭的舒适”,有的气愤地喊着说太疲倦了。也有许多人不说话。只有一个人声明他决心离队。他那愤怒的声音从角落里带着谩骂喷了出来:

“真见他妈的鬼!我一天也不在这儿呆了。罚人做苦工,是因为他们犯了罪。我们犯了什么罪?把我们关在这儿两个星期了——这已经够了。再没有人愿意作傻子了。让那些做出决议的人自已来筑路好了。谁愿意到泥坑里去打滚,就让他们去打滚吧。我只有一条命。我明天就走。”

那个喊叫的人正站在奥库涅夫的背后,奥库涅夫划了一根火柴,想看看这个要开小差的人是谁。火柴一瞬间从黑暗里照出了一个气得走了相的脸和张着的大嘴。奥库涅夫认出他是本省粮食委员会会计的儿子。

“你照什么?我又不是贼,我不会躲起来的。”

火柴熄了。潘克拉托夫全身直挺挺地站起来。

“谁在那里胡说八道?谁说党的任务是罚做苦工?”他的声音很粗,他用眼睛严厉地扫着站在他附近的人群。“同志们,咱们绝对不能回城里去。咱们的岗位就在这儿。如果咱们从这儿逃跑,许多人就得冻死。同志们,咱们早些做完,就早些回家。但是从这儿逃走,像刚才那混蛋想的那样,是咱们的思想和咱们的纪律所不容许的。”

这个码头工人不喜欢作长篇演说,然而就是这简短的话,也给那个人的声音打断了:

“那么,非党的可以走吗?”

“可以。”潘克拉托夫斩钉截铁地回答。

一个穿城市短大衣的小伙子挤到桌子跟前，把一张小卡片扔过去，卡片像蝙蝠似地从桌子上方翻下来，撞在潘克拉托夫的胸口，跳回来，落在桌沿上。

“这是我的团证，请收回吧，我不愿意为了这一小块硬纸牺牲我的健康！”

最后那句话给整个房里突然发出的叱骂声淹没了。

“你为什么把团证随便乱扔？”

“你这叛徒！”

“他加入共青团，为的是升官发财。”

“撵他走！”

“看我们不揍你一顿，你这传染伤寒病的虱子！”

扔掉团证的家伙低着头朝门口走去。大家都让开他，就像回避传染病病人一样地放他出去。他一走出去，门就砰的一声关上了。潘克拉托夫用指头捏着掷过来的团证，把它放在油灯的火上。

烧着了的硬卡片变成了一个黑色的小管子。

树林里响了一枪。一个骑马的匪兵迅速逃离板棚，钻进黑暗的树林里去。人们从学校里和板棚里一齐往外跑。有人无意撞到一块塞在门缝里的小木板上。他们划了根火柴，用大衣的下摆挡住风，借着火光，看见小木板上面这样写着：

> 你们全给我滚出这车站，从哪儿来，滚回哪儿去。谁赖在这里，谁就当心脑袋吃子弹。我们要把你们杀光，一点也不留情。限期到明天晚上为止。

签名的是“大头目切斯诺克”。他是奥尔利克匪帮的人。

丽达的桌子上放着她的没合起来的日记。

12月2日

早晨下了第一场雪。严寒。在楼梯上遇见维亚切斯拉夫·奥利申斯基。我们一块儿走。

“我就喜欢初雪。多么冷啊！雪景真是迷人呵，是不是？”奥利申斯基说。

我想到了在博雅尔卡的人们，就回答他说，像这样的严寒和大雪一点也不能使我高兴，相反地，只有使我难过。我把原因告诉了他。

“这完全是您的主观想法。要是把您的思想推演下去，那么，您就会认为，比方说，战时的笑声和乐天的表现是不许可的了。可是生活里却不是这样。什么地方是前线——那里就不免有悲剧。那里的生命，时时有死神威胁着。然而，就是在那里也有笑声。至于在远离前线的后方，一切生活当然还是照旧：笑声、眼泪、悲哀、快乐、贪图口福和享乐、心灵的激动、爱情……”

在奥利申斯基的这些话里，你很难辨别出这是讽刺还是实话。奥利申斯基是外交人民委员部的特派员。他是一九一七年加入共产党的。穿的是西服，胡子永远是刮得光光的，身上总是洒点香水。他就住在我们这幢房子的谢加尔的寓所里。他傍晚常来找我。和他谈话倒是满有趣的，因为他在巴黎住了很久，知道许多西方的事情，但我绝不相信我和他会成为很好的朋友。因为——他首先把我看作一个“异性”，其次才把我看作一个党内的同志。诚然，他并没有掩饰他的企图和想法，他倒是很有勇气说实话，而且他的殷勤并不粗野。他善于把那些殷勤做得很漂亮。但是我不喜欢他。

比起奥利申斯基的那种西欧式的风雅，我对朱赫来那种稍有几分粗野的朴实作风要亲近得多。

我们从博雅尔卡收到了简短的报告。筑路工程每天进展一百俄丈[1]。他们先在冻土上刨出槽来,把枕木直接铺在冻土上。那边一共只有二百四十个人。第二批派去的人已经逃跑了一半。条件实在太坏了。在那样的冰天雪地里,叫他们怎样干活呢?……杜巴瓦到那边已经一个星期了。在普夏-沃季查,八个车头只修好五个。其余的车头缺少零件。

电车管理局对杜巴瓦提出了刑事诉讼:因为他带了他的一队人,把所有从普夏-沃季查开往城里去的电车都扣留了。他强迫乘客下车,把这些车辆全装上窄轨铁路用的铁轨。他们沿着城区各线把十九辆电车统统开到火车站。电车工人都热心帮助他。

这些车辆到了火车站,索洛缅卡的共青团员们连夜把铁轨等装上火车,杜巴瓦就带着他的一队人把路轨运往博雅尔卡。

阿基姆拒绝在党委会里提出杜巴瓦的问题。杜巴瓦把电车管理局那不能想象的敷衍态度和官僚主义作风统统告诉了我们。他们断然说至多能借给我们两辆电车。可是屠弗塔却教训起杜巴瓦来:

"现在是我们应该丢掉游击作风的时候了,现在还这样做,就有蹲监狱的可能。难道你不能和他们协商,非用武力不可吗?"

我从来还没见过杜巴瓦发那么凶的脾气。

"废话,你们只搞官样文章,说为什么不去和他们好好协商?你们喝一肚子墨水只会坐在这儿说现成话。要知道,如果我不把铁轨运到,博雅尔卡的人会揍我的。为了不使我们的工作受

---

① 一俄丈等于2.134公尺。

到阻挠，我看，得把你也送去筑路，交给托卡列夫管教!”杜巴瓦在省委大楼里暴跳如雷。

屠弗塔写了一个请求处分杜巴瓦的报告，但是阿基姆让我先走一步，他自己同他们谈了大约十分钟。屠弗塔从阿基姆那里出来的时候，气得面红耳赤，怒气冲冲。

12月3日

省委又从铁路肃反委员会那里接到了新的案件。原因是潘克拉托夫、奥库涅夫，还有其他几个同志，一齐到莫托维洛夫卡车站去拆掉了那里的空房子的门窗。正在他们把这些东西往火车上搬走的时候，车站上的一个肃反工作人员企图逮捕他们。他们解除了他的武装，直到火车开动了，才把退出了子弹的空手枪交还给他。门窗都运走了。铁路局材料处又控诉托卡列夫擅自没收了博雅尔卡车站仓库里的二十普特[①] 钉子。他把这些钉子分给农民，作为报酬，让他们从伐木场那里运出长木头来代替枕木。

我把这些事情都和朱赫来谈了。他笑着说:“这些案子我们都给顶回去。”

筑路工地的情况十分紧张。每一天都是宝贵的。有时为了一点小事也不得不施用压力。我们常常把一些阻碍工作的家伙送交省委。筑路的小伙子们超越常规的事一天比一天地多了。

奥利申斯基给我弄来了一个小电炉。我和奥莉嘉·尤列涅娃一块儿用它暖手。但是屋子并不因为有了它而暖和一点。可是，那些在森林里的人是怎样过夜的呢?奥莉嘉告诉我说，医院里非常冷，病人都不敢爬出被窝。他们隔两天才生一次火。

呵，奥利申斯基同志，你说的不对，前线的悲剧原来也是后

① 一普特等于16.38公斤。

方的悲剧。

12月4日

大雪整整下了一夜。据说，博雅尔卡整个被雪封住了。筑路工作停顿了。大伙正在清除铁路上的积雪。今天省委已经决定：第一期筑路工程在一九二二年一月一日之前一定要完成，把路筑到伐木场。当这个决定传到博雅尔卡的时候，据说，托卡列夫的答复是："只要我们这口气不断，一定完成这个任务。"

关于保尔一点消息也没有。我很奇怪，他倒没有像潘克拉托夫那样受到"控告"。直到现在我还不知道，他究竟为什么不愿意和我见面。

12月5日

昨天匪徒又袭击了筑路工地。

马谨慎地踏在柔软的雪上。马蹄有时候踏着积雪下面的树枝，发出喀嚓的响声，于是马就畏怯地打一个响鼻，闪到旁边去。但是它那竖起的耳朵挨了一枪托，就又急步追上了前面的马。

十来个骑马的人已经翻过山坡，山坡下面是一片黑色的、没有被雪覆盖的地面。

他们就在这里把马勒住。马镫碰到一块儿，当的一响。领头的那匹公马，跑得浑身冒汗，使劲抖擞了一下身子。

领头的人指着那破屋子，对他们说：

"他们住在这儿的人，真他妈的不少。我们只要吓一吓他们就得了。大头目说，一定让他们明天都滚蛋，要不，他妈的这些臭工人是会弄到木柴的。"

他们排成单行，沿着那窄轨铁道朝车站前进。马缓缓地跑到了学校旁边那块空地的边儿上；他们始终隐匿在树后面，不敢跑到空地上来。

一阵排枪声打破了黑夜的沉寂。雪团像松鼠似的，从那棵被月光照成银白色的桦树枝上飞了下来。短筒枪在树林里冒着火光，子弹飞出树林，打掉了破墙上的泥皮，把潘克拉托夫运来的玻璃窗打得粉碎。

这一排枪声惊醒了那些睡在水泥地上的人，他们都爬了起来，但是房间里子弹嗡嗡乱飞，人们吓得重新趴下。

有的人还压到别人身上。

"你到哪里去？"杜巴瓦抓住保尔的军大衣，问他。

"出去。"

"快趴下，你这傻瓜！你一出去，他们马上就会打死你。"杜巴瓦急急地低声说。

他们俩紧挨着房门躲在那儿。杜巴瓦紧紧地贴着地面，一只手伸到门边——手里紧握着手枪。保尔蹲着，紧张地用手指头摸了摸左轮手枪转轮的弹槽。里面还有五粒子弹。摸到空槽就把转轮转了过去。

射击骤然停止了，突然的寂静使人惊异。

杜巴瓦低声命令那些卧倒的人：

"弟兄们，有枪的，这边来！"

柯察金小心地推开门。空地上没有人。只有纷纷落下的雪片在缓缓地盘旋着。

那十来个骑马的人，正在快马加鞭向森林里逃去。

吃午饭的时候，有一辆轧道车从城里飞也似地开来了。朱赫来和阿基姆走下车来。托卡列夫和霍利亚瓦在站台上迎接他们。从轧道车上搬下了一挺马克沁机枪和几箱机枪子弹，并且马上把它架在月台上。除了机枪以外，还带来了二十支步枪。

他们急急忙忙地走向工地。朱赫来的大衣襟在雪上划了些锯齿形的印记。他走起路来像熊一样，东摇西摆的：他仍然没忘记把两只脚像圆规那样叉开，仿佛脚下面仍然是晃动着的鱼雷艇的甲板。阿基姆的个子高，步子大，跟得上朱赫来，可是托卡列夫就常常要跑着才赶上他们。

“匪徒的袭击——这还在其次。现在有一个小土坡横在我们面前。这才真叫我们头疼！我们得挖很多土。”

托卡列夫站住了，转过身背着风去抽烟；他把两个手掌并成一个小船的样子，挡着风，赶紧抽了两口，就忙着追赶前面的人。阿基姆停下来等他，朱赫来没有放慢脚步，已经走到前面去了。

阿基姆问托卡列夫说：

“这条支线你们能够按期完成吗？”

托卡列夫没有马上回答。过了一会儿他才说：

“你知道，老弟，按常规，是不可能按期筑成的，但是不筑成也不行。问题就在这里。”

他们赶上朱赫来，并排走着。这时托卡列夫认真地说：

“瞧，问题的中心就在这儿了。要知道，这里只有两个人——我和帕托什金——知道在这样恶劣的条件下，在这人力和装备都极缺乏的情况下，按期筑成这条路是不可能的。但是，所有的人也都知道这条路非得筑成不可！因此我才敢向你们说：‘只要我们这口气不断，一定把它筑好。’你们自己看看，我们在这儿挖土，这已经快两个月了。第四班已经要到期了，而基本人员却始终没换班，只有青春的活力使他们能够支持下去呵。要知道，他们有一半人已经冻坏了。只要你看看这些年轻小伙子们，就会感动得掉下泪来。他们真是无价之宝……他们中有一些人，会被这块可恨的荒地累死的。”

从车站起，一公里的铁轨已经铺好了。

往前面一点，大约有一公里半的样子，在新筑的路基上，躺着一些长长的、像是给大风吹倒的栅栏似的木头。这就是枕木。再往前，一直到那个小土坡，还只是一条平路。

在这里工作的，是潘克拉托夫的第一筑路队。四十个人正在忙着铺枕木。一个红胡子的乡下人穿着一双树皮鞋，不慌不忙地从雪橇上把木头一根根地拖下来扔到路基上。远处还有这样的一些雪橇在卸载。地上摆着两根长长的铁杆子，这算是路轨的准尺，用它来把铺上的枕木找平。为了把地夯结实，斧子、铁棍和铁锹都用上了。

安放枕木是一桩很费工夫的细致工作。每根枕木都要铺得平稳牢固，才能使每一根都承受路轨的同样的压力。

这里只有一个人懂得铺枕木的技术，这就是筑路工长拉古京老头子。他虽然已经五十四岁，却还没有一根白头发，长着一把光润的分成两绺的大胡子。他每次都是自愿地留下，现在已经是第四班了。他和那些青年人一同忍受着饥寒困苦，因此他在这个筑路队里受到普遍的尊敬。这个非党人士(他是塔莉亚的父亲)在每次党员大会上总是坐在荣誉席上。老人对这件事非常自豪，因此他发誓绝不离开筑路工地。

“你们说吧，我怎么能扔下你们不管呢？没有我，没有我的经验和照管，你们会把铺枕木工作搞糟的。我这一辈子净在俄罗斯各地铺枕木……”他每当换班的时候，总是和蔼地向他们这样说，并且自愿留下来不走。

帕托什金很信任他，很少查看他的工段。当朱赫来他们走到工作人员跟前的时候，那个累得满脸通红、头上冒汗的潘克拉托夫正用斧头在那里挖一个安放枕木的座槽。

阿基姆几乎不认识这个码头工人了。潘克拉托夫瘦多了；

他那两个本来就很高的颧骨现在显得更突出了，而那张经常只是马马虎虎洗一下的脸，显得又黑又憔悴。

“呵，省里的委员来了！”他说了一句，就把他热乎乎的、潮湿的手伸给阿基姆。

铁锹的挖土声暂时停止了。阿基姆看见了周围那些苍白的脸。他们脱下来的长大衣和短皮袄，都放在旁边的雪地上。

托卡列夫和拉古京谈了几句话，就拉着潘克拉托夫和才来的三个人到掘土的地方去。潘克拉托夫和朱赫来并排走着。

“潘克拉托夫，你告诉我，你们在莫托维洛夫卡究竟和肃反工作人员发生了什么事情？你们把他解除了武装，这个你不觉得太过火了一点吗？”朱赫来严肃地问那个不爱多说话的码头工人。

潘克拉托夫难为情地笑了一下，说：

“我们是经过协商才解除他的武装的，是他自己要我们这样做的。这个小伙子是个好同志。在我们把所有的情况告诉了他之后，他就说：‘弟兄们，我没有权利让你们搬走这些门窗。捷尔任斯基[①] 同志命令消灭一切盗窃铁路财产的现象。这里的站长和我结了仇，这个坏蛋老偷东西，我总是干涉他。我要是让你们把门窗搬走，——他一定会报告上级，我就会被送到革命法庭去。最好你们把我解除武装，再把东西运走。要是站长不报告上级呢，这件事就不提了。’于是我们就这么办了。我们又不是把门窗拿到自己家里去！”

潘克拉托夫在朱赫来的眼睛里看见了笑容，就补充说：

“要处分，请处分我们好了。千万别难为那个小伙子，朱赫来同志。”

---

① 捷尔任斯基(1877—1926)，当时苏联肃反委员会的最高负责人。

“这件事已经过去了。往后可不许再发生这类事情——这是破坏纪律的。我们有足够的力量有组织地去打倒官僚主义。好，现在我们谈谈更重要的事吧。”于是朱赫来便把匪徒袭击的情形详细问了一遍。

在离博雅尔卡站四公里半的地方，筑路的人们正愤怒地用铁锹砍着地面。他们要劈开挡在前面的小土坡，从中间开出一条路来。

两旁站着七个人，他们随身带着霍利亚瓦的马枪，以及保尔、潘克拉托夫、杜巴瓦和霍穆托夫几个人的手枪。这就是他们这一队人所有的武器。

帕托什金正坐在土坡上，把数字记在笔记本上。现在只剩下他一个工程师了，因为瓦库林科怕给土匪打死，他宁可犯法也不干了，今天一早就溜回城里去了。

过了一会儿，帕托什金转身对站在他面前的霍穆托夫小声说：

“我们挖开这个土坡，需要半个月的时间。地已经冻了。”

霍穆托夫一向是个沉默寡言、脾气不大好的人，他一听这话，就生气地用嘴咬着胡子梢，回答说：

“离规定的完工日期只有二十五天了，可是，单挖这一截路，您就打算要半个月。”

“我想，少了恐怕不成，”帕托什金说。“说实话，我一生压根儿就没有在这样的情况下筑过路，也没有跟着这样的人一起筑过路。也许我估计错了，我已经有两次都估计错了。”

就在这时候，朱赫来、阿基姆和潘克拉托夫走到挖土的地方来。斜坡上的人们看见了他们。

“你瞧，谁来了？”在铁路工厂里当过镟工的特洛菲莫夫，一个斜眼小伙子,穿着破得露出胳膊肘的厚绒线衫,用胳膊肘碰了保尔一下,指着坡下的人喊道。

保尔立刻拿着铁锹跑下斜坡。他那对眼睛在军帽帽檐下面热情地微笑着,朱赫来紧握着他的手,握的时间比握谁的手都长。

"你好呵,保尔。你穿了这么一套胡乱拼凑的服装,真叫人认不出你来了。"

潘克拉托夫冷冷地一笑,愁眉不展地对阿基姆说:

"他那五个脚趾头倒是行动一致,总是一齐露在外面。而且,开小差的家伙临走还偷走了他的大衣。好在奥库涅夫是他们公社的社员,把自己的短上衣送给了他。没有关系,保尔是一个热血青年。他可以在水泥的地上躺上一两个星期,有没有麦秸全一个样,然后,他还可以躺到棺材里去。"

眉毛漆黑、鼻子有点翘的奥库涅夫,眯缝着他那调皮的眼睛反驳说:

"我们才不让保尔累垮呢。我们可以建议让他去当厨子,作奥达尔卡的一名后备军。在那里,如果他不是傻瓜,他不但可以吃饱,还可以取暖——他愿意在火炉旁边取暖也行,愿意在奥达尔卡身边取暖也行。"

大伙一阵开心的哄笑淹没了他的话。这一天他们第一次笑了。

朱赫来察看了斜坡,然后就和托卡列夫、帕托什金坐着雪橇到伐木场去了一趟,又转了回来。大伙仍旧在小土坡上顽强地挖着土。朱赫来看着闪光的铁锹和那些在紧张的劳动中弯着的脊梁,低声对阿基姆说:

"用不着开群众大会了。这里谁也用不着鼓动。托卡列夫,你说的对，他们真是无价之宝。钢铁就是这样炼成的！”

朱赫来看着这些挖土的人，眼睛里现出了钦佩、爱护和自豪的神情。他们中间有一部分人，不久之前，在反革命叛乱的前夜，曾经背起过钢枪，而现在，他们又都抱着同一个志愿：把这钢铁动脉通到那堆放大量木材资源——温暖与生命的泉源那里去。

工程师帕托什金终于以适当的礼貌和有力的理由，向朱赫来证明：没有两个星期的时间，要挖开这个小土坡是不可能的。朱赫来仔细听了帕托什金的计算之后，心里想出了一个办法。他说：

“把人们从小土坡上撤下来，调到前面去修路，至于这个小山坡，咱们用别的办法来对付它。”

朱赫来在车站上花了好大工夫才接通了电话。霍利亚瓦在门口警卫，他听到后面朱赫来粗声粗气地说：

“马上挂电话到军区参谋长那里，用我的名义请他马上把普兹列夫斯基的那一团人调到筑路工地来。必须把这里的匪帮肃清。此外，再派一列装甲车和一些工兵爆破手来。别的事情由我自己来安排。今天夜里我就回去。叫小李特克在半夜把汽车开到车站来。”

在板棚里，阿基姆作了简单的讲话之后，朱赫来发言了。他亲切地和大家交谈，不知不觉地过了一个钟头。朱赫来告诉大家，规定的完工日期是一月一日，无论如何不能误期。他说：

“从现在开始，我们要按战时状态来进行工作。把党员编成一个特勤中队，中队长由杜巴瓦同志担任。六个筑路队，都要担负一定的任务。把剩下来的全部工程，平均分成六段，每队担负一段。全部的工程必须在一月一日以前完工。提前完成任务的小队，可以回城里休息。此外，省执行委员会主席团还要向乌克兰中央执行委员会建议，奖给该队最优秀的工人红旗勋章。”

各队的队长派定了：第一队是潘克拉托夫同志，第二队是杜巴瓦同志，第三队是霍穆托夫同志，第四队是拉古京同志，第五队是柯察金同志，第六队是奥库涅夫同志。

“至于筑路工程的总负责人，”朱赫来在结束他的发言的时候说，“也就是整个思想工作和组织工作的总负责人，当然继续由安东·尼基福罗维齐·托卡列夫同志担任，只能是他。”

就像一大群鸟儿突然飞起来一样，营房里发出了一阵噼啪噼啪的掌声，那些严肃的面孔都现出了笑容。这十分严肃的人最后说的那句又亲切又诙谐的话，使一直在注意听他讲话的人全都轻松地笑了起来。

有二十来个人拥去送阿基姆和朱赫来上轧道车。

在和保尔告别的时候，朱赫来看见他那只灌满雪的套鞋，就低声对他说：

“我送一双靴子来给你。你的脚还没有冻坏吧？”

“看样子很像是冻坏了，两只脚已经有一点肿了，”保尔回答说。接着，他又想起一个老早就想提出的要求，因此，拉住了朱赫来的袖子说：“你能不能给我几发子弹？我只剩下三发能用的了。”

朱赫来抱歉地摇了摇头，但是他看到了保尔眼睛里那失望的神情，就立刻毫不踌躇地解下了他的毛瑟枪。

“这是我给你的礼物。”

保尔开头简直不相信他已经得到他梦想了那么久的东西，可是朱赫来已经把皮带套在他的肩膀上。

“拿去吧，拿去吧！”他说，“我知道你的眼睛老早就盯着它了。不过你要小心用它，别打自家人。这里还有满满的三夹子弹也一起给你。”

许多羡慕的眼睛都盯着保尔。有人喊着说：

“保尔，咱俩交换，我给你一双靴子，外加一件短皮袄。”

潘克拉托夫也淘气地推了他后背一下，说：

“小鬼，你拿它换一双毡靴吧。反正你再穿这只套鞋也活不到今年圣诞节。”

这时候，朱赫来一只脚踏在轧道车的踏板上，膝盖托着纸，正写着他刚才给保尔的那支毛瑟枪的持枪许可证。

第二天早晨，一列装甲车很早就噗嗤噗嗤地转过岔道，开到车站上来了。它放出来的白得像天鹅毛一般的水蒸气，一圈一圈地盘旋上升，马上又消散在清新而寒冷的空气里。从装甲列车的车厢里面走出几个穿皮衣的人。几个钟头以后，三个工兵爆破手已经在小丘的斜坡上深深地埋下了两个光滑的像大南瓜一样的东西，并且从那上面引出两条长长的导火线。接着，他们放了信号枪。所有的人都慌忙离开这个危险的小丘，四散隐蔽。火柴点着了一根导火线的线头，它冒出了小小的像磷火似的火焰。

每个人的心一下子都紧张起来。他们焦急地等了一两秒钟，突然……大地震动了，一个可怕的力量把小丘的顶部炸开了，巨大的泥块朝天空抛去。第二次爆炸比第一次还要厉害。惊人的轰隆声在森林里回荡，里边还夹杂着小丘被炸碎后土地崩裂的声音。

那个刚刚还是小丘的地方，现在变成了一个很深的大坑，周围几十公尺以内，碎土撒满在像糖一样洁白的雪地上。

筑路的工人立刻提起镐头和铁锹，喊叫着朝炸出来的土坑跑去。

从朱赫来走后,各筑路队为了争夺锦标展开了顽强的竞赛。

离天亮还很早,保尔就悄悄地起了床,不惊醒任何人,勉强移动着他那在凉地上冻麻了的脚,独自走到厨房里去。他用锅把沏茶的水烧开之后,才回去叫醒同队的伙伴。

当其他各队的人都醒了的时候,院子里已经亮了。

在板棚里吃早点的时候,潘克拉托夫挤过人群,走到杜巴瓦和他的伙伴们(兵工厂的工人)的桌子跟前,对他说:

“德米特里,你瞧,保尔那家伙,天还没有亮就把他那一伙人喊起来了。也许他们已经筑好十俄丈了。伙伴们都说,他把他队里由铁路工厂来的人鼓动到了这地步——他们都夸口说要在十二月二十五日以前就干完他们那一段。他把我们大伙都看作傻瓜。但是,对不起,谁胜谁败咱们还得走着瞧!”潘克拉托夫现出了非常愤慨的样子。

杜巴瓦苦笑了一下。他心里十分明白为什么铁路工厂那一队的行动会这样刺痛这码头工人团委书记的心。虽然杜巴瓦是保尔的好朋友,可是他也觉得不好受,因为保尔竟连招呼也不打就向全体挑战了。

“亲兄弟,明算账——这是‘谁战胜谁’的问题。”潘克拉托夫说。

晌午,保尔那一队人正干得起劲的时候,工作突然停止了。站在支起来的枪支前面的岗哨看见森林里出现一队骑兵,就开枪发出警报。

“弟兄们,拿枪呀!匪帮来了!”保尔一边喊着,一边扔下铁锹,向那棵挂着他的毛瑟枪的大树跑去。

全队的人都拿着枪,趴在铁轨旁边的雪地上。那些走在前头的骑兵挥着皮帽子,其中有一个高声喊道:

“同志们，别开枪，是自家人！……”

有五十多个戴着布琼尼式军帽的、帽檐上嵌着红星的骑兵朝铁路跑来。

原来这是普兹列夫斯基团派来访问筑路工人的骑兵小队。保尔注意到指挥官骑的那匹马只有一只耳朵。这可爱的、额上有一片白斑的灰骒马不肯停下来，一直在跳着，跟那骑者开玩笑。保尔跑到它跟前，一手抓住它的辔子，它吓得直往后退。

“小斑子，调皮鬼，想不到会在这里碰到你呵！我的一只耳朵的美人，你倒没给子弹打死呵。”

他亲热地抱住它的细脖颈，用手抚摸着它那掀动的鼻孔。骑兵的指挥员仔细地看看他，才认出他是保尔，于是惊奇地喊了一声：

“哎哟，原来是保尔·柯察金呀！……你认出了这匹马，怎么就没认出老朋友谢列达？你好吗，我的好兄弟？”

在城里，同志们都大力支援筑路的工作。这立时得到了显著的效果。扎尔基把区委会里剩下的人都送到博雅尔卡去了。索洛缅卡区也只剩下了一些女同志。扎尔基还设法把铁路专科学校的另一批学生送到筑路队去。

当他向阿基姆报告这件事的时候，他半开玩笑地说：

“现在只剩下我一个和那些女无产阶级了。我想委派拉古京娜代替我，这样我就可以在门口贴上一张‘妇女部’的字条，然后我也到博雅尔卡去。你知道，我一个男子汉在那些女人中间转来转去，实在不像话。那些女孩子总是用一种猜疑的眼光看着我。我相信她们私下一定会这样说：‘瞧，他把大家伙都打发走了，只留下他自己一个，这老滑头，’或者还要说一些更叫人难为情的话。我请求你让我也去吧。”

阿基姆笑着拒绝了他的请求。

不断有新来的人到博雅尔卡去。铁路专科学校的六十个学生也去了。

朱赫来从铁路管理局弄到了四节客车，开到博雅尔卡去，给新派去的人们住宿。

杜巴瓦的那一队人被派到普夏－沃季查去，负责把窄轨车头和六十五节窄轨的敞车运到工地来。这工作顶替他们所负责的那一部分任务。

在出发之前，杜巴瓦建议托卡列夫把克拉维切克调回筑路队来，由他带领新组织的一队人的工作。托卡列夫下了这个命令，一点也没有想到杜巴瓦所以提出这一建议的真正原因。杜巴瓦之所以想起那个捷克人，是因为那些新从索洛缅卡来的人带来了安娜写给他的一张便条。便条上这样写着：

> 德米特里：我和克拉维切克已经给你们选择了一大批书。我们向你，向博雅尔卡全体突击工作者致热烈的敬礼。你们实在了不起！我们深愿你们个个身体强健、精力饱满。昨天，我们已经把木柴栈最后的一批木柴分发出去了。克拉维切克要我向你们致意。他真是一个好同志！他亲自替你们烘面包。他不相信面包房里任何人能烘得好。筛面粉、揉面团，全都由他亲手做。不知道他在什么地方弄到一些好面粉，烘出的面包真好，一点也不像我们领到的那样。每到晚上，大伙都聚到我这儿来——拉古京娜、阿尔丘欣、克拉维切克，有时扎尔基也来。学习进步得很慢，大部分的时间是在谈天，特别时常谈到你们。女孩子们都为托卡列夫拒绝她们到筑路区去非常生气。她们都自信能够跟大家一样吃苦。拉古京娜说：“我要穿起我爸爸的衣服，去看看这老头儿，看他能不能把我赶走！”

她很可能这样做的。代我向那个黑眼睛的人问好。

安娜

暴风雪突然袭来了。低飞的灰色的阴云蒙住天空。大雪下得很密。晚上,大风在烟囱边怒吼,在树林里追逐旋卷的雪花,发出凄厉的呼号,使得整个森林不得安宁。

暴风雪猖狂了一夜。虽然整宿生着火炉,大家依然浑身上下都冻透了。车站上这所破房子是存不住热气的。

第二天清早,上工的人双脚都陷在很深的雪里,耀眼的太阳挂在树梢上,天空没有半点云彩。

保尔的一队打扫了他们地段上的积雪。只有现在,保尔才体验到寒冷造成的痛苦是多么难以忍受。奥库涅夫那件旧上衣并不能使他暖和,而那只套鞋也灌进了雪。它好几次掉在深雪里。另一只皮靴也快要掉底了。而且,因为他睡在水泥地上,脖子上已经长了两个大痈疮。托卡列夫把自己的毛巾送给他作围巾。

瘦削憔悴、两眼通红的保尔,疯狂地用一把大木锹铲雪。

这时候有一列客车慢慢地爬进了车站。有气无力的火车头好容易才把列车拖到这里。它的煤水车里没有半根木柴,炉火也眼看就要熄灭了。

开车的对站长喊道:

"给我们木柴,我们就开,如果没有木柴,你们就趁它还能动弹的时候给停到侧线上去。"

列车停到侧线上去了。他们把这情形告诉了那些沮丧的乘客。满车子的人都同声叹息和咒骂。

"你们去和在月台上走着的那个老头子商量商量吧,"站长对乘务员们说。"他是这里筑路队的负责人。要是他答应,就可以用雪橇给火车头运一些木头来。那些木头都是他们预备作枕木用的。”

乘务员们跑去问托卡列夫。托卡列夫对乘务员们说：

“我可以给你们木柴，可是不能白给。这是我们的筑路材料。我们的工地上积了很多雪。你们车厢里有六七百个客人。妇女和小孩们可以留在车里，其他的人都拿锹去铲雪，一直做到晚上。如果他们答应这样做，就可以得到木柴。要是拒绝，就让他们在那儿等到新年再说吧。”

“瞧，弟兄们，一大群人来了！看呀，还有女人呢！”保尔听见他身后有人惊奇地喊着。

保尔回过头去。

“这里有一百人交给你，”托卡列夫走到保尔跟前，对他说，“你分配他们干活，要注意，别让他们偷懒。”

保尔把活计分派给这些新来的人。有一个高身材、穿着皮领子的铁路制服大衣、戴着一顶暖和的羔皮帽的人，非常愤怒地转动着手上的铁锹。他对站在他旁边的一个戴着海狗皮帽子、帽顶带一个小绒球的青年女子说：

“我才不铲雪呢，谁也没有权利强迫我干这个。我是一个铁路工程师，要是请我领导工作，我倒可以答应。但是铲雪的事情，决不是你我份内的事，这在章程里没有规定。这老头子违法行事，我要控告他。谁是这里的工长？”他问他旁边的一个工人。

保尔走上前去。“公民，您为什么不干活？”

那男子用轻蔑的眼光，把保尔全身从上到下地打量了一番，反问道：“您是什么人？”

“我是工人。”

“那么，我和您没有什么话说。叫工长来，或是你们的……”

保尔翻眼看了看他，说道：

“要是您不肯干，您就别干。只是车票没有我们的签记，您就别想上车。这是工地主任的命令。”说完保尔又问那女子：“女公民，您也拒绝吗?”可是，他马上愣住了，因为站在他面前的竟是冬妮亚·杜曼诺娃!

她好容易才认出这个衣衫褴褛的人就是保尔。保尔穿着又破又旧的短褂，一只脚穿着破靴，另一只脚穿着一只古怪的套鞋，脖子上围着一条脏毛巾，脸好久都没有洗过。只有他那双眼睛，那双永远炯炯发光的眼睛还跟从前一样。这正是他的眼睛。就是这个像叫化子的衣衫褴褛的人，不久之前还是她所热爱的人！世事变幻，多么惊人呵!

冬妮亚不久之前结了婚，这回正和她丈夫到一个大城市里去，她丈夫在那里的铁路管理局担任一个重要职务。她想不到会在这样的情境下遇到她少年时代的恋人。她甚至觉得不便和他握手。瓦西里会怎样想呢？保尔现在竟潦倒到如此地步，真叫人难过啊。显然，这青年火伕除了掘土之外不会有更大的出息了。

她犹豫不决地站在那里，脸烧得通红。那个铁路工程师已经给这衣衫褴褛的人气昏了，因为他竟敢目不转睛地盯着他的妻子，在他看来，这实在太放肆了。他扔掉铁锹，走到冬妮亚跟前，说：

“冬妮亚，咱们走吧。要是我再看这拉查隆尼[①] 一眼，我就会忍不住的。”

保尔是读过《朱泽培·加里波第》这部小说的，他知道拉查隆尼是什么人。

“假使我是‘拉查隆尼’，你就是还没肃清的资产阶级。”他粗

---

① 意大利的拿坡里一带把叫化子或是偶尔打零工的穷人叫做拉查隆尼。

声地回答说。接着，他又看着冬妮亚，板着脸，清清楚楚地对她说："杜曼诺娃同志，拿起锹来，站到队伍里去。别学那个胖水牛的样子。请原谅我说这话，我不知道他同你是什么关系。"

接着，保尔看着冬妮亚那双长统皮套靴，又冷笑了一下，补充说：

"我劝你最好不要留在这儿。几天前，匪徒还来光顾过呢。"

他转身向自己的工作队走去，他那套鞋在走路的时候啪啦啪啦地直响。

他最后这几句话显然对那个工程师产生了影响。

冬妮亚终于说服了她的丈夫去参加铲雪。

傍晚收工的时候，人们都回到车站去。冬妮亚的丈夫匆忙走在前头，打算在车上占个好位子。冬妮亚在路边站着，让所有的人走过。走在最后的一个是保尔，他已经疲倦得要命，一边走一边拄着铁锹。

"保夫鲁沙，你好！"冬妮亚跟他并排走着，说，"老实说，我真没有想到你会弄成这个样子。难道你不能在现在的政府里找到一个比挖土好一点的差事吗？我还以为你早就当了委员或是有了什么同样的职位了呢。你的生活怎么搞得这样惨呵……"

保尔站住了，惊奇地看了她一眼，说：

"我也没有想到你会这么……这么酸臭，"他想了一想，才找到这个比较温和的字眼。

冬妮亚的脸红到耳朵根。

"你还是那么粗鲁！"

保尔把锹扛到肩上，迈着大步走开了。走了好几步，才回答说：

"不，杜曼诺娃同志，说实在的，我的粗鲁比你的所谓礼貌要好得多。你用不着担心我的生活，我的生活倒是过得满好的。

只是你的生活已经变得比我所想的还要坏。两年以前,你还好一些:那时候你还敢和一个工人握手。现在你浑身已经发出卫生球的味道了。说句老实话,现在我和你已经没什么可说的了。"

保尔接到他哥哥阿尔焦姆的信。信上说他就要结婚,要保尔无论如何回家一趟。

一阵风把保尔手上那张信纸吹跑了,它像鸽子一样飞上天空。他不能去参加他哥哥的婚礼。说到离开工地,这哪有考虑的余地呢?昨天,潘克拉托夫那家伙已经赶上他那一队了,而且正用一种叫大家目瞪口呆的速度向前突进。这个码头工人正在拚命地争夺锦标,他那惯常的沉静现在已经完全消失了;他不断鼓动他队里的"码头工人"用一种疯狂的速度去干活。

帕托什金观察着这些筑路工人一声不响、埋头苦干的狂热。他惊讶地搔着头皮,问他自己:"这究竟是些什么人?他们哪里来的这种异乎常情的力量?可不是吗,只要天气再这么晴个七八天,我们就可以铺到伐木场了!俗话说得好:活到老,学到老,到老懂得的还是少。这些人的工作打破了一切的计算和标准。"

克拉维切克带着他亲手做的最后一批面包,从城里来了。他先去看了托卡列夫,然后就到工地来找保尔。他们亲热地握了手。克拉维切克微笑着,从麻袋里拿出一件瑞典制的漂亮的黄面皮里短大衣,他用手掌拍着那富有弹性的皮面,对保尔说:

"这是给你的。你猜得出这是谁送给你的吗?呵,你这木头,好好想一想吧!这是丽达·乌斯季诺维奇同志送给你的,为着不让你这蠢驴子活活冻死。这本来是奥利申斯基同志送给她的礼物,她接到手里立刻就交给我,说:拿给柯察金去吧。阿基姆曾经告诉她说,你在大冷天穿一件上衣干活。这倒叫奥利申斯基的鼻子有点皱起来了。他说：'我可以把另外一件军大衣送给那位同志嘛。'但是丽达笑着说：'不必了，他穿短的干活方便！'这就是那件短大衣，拿去吧！"

保尔惊异地捧着这珍贵的礼物，然后踌躇地把它穿在冻得冰凉的身上。那柔软的皮毛立刻使他的后背和前胸感到了温暖。

丽达在日记里写着：

12月20日

连日大风雪。又刮风，又下雪。博雅尔卡的人们眼看就要到达目的地了，但是寒冷与大风雪拦住了他们。他们陷在深到脖子的雪里了。要挖开冻硬的土地是非常困难的，只剩下了四分之三公里，但这是最困难的一段。

托卡列夫报告说：筑路队里发现了伤寒病，已经有三个人病倒了。

12月22日

共青团省委会开全体会议。博雅尔卡没有一个人来出席。离博雅尔卡十七公里的地方，匪帮又把一列运粮的火车弄出了轨。根据粮食人民委员部全权代表的命令，全体筑路工人都调到出事地点去了。

12月23日

又有七个伤寒病人从博雅尔卡送到城里来。其中有奥库涅夫。我去了一趟车站，看见从哈尔科夫开来的列车的连接板上抬下来几具僵硬的尸体。医院里很冷。该死的大风雪，它要刮到什么时候呢？

12月24日

刚从朱赫来那里回来。消息证实了：奥尔利克昨夜曾率领他全部匪帮袭击了博雅尔卡。匪帮和我们战斗了两小时。他们切断了电话线,今天早晨朱赫来才得到确实的消息。匪帮被击退了。托卡列夫受了伤,枪弹打穿了他的胸膛。今天就要把他运回来。昨夜担任警卫队长的克拉维切克给刀砍死了。他一看见匪帮,便发出警报,同时射击进攻的敌人。他还没有跑到学校,就被砍倒了。筑路队里有十一个人受伤,现在有一列装甲车和两中队骑兵在那里守卫。

潘克拉托夫升任筑路队的主任。白天普兹列夫斯基团在格卢鲍基村包围了一部分匪徒,把他们都砍死了。筑路工地有一些非党的人员,来不及等火车,就沿着铁路徒步走回城里来。

12月25日

托卡列夫和别的受伤的人们运到了,他们都被安顿在医院里。医生答应救活托卡列夫。他仍昏迷不醒。别的人都没有生命的危险。

党省委和我们都接到了博雅尔卡来的电报:"为了回答匪帮的袭击,我们,窄轨铁路的建筑者,'保卫苏维埃政权号'装甲列车和骑兵团的全体指战员,在这里召开大会,向你们保证,尽管有种种的困难,我们仍决定在一月一日以前把木材运到城里。我们大家决心全力以赴。派遣我们的共产党万岁! 会议主席柯察金,记录别尔津。"

我们以军礼在索洛缅卡埋葬了克拉维切克。

日夜盼望着的木材已经近在咫尺了。但筑路进度很慢,因为伤寒病每天要夺去几十只有用的手。

有一天,保尔像喝醉酒似的,两腿发软,身子摇摇晃晃地走回车站。他从发烧到现在已经好几天了,但是今天他觉得热度要比往常高得多。

那吮吸着筑路队的血液的伤寒病,现在又向保尔本人进攻了。但是他的健壮的身体仍在抵抗它,一连五天他都挣扎着从那铺着麦秸的水泥地上爬了起来,跟别人一道去出工。但是不管是那件暖和的皮短大衣也好,或是朱赫来送给他的那双现在已经套在生了冻疮的脚上的毡靴也好,都救不了他了。

他每走一步,都像有什么东西猛刺着他的胸口,他的上下牙碰得直响,两眼发黑,他觉得树木就像旋转着的木马似的。

他好容易才走到车站。不平常的喧哗声使他吃了一惊。他仔细一看:停着一列跟车站一样长的平板车——在那些敞车上面,有小火车头、铁轨和枕木,许多随车同来的人正在忙着卸车。他再走几步,身子就失去了平衡。他只觉得头一晕,就栽倒在地上。积雪冰着他那灼热的脸,他觉得挺舒服。

几个钟头以后大家才发现他,把他送到板棚里。柯察金的呼吸很困难,他已经不认得周围的人了。从列车上请来了医师,诊断的结果是:"格鲁布性肺炎兼肠伤寒。体温四十一度五。至于关节炎和脖子上那两个痈疮,——倒是小意思了。光是上面那两种主要病症,就已经足够把他送到另一个世界去了。"

潘克拉托夫和随着列车到来的杜巴瓦都尽全力抢救保尔。

他们托保尔的同乡阿廖沙·科汉斯基把他送回谢佩托夫卡去。

幸亏有柯察金那一队的全体队员的帮助,特别是在霍利亚瓦的压力之下,潘克拉托夫和杜巴瓦才算把科汉斯基和不省人事的保尔送到那挤得满满的车厢里去。车上的客人因为怕他得的是斑疹伤寒,会传染别人,死也不肯让他们上车,并且威胁着说,只要车一开动,他们就把他扔到车厢外面去。

霍利亚瓦当着那些说这话的人的面,晃着他的手枪,大声叫着说:

"这病人不传染！就是把你们所有的人都赶下车，也得让他走！你们这些损人利己的无赖，记住！要是谁敢动他一动，我就通知沿线人员：列车一到，就把你们全都赶下车，关进牢里。阿廖沙，这是保尔的盒子枪。要是谁敢动保尔一下，你就瞄准打他。"霍利亚瓦这样吓唬他们说。

列车开动了。在空荡荡的月台上，潘克拉托夫走到杜巴瓦跟前说：

"你说，他能活吗？"

没有回答。

"咱们走吧，德米特里，这件事只好听其自然了。现在一切都得咱们负责了。今天夜里必须把那些机车弄下来，明早好生火试一试。"

霍利亚瓦打电话给沿线每个肃反工作同志，要求他们不许乘客把生病的柯察金从车上抬下来，直到他得到每个朋友的肯定的回答，表示决不容许他们这样做之后，他才去睡觉。

列车到了中继站，一个亚麻色头发的无名青年的尸体被大家从客车里抬到月台上来。他是谁，他是得什么病死的——谁也不知道。车站上的肃反工作人员，想起霍利亚瓦的请求，慌忙跑到车厢跟前，但是他们看到这青年确实已经死了，只好把他移到车站的停尸房，并且立刻给博雅尔卡的霍利亚瓦打电话，把他那么关切的那个青年同志的死讯告诉了他。

博雅尔卡又发出一个简短的电报给省委，报告保尔的死讯。

阿廖沙·科汉斯基把重病的保尔送到家里，接着，他自己也害起伤寒病，发高烧，躺倒了。

丽达在日记上写着：

1月9日

为什么我会这样难过呢？在我坐下动笔之前，我就大哭了一场。谁会想到丽达竟会哭，而且还哭得这么伤心！难道眼泪永远是意志薄弱的象征？今天流泪是因为有一种难以忍受的悲痛。为什么我会感到悲痛呢？今天是胜利的日子，寒冷的恐怖已经被克服，铁路的各个车站已堆满了宝贵的木材，我也刚从那个庆祝胜利的大会——市苏维埃为庆贺建筑铁路的全体英雄们而举行的扩大会议回来，为什么正在这时候我会感到悲痛呢？我们胜利了，但是已经有两个人为它献出了生命：克拉维切克和保尔·柯察金。

保尔的死使我发现了真情：对于我，他比我原先所想的更加亲爱和宝贵。

日记就在这里中止吧，不知道什么时候才会提笔再写呢。明天我要写信到哈尔科夫，同意到乌克兰共青团中央委员会去工作。

3

青春终于胜利了。保尔没有死于伤寒。这是他第四次死里逃生。在床上整整躺了一个月之后，苍白消瘦的保尔已能够勉强用两条摇摇晃晃的腿站起来，摸着墙壁，在房间里走动了。他的母亲搀着他走到窗口，他向街上望了很久。雪在融化，积成了小水洼，在早春的阳光下闪亮。外面已经是初次解冻的温暖天气了。

一只灰胸脯的麻雀神气十足地站在窗外樱桃树的枝丫上，时时用狡猾的小眼睛偷看保尔。

“怎么样，咱们俩总算熬过冬天了吧？”保尔用指头敲着玻璃窗，低声说。

母亲吃惊地看了看他，问道：

"保尔，你在跟谁说话？"

"我跟麻雀说话……现在它飞走了，这狡猾的小东西。"他无力地笑了笑。

到了盛春时节，保尔开始想回到城里去。现在他已经恢复到能够走路了，不过他体内还潜伏着别的弄不清的病症。有一天，他正在花园里散步，脊椎上的一阵剧痛骤然间使他摔倒在地上。他自己费了好大的力气才挨到房间里。第二天医生给他作了一次详细的诊查，发觉在他的脊骨上有一个深窝。医生惊讶地问他说：

"这是怎样得来的？"

"大夫，这是给公路上的石头崩的。在罗夫纳的战斗中，一颗三寸口径的大炮炮弹在背后的公路上开了花……"

"那么，后来你怎么能走路呢？一向不碍事吗？"

"不碍事。当时我躺了两个钟头，随后又继续骑马。直到现在才第一次发作。"

那医生皱着眉头，仔细看了看那个深窝。

"亲爱的，这可不是小毛病呵。脊骨是不喜欢这样震动的。希望它将来不要发作。穿上衣服吧，柯察金同志。"

大夫怀着同情和不禁流露出来的担心，看着他的病人。

阿尔焦姆住在他老婆斯捷莎家里。他老婆挺年轻，可是很丑。这是一个贫穷的农民家庭。有一天，保尔顺便去看阿尔焦姆。一个邋里邋遢的斜眼的小男孩正在肮脏的小院子里跑。他一看见保尔，就没礼貌地用小眼睛瞪着他，一面聚精会神地用指头抠着鼻子，一面问他：

"你要干什么？你是来偷东西的吧？你顶好还是快走，我妈的脾气是顶凶的。"

接着，破旧的矮木房的小窗户推开了，阿尔焦姆叫道：

"进来吧，保夫鲁沙！"

一个脸黄得像羊皮纸的老妇人，手里拿着火叉在灶旁忙着。她冷冷地瞟了保尔一眼，让他走过去。她把铁锅碰得乱响。

两个留着小辫子的大点的女孩，急忙爬上热炕，用野蛮人的好奇眼光端详着客人。

阿尔焦姆靠桌子坐着，似乎有点儿难为情。他这门亲事，他母亲和保尔两人都不赞成。他本来是个血统工人，但不知道为什么竟和石匠的女儿，认识了三年的美丽的女裁缝加莉娜断绝了关系，和难看的斯捷莎结了婚，入赘到这个没有一个男劳动力的五口之家。

从调车场下班回来，为了整理那小小的家业，他就把所有的力量都花费在庄稼活儿上。

阿尔焦姆知道保尔不赞成他，说他这是退入"小资产阶级自发势力"，因此他担心地观察着保尔对他周围一切事物所抱的态度。

他们两个坐了一会儿，说些平常见面时没意思的寒暄话，保尔就起身告辞。但是阿尔焦姆留住他。

"再坐一会儿，我们一块儿吃饭，斯捷莎马上就拿牛奶来了。怎么，你明天就走吗？保夫卡，你身体还很虚弱呢！"

斯捷莎走进房间来，和保尔握了手。她叫阿尔焦姆到打谷场上去帮她搬什么东西，留下保尔独自一个和那不愿多开口的老太婆在一起。教堂的钟声从窗户送了进来，老太婆就放下火叉，不满意地嘟哝说：

“呵,我主耶稣,我成天忙这些倒霉事情,连祷告都没工夫了!”她把脖子上的围巾拿下来,又斜着眼看了客人一眼,然后走到屋子的一个角落——那里挂着年久发黑、面色忧郁的圣像。她三个瘦削的指头捏在一起,在胸前画了一个十字。

“我们在天上的父,愿人都尊你的名为圣,”她用干瘪的嘴唇小声地念着。

院子里的男孩子突然跳到一只垂着大耳朵的黑猪身上,用一双赤脚拚命踢它,双手紧抓住猪鬃,高声吆喝着那只一面哀叫一面打转的畜生:

“嘟呜,开步走! 吁! 别胡闹!”

猪驮着男孩子在院子里四处奔跑。它竭力想把男孩子摔下来,但是那斜眼的小流氓却骑得很稳。

于是老太婆停止了祈祷,探头到窗外,吆喝说:

“该死的东西,还不跳下来,要不,会把你给摔死的,你这个小魔鬼!”

最后,那只猪终于把那个骑者摔了下来。老太婆很满意,就又回到圣像跟前,脸上装出虔诚的样子,继续祷告说:

“愿你的国降临……”

那满脸眼泪的男孩站在门口,用袖口揩着擦伤的鼻子,哭着喊:

“妈妈,我要甜馅饺子!”

老太婆转过身来恶狠狠地骂他:

“你这斜眼的魔鬼,你就不让我好好做祷告。好,你这狗崽子,我马上给你吃个够! ……”她说着就从凳子上抓起一根皮鞭来。男孩子立刻跑掉了。热炕上面那两个小女孩偷偷地扑哧一声笑了。

老太婆又转过身,第三次去祈祷。

保尔没有等他的哥哥回来就起身走了。他临走关栅栏门的时候，看见那老太婆的头又从靠边儿的小窗子里探出来，监视着他。

“究竟是什么妖魔把阿尔焦姆勾引到这儿来的呢？现在他怎么也摆脱不掉了。斯捷莎每年会养一个小孩，阿尔焦姆的负担也就越来越重，像一只钻进牛粪堆里的甲虫。弄不好，他甚至还会把调车场的工作也扔掉，而我呢，原来还想引导他参加政治活动呢！”保尔在小镇荒凉的街上慢慢走着的时候这样想，心里很阴郁。

但是他一想到，明天他就要离开这里，回到那个大城市去，再度和他的朋友们，同志们，所有那些亲爱的人们在一起，他又高兴了。这大城市以及它沸腾的生活，活跃的气氛，加上那川流不息的人群，电车的轰隆声和汽车的喇叭声，都吸引着他。而最最吸引他的，却是那些巨大的石头厂房、煤烟熏黑的车间、机器，以及滑轮的柔和的沙沙声。他的心已经飞到巨大的飞轮疯狂旋转、空气中散播着机油气味的地方，飞到那早已成为他不能分离的整个生活上去了。可是，当保尔在这儿，在这个僻静的小镇的街上漫步的时候，他却感到失望和怅惘……也难怪这个小镇成了一个对他无缘的、可厌的地方。甚至白天出去散步也成为一种折磨。当保尔从两个坐在台阶上的爱饶舌的女人身边走过的时候，他听到她们急促地议论说：

“喂，亲家母，你瞧打哪儿跑出这么一个丑家伙？”

“看样子，一定是个痨病鬼。”

“可是你看他那件阔气的皮上衣，一定是偷来的……”

此外还有许多别的令人讨厌的事情。

他的生活的根早已从这里拔掉了，现在大城市使他感到更亲切了。同志关系和劳动的坚强有力的纽带，把他和大城市紧紧结合在一起。

保尔不知不觉地来到了松林跟前,他在岔路口站了一会儿。在他的右面是阴森森的老监狱,它用高高的尖头木栅栏和松林隔开,而它后面是医院的白色房子。

瓦莉亚和她的同志们就是在这地方,在这空旷的广场上的绞架下被绞死的。他在原来竖绞架的地方默默地站了一会,随后就走下陡坡,到了埋葬烈士们的公墓那里。

不知道是哪个有心人,用枞树枝编成的花圈把那一列坟墓装饰了起来,给这小小的墓地围上了一圈绿色的栅栏。笔直的松树在陡坡上面高耸。绿茵似的嫩草铺遍了峡谷的斜坡。

这儿是小镇的近郊,又阴郁,又冷清,只有松树林轻轻的低语和从复苏的大地上散发出来的春天新鲜的气味。……就在这地方,他的同志们英勇就义,为了使那些生于贫贱的、那些一出生就当奴隶的人们能有美好的生活而献出了自己的生命。

保尔缓缓地摘下了帽子。悲愤,极度的悲愤充满了他的心。

人最宝贵的是生命。生命每个人只有一次。人的一生应当这样度过:当回忆往事的时候,他不会因为虚度年华而悔恨,也不会因为碌碌无为而羞愧;在临死的时候,他能够说:"我的整个生命和全部精力,都已经献给了世界上最壮丽的事业——为人类的解放而斗争。"人应当赶紧地、充分地生活,因为意外的疾病或悲惨的事故随时都可以突然结束他的生命。

保尔怀着这样的思想离开了烈士公墓。

悲哀的母亲在家里给儿子料理出门的行装。保尔瞧着她,看见她正在偷偷流泪。

"保尔,亲爱的,你不能留在这儿吗?我这么大年纪了,孤零零地一个人在这儿多难过呵。不管养多少孩子,可是一长大就跑了。你恋着城市干什么？这里也一样可以生活呀！是不是你也在那里看上了一个剪头发的短尾巴鹌鹑？你瞧，你们全是那样，什么话也不肯对我这老太婆说。阿尔焦姆的亲事一点也不对我讲，你呢，那更不用说了。只有在你们生病或者受伤的时候，我才有机会看到你们。”她低声诉说着，一面把她儿子的几件简单的衣物放到一个干净的布袋里去。

保尔抱住母亲的肩膀，把她拉到自己跟前，说：

“妈妈，亲爱的，鹌鹑是没有的！你老人家不是知道吗？鸟儿才寻找它的同类呢！那么，你把我当什么，难道我是雄鹌鹑吗？”

他把他母亲说笑了。

“妈妈，我发过誓，在我们把全世界的资产阶级肃清以前，我是不找姑娘的。你说什么，还要等好久吗？不，妈妈，他们支持不了多久的……很快就会有一个人民大众的共和国。将来把你们这些老年人，年老的劳动者，都送到意大利去养老。那是一个靠海的、气候温暖的国家，那里从来没有冬天。我们要把你们安置在从前资产阶级的宫殿里，让你们在那里，在太阳底下舒舒服服地晒着老骨头。那时我们再到美洲去解决资产阶级。”

“孩子，我活不到你讲的那神话实现的时候了……你也像你那个水手爷爷一样，主意多，脾气坏。他是一个真正的恶棍，愿上帝饶恕我！当年塞瓦斯托波尔战争结束以后，他回家来，一只手和一条腿没了。胸口倒是戴了两个十字勋章和两个挂在丝带上的五十戈比银币，但是老的时候还是穷死了。他的脾气很倔强，有一次他拿了一根弯棒子，打了一个官老爷的头，人家把他关在牢里差不多一年。十字勋章还是不管事，照样给关起来了。我看你呀，就和你爷爷一模一样……”

“呵，妈妈，我们为什么要这么不愉快地分手呢？来，把手风琴拿给我,我已经好久没有拉了。”

他把头斜靠着那一列贝壳做成的琴键,奏出来的新鲜音调引起了母亲的惊奇。

现在他的演奏跟过去不同了,它不再是那种轻飘的音调了,也不再是那种粗犷的调子了,也不再是那种曾经使这青年手风琴手闻名全镇的如醉如狂的奔放的旋律了。他的乐调现在是和谐的,它仍然有力量,但是比过去更深沉了。

保尔独自到了车站。

他劝他母亲不要去送行:他不愿意看她在分别时流泪。

旅客们都硬往火车里挤。保尔占了上铺的一个空位子,因此可以看见下面走道上那些喧嚷的、激动的人们。

他们都拖着许多包裹和口袋,匆匆忙忙塞在坐位下面。

列车开动之后,大家静了下来,并且照例狼吞虎咽地吃起东西来。

保尔很快就睡着了。

他要去访问的第一所房子是在市中心克列夏契克大街。他慢慢地走上天桥。周围一切都是熟识的,丝毫没有改变。他在桥上走着,手摸着那光滑的栏杆。刚要往下走的时候,他停步了——这时候桥上一个行人也没有。夜景把他迷住了。在深不可测的高空,夜在他眼前展现了宏伟的奇观,黑暗在地平线上披上了墨色的天鹅绒,无数星星发着亮光,闪着磷色的光辉,织成了美艳的图案。下面,在大地与天空衔接的地方,黑暗中的城市点缀着万家灯火……

有几个人迎着保尔走上桥来。他们的激烈争辩打破了夜的静寂。保尔不再注视城里的灯火,开始走下桥去。

他到了克列夏契克大街的特勤部，值班的人对他说，朱赫来早就调走了。

那个人用许多问题盘问保尔，直到他证实这青年人的确认得朱赫来之后，才对他说，朱赫来两个月之前就调到塔什干去了，在土耳其斯坦前线工作。保尔非常失望，他甚至没有再询问底细，就一句话也不说地转身走出去。他突然感到非常疲倦，不得不在台阶上坐下来。

一辆电车开了过去，街上响着轰隆轰隆的车声。人行道上的行人接连不断。城市多么热闹：一会儿是妇女们幸福的笑声，一会儿又是男人们低沉的说话声，一会儿又是青年们的高亢的说笑声，一会儿又是老人们的沙哑的说话声。人来人往，川流不息，脚步都是那样匆忙。电车里的灯、汽车的前灯、隔壁电影院的广告牌周围的电灯，都是很耀眼的。到处是人，到处是说话的声音。这就是大都市之夜呵。

街上这种繁忙和喧闹，多少减轻了他因为朱赫来不在而引起的失望。他往哪里去呢？回索洛缅卡——他的许多朋友都在那儿，——但是太远了。离这儿不远的大学环路的那座房子自然地浮上了他的心头。他现在当然要到那儿去。本来么，除了朱赫来之外，他最想去看的同志就是丽达。到了那儿，他还可以在阿基姆房间里过夜。

他从远处就看见了楼角上那间房子有灯光。他竭力使自己镇定，拉开了那扇橡木的大门。他在楼梯上站了几秒钟，听见了丽达房间里的人声，有人正在那儿弹吉他。

“呵哈！现在连吉他也让弹了，规矩有点松了。”他对自己说，用拳头轻轻地敲了敲门。他十分激动，紧紧地咬着自己的嘴唇。

开门的是一个不认识的女人，年纪很轻，鬓上垂着鬈发。她惊疑地看着保尔。

"您找谁?"

那个女人没有把门关上。保尔一看到屋子里不熟识的陈设和家具,就不问而知了,但他还是问道:

"我要见一见乌斯季诺维奇同志,可以吗?"

"她不在这里了。正月里她就到哈尔科夫去了,后来我听说,她又从哈尔科夫到了莫斯科。"那女人回答。

"那么,阿基姆同志还住在这里吗?他也走了吗?"

"他也走了,现在他是共青团敖德萨省委书记。"

保尔只好转身走开。回城市来的喜悦之情烟消云散了。

现在他不能不严肃地考虑在哪儿过夜的问题。

"再这样挨个儿去找老朋友,就是走瘸了脚,你也不会找到一个的。"他抑制着自己的苦恼,嘟哝着说。然而他还是决定再去碰一次运气——找一找潘克拉托夫。这码头工人就住在码头附近,要找他毕竟比到索洛缅卡去近得多。

最后,非常疲乏的保尔终于走到了潘克拉托夫的家门口。他敲着那曾经油成土红色的门,心里盘算着:"要是他也不在这儿,我就不再乱跑了,我爬到小船上睡一夜。"

一个老太太开了门。她披着一条朴素的头巾,头巾角在下巴底下打个结。这是潘克拉托夫的母亲。

"大娘,伊格纳特在家吗?"

"他刚回来。您找他吗?"

她没有认出保尔,回过头去,喊道:

"伊格纳特,有人找你!"

保尔跟着她走到房间里,把口袋放在地板上。潘克拉托夫赶紧咽下一口面包,从桌子旁边回过头来,对客人说:

"既然有事情找我,就坐下来谈吧!我得把这碗菜汤吃下去。我从早晨到现在除了白开水，什么东西都没有下肚呢！”说着，就拿起一柄大木勺。

保尔在他旁边一只破椅子上坐下来。他取下帽子，照例拿它揩了揩前额。

“难道我真变得那么厉害，连伊格纳特也不认得我了吗？”

潘克拉托夫吃了两勺菜汤，没有听见客人回话，就又转过头来，说：

“喂，究竟有什么事情？你说呀！”

他手里拿着一块面包，正想送进口里，突然在半路停下了，惊讶地眨眨眼睛：

“哎，……怎么回事，……呸，这是……！”

看见潘克拉托夫的脸急得通红，保尔忍不住笑出声来。

“保尔！怎么回事，我们都以为你是死了！……等一下，你叫什么名字？”

听见他的喊声，他的姐姐和母亲也都从隔壁房间跑了进来。他们三个人在一起到底认出了站在他们面前的确实是保尔·柯察金。

直到全家都已经睡下了很久，潘克拉托夫还在向保尔诉说着这四个月来的各种事情：

“扎尔基、杜巴瓦和米海洛去年冬天就到哈尔科夫去了。这些家伙，不是到别的地方，是上共产主义大学！扎尔基和杜巴瓦进的都是预备班。米海洛是一年级。我们一总可以去十五个人。我想我也应当把脑袋充实充实，不然实在太空虚了，一高兴我也报了名。但是，你知道，考试委员会却把我拦在浅滩上。”

潘克拉托夫气呼呼地哼了一声，接着又说下去：

“起初我的事情很顺利。各种条件都合格：有党证，团的资历也够，至于经历和出身，那更不成问题。但是一到政治考试的时候，我弄糟了。

“我和考试委员会的一个同志顶起来了。他问我一个小问题。他说，‘告诉我，潘克拉托夫同志，您对哲学的认识怎样？’你是知道的，我对哲学一点也不懂。可是我当时想起，我们有过一个搬运工人，是个中学生，一个流浪汉。只是为了要装样子才当了码头工人。有一天，他对我们说：从前不知什么时候在希腊有一些知识渊博的学者，大家都把他们叫作哲学家。其中一个，似乎叫作什么伊杰奥根① 的，一辈子都住在桶里，以及诸如此类的无聊事情……要是哪个人能够用四十种不同方法，证明白就是黑，黑就是白的，那他就算是他们中间最有能耐的学者。一句话，他们全是些胡说八道的家伙。想起了那学生告诉我的这些话，我就对自己说：‘这个考试委员从右翼来包抄我了。’他在那里狡猾地看着我。因此我就猛顶了一下说：‘哲学就是空口说白话，故弄玄虚。同志们，我一点也不想花工夫去搞这种胡说八道的玩意。至于党史呢，那倒是另一桩事情，我愿意全心全意地研究它。’这么一来，他们就要我说出，究竟我从哪儿得到这些关于哲学的新奇的见解。我就把那中学生说的话，再添油加醋地说了一遍。他们听了全都哈哈大笑。我生气了。我说：‘什么，你们把我当作傻子吗？’我拿起帽子就走了。

“后来，我在省委会遇到了那位问我的考试委员，我们谈了两三个钟头。我才知道那中学生说的话完全是一派胡言。哲学原来是一门伟大的、很重要的学问。

“但是杜巴瓦和扎尔基却考取了。当然，杜巴瓦以前念过不少书，可是扎尔基并不比我高明多少。不用说，这是他的勋章帮

---

① 指第奥根（公元前 404—323 年），古希腊哲学家。

了他的忙。一句话，只有我白欢喜了一场。他们叫我在这里码头上做管理工作。现在我就代理货运主任的职务。以前，我总是为了各种青年工作，和码头上一些什么‘主任’闹矛盾，好，现在我自己倒作起码头主任来了。现在，要是我碰到一个懒虫，或是一个拖拖拉拉的家伙，我就同时以团委书记和码头主任的身份督促他。老实说，他们是什么事也骗不了我的。好了，关于我的事情，以后再谈。那么，我还应当告诉你一些什么消息呢？阿基姆的事情你已经知道了，省委会里始终没有调动工作的老人只有一个，那就是屠弗塔。托卡列夫作了索洛缅卡区的党委书记。你们公社的社员奥库涅夫在共青团区委会工作。塔莉亚是政治教育部部长。铁路工厂里你原来的职位已经由一个叫茨维塔耶夫的代替了。这个人我不大认识，只在省委会里见过面，看样子倒不糊涂，就是太自负些。此外，你也许还记得安娜·鲍哈特吧，她也在索洛缅卡，是区党委的妇女部部长。别的人我早已告诉你了。保尔，现在党把很多人送去学习了。老干部现在都在省党政干部学校上课。他们答应明年也送我上学去。”

他们两个一直谈到下半夜才上床睡觉。第二天早上保尔醒来，潘克拉托夫已经到码头上去了。他的姐姐杜霞很结实，样子很像她弟弟。她招待他吃早饭，愉快地和他谈着各种琐事。潘克拉托夫的父亲是轮船上的司机，出航了。

保尔临走的时候，杜霞嘱咐他说：

“别忘记，我们等着您回来吃午饭。”

省团委还是跟从前一样热闹。门总是不停地又开又关，走廊上和屋子里都是人，办公室里面，不断响着打字机的哒哒声。

保尔在走廊上站了一会儿，想找一个熟人，但是没找到，因此走到书记办公室去。团省委书记穿着蓝色的斜领衬衫，正坐在一只大写字台后边。他头也不抬地匆忙瞟了保尔一下,又继续写他的字。

保尔在他的对面坐下,仔细地瞧着这个接替阿基姆的人。

“你有什么事情?”穿蓝衬衫的书记在他写好的文件后头点上一个句点,这样问保尔。

保尔把自己的经过述说了一遍,末了对他说:

“同志,请在团员名单上添上我的名字,再把我派到铁路工厂里去。请你责成谁安排一下。”

那书记把身子靠在椅子背上,踌躇地回答说:

“恢复你的团籍,这当然没有问题。不过要把你送到铁路工厂去,可就有点为难了,最近才当选的团省委委员茨维塔耶夫已经在那儿负责了。我们派你到别处工作吧。”

保尔皱了皱眉头。

“我到铁路工厂里去不会妨碍茨维塔耶夫的工作。我只是到车间里去做我本行的事情而不是去当工厂共青团的书记,而且我眼下身体还很不好,我请求不要派我别的工作。”

那书记同意了。他在一张纸上草草地写了几个字。“把这带给屠弗塔同志,他会把这件事办好的。”

在人事处里,屠弗塔正忙着大骂他的助手——统计员。保尔听他们两个吵了一会儿,发觉这争吵简直没有个完,他就在这人事处的负责人争得面红耳赤的时候,拦住他说:

“屠弗塔,等一下你再同他争吵吧。这里有个便条给你,先把我的证件办好吧。”

屠弗塔接了条子,仔细地看了好一会,接着又看了看保尔。最后他总算把这事情弄明白了。他说:

“呵!原来你没有死?现在怎么办呢?我们早已把你的名字从团员名单上勾掉了,是我亲自把你的卡片寄到中央委员会去的。再说,你又错过了全俄罗斯团员登记的机会。根据团中央的指示,所有没有进行登记的人一律开除团籍。因此你现在只有一条路可走——按照一般的规定重新入团。”他的口气是很坚决的。

保尔皱着眉头对他说:

“呵,你还是那个老样子?你是一个青年人,可是比这地方档案库里的老耗子还要糊涂。屠弗塔,你什么时候才长进一点呢?”

屠弗塔一下子跳起来,好像跳蚤咬了他一口。

“你别教训我。我对我的工作负责。指示是要人遵守,不是要人违犯的。至于你骂我‘耗子’,我可要控告你。”

屠弗塔摆出恐吓的神气说出最后这句话,就把一卷没有拆过的信件拿到自己跟前,表示这件事情已经没有商量的余地了。

保尔不慌不忙地走到门口,但是他想了一想,又转身回去,收回放在屠弗塔桌子上的那张书记写的便条。屠弗塔注意地瞧着他。这坏脾气的、长着一对大招风耳的少年“老头”,样子让人不痛快,同时看起来又很好笑。

“好的,”保尔用一种讥笑的而又冷静的口吻说,“你当然可以给我扣上一个‘破坏统计工作’的帽子,不过,我倒要请教你,你有什么妙法去处罚那事先没有申请去死而忽然就死了的人呢?要知道,任何人都可能这样:说不定什么时候就病了,说不定什么时候就死了,关于这桩事情,我相信你一定没有得到上级的指示吧。”

屠弗塔的助手听了这话,再也不能保持中立,开心地哈哈大笑起来。

屠弗塔手里的铅笔尖折断了。他把铅笔摔在地板上,但是还没来得及回答保尔,就有一大群人一边说一边笑,吵吵嚷嚷走进房间来。其中有奥库涅夫。他们一见保尔，喜悦的惊叹和问话简直没有个完。几分钟后，又有一群团员走了进来，其中有一个是奥莉嘉·尤列涅娃。她又惊又喜地握住保尔的手不放，握了很久。

大家又逼着保尔把他的经过从头到尾叙述一遍。同志们真挚的喜悦、诚恳的友谊和同情，以及紧紧的握手和亲切的、有力的拍肩打背，使保尔忘记了屠弗塔。

最后，他终于把他和屠弗塔的谈话告诉了他们。大伙立刻气愤地嚷起来。奥莉嘉狠狠地瞪了屠弗塔一眼，就向书记室走去。

“我们到涅日达诺夫那里去！他会叫他开窍的。”奥库涅夫说，搂住保尔的肩膀，和大伙一齐跟着奥莉嘉到书记室去。

“应当把屠弗塔撤职，送他到码头上，在潘克拉托夫管教下当一年码头工人。这家伙是死守公式的官僚！”奥莉嘉忿忿地说。

省委书记和蔼地微笑着，倾听着奥库涅夫、奥莉嘉和别的人所提出的撤换屠弗塔的要求。他安慰他们说：

“柯察金恢复团籍的事是用不着讨论的，他马上就可以领到团证。我也同意你们所说的话，屠弗塔是个形式主义者。这是他主要的缺点。不过我们也不能不承认，他的确把卷宗弄得非常整齐。一直到现在，在我工作过的地方，共青团的档案与数字全都一塌糊涂，简直没有一个数字能叫人相信。但是咱们这儿的统计工作却做得十分出色。你们也都知道，屠弗塔有时在他的办公室一直工作到半夜。我以为，要撤他的职是非常容易的，只要我们有把握找到一个可靠的人来代替他。要是找到的人做不好统计工作，那么，官僚主义没有了，可是统计工作也没有了。让屠弗塔做下去吧。我要好好地和他谈一下。暂时就这么办好了,往后我们看情况再说。”

“好的,去他的吧,”奥库涅夫同意了。“保尔,现在咱们到索洛缅卡去吧。今天,我们在俱乐部召开共青团积极分子大会。他们还没有一个人知道你的情况,因此我们一宣布:‘现在,请柯察金同志讲话!’大家一定会大吃一惊。好小伙子,亲爱的保尔,你没有死就对啦。要是你真地死了,对无产阶级有什么好处呢?”奥库涅夫开玩笑地结束他的话,然后就搂着保尔,推着他到走廊上去了。

“你来吗,奥莉嘉?”

“一定来。”

潘克拉托夫家里的人在等保尔,可是他没有回去吃午饭,夜里也没有回去。奥库涅夫把保尔带到他家去了。他在“苏维埃之家”有一间房子。他尽力款待保尔,然后又拿出一大卷报纸和两大本共青团区委会会议记录放在他面前,对他说:

“你最好把这些看一遍。自从你害了伤寒倒在床上,不少的时间已经过去了。你读吧,看看我们做了些什么事情,现在的情形又是什么样子。天快黑的时候我才能回来,那时候我们再一块儿到俱乐部去——要是你累了的话,你就躺下睡一会儿。”

团区委书记奥库涅夫把许多文件、笔记和书信塞进他的几个口袋里——他讨厌公事包,一向都把它扔在床底下——他在房里告别似的兜了一个圈子,就走出去了。

他晚上回来的时候,房里地板上满是打开的报纸,一大堆书也从床底下给拖了出来,其中一部分堆在桌子上。保尔正坐在床上,读着中央委员会最近的来信,这些是他从奥库涅夫的枕头下面找出来的。

“你这个家伙,你瞧你把我的房间弄成什么样子了!”奥库涅夫装作生气的样子喊着说。“喂,慢点,慢点,同志! 你怎么偷看秘密文件! 呵,房间里放进来这么个人!”

保尔微微一笑,把他正在读的信搁在旁边,说:

“碰巧这一件不是秘密的,而你当灯罩用的那一张,才真正是不应该公开的文件。连它的边儿都给烧焦了。你看见没有?”

奥库涅夫把那张边儿已经烧焦的纸拿下来,看看上面的题目,用手掌拍了一下自己的前额,喊道:

“哎呀,我一直找了它三天! 怎么也找不着。现在我想起来了,这是前天沃林采夫拿它当灯罩用来着,后来他自己还动手找,找得满头大汗还是找不到。”奥库涅夫拿起那张纸,非常小心地折好,把它塞在褥子下面。“往后我们要把一切安排好。”他安慰自己说。“现在我们吃点东西吧,回头到俱乐部去。来,保尔,坐到桌子这边来!”

奥库涅夫从一个口袋里拿出一条用报纸包着的长长的干鳟鱼,又从另一个口袋里摸出了两块面包。他把文件移到桌子一边,又在空的地方铺了一张报纸,然后抓住干鱼头,在桌子上使劲摔打。愉快活泼的奥库涅夫坐在桌子旁边,嘴巴用力地嚼着,同时,半正经半玩笑地把最近的各项新闻告诉保尔。

奥库涅夫领着保尔经过工作人员的入口,走到俱乐部的后台。塔莉亚和安娜挤在一群铁路工厂共青团员中间,坐在讲台右面、钢琴旁边的角落里。在安娜对面椅子上摇着身子的是铁路工厂共青团支部书记沃林采夫。他那红润的脸蛋好像一个八月的苹果,头发和眉毛都是麦秸色的,身上穿着一件已经破旧的黑皮夹克。

在他旁边,随便地用胳膊肘靠着钢琴的是茨维塔耶夫——一个褐色头发、嘴唇轮廓分明的漂亮青年。他那衬衫领子敞着没扣。

奥库涅夫走近他们的时候,听见了安娜说的最后几句话:

“有些人总是想尽方法,使新同志难以参加进来。茨维塔耶夫就是这样的人。”

“共青团可不是大杂院呵!”茨维塔耶夫顽固地、带着粗鲁而蔑视的神气回答说。

这时候塔莉亚看见了奥库涅夫,就喊:

“你们瞧,你们瞧!尼古拉今天多神气,就像一个擦干净的铜茶壶!”

他们把他拖进圈子里,纷纷向他提出问题:

“你到什么地方去了?”

“快开会吧!”

奥库涅夫伸出一只手,上下摆着,叫大家静下来。

“弟兄们,别嚷嚷。”他说。“托卡列夫马上就到,他一到我们就开会。”

“瞧,他来了,”安娜说。

的确,区委书记托卡列夫向他们走来。奥库涅夫跑过去迎他。

“大叔,跟我到后台来一下子,我让你见一见你认得的一个人。你看见了一定要大吃一惊!”

“什么了不起的事情?”托卡列夫嘟哝着说,用力抽了一口烟。奥库涅夫抓住他的手,把他拖到后台去了。

奥库涅夫狠命地摇着铃,连那些顶爱说话的人也赶紧停止了谈话。

在托卡列夫后面,在一个绿色松枝做成的框子里,镶着《共产党宣言》的天才作者那须发纷披像狮子一样的头像。当奥库涅夫宣布开会的时候，托卡列夫的眼睛注视着站在后台过道上的保尔·柯察金。

“同志们，”奥库涅夫开始说，“在我们开始依照议事日程讨论团的当前任务之前，有一位同志要求让他说几句话，托卡列夫和我都同意，认为应该让他说一说。”

会场里发出了赞成的喊声，于是奥库涅夫提高声音喊着说：

“现在请保尔·柯察金讲话！”

会场里一百人中，至少有八十人是认得柯察金的。当大家所熟识的这个高个子的、脸色苍白的青年人在讲台前面出现并开始说话的时候，会场上立刻发出热烈的掌声和喜悦的欢呼声。

“亲爱的同志们！”

他的声音是平和的，但是却止不住感情的激动。

“朋友们，现在我又回来，站到自己的岗位上和大家一道工作了。回到这里，我感到非常幸福。我在这里看见许多老朋友。我在奥库涅夫那里看了过去的会议记录，知道了索洛缅卡的共青团增加了三分之一的新兄弟，铁路工厂和机车库的工人也不再浪费工夫去制造打火机了，而且从废车堆栈里拖出了一些坏机车，正在彻底加以修理。所有这些都表示我国正在新生，正在聚集力量。活在这个世界上是大有可为的！难道我能在这样的时候死去吗？”说到这里，他两眼闪闪发光，脸上现出了快乐的笑容。

保尔在全场欢呼声里走下讲台，朝安娜和塔莉亚坐着的地方走去。他很快地和几个人握了手。朋友们挤了挤，让保尔坐下。塔莉亚的手放到保尔的手上，用力紧紧地握住它。

安娜的眼睛睁得很大，她的睫毛在颤动，她的眼光里含着惊喜和欢迎的神情。

日子飞一样地过去了。实在不能把它们叫作普通的工作日。每一天都带来了新鲜的事物，而当保尔早上拟定他当天的工作日程时，他时常感到苦恼，因为时间太短，不够分配，他决定要做的事情总有一部分做不完。

保尔跟奥库涅夫住在一起。他在工厂里当电工的助手。

奥库涅夫同保尔争论很久，最后才同意保尔暂时不做领导工作。

“我们现在正缺少人手，而你却想躲在车间里。你别拿你的病作理由，我自己在害了伤寒病之后，有一个月每天都是拄着棍子到区委会去工作。保尔，我是知道你的，我知道你不是为了这个。你老实告诉我吧，真正的原因是什么？”奥库涅夫固执地问他。

“真正的原因，尼古拉，我想读一点书。”

奥库涅夫得意地喊道：

“呵，原来是这样！你想读书，难道你以为我就不想读书吗？老兄，这完全是利己主义。那就是说，让我们大家都忙得团团转，而你却躲在一旁读书？这不行，亲爱的，从明天起就请你到组织部去吧。”

可是，经过了很久的争论，奥库涅夫还是让步了。他说：

“好的，我让你休息两个月，这个你得感谢我。不过你和茨维塔耶夫往后一定合不来，他是一个非常自负的家伙。”

保尔回到厂里，的确让茨维塔耶夫很担心。他认为保尔一回来，争领导权的斗争就开始了，这个非常自私的家伙就准备进行反击。但是在保尔到厂的头几天，他就认识到他的推测是错了。保尔听到支部委员会打算叫他当支部委员，立刻亲自找了茨维塔耶夫，以他和奥库涅夫事先的约定为理由，劝茨维塔耶夫把这个问题从议事日程上取消。在车间共青团支部里，保尔只负责政治学习小组，但是从来不想参加支部委员会。尽管保尔正式表示不参加领导工作，可是他对整个支部工作的影响还是看得出来的。有好几次，他都不动声色地，以同志的态度，帮助茨维塔耶夫渡过了很大的难关。

有一天，茨维塔耶夫走进车间一看，不禁吃了一惊：全体共青团员和三十几个非团员正在揩洗窗户和机器，刷掉多年积留下来的油垢，扫除废物和垃圾。保尔正用大拖布使劲地擦着到处是油垢的水泥地面。

“为什么要这样大扫除呢?”茨维塔耶夫摸不着头脑，这样问保尔。

“我们不愿意在肮脏的地方工作。这里二十年没有人打扫过了，我们打算在一星期内把它变成一个新的车间。”保尔简单地回答他。

茨维塔耶夫耸耸肩膀走了出去。

那些电气工人不满意只打扫屋子，又动手清理院子。厂里那个大院子，早就是个堆垃圾的地方。那里什么东西都有。几百个轮轴、大堆的锈铁、铁轨、连接板、轴箱等等堆得像山一样——这好几千吨的铁在露天里放着都生锈了。但是进攻垃圾堆的工作却给行政领导阻止了，理由是——“还有比这更重要的工作，收拾院子的事情不必着急。”

于是电气工人就在车间门口用砖头铺了一块小小的平地，又用粗铁丝编了一个刮靴底用的垫子放在上面，这样，清理院子的工作就停下了。至于屋子里的清扫工作，在晚上下工后仍然继续进行。当总工程师斯特里日一星期后走进来的时候，车间已经焕然一新。那些嵌着铁框的大玻璃窗，因为上面积了多年的油垢和灰尘已经擦掉，所以透进了阳光。阳光射到机器房里，使揩拭干净的柴油机的铜铸件发出耀眼的亮光。机器的大部件

已经涂上绿油漆,有人甚至还在轮辐上画了黄色的箭头。斯特里日站着点了点头:

“嗯……好,……”他惊异地说。

在车间远处的一个角落里,有一群人正在那里结束油漆的工作。斯特里日走上前去,柯察金手里拿着一罐调好的油漆迎面走过来。他拦住保尔,问道:

“等一等,老朋友。你们这样做,我完全赞成,不过油漆是谁给你们的?你知道,我曾经宣布过,没有我的特许,绝对禁止动用油漆,因为我们正缺少这些东西。油漆火车头,比你们现在做的要重要得多。”

“我们这些油漆全是从丢掉的空罐子里刮出来的,”保尔回答。“我们花了两天工夫,在垃圾堆里找空罐子,从里面刮出了大约二十五磅油漆。这里一切都是合法的,总工程师同志。”

斯特里日又这样嗯一声,不过已经有点难为情了。

“那么你们就干吧。嗯……这件事确实很有意思……我们该怎么说呢?……怎样解释这种自愿搞好车间卫生的主动精神呢?你们这些工作全是在下工后做的吗?”

保尔从总工程师的声音里听出他确实不太理解,就回答说:

“当然是呵,您是怎么想的呢?”

“我也这样想,但是……”

“斯特里日同志,这个‘但是’就表示您还是没想通。什么人告诉过您,说布尔什维克会放着这些垃圾不管呢?您再等一些时候,我们还要进一步开展这项工作。那时候还有更多的事情让您觉得惊奇呢。”

保尔为了不让油漆蹭到他身上,小心地绕过他身边,径自朝门口走去。每天晚上保尔都到公共图书馆去,直到很晚才走。他和图书馆那三位女职员已经混得很熟,同时又运用各种宣传手段，使他终于得到随意翻阅各种书籍的许可。他为寻找那些有趣而又有用的书，可以爬上扶梯，在那巨大的书橱前面一本一本地一连翻它几个钟头。图书馆的书多半是旧的。只有一个不大的书橱里放着很少一部分新书。其中有一些是偶然收集来的内战时期的小册子，还有马克思的《资本论》、《铁蹄》[①] 以及别的一些书。在旧书堆里，保尔找到一本叫作《斯巴达克》[②] 的小说。他花了两个晚上读了它，又把它送回书橱里，跟高尔基的那些作品摆在一起。他总是把那些最有趣的、性质相近的书摆在一起。

他这样做，图书馆的女职员从不干涉他——她们对这些是不大关心的。

一桩乍看起来像是无关重要的事情突然冲破了厂里共青团组织的单调的平静——中修车间团支部委员科斯季卡·菲金，一个麻脸翘鼻的迟钝的青年，在铁板上钻孔的时候弄坏了一只贵重的美国钻头。弄坏钻头的原因完全是由于他那可恨的粗心大意。不，甚至比这更坏，几乎可说是故意弄坏的。这事情发生在一天早上。中修车间工长霍多罗夫要菲金在铁板上钻几个孔。菲金开头说他不愿意做这件事，但是霍多罗夫坚持叫他钻，他就拿了铁板开始钻。在车间里，大家都不喜欢霍多罗夫的吹毛求疵。他过去是孟什维克，现在不参加工厂里任何社会活动。他对共青团员们总是斜眼相看，但是他对本行的事情很熟悉，而且忠于职务。他看见菲金在钻孔的时候没有给钻头注油，只是在

---

① 美国作家杰克·伦敦(1876—1916)的长篇小说，一九〇七年出版，反映资本家对工人阶级的迫害。

② 意大利作家拉·乔万尼奥里(1838—1915)的长篇历史小说，描述公元前七四至七一年意大利规模最大的一次奴隶起义的领袖斯巴达克的英雄事迹。

那儿“干钻”，就连忙跑到钻机前面，把它关了。

“怎么，你是瞎子，还是昨天刚来的？”他叱责菲金，因为他知道，如果这样用下去，那钻头一定要坏的。

但是菲金反而骂他，而且重新开动了机器。当霍多罗夫跑去告诉车间主任的时候，菲金一边仍然让钻孔机继续钻，一边跑去寻找注油器，为的是，等到行政领导来调查的时候，一切都可以弄妥贴。等他找到注油器跑回来，那钻头已经断了。车间主任提出报告，要求开除菲金。共青团小组却公开袒护他，理由是：霍多罗夫压制青年积极分子。但行政方面坚持开除，因此把这件事提到团委会讨论。事情就从这儿开始了。

五个支委里有三个认为应该给菲金申斥处分，并调他去做别的工作。茨维塔耶夫就是这三人中的一个。其余两个干脆认为菲金没有错误。

支委会的会议是在茨维塔耶夫的房间里举行的。房里有一张铺了红布的大桌子、几条由木工车间工人自己做的长凳子和小方凳，墙上挂着领袖像，桌子后面的墙上挂着一面大团旗。

茨维塔耶夫是一个“脱产干部”。就行业来说，他是一个锻工，由于过去四个月表现出来的才能，他被提拔担任全厂共青团的领导工作，并且当了团区委常委和省委委员。他本来在机械工厂，是新调到铁路工厂来的。他从一开始就把一切权力都紧紧地抓在他个人手里。他是一个刚愎自用、独断专行的人，一进厂就抑制了大家的创造性。他包办一切，但是又包办不了，于是就对自己的助手们大发雷霆，说他们什么也不干。

就连这个房间的布置也是在他个人的监督下进行的。

现在，他正在主持会议，得意地半躺在那只由共青团俱乐部搬来的唯一的软靠椅上。这会议是秘密的。当党小组长霍穆托夫正要说话的时候，外面有人在敲闩着的门。茨维塔耶夫不满意地把眉头皱起来。外面又敲了一下。卡秋莎·泽列诺娃站起来,开了门。门外是保尔,卡秋莎就让他走了进来。

保尔已经向一只没有人坐的凳子走去,这时茨维塔耶夫喊住他说:

"柯察金,现在我们开的是支委的内部会议。"

保尔的脸红了,他缓缓地转向桌子,说:

"我知道这是内部会议。不过我很想知道你们对菲金事件的意见。我想提出一个与这件事有关系的新问题。怎么,你反对我出席吗?"

"我并不反对,不过,你是知道的,只有支部委员会的委员才能出席内部会议。要是有一大群人参加,那就不便讨论问题了。不过你既然来了,就坐下吧!"

保尔从来没有受过这样的侮辱。他紧皱眉头,额上现出一条深深的皱纹。

"为什么这样注重形式呢?"霍穆托夫很不满意地说,但是保尔摆手拦住他,一面坐到方凳上。"我想说说我的意见,"霍穆托夫说。"关于霍多罗夫,不错,他是一个特殊的分子,不过,我们的纪律也实在不好。如果共青团员都开始毁坏钻头,我们马上就会没有工具。这给团外的青年作出了一个非常恶劣的榜样。我想应该给菲金一个警告。"

茨维塔耶夫没有让他说完,就表示反对。保尔听了十分钟的讨论之后,已经明白了支部委员会所采取的态度。当他们将要表决的时候,他要求允许他发言。茨维塔耶夫勉强抑制住自己,让他发言了。

"同志们,我想对菲金事件发表一点意见。"

保尔想不到自己的声音是那样严厉。

"菲金事件只是一个信号,主要的还不是菲金。我昨天搜集了几个数字。”他从口袋里拿出一个笔记本。“这些数字是我从考勤簿上得来的。请大家注意地听一下:团员有百分之二十三每天要迟到五至十五分钟。这已经成了一种规律。有百分之十七的团员,每月都有一天或两天不来厂工作。但是团外青年旷工的却只占百分之十四。这些数字比鞭打还要厉害。我又顺手把别的数字记下来:党员每月旷工一天的,占百分之四,迟到的也是占百分之四。党外的成年工人每月旷工一天的占百分之十一,迟到的占百分之十三。再就损坏工具而论——百分之九十是青年工人,其中百分之七是生手。从这儿我们可以得出一个结论:团员的工作比党员和党外的成年工人要坏得多。但是,并非各处都是这样。我们对锻工车间只有钦佩,电工车间的情形也挺不错,其他各车间就大同小异了。依我的意见,霍穆托夫同志关于纪律的发言只是说了应说的四分之一。现在,我们的任务就是要矫正这些不正常的现象。我不想鼓动诸位,也不想为这事开个群众大会,但是,我们应该毫不留情地向这种不负责任和不守纪律的现象发动攻势。老工人们都直率地说:‘从前大家替老板做工的时候,还做得好一些,替资本家做工的时候,一般说来,都比较仔细,现在我们自己是主人了,可是竟发生了这种事情,这是无法原谅的。’这主要还不是菲金和其他个别工人的过错,这是我们自己,我们所有的人的过错,因为我们不但没有严肃地和这种坏事斗争,有时反而拿这个或那个作借口,来袒护菲金那样的人。

“萨莫欣和布蒂利亚克刚才说菲金是‘自己人’,是‘完全可靠的’,是一个积极分子,担负社会工作。至于弄坏了钻头——算了吧,那又算得了什么?谁都可能弄坏东西。他是‘自己人’,而工长霍多罗夫却是‘外人’。……虽然向来就没有人对霍多罗夫进行过教育……不错,他时常挑别人的过错,可是,他已经有了三十年的工龄了！我们现在先不谈他的政治立场。就这件事说，他是对的：他是一个党外的人，但他却爱惜国家的财产，而我们自己的人却毁坏从外国买来的贵重工具。应当怎样去解释这种颠倒的现象呢？我认为，我们现在应当打响第一炮，从这里展开我们的攻势。

“我提议把菲金当作一个懒惰的、不负责任的工人和生产的破坏者，从共青团开除出去。我们应该把他的事情登在壁报上，并且公开地、一点也不怕什么议论地把这些数字在一篇文章里公布出去。我们的力量是够大的，我们有强大的后盾。共青团的基本群众都是优秀的工人。他们中间有六十个人参加过博雅尔卡的筑路工作，这是一个最可靠的学校。在他们的协助与合作之下，我们一定能够纠正这些缺点。不过我们必须一刀两断地完全抛弃对这个事件所取的妥协态度。”

保尔一向是个沉着静默的人，但这一席话说得很尖锐、很激烈。茨维塔耶夫现在才初次看见保尔的本色。他也知道保尔的话是正确的，但是那种戒备的感情仍然阻碍他赞成保尔的意见。他把保尔的发言看作是对整个组织状态的严厉批评，看作是破坏他茨维塔耶夫的威信，所以他决定反击。在反驳时，他首先斥责保尔袒护孟什维克霍多罗夫。

激烈的争论继续了三个钟头，天很晚的时候才结束。最后，大家的意见一致倾向保尔方面，茨维塔耶夫终于给不可推翻的事实的逻辑所击败，失去了大多数的支持。这时候，他竟采取了荒唐的手段——违反了民主，坚持保尔应当在最后表决之前离开会场。

“好的，我就走，不过，茨维塔耶夫同志，这并不能给你增添什么光彩。我只是警告你，如果你不顾一切，仍然坚持你的意见，明天我就把这件事向全体大会提出，我相信那时候你决不会得到多数的赞成。茨维塔耶夫，你显然是错了。霍穆托夫同志，我以为你有责任在全体大会召开之前，把这个问题提到党的会议上去。”

茨维塔耶夫气势汹汹地叫道：

“什么，你想吓我吗？用不着你说，我自己就会向党组织提出的，而且我还要汇报关于你的问题。要是你自己不想工作，就别妨碍别人。”

保尔把门带上，用手揩揩热得发烫的额头，穿过无人的办公室，向门口走去。一走到外面，他深深地吸了一口气。接着他点了一支烟，朝巴蒂耶夫山岗上托卡列夫住的那间小屋子走去。

托卡列夫正在吃晚饭。他一边叫保尔坐下吃饭，一边说：

“你讲讲吧。你们那儿有什么新闻。达丽亚，给他盛一碗粥来。”

托卡列夫的妻子达丽亚·福米尼什娜正好和她的丈夫相反，又高又胖。她把一碗小米粥放在保尔面前，然后掀起她的白围裙揩揩湿嘴唇，用亲切的声音说：

“亲爱的，你吃吧。”

从前，当托卡列夫在铁路工厂工作的时候，保尔常到他家去，坐到很晚才走。但是从他回城里以后，这还是第一次到老头子家里来。

老钳工专心地听着保尔所讲的一切。他自己什么也不说，只是一边听，一边用汤匙喝粥，偶尔轻轻地哼一声。吃完了饭，他用手绢抹干了胡子，清了清喉咙，对保尔说：

“自然，你是对的。我们早就应该把这个问题正式提出来。铁路工厂是本区的重点单位，应当从那儿开始。你刚才说，你和茨维塔耶夫冲突过了？这样不好。他固然是一个自大的青年，不过，你不是挺会做青年工作吗？我正要问你，现在，你在铁路工厂究竟干什么？"

"我在车间。我什么都做一点。在团支部里，我领导一个政治学习小组。"

"在团委会里面呢？"

保尔觉得有点难以答复了，他说：

"最初，我的体力还没有完全恢复，而且需要读一点书，因此我没有正式参加领导工作。"

"呵，你看，毛病就出在这个地方了！"托卡列夫带着一种不赞同的口吻喊着说。"你知道，孩子，你的身体还没有复原的时候，是不能怪你的。可是现在你的身体怎么样，好了一点吗？"

"好了一点。"

"那么，你就应当正式担负工作了。不要作局外人。谁见过站在一边、不伸手就能把事情办好的！任何人都会说你是在逃避责任，这是你无法辩解的。明天你就要把这种态度改正过来，至于奥库涅夫，我也要和他好好地谈谈。"托卡列夫带着不满意的语气结束了他的话。

"大叔，你别怪奥库涅夫，是我自己请求他不要把我放到团委里去的。"保尔说。

托卡列夫嘲笑地打了声口哨，说：

"你请求他这样做，他也就尊重你的意见？唉，我真不知道要怎样对付你们这些团员们……来，来，孩子，咱们还是照老规矩……你读读报给我听，我这眼睛越来越不中用了。"

党委会通过了共青团委多数人同意的意见。因此党和团现在都要担负一个重要而困难的任务——每个人都勤恳工作，成为遵守劳动纪律的模范。茨维塔耶夫在团委会上受到了很严厉的批评。开头他还挺着脖子不认错,但是那个有肺病的面色苍白的党委书记洛帕欣把他问得无话可说,后来他只好承认了一半错误。

第二天,铁路工厂的壁报登着一些吸引工人注意的文章。大家大声念着,热烈地讨论着。当天晚上,在从来不曾有过那么多人参加的团员大会上,这些文章成为大家谈论的唯一话题。

菲金被开除了,一个新同志被吸收到团委会里来,担任政治教育部长。这个人就是保尔·柯察金。

大会安静地、耐心地倾听着涅日达诺夫的讲话。他谈到铁路工厂已经进入了一个新的阶段,谈到了当前的任务。

散会之后,保尔在外面等候茨维塔耶夫。

"我们一道走吧,有件事咱们应当谈一谈。"保尔对茨维塔耶夫说。

"什么事情?"茨维塔耶夫粗声粗气地问他。

保尔挽住茨维塔耶夫的胳膊,两人走了几步,到一条长凳子跟前停下了。

"咱们坐一会儿,"保尔首先坐了下去。

茨维塔耶夫的烟卷一会儿亮,一会儿暗。

"我问你,茨维塔耶夫,你为什么这样忌恨我?"

几分钟的沉默。

接着,茨维塔耶夫假装惊讶,用一种激动的声音说:

"呵,原来你要和我谈的就是这个呀。我还以为是为了工作呢!"

保尔把一只手用力地放在对方的膝盖上。

"算了吧,你别装模作样。只有外交家才那样装样子。你干脆回答我——为什么我不合你的心意?"

茨维塔耶夫不耐烦地扭了一下身子。

"为什么要一个劲儿地问这个呢？我怎么忌恨你啦？我亲自请你参加团委的工作，你拒绝了，现在你倒说我排挤你。"

保尔听出他的话里没有诚意，仍旧用手按住茨维塔耶夫的膝盖，十分激动地说：

"呵，既然你不说，我就说。你认为我挡你的路，你认为——我在抢当书记，是不是？要是你心里不这样想的话，就不会为了菲金的事情吵架！这样的关系会使我们整个的工作受损失。如果这件事只对你我不利，那算什么，你爱怎么想，就怎么想。可是明天我们就得在一起工作。你想一想，这会有什么样的后果？咱们两个是一家人。我们都是工人出身。如果你真正关心我们的事业，就请把你的手伸给我，从明天起，我们作个好朋友。要是你还是舍不得扔掉你那些无聊的念头，还是一味想争吵下去，那么，我可以老实告诉你，它在我们工作中所造成的每一件损失，都要引起你我无情的斗争。现在，我的手就在这儿——这还是你的同志的手，要是你这时候握住它的话。"

保尔非常满意地感觉到，茨维塔耶夫那只骨节粗大的手，放在了他的手掌上。

一个星期过去了。区党委办公室的人都下了班。屋子里静了。可是托卡列夫还没有走。他正坐在一个靠椅上，聚精会神地看着新的文件。门外有人敲门。

"进来！"托卡列夫应了一声。

保尔走进去，把两张填好的履历表摊在他的面前。

"这是什么？"

"大叔，这是我要消灭不负责的现象。我想，是时候了。要是你同意的话，我请求你给予支持。"

托卡列夫看了看那表格的标题，又望了望站在他面前的青年人，然后一声不响地拿起笔来。在介绍保尔·安德列耶维奇·柯察金同志为俄国共产党(布尔什维克)候补党员的介绍人的党龄一栏里，用刚健的笔迹填上“一九〇三年”和他的规规矩矩的签名。

“写好了，孩子。我相信你永远不会叫我这老头子丢脸。”

房间里很闷热，大家都只有一个念头，赶快离开这儿，到车站附近的索洛缅卡去，在那儿的栗子树荫底下乘凉。

“保尔，快点结束吧，我快闷死了。”茨维塔耶夫说，汗从他的脸上成串地流下来。卡秋莎和别的人们也附和他。保尔把书合上，当天的学习就结束了。

正当大家起身要走的时候，那架老式的埃里克松电话机烦躁地响了起来。茨维塔耶夫竭力在嘈杂的人声中和对方谈话。接着他放下听筒，转身对保尔说：

“车站上现在停着两节波兰领事馆乘坐的外交专车。他们的电灯灭了，可是列车一点钟后就要开走，需要把电线修好。保尔，你带工具箱去一趟吧。这是紧急任务。”

那两节漆得很亮的国际客车停在车站的第一站台上。一节有大窗户的卧车里灯火辉煌，另一节漆黑。

保尔走到那华丽的卧车前面，正要握住把手走上去，突然，有一个人由车站的墙根那儿跳过来，抓住他的肩膀。

“公民，您要到哪儿去?”

这是一个熟识的声音。保尔回过头来一看，那人穿着皮夹克，戴着宽檐制帽，高高的鼻子，眼睛带着小心的、不信任的神气。

直到这时候阿尔丘欣才认出是保尔。他的手从保尔的肩膀上溜下来，声音也没有方才那样严厉了，不过他的眼睛还是疑惑地注视着他的工具箱。

“你要上哪儿去?”

保尔简单地说明了来意。这时另一个人从车厢后面走了出来,对保尔说:

“我马上把他们的列车员找来。”

保尔跟着列车员走进了华丽的卧车,有几个穿着时髦的旅行服装的人坐在那儿。一个妇人坐在一张铺着玫瑰图案的绸子台布的桌子旁边,背朝着门,正在和一个站在她前面的高个军官谈话。保尔一走进去,他们的谈话就停止了。

保尔迅速地检查了通到走廊的接线,没有找到毛病。他走出车厢继续检查。脖子胖得像拳师似的列车员紧紧跟着他,制服上那许多大粒的铜钮扣都刻着一只独头鹰。

“这里没有毛病,电池也没有坏。咱们到另外一节客车里看看去吧,毛病一定出在那儿。”保尔说。

列车员开了门上的锁,两个人就踏进黑暗的走廊。保尔用手电筒照着电线,很快地找到了短路的地方。几分钟后,走廊上的第一个灯泡亮了,一片灰暗的淡光照到走廊上。

“你得把这个房间打开,我好换灯泡,它们都烧坏了。”保尔转身对那个一直监视着他的人说。

“那么我还得找太太去,钥匙在她那里。”列车员不愿意让保尔独自留在那儿,就带着他一块儿走了。

那女人第一个走进那个房间,保尔跟在她后面。列车员站在门口,身子堵住了门。保尔一进去,首先看见的是壁网里的两只精致的手提皮箱、一件随便丢在沙发上的丝绒大衣,以及在车窗旁小桌子上的一瓶香水和一个翡翠色的小粉盒。那女人坐在沙发的一角上,撩了撩她那淡黄色的头发,注视着保尔干活。

列车员作出谄媚的样子,费了好大劲才把他那水牛般的脖子弯下去，鞠躬说：

“太太，请许可我出去一会儿，少校要喝冰镇的啤酒。”

那女人用娇滴滴的歌唱般的声音缓缓地回答说：

“您去吧。”

他们说的是波兰话。

从走廊里射进来的一条灯光，落在那女人的肩膀上。她穿一件由巴黎的第一流裁缝用最薄的里昂绸料子做的衣服，露着胳膊和肩膀。耳垂上一颗来回摇晃的水滴形钻石闪烁发光。她的脸在暗处，保尔只能看见她的仿佛是象牙做成的肩膀和胳膊。保尔敏捷地用螺丝刀换好了天花板上的灯泡，车厢里立刻亮起来了。接着，他还得修理另一盏恰好在那女人坐着的位子上面的电灯，因此他站在她面前，对她说：

“我还得检查这一盏。”

“呵，我妨碍您了，”她说着非常流利的俄国话，轻盈地站起来，差不多和保尔并肩站着。

现在，保尔可以完全看清楚她了。那熟识的尖细的眉毛，那傲慢的紧闭着的双唇，一点也没有错：站在他面前的正是涅莉·列辛斯卡亚。这律师的女儿，不能不发现保尔的惊愕的眼光。但是保尔虽然还认得她，她却没有看出这个电工就是她那个不安生的邻居，四年来他已经长大了。

她轻蔑地耸一耸眉毛，作为对他那惊讶的表情的回答，并且走到门边，站在那儿不耐烦地用漆皮拖鞋的鞋尖敲着地板。保尔开始修理第二盏电灯。他把灯泡取下来，在亮处看了一下，突然，他出乎他本人意料之外地，尤其是出乎涅莉·列辛斯卡亚意料之外地用波兰话问道：

“维克多也在这儿吗？”

他问的时候没有转过身来，所以他不能看见她的脸，但是那长久的沉默说明了她心慌意乱了。接着，她问：

"您认得我的兄弟吗？"

"甚至可以说非常熟识。我们从前还是邻居呢。"保尔转过身来朝着她说。

"您是保尔，是那个……"她结结巴巴不说了。

"是的，"保尔提醒她说，"那个老妈子的儿子。"

"您长得多快呵！记得您那时候还是一个野孩子。"

她没有礼貌地从头到脚把他看了一遍。

"您问维克多干什么？我记得您和他并没有什么交情。"她用她那歌唱般的高音这样说，希望这一突然的偶遇可以给她解解闷。

保尔一边用螺丝刀迅速地把螺丝钉拧进墙壁，一边说：

"有一笔债他还没还清。您看见维克多的时候，就对他说，我并没有忘掉要和他清算那一笔债。"

她知道这是一笔什么"债"。那彼得留拉兵的事件她完全知道，但是她想拿这个"下人"开开玩笑，就逗弄他说：

"告诉我，他欠您多少钱，我来代他偿还。"

保尔故意不理她。

"告诉我，我们的房子是不是真地已经给抢个精光，而且全都毁了？那凉亭和所有的花圃也一定是全毁了吧？"她又用一种忧郁的声调问他。

"那房子现在是我们的，不是你们的，我们不会弄坏它的。"

涅莉尖刻地冷笑了一下，说：

"哎哟！想不到您也洗了脑子了！不过，这是波兰代表团的专车，我是这个包厢的主妇，您呢，还是跟从前一样，是个仆人。您现在到这里来修理电灯，也是为了让我舒服地坐在这沙发上看看书，翻翻报。从前你母亲替我们洗衣裳，你也时常替我们挑水。现在我们见面,你我的地位仍然没有变。"

她怀着扬扬自得的恶意这样说。保尔用刀削着电线的一头,过了一会儿,用毫不掩饰的轻蔑神情俯视着那波兰妇人。他说:

"女公民,我是怎样也不会替您敲一颗锈钉子的,不过,既然资产阶级发明了所谓外交,我们也能对付。事实上我们比他们更有礼貌些。我们不会砍下他们的头,也不会跟您一样,说出那些肮脏难听的话。"

涅莉的脸顿时红了。她说:

"要是你们真的夺取了华沙,你们会拿我怎样办呢?把我切成肉片呢,还是拿我去作你们的老婆?"

她站在门口,身子娇媚地俯向前面;她那敏感的鼻孔——闻惯古柯因麻醉剂的鼻孔——正在颤动。接着沙发上面的电灯统统亮了。保尔挺直了身子,说道:

"你们这样的人有什么用?用不着我们的军刀,古柯因就会要你们的命。你这样的女人,就是白给,我也不要!"

他拿了工具箱,只两步就走到门口。她闪到一旁让他走过去。当他走到走廊的尽头时,他听见她用波兰话低声骂他:

"该死的布尔什维克!"

第二天晚上,保尔在到图书馆去的路上遇到了卡秋莎·泽列诺娃。她紧紧地拉住保尔的工作服的袖口,开玩笑地挡住他的路说:

"你急急忙忙到哪儿去,政治家兼教育家?"

"到图书馆去,大娘,让我走吧,"他也用开玩笑的口吻说,同时轻轻地抓住她的肩膀,把她推到人行道的一边去。卡秋莎推开他的手,一面跟他并排走,一面说:

“我说保尔，你也不能成天只读书……喂，你知道吗？今天晚上，齐娜·格拉迪什家里有晚会，我们也去参加吧！那些女孩子早就要我带你去参加了。你呢，除开政治之外，别的什么全不想。你难道永远不快乐一下，不玩一玩吗？要是你今天晚上不读书，你的头脑一定会清爽一些。”她竭力想说服他。

“什么样的晚会？在那里干些什么？”

“在那里干些什么？”卡秋莎开玩笑地学着他说。“反正不是祷告上帝，而是快乐地消磨时光，就是这样。你会拉手风琴，是不是？可是我从来就没有听你拉过。那么今天就请你拉一下，让我听一听吧。齐娜的叔叔有一架手风琴，可是他拉得不好。女孩子们都很喜欢你，你却成天把工夫花在书本上。我问你，什么地方有这样的规定，说团员不应该有一点娱乐？跟我去吧。求你答应，别叫我把唾沫都说干了；如果这回你不答应我，我就一个月不跟你说话。”

大眼睛的女漆工卡秋莎是一个好同志，又是一个很好的团员。保尔不愿意使她太伤心，虽然觉得这种事情有点别扭，在踌躇了一会儿之后，他终于答应了跟她一道去。

在火车司机格拉迪什的家里又挤又吵，大人们为了不妨碍青年人，都到另外一间房子里去了。在通小花园的走廊上和前面那间大房间里，挤了大约十五个青年男女。当卡秋莎领着保尔穿过花园踏上走廊的时候，那里正起劲地玩一种玩意儿，名叫“喂鸽子”。在走廊的中央，背对背地放着两把椅子，一个女孩子充当这玩意儿的司仪人。按照她的召唤，一个男的和一个女的就出来背对背地坐在这两张椅子上。那司仪一喊：“喂你的鸽子！”那两个人就扭过头去，当着大家面互相在唇上接吻。接着，他们又玩着“小戒指”和“邮差敲门”。每一种玩法都需要接吻，特别是“邮差敲门”，为了避免公众的监视，接吻不是在走廊的灯光下,而是在熄了灯的房间里。对这些玩意儿感到不满足的人们,可以玩另一种花样:在角落里的一张圆桌上,放着一套纸牌,这纸牌名叫“花弄情”。坐在保尔旁边的那个名叫穆拉的女孩子,年纪大约十六岁,蓝色的眼睛卖弄风情地觑着保尔,递了一张纸牌给他,轻声说着:

“紫罗兰。”

几年以前,保尔曾经见过这样的晚会,当时他没有参加,可是他认为这些是正常的现象。现在,他和小城镇的小市民生活永远断绝了关系,这样的晚会在他看来是无聊的,甚至是可笑的。

不管怎样,一张“弄情”牌已经放在他手里了。

他看见在紫罗兰的图片背面写着:“我十分喜欢您。”

保尔看了看那姑娘。她一点也不难为情地看着他的眼睛。他问:

“为什么?”

这问题有点不好答复,但是穆拉早已准备好了她的回答:

“玫瑰。”她又递给了他第二张牌。

在玫瑰牌的反面,他看到:“您是我的意中人。”保尔转向那姑娘,尽量使语气温和些,问她:

“你为什么要把时间花在这种无聊的玩意儿上面呢?”

穆拉有些不好意思,不知道怎样回答才好。

“难道你不高兴我的坦率吗?”她撒娇地噘着嘴唇,说。

保尔没有回答她的问题。然而他非常想知道和他谈话的人究竟是谁,因此他接连提出了好几个问题,穆拉也都高兴地回答了。几分钟后,他知道了她正在中学读书,她的父亲是一个车辆检查员。他还知道她早就认得他,而且老早就想和他交朋友。

“你的名字叫什么?”他问。

“穆拉·沃林采娃。”

“你哥哥是调车场团支部的书记,是不是?”

“是的。”

现在保尔已经知道和他谈话的人是谁了。沃林采夫是区里最积极的共青团员之一,但是他显然没有充分关心他的妹妹,所以她渐渐变成了一个没知识的小市民了。最近一年来,她开始像着了迷似的参加她的朋友们这种接吻的晚会。她在她哥哥那里见过保尔多次。

现在她觉得保尔并不赞成她的行为,所以当别人叫她“喂鸽子”的时候,她一看见保尔脸上那种讥讽的微笑,就坚决地拒绝了。他们两个又坐了一会,穆拉把她的事情全告诉了他。这时卡秋莎跑到保尔跟前,说:

“要是我们把手风琴拿来,你一定拉吗?”接着她又顽皮地眯着眼睛,看着穆拉,问道:“怎么,你们两个已经互相认识了吗?”

保尔叫卡秋莎在他旁边坐下,利用周围的人们说笑和喊叫的机会,对她说:

“我不想拉琴了,我和穆拉就要走了。”

“哎哟! 玩腻了吗? 是不是?”卡秋莎意味深长地拉长了声音说。

“是的,玩腻了。你告诉我,这里面除开你我之外,还有别的团员吗? 还是仅仅只有你我两个参加了这鸽子迷的勾当?”

卡秋莎讨好地说:

“我们已经结束这无聊的玩意儿了。马上就开始跳舞。”

保尔站起来,说:

“好吧,你去跳你的舞吧,亲爱的,可是我和沃林采娃不管怎样还是要走的。”

有一天晚上，安娜来找奥库涅夫。只有保尔一个人坐在屋子里。她说：

"保尔，你很忙吗？你愿意不愿意和我一块儿去参加市苏维埃全体会议？两个人作伴走，开心一些，而且要很晚才能回来。"

保尔很快地就收拾停当。挂在他床头上的毛瑟枪太重了，不好带，因此他就从抽屉里取出奥库涅夫的勃朗宁手枪，把它放进口袋里。他给奥库涅夫留了个字条，把钥匙放在约定的地方。

在会场上遇见了潘克拉托夫和奥莉嘉。大家都坐在一起。在大会休息时间，他们一块儿到广场上散了一会儿步。安娜预料的果然对——大会直到深夜才散。

"到我那儿去住一宿吧？天已经很晚了，你住的地方又那么远，"奥莉嘉对安娜说。

"不，我和保尔已经约定了一块回去。"安娜推却说。

潘克拉托夫和奥莉嘉沿着马路向下面走去，保尔他们俩朝山岗走去，回索洛缅卡。

夜晚闷热，又很黑。城里的人都睡了。参加会议的人都沿着静寂的街道四散走开。他们的脚步声和谈话声也都渐渐地消失了。保尔和安娜很快地走过了市中心的街道。在空无一人的市场上，曾有一个巡查拦住他们，验过了证件，就放他们过去。他们穿过林荫大道，走出了通向旷场的黑暗无人的小街。再往左一转，就走到和路局总仓库平行的公路上了。这个仓库是一排高大的水泥建筑，阴森而可怕。安娜不由得有点不安起来。她仔细向暗处瞧着，心神不定地、所答非所问地和保尔谈着话。直到弄清楚那可怕的阴影不过是一根电线杆的时候，安娜才笑了起来，并把她刚才的心情告诉了保尔。她拉着保尔的手，肩膀紧靠着他的肩膀，这样她的心神才安定下来。

"我不过是二十三岁的人，神经竟衰弱得像一个老太婆一样。你也许会把我看作一个胆小鬼。那可就错了。可是今天我的心情特别紧张。现在,我觉得有你在身旁,我就一点也不害怕了,这样提心吊胆,我真有点难为情。”

黑夜、荒凉的旷地、以及在大会上听到的昨天在波多尔地方发生的可怕的暗杀事件,曾经引起了她的恐怖,但是保尔的镇定、他的烟卷的火光、在一刹那间被火光所照亮的脸和刚毅的眉毛——这一切,把所有的恐怖都驱散了。

仓库已经在身后了,他们走过河上的小桥,沿着通向车站的公路向拱道走去,这拱道在铁路下面,是市区和铁路区连结的地方。

车站远远地落在后面了。一列火车正在开到调车场后面的支线尽头去。到了这里,差不多就算到家了。在上面,在铁路上,正闪着各种色彩的信号灯,而在调车场上,那个专门调动列车的机车,夜间也休息了,它正在疲倦地喘息。

在拱道的进口上面,一盏路灯挂在一个生锈的铁钩子上,风吹得它轻轻地来回摇晃。它那黄澄澄的暗淡灯光,一会儿照着拱道这边的墙,一会儿照着拱道那边的墙。

离拱道进口大约十来步光景,紧靠马路旁边,有一所孤零零的小房子。两年以前,小房子上面落过一个炮弹,内部全被炸坏了,正面成了一片废墟,现在它还像一个张着大口的乞丐,坐在路旁现出一副穷相。这时可以看见拱道上面有一列火车开过去。

“我们差不多算是到家了。”安娜松了一口气说。

保尔打算悄悄抽回他的手,他一边朝拱道走着,一边不由得想快把被女伴抓着的那只手空出来。

但是安娜却不肯松开。

他们走过那座小破房子。

这时，背后突然像有什么东西跑出来，传来一阵杂沓急促的脚步声。

保尔想赶快把手抽出来，但是安娜因为惊骇，仍使劲拉着它不放。等到他用力把手抽出来的时候，已经晚了：保尔的脖子已经被铁钳似的手指头掐住了。接着那个人又使劲一扭，保尔的脸就扭过来了，对着那个袭击他的人。匪徒一只手紧紧抓住保尔上衣的领口，掐住了他的咽喉，另一只手掏出了手枪，慢慢地划了个弧形，把枪口对准了他的脸。

保尔那双像是着了魔的蓝灰色的眼睛极度紧张地注视着这个枪口。现在死神从枪口里迫视着他。他没有力量，也不敢把眼睛从枪口移开哪怕是百分之一秒的时间。他等着开枪。但是枪没有响，于是保尔那睁大的眼睛就看清了那匪徒的面孔：一个大脑袋，方下巴，满脸黑胡子，眼睛在便帽的宽帽檐下面，看不清楚。

保尔用眼角一扫，看见了安娜的惨白的脸。就在这一刹那，她被另一个匪徒拖到那个倒塌的小房子里去了。那个匪徒扭着她的双手，把她摔倒在地上。这时候保尔从映在拱道墙壁上的一条黑影，看见又有一个人跑到那边来了。在后面，在倒塌的房子里，正在进行搏斗。安娜正在拚命抵抗，匪徒用帽子堵住了她的嘴，她被掐住脖颈，喊叫声中止了。掐着保尔的那个大脑袋的匪徒，显然不愿意只作这种兽行的旁观者，也恨不得马上就把猎物弄到手。不用说，他是土匪头子，他对于眼前这种“分工”不满意，他又觉得在他手里的这个少年太年轻了，看样子不过是调车场的一个小学徒。这个小孩子对他不会有什么危险。“只消用枪对着他的脑门儿敲几下，再指一指往旷场去的道路——他就会头也不回地拚命向城里逃跑的。”匪徒想到这里，就放了手，对保尔说：

"赶快给我滚……从哪儿来的,还滚回哪儿去。可是不许作声。要是你不听话,我就冲你喉咙里来一枪。"大脑袋家伙用枪筒敲了敲保尔的脑门,哑着嗓子说:"赶快滚!"同时把枪口朝下,表示不预备冲保尔的背后开枪。

保尔连忙往后退,开头两步是侧着身子走,眼睛还不住地盯着大脑袋匪徒。

匪徒明白了"这个少年还是怕吃枪弹",于是他便转身往小房子走去。

保尔马上把手伸进口袋。他心里想:"千万慢不得,千万慢不得!"他一个急转身,连忙平举左臂,对准匪徒,啪地就是一枪。

匪徒懊悔已经迟了。没等到他举起手来,一颗子弹已经打进了他的腰部。

他挨了这一枪,就像鬼叫似地喊了一声,身子向拱道的墙壁一晃荡,用手抓着墙,就慢慢地倒在地上了。这时候,一个影子从倒塌的房子里向下面沟里跑了。保尔朝着他又放一枪。接着第二个影子也弯着腰连跑带跳地向拱道的黑暗处逃去。保尔又放了一枪,但是都没有命中,只把拱道墙上的水泥打得乱飞,而影子朝旁边一躲,就在黑暗中消逝了。保尔的勃朗宁手枪又朝影子的后面接连打了三下,引起了深夜人们的不安。倒在拱道墙边的那个大脑袋匪徒,正在那儿像一条蛆似的作着垂死的挣扎。

安娜在惊慌失措中被保尔拉起来,她看着正躺在地上抽搐的匪徒,还不相信她已经得了救。

保尔用力扶着安娜,把她拉到灯光照不到的地方去,然后转身向城里走,向车站奔去。这时候在拱道旁边,在路基上,已经有了灯光,铁路线上砰地响起报警的枪声。

他们终于跑到安娜住所的时候，巴蒂耶瓦山岗子上的鸡已经叫了。安娜躺在床上。保尔靠着桌子坐着。他抽着烟，聚精会神地凝视着灰色的烟圈向上飘动……刚才那个匪徒是他一生里杀死的第四个人。

他又想，难道勇敢总是用完美的形式表现出来吗？他回忆着自己刚才的感觉和体验，不得不承认在匪徒用枪口紧对着他的脸那最初几秒钟，他的心确实冰凉了。而且，另外两个匪徒丝毫没受到惩罚就逃走了，这难道只能归罪于他瞎了一只眼睛和不得不用左手射击吗？不，在几步远的距离之内，本来是可以打得更准的，但是由于过度的紧张和慌乱，他没有打中，而紧张和慌乱正是惊慌失措的表现。

台灯的光照着他的头，安娜正注视着他，不肯放过他面部肌肉的每一个活动。不过，他的眼睛还是非常安详的，只有从他额上的皱纹才看得出他在紧张思索。

“你在想什么，保尔？”安娜问他。

他的思想被她这一问，就像由半明的地方飘到半暗的地方去的烟一样消失了，他就把刚刚撞进脑子里的念头说了出来：

“我必须到城防司令部去。这件事应该马上报告。”

他竭力克服疲劳，勉强站起来。

安娜握住保尔的手，没有马上放开——她不愿一个人留在家里。她把他送到门口，直到这个现在对于她是这样亲密和可贵的保尔在黑暗中走了很远的时候，她才把门关上。

保尔到了城防司令部，大家才明白刚才发生的枪杀事件是怎么回事。死尸马上被认出来：这是刑事调查局老早就在注意的一个著名强盗和杀人惯犯，名叫大脑袋菲姆卡。

第二天大家全知道了这件事，由此还引起了保尔和茨维塔耶夫之间意外的冲突。

在工作顶紧张的时候,茨维塔耶夫走进车间,叫保尔到他跟前。他把保尔带到走廊上僻静的角落里。茨维塔耶夫很激动,不知从何说起,最后,才挤出了这么一句话:

"你讲讲昨天发生的事情。"

"你不是都知道了吗?"

茨维塔耶夫心神不安地耸了耸肩膀。保尔不知道茨维塔耶夫对昨天在拱道那里发生的事情比别人格外关心。保尔不知道这个锻工和他那表面上的冷淡完全相反,他正在爱着安娜。对安娜有好感的不止他一个,不过茨维塔耶夫的感情要比别人复杂得多。他刚刚从拉古京娜那里知道了昨天在拱道那里发生的事情,他脑子里就产生了一个苦恼的、不能解决的问题。他懂得他不能直接问保尔,但是他又想得到解答。他多少也懂得:他这种担心完全是一种自私的卑鄙念头在作怪,但是,在内心的矛盾经过斗争之后,他那原始的、兽性般的感情终于占了上风。于是他低声说:

"你听着,保尔,咱们俩这次谈话不告诉别人。我明白,你不会说出来的,你怕安娜心里难过。但是你可以相信我。告诉我,当你被一个匪徒掐住的时候,另外两个匪徒是不是强奸了安娜?"说后半句话的时候他不能自持,连忙把眼睛避开。

现在保尔才开始模糊地明白了茨维塔耶夫的意思。保尔心里想:"假使茨维塔耶夫对安娜不关心,他就不会那样激动;可是假使他真是爱安娜,那么……"保尔替安娜难过了。

"你为什么要问这个呢?"

茨维塔耶夫有点回答不出来了,后来他觉得保尔已经看透了他的心思,就恼羞成怒地说:

"你要什么滑头?我是要你答复我,你倒追问起我来了。"

"你爱安娜吗?"

一阵沉默。过了一会儿，茨维塔耶夫才很费力地说出：

“是的。”

保尔竭力抑制着他的愤怒，头也不回地走了。

一天晚上，奥库涅夫难为情地在保尔床前来回地转了很久，后来，他就坐在床边儿上，一只手盖住保尔正在读的一本书。

“保尔，我有一桩事情必须告诉你。一方面，可以说这是一件小事，但另一方面，可又完全相反。我和塔莉亚·拉古京娜两个弄得怪不好意思的。你看，一开始是我非常喜欢她……”他抱歉地搔了搔额角，看到他的朋友并没有笑他，就又鼓起了勇气，说：“可是后来塔莉亚……也有点儿那个意思了。一句话，我用不着把全盘的经过都告诉你，我不说你也明白了。昨天我们已经决定建立共同的幸福生活。我已经二十二岁了，我们两个都到了成人的年龄。我想在平等的基础上和塔莉亚建立共同生活。你对于这件事有什么意见？”

保尔沉思了一下，说：

“尼古拉，我能说什么呢？你们俩都是我的好朋友，都是同样的出身。别的方面也都相同，塔莉亚又是一个再好不过的女孩子……我想事情是非常明白的。”

第二天，保尔把他的东西搬到厂里的男宿舍去了。几天之后，在安娜那里举行了一个亲切的不备食物的晚会——为庆贺塔莉亚与奥库涅夫同志结合的一个共产主义式的晚会。在这晚会上，人们追述往事，朗诵他们读过的最动人的作品，合唱了许多歌，而且唱得非常好。战斗的歌声传到远处。后来卡秋莎和穆拉把手风琴也拿来了，于是那些深沉的男低音以及手风琴银铃般的旋律，响遍了整个房间。那天晚上，保尔奏得十分出色。而当瘦长的潘克拉托夫出人意外地开始跳起舞来的时候，保尔更是无拘无束了。他改变了时新的格调，像燃起一把火一样奏了起来：

喂，街坊们，街坊们！
坏蛋邓尼金伤心啦，
因为西伯利亚的肃反人员，
把高尔察克枪毙啦……

手风琴奏的歌曲述说着过去，述说着战火纷飞的年代和今日的友谊、斗争和喜悦。可是当沃林采夫接过了手风琴，奏起紧张热烈的“小苹果”舞曲的时候，开始像旋风一样舞蹈的不是别人，正是保尔。保尔疯狂地跳着，这是他一生中第三次也是最后一次热情的跳舞。

4

国境线——就是两根柱子。它们沉默而敌对地竖在那里，象征着两个世界。一根柱面刨得很光，像警察岗亭一样漆了黑白相间的线条。在它顶上，牢固地钉着一只独头鹰。它双翼展开，似乎正要用利爪去攫取那根漆着线条的界标；同时，这独头的嗜食腐肉的恶鸟，又伸着它那准备啄东西的钩嘴，眼睛凶猛地瞪着对面的铁牌。另一根柱子竖在对面六步以外，这是一根巨大的圆形的橡木柱，它深深地埋在地里。柱子顶上是一块铸着锤子与镰刀的铁牌。虽然这两根界标都竖在平原上，但是这两个世界之间却有一条鸿沟。除非你要冒性命的危险，要不，你要走过这六步的距离是不可能的。

这就是国境线。

苏维埃社会主义共和国这些沉默的哨兵，顶着铸有伟大的劳动标记的铁牌，像一条不动的铁链似的从黑海起，经过数千公里一直延伸到最北边，延伸到北冰洋。苏维埃乌克兰和资产阶级波兰的国界，就从钉着一个老鹰的柱子开始。小镇别列兹多夫是在大森林里。它离国境十公里，对面是波兰的小镇科列茨。边防军某营的防区就是在斯拉武塔镇到阿纳波利镇之间。

国境界标的长链通过积雪覆盖的平原，穿过森林的空地，跳进幽深的峡谷，接着又爬上去，矗立在山岗上，然后又到达河边，从高高的河岸上注视着异国的冰天雪地的原野。

天气非常冷。雪在他的毡靴下面咯吱咯吱地响着。一个身材高大的红军战士，戴着英武的尖顶军帽，从那带着锤子与镰刀的界标旁边走开，有力地迈着步子，在他的防地里巡逻。他身上穿着灰色陆军大衣，佩着绿色领章，脚上穿着长统毡靴。在大衣的外面，又披着一件高领子的宽敞羊皮外套。他的头暖暖地包在呢子军帽里。手上戴着羊皮手套。那羊皮外套一直盖住脚跟，即使外面刮着大风雪，里面还是暖和的。他背着步枪，津津有味地抽着自己卷的马合烟，在边境巡逻线上来回走着，皮外套不断刮着地面上的积雪。在这广阔的平原上，苏维埃国境上两个哨兵之间的距离是一公里，他们彼此可以望见。而在波兰那面哨兵之间的距离是两公里。

在那一边，一个波兰哨兵正沿着他自己的巡逻线向红军哨兵迎面走来。他穿着粗制的军靴、灰绿色的军服，外面是一件缀着两排发亮的钮扣的黑外套，头上戴着四角的军帽。他的军帽上嵌着一只白鹰标记，肩章上也是鹰，领章上也是鹰。但那些鹰并不能使这个兵稍微暖和一些。凛冽的寒气一直刺到他的骨头。他走的时候，一边用一只脚后跟敲打着另一只脚后跟，一边搓着麻木的耳朵。他那双戴着薄手套的手已经冻僵了。波兰哨兵一分钟也不能站住,他一站下,寒气马上就会把他的关节冻僵,所以只好时刻不停地来回走,有时还要小跑。现在那两个哨兵碰头了,那波兰哨兵转过身来,在他那一边的国境线上,与红军哨兵平行地走着。

国境上禁止谈话,但是,四周是一片荒原,一公里以外才有人影,谁知道这两个人究竟是默默地走着,还是违背了国际法呢?

那波兰人很想抽烟,可是他把火柴忘在军营里了。风好像有意地把红军哨兵的马合烟的香味向他吹过来。那波兰人不再搓那冻坏了的耳朵了。他回头看了看——说不定会有一个班长或是中尉带领一个骑兵巡逻队突然从小山后出现,前来巡视边境,检查岗哨。但是四面一个人也没有。雪在阳光底下耀眼地闪着。天空没有一片雪花。

最先破坏公法的神圣性的是那个波兰人。他把一支插着扁刺刀的法国连射步枪背到肩上,用冻僵了的手指头费力地从外套的口袋里摸出一包廉价的烟卷来,然后用波兰话说:

"同志,给根火柴。"

红军哨兵听到了他的请求,可是国境勤务的军令禁止士兵与境外的任何人交谈,他也不大明白波兰兵所说的话。因此他还是继续走他的路,脚上穿的温暖而柔软的毡靴有力地把积雪踩得咯吱咯吱地响。

"布尔什维克同志,扔给我一盒火柴,点一根烟卷。"那波兰人又说话了,这回用的是俄语。

那红军哨兵仔细地看了看他的邻人,心里想:"看样子,寒气已经钻进那波兰人的五脏六腑里了。虽然他是一个资产阶级的兵士,他过的可是悲惨的生活。在这样的冷天里,赶他出来放哨,穿一件薄薄的布外套,冻得像兔子一样地跳着,不抽口烟实在不行呵。”这样,他连头也不回地把一盒火柴扔了过去。那波兰人顺手接住火柴,划了一根又一根,总算把烟卷点着了。那盒火柴又用同样的方法从那边扔过来。红军哨兵无意间也破坏了公法,对他说:

“留着吧,我还有。”

但是,从国境那方面又传来了这样的回话:

“不,谢谢你,我有了这一小盒火柴,就会坐上两年牢。”

红军哨兵看着火柴盒。盒上印着一架飞机,代替飞机的螺旋桨的是一只有力的拳头,盒上还写着这样的字:“最后通牒”。

“是的,他说的对。这对他们是不合适的。”他心想。

那个波兰哨兵继续和红军哨兵并行巡逻——在这荒凉的平原上,他一个人感到非常孤寂。

马鞍有节奏地吱吱响着,马的脚步轻快而平稳。黑公马鼻孔周围的毛上已经挂了一层白霜。马呼出的气变成白汽,消失在空气里。营长骑的那匹花骒马,神气地走着,不时把它那纤细的脖子弯成弧形,玩着它的辔头。两个骑马的人都穿着灰色军大衣,束着武装带,袖子上都有三个红色的方块,不过营长加弗里洛夫的领章是绿色的,而他的同伴是红色的。加弗里洛夫是边防军人。这七十多公里长的防区上分布的一营人就是由他指挥的。他是这里的当家人。他那同伴是由别列兹多夫来的客人——民兵大队的政委柯察金。

夜里下过雪。积雪很松软,既没有蹄印,也没有人的脚印。这两个骑马的人已经走出林间的窄道,在旷野上策马小跑。侧面四十步之外,又有一对界标。

“吁,站住!”

加弗里洛夫紧紧地勒住马缰绳。保尔也把马转过来,想问他勒住马的原因。他看见加弗里洛夫在马鞍上俯下身子,仔细地察看雪地上一排古怪的迹印,好像有人用带齿的轮子在上面滚过似的。这是一只狡猾的小野兽的脚迹,它走的时候,故意叫后脚踏在前脚的脚印上,而且还兜了许多古怪的圈子,叫人没法追寻它。要说出这些脚印从什么地方来,那是困难的。但营长勒马察看的并不是这些野兽脚印。在这些脚印两步之外,另外有一些已经被雪盖上了的印迹。这里有人走过。那个人并没有故意把自己的脚印弄乱,而是一直朝树林里走去的。脚印清清楚楚地说明了他是从波兰方面来的。于是营长策马前进,循着那个人的脚印,走到哨兵线上。在波兰方面,那脚迹在十几步开外还可以看得很清楚。

"夜里有人越境了,"营长这样嘟哝说。"这回又是穿过第三排的防区,可是在早晨的报告上,却一个字也没有提到。这些家伙!"加弗里洛夫的小胡子本来就有些灰白,再加上现在由他的呼吸凝成的白霜,把它们弄得像银的一样。那两撇胡子威严地挂在嘴唇上。

两个人迎面向他们走来。一个身材矮小、穿着黑色衣服,他枪上那支法国刺刀的刀刃在阳光下闪耀;另一个身材高大,身上披着黄色的羊皮外套。花骒马感到它的骑者的两腿夹它,就跑了起来,他们很快就到了那两个人的面前。红军哨兵整一整他肩上的步枪的皮带,把烟头吐到雪地上。

"同志,你好!你这地段有什么事没有?"营长伸手给那哨兵,因为他的个子很高,所以营长几乎连腰都不用弯下去。那个大个子迅速揪掉他戴的手套,和营长握手。

那波兰兵从远处注视着他们。两个红军军官向一个普通的战士问好,好像他们是亲密的朋友一样!他马上就想象这仿佛是他自己正和他的扎克尔热夫斯基少校握手,但是因为这种想法太荒唐,所以他竟不由得担心地向四周望了一望。

“我刚刚接班,营长同志。”红军哨兵报告说。

“你看见那边的脚印了吗?”

“还没有看见。”

“夜里,从两点到六点,这里是谁值班的?”

“苏罗坚科,营长同志。”

“呵,好的,您得留神,眼睛要睁大一点。”

他临走时又严肃地警告那个哨兵说:

“您尽可能不要跟那些波兰兵并排地来回走!”

当两匹马沿着由边界到别列兹多夫的大路小跑的时候,营长对保尔说:

“在边界上时时都得瞪大眼睛。稍微大意一点就要出事。干我们这种工作不能睡大觉。白天要偷越边界不怎么容易,但是到了晚上,你就得竖起耳朵。柯察金同志,您自己也可以看得出来的。在我负责的这一段边境,有四个乡村是跨界的。在这儿工作格外困难。无论你怎样布置哨兵线,一遇到了婚礼或是什么节日,亲戚们就要越过边境线,聚集在一起。怎么能不越界呢?边界两旁的农家相距不过二十来步远,而这条小河,连母鸡也能淌过去。走私的事情也是难免的。比方说,一个老太婆偷带了两瓶波兰出产的四十度的香草酒,这当然是小事情;可是还有许多大走私犯,他们的资本和规模是很大的。你知道那些波兰人在干些什么吗?他们在边界的各个乡村里都开设了一些大百货商店,在那里你想要买什么,就可以买到什么。当然,这决不是为他们那些贫穷的农民们开设的。”

保尔满有兴味地听着营长的话。他觉得守卫边界的生活就像不间断的侦察工作一样。他问道:

“告诉我,加弗里洛夫同志,事情只限于走私吗?”

营长闷闷不乐地回答说:"问题就在这里呵!"

别列兹多夫是一个小镇。这个偏僻的村镇从前是指定准许犹太人居住的地方。镇上的二三百户人家乱七八糟地挤在一起。一个很大的集市广场,广场中间有二十来家可怜的小店。市场很肮脏,到处是马粪。小镇周围挤着许多农民的住宅。从犹太人住区通往屠宰场的路上,有一个老犹太教堂,这是一座东歪西倒的、叫人看见就觉得凄凉的建筑物。每逢礼拜六,教堂虽然还吸引很多人,但是,它的光景已经不如从前,祭司的生活也完全不是他所希望的那样了。看起来一九一七年所发生的事情确实不妙,甚至在这个敬神的小地方,青年人对祭司也没有起码的尊敬了。不错,那些老头儿还没有"开斋",但是已经有多少小孩子都吃起亵渎神明的猪肉香肠来了!呸,连想想都是恶心的!一只猪在粪堆上起劲用嘴拱着找吃的,气得祭司鲍鲁赫走向前去踢了它一脚。别列兹多夫小镇成了区的中心,也叫这祭司很不高兴。不知道从什么地方跑来这么多的共产党员,一天比一天闹得厉害,一天比一天叫他不痛快。昨天,鲍鲁赫看见在神父庄园的大门口挂了一块新的牌子:

乌克兰共产主义青年团别列兹多夫区委员会

挂这牌子决不是什么好事情。他一边走一边想,直到他走到教堂门口,才看见门上贴着一张小布告,上面写着:

今晚在俱乐部召开劳动青年群众大会。执委会主席利锡增同志和共青团区委代理书记柯察金同志将在会上演说。团会后由九年制学校的学生演出歌舞。

祭司愤愤地把那张布告从门上撕下来。

"瞧,真地干起来了!"

本镇的小教堂有两面紧靠着从前神父庄园的大花园,那花园中央有一座宽敞的老式房子。从前,神父和他的妻子都住在那儿,他们过着像房子本身一样腐烂而寂寞空虚的生活,并且彼此早就嫌恶了。可是,新的主人一搬到这所房子里,那种空虚寂寞的气氛马上就消失了。从前虔诚信教的主人只在盛大节日才用来接待客人的那间大客厅天天都挤满了人,神父庄园现在已经改为别列兹多夫党委会的办公处。进前门往右拐,一个小房间的门上,写着几个粉笔字:共青团区委会。保尔每天就在这里花去他的一部分时间,因为他除了担任民兵第二大队的政委以外,还兼任新成立的共青团区委会的书记。

从在安娜家里举行的那次亲切的晚会到现在,已经八个月了。但想起来好像是前不久的事情似的。保尔把一堆公文推到一边,靠在椅子背上沉思起来……

屋子里静悄悄的。夜深了,党委会里的人都走了。最后留下的区委书记特罗菲莫夫也刚刚走了,现在只剩下保尔一个。窗户上布满了寒气凝成的奇特的霜花。桌上摆着一盏油灯。火炉烧得很热。保尔回想不久以前的事情。八月里,铁路工厂的共青团派他组织一批青年,随修理车到叶卡特林诺斯拉夫去。一直到深秋时候,他始终带着一百五十个青年,由这个车站到那个车站,恢复战后混乱的秩序,修理被烧毁的和破坏的车辆。他们的路线是由锡涅尔尼可沃到波洛吉。这里从前是马赫诺匪帮统治的地方,到处都是毁坏和劫掠的遗迹。在古利亚伊—波列,他们曾花了一星期的时间去修理石头筑成的水塔和修补被炸药炸坏了的水箱。保尔本人是一个电工,他不懂得钳工的技术,也没有干过这种工作,但是他在这儿亲手用扳子拧紧了不知几千个锈螺丝帽。

晚秋的时候列车又回到了他们的工厂。工厂各车间都欢迎这一百五十个人的归来……

现在，在安娜那里又常常可以见到保尔了。他额上的皱纹消失了。他那富有感染性的笑声也常常可以听见了。

一群满身机器油的弟兄们现在又可以在学习小组上听他讲往日各种斗争的故事了。他讲造反的、被奴役的、衣衫褴褛的俄罗斯农民企图推翻沙皇宝座的故事，讲斯捷潘·拉辛① 和普加乔夫② 起义的故事。

有一天晚上，安娜那里又聚集了许多年轻人。保尔出人意外地戒除了几乎从孩童时代就养成了的、不良的抽烟习惯。那天他忽然斩钉截铁地说：

"从今以后，我决不再抽烟了。"

这件事发生得很突然。原来当时有人在争论说：习惯比人的意志要厉害，一经养成就难克服，抽烟就是一个例子。接着大家就议论纷纭。保尔始终没有参加争辩，可是塔莉亚偏不许他沉默，硬要他也发表意见。于是他说：

"人应该支配习惯，而决不是习惯支配人。我们能够得出另外的结论吗？"

茨维塔耶夫在墙角喊起来了：

"话倒说得挺漂亮。柯察金就爱说漂亮话。如果戳穿他的牛皮来看呢？问他自己抽不抽烟？抽的。他知道不知道抽烟没有好处？知道的。可是能不能戒掉呢——戒不掉。不久之前，他还在小组会里'传播文明'呢。"说到这里，他改变了声调，带着

---

① 拉辛(？—1671)，一六六七至一六七一年俄国农民起义领袖。

② 普加乔夫(1742—1775)，一七七三至一七七五年俄国最大一次农民起义的领袖。

嘲弄的口吻问道:“让他答复我们,他现在还骂不骂人?凡是认识保尔的人,都可以那么说:骂是骂得少了,但是骂起来就很凶。传教容易作圣徒难呵!”

一阵沉默。茨维塔耶夫的激烈的腔调使大家很不愉快。保尔并没有马上答复。他从嘴边慢慢地拿下烟卷,把它揉成碎末,轻轻地说:

“从今以后,我决不再抽烟。”

沉默了一下,他又补充说:

“这固然是为了我自己,也多多少少是为了茨维塔耶夫同志。要是一个人不能去掉他的坏习惯,那简直一文不值。我还有一个骂人的坏习惯。同志们,我还没有完全克服这个可耻的毛病。不过,就是茨维塔耶夫同志自己也承认我现在很少骂人了。骂人是容易脱口而出的,比不得抽烟,所以我现在还不敢夸口说连这个坏习惯也一齐改掉。不过我是要把骂人的习惯也彻底改掉的。”

快入冬的时候,很多顺着河水放下来的木筏壅塞在河里。秋天泛滥的河水冲散木筏,许多宝贵的木材顺着河水漂走。索洛缅卡区又派出自己的团员去打捞木材。

保尔不愿意落后,竭力不让同志们知道他正患重感冒。但在一星期后,当河岸上的木材已经堆积成山的时候,冰冷的河水和寒冷的秋风又唤醒了睡在他血液里的敌人——保尔又发烧了。他得的是急性风湿病,在医院住了两星期,他从医院回到工厂以后,只能趴在他的工作台上勉强干活,车间的工长看见了,愁得直摇头。过了几天,一个毫无偏见的委员会认定保尔已经失去劳动能力,让他退职,并且给他领取抚恤金的权利。他愤愤地拒绝了这项权利。

保尔非常伤心地离开了他心爱的工厂。他拄着手杖慢慢走着，一动就疼得厉害。以前，他母亲曾几次写信叫他去看她。现在他想起老太太和他们临别时她所说的话来了："只有在你们生病或者受伤的时候，我才有机会看到你们。"

他到省委会领了两张卷在一个纸筒里的证件：一张是共青团的，一张是党的。为了避免引起伤感，他没有和任何人告别，就动身到他母亲那里去了。在半个月里她不断地用药熏和按摩治他那两条肿腿。一个月之后，他不用手杖也能走路了。喜悦又浮上了他的心头，黄昏又变成黎明。列车把他载到省城。过了三天，组织部就交给他一个文件，分派他到省军事委员部下面去担任地方武装的政治工作。

又过了一星期，他就到了满地是雪的小镇别列兹多夫，作了民兵第二大队的政委。共青团地方委员会又叫他负责把散在这新区各地的团员组织起来，成立一个团组织。他的生活又展开了新的一页。

外面很热。樱桃树的一支树枝正向执委会主席办公室的窗口伸过来。在办公室对面，在街道的那一边，有一座波兰天主教教堂，它的尖顶钟楼上的金黄色十字架，像一团火似的在阳光下闪烁。窗外小花园里有一小群跟周围的小草一样淡绿色的、毛茸茸的、有趣的鹅雏，正在那里敏捷地找寻食物。这些鹅雏是执委会看门人的妻子饲养的。

执委会主席读完了刚接到的紧急电报。他脸上闪过一道阴影。他把一只又大又长的手伸到他那美丽的鬈发上搔着。

别列兹多夫执委会主席尼古拉·尼古拉耶维奇·利锡增今年才二十四岁，可是他的同事和党内的同志都不知道这一点。这个魁伟强健的人是非常严峻的，有时候甚至是可怕的，看样子他足有三十五岁。他的身体结实,在粗壮的脖子上长着一个大脑袋,目光锐利而冷静,下颚的线条清晰有力。他穿着蓝马裤和"见过世面"的弗伦奇式灰军服上衣①,左胸口袋上挂着红旗勋章。

十月革命之前,利锡增在图拉兵工厂当车工。他的祖父、父亲以及他自己,差不多都是从儿童时代起就在这个工厂里切铁、削铁。

可是这个以前只是制造武器的人,从那年秋天的一个夜里第一次拿起武器之后就投进革命的风暴里来。革命和党不断地把他从这一个战场投入另一个战场。这个图拉的兵工厂工人经过了一段光荣的道路,从一个普通的红军战士成长为团长和团政治委员。

战火和炮声已经过去了。现在尼古拉·利锡增被派到国境地区,过着有规律的和平生活。他常常研究关于农作物收获的报告,研究到很晚,但是他刚刚接到的急电又使他想起了不久之前的事情。那简略的电文这样说:

> 绝密。别列兹多夫执委会主席利锡增。
>
> 国境发现波兰派出的大批匪徒,可能窜扰国境区。应当采取预防措施。把财务科的款项及其他贵重物品转移至州中心,勿滞留税款。

从他的窗户望出去,利锡增可以看见每个走进区执行委员会来的人。他看见保尔·柯察金正站在台阶上。一分钟后,传来

---

① 钉着四个大的明口袋的军服上衣,因第一次世界大战时的英国将军弗伦奇而得名。

了敲门的声音。

“请坐，我们谈一谈。”他握住保尔的手说。

整整一个钟头，主席利锡增没有接见第二个人。

保尔走出办公室的时候已经正午了。利锡增的小妹妹妞拉正从花园里跑出来。保尔一向都叫她安妞特卡。她是一个怕羞的小女孩，庄重得跟她的年龄完全不相称。平常她看见了保尔，总是微微一笑，这一回，她也是用小孩子的方式羞答答地问候了保尔一声，一面把额上的鬈发往后一甩，问道：

“是哥哥一个人在那儿吗？我嫂子等他吃饭等了好久了。”

“安妞特卡，你去吧，屋里只有他一个人。”保尔说。

第二天，离天亮还很早，壮马驾着的三辆马车已经赶到执行委员会来了。随车的人都用极低的声音谈话。几只密封的袋子由财务科搬出来，放到车子上。几分钟后，可以听到车轮在公路上滚动的声音。一队由保尔率领的武装卫队，在车子的周围保护着。他们安全地到达了离小镇四十公里——其中有二十五公里全是森林——的区中心，把公文和钱币储放在州财务处的保险柜里。

几天以后，又有一个骑马的人由国境向别列兹多夫疾驰而来。他和他那匹喷着白沫的马，使这个小镇上的闲人十分惊异。

到了执行委员会门口，骑马的人扑通一声跳下马来，扶着他的军刀，踏着笨重的靴步，锵锵地走上台阶。利锡增皱着眉，收下那人送来的信，在信封上签了他的名字。接着，那边防军人不让马有喘息的机会，立刻跃上马鞍，沿原路跑回去了。

那封信的内容，只有刚看过的执行委员会的主席才知道。但是别列兹多夫小镇的市民们的鼻子却十分灵敏。当地每三个小商人中，一定有两个是小走私贩，这种行业使他们养成了一种预测危险性的本能。

人行道上有两个人急急忙忙地向民兵大队部走去。其中一个就是保尔。当地的居民全认识他,他总是带着枪的。可是,今天连党委书记特罗菲莫夫也束起了武装带,佩上了左轮手枪,——这就是说有什么不妙的事情发生了。

过了几分钟,从大队部里跑出了十五个人,手里提着上好刺刀的步枪,向十字路口的那个磨坊奔去。其余的党员团员也都在党委会里武装起来。执委会主席戴着哥萨克皮帽子,腰间照例挂着他的毛瑟枪,骑马跑过去了。显然已经发生了什么事情。无论是广场上或者小巷里,全都死一般地寂静,连人影儿都没有。转眼间,小铺子的门都上了中世纪的大锁,窗板也都关起来了。只有那些不知道害怕的母鸡和热得发喘的猪,还在粪堆上一个劲地找东西吃。

在镇边一些园子的围墙上,都设置了瞭望哨。围墙外面就是田野,从这里可以看见公路,笔直地伸向远方。

利锡增刚才接到的报告是很简单的:

> 昨夜一伙骑匪约百余人,配轻机枪两挺,在波杜勃齐区经过战斗窜入苏维埃国境。请即采取有效措施。匪徒窜入斯拉武塔森林后即失去踪迹。兹预先通知您:本日将有百名红军哥萨克骑兵经别列兹多夫追击匪徒。切勿误会。
>
> 边防军独立营营长加弗里洛夫

一小时之后,发现一个骑兵沿着大路向小镇前进,在他后面约一公里左右,是一队骑兵。保尔仔细地注视着。那个骑马的人正在小心地前进,但是,他没有注意到埋伏在园子里的岗哨。这是红军哥萨克第七团的一个青年战士。他在侦察方面还是生手,当他突然被那些从园子里跳出的人包围起来的时候,他看见这些人的军便服上都佩着青年共产国际的徽章，就不好意思地笑了。在简短的交谈之后，他掉转马头，奔向正在行进中的大队。岗哨把红军的哥萨克骑兵放过去，马上重新卧倒，在花园里警戒。

几天骚动的日子过去了。利锡增接到报告说，匪军妄图扰乱，未能得逞。在红军骑兵的追击下，匪军不得不狼狈地退到国境线那边去了。

这里一共只有十九个布尔什维克，他们紧张地做着苏维埃的建设工作。在这个刚刚建立起来的区里，一切都要从头做起。由于接近国境，他们随时随地都得提高警惕。

改选苏维埃、剿匪、文化工作、缉私、军队中党的工作和共青团工作，所有这些，使利锡增、特罗菲莫夫、柯察金，以及其他团结在他们周围的不多的积极分子，经常从天刚亮一直忙到深夜。

每天，一跳下马，就坐在办公桌旁边；离开办公桌，就到训练新兵的广场上去；接着就到俱乐部、学校，参加两三个会议；一到夜里，又骑上马，腰里插着毛瑟枪，大声地喝着："站住！什么人？"倾听走私马车的轮子咕噜咕噜的响声，——这一切就是民兵第二大队政委日日夜夜所忙碌的工作。

别列兹多夫共青团区委会由保尔、莉达·波列维赫和任卡·拉兹瓦利欣组成。莉达是妇女部主任，小眼睛，出生于伏尔加河附近。拉兹瓦利欣是一个漂亮的高个儿的青年，不久之前还是个中学生，他喜欢惊心动魄的冒险，熟悉歇洛克·福尔摩斯[1]和路易·布斯纳[2]的故事。拉兹瓦利欣在区党委会里做过总务工作，他是四个月以前才加入共青团的，但是他在团员中间却摆出

---

① 英国小说家柯南道尔（1859—1930）的侦探小说中的主人公。

② 路易·布斯纳（1847—1910），法国作家，著有冒险小说及历史小说多种。

"老布尔什维克"的架子。因为没有人可以派到别列兹多夫来,专区党委会经过长时间的考虑之后,才把他派到这里来负责政治教育工作。

时间快要到中午了。热气渗进每一个最隐蔽的角落。一切生物都躲到阴凉的地方,连狗也趴在仓檐下面,热得懒洋洋地想睡觉。看起来,好像所有的动物都已经离开了这个村庄,只有一只猪在井边的泥坑里,非常快乐地哼哼叫着。

保尔解开马,忍住膝上的疼痛,咬着嘴唇,骑了上去。女教员站在学校的台阶上,用手挡住阳光,微笑着对保尔说:

"再见,政委同志。"

马不耐烦地刨了一下地面,伸伸脖子,绷紧了缰绳。保尔说:

"再见,拉基金娜同志。就这样决定:明天您给上第一课。"

马感觉到缰绳松了,立刻小跑起来。就在这时候,一阵凄厉的呼号传进了保尔的耳朵。只有在遇到失火的时候妇女们才会那样惨叫。保尔用力拉了一下辔子,把马头急速转过来,就看见一个年轻的农妇正喘着气从村外跑来。拉基金娜跑到路上,阻住了她。人们也在各家的门口出现了,他们多半是老年人,因为年轻力壮的人都下地去了。

"呵,乡亲们呵,那边出了多么可怕的事呵!怎么办哪,怎么办哪!"

当保尔驱马走近她们的时候,一群人已经围住了那青年农妇,大家扯着她那白衬衫的袖子,惊慌地向她提了许多问题,但是要从她那不连贯的话里听出什么来是不可能的。她只是不断地嚷着:"杀人啦!他们正在那儿拿刀拚命呵!"接着一个胡子乱蓬蓬的老头,一边走一边提着他的粗布裤子,笨拙地跳过来,责备那年轻女人：

“别这样乱叫！像个疯子似的！他们在什么地方打呢？为什么打？别只乱嚷嚷呀！呸，活见鬼！”

这样，那女人才说：

“我们村和波杜勃齐的人……打起来了……为了田界。波杜勃齐的人正在杀我们的人！”

大家才明白发生了什么不幸的事。女人们在街上嚎啕大哭，老人们愤怒地大声喊叫。这消息像警钟一般传遍整个村庄，传到每个院子里：“波杜勃齐的人为了田界正在用镰刀砍我们的人哪！”于是每个能走的人都冲出他们的家，拿着叉子、斧头，或者从篱笆上抽出的一根木棍，朝着村外那个正在进行血战的地方跑去。两村为了争夺田界，每年都要发生械斗。

保尔狠狠地打着他的黑马，它立刻就飞跑起来。马听见主人的喊声跑得更快了，赶过了奔跑的人们。它的耳朵紧贴在头上，四个蹄子翻飞，越跑越快。小山上的风车张着它的翅膀，好像要挡住他的去路。从风车向右走下去是河旁低平的草地。向左是一望无际的起伏的麦田。风从熟了的黑麦上面掠过，像在用手抚摸它。路旁的罂粟开着鲜艳的红花。这里是静寂的，可是热得难受。只是从远处，从下面，从那条好像在阳光下取暖的银蛇似的河流那儿，传来了人们的喊叫声。

马疯狂地朝下面的草地飞驰过去。“如果有什么东西绊住它的蹄子，我和它就都完了。”保尔这样想了一下。但是现在要勒住马是不可能的，他只好紧紧贴在它的脖子上，听着风在他的耳边呼呼地响。

马像疯了似地奔到了草场。一群人正在那儿像没有理性的野兽一样凶猛地厮杀。已经有几个人满身是血，倒在地上了。

保尔的马用胸脯把一个大胡子撞倒在地上。他手里拿着一截长镰刀柄,正在追赶一个满脸是血的青年。另外一个黝黑的结实的农民正在对付一个倒在地上的敌手——用他那沉重的靴子使劲地踹他,恨不得一下把他踹死。

保尔打马一直冲进厮杀的人群,驱散了他们。接着,当那些人还没有来得及弄清楚这是怎么回事的时候,他又猛然转回马头,再度冲到那些野兽般的人群里去。他知道,要驱散这血战的人群,只有用这同样野蛮而可怕的方法才行。他凶猛地喊着说:

“你们这些该死的东西,散开! 我要把你们统统枪毙,你们这些强盗!”

他从皮套子里抽出他的毛瑟枪,在一个满脸杀气的人脸上挥了一下,纵马向前,开了一枪。有一些人丢下镰刀逃走了。保尔这样一面骑在马上绕着草场凶猛奔驰,一面不断地开枪,终于把他们驱散了。人们朝四面八方跑了,为了避免事后受法律的处罚,也为了躲避这个不知从什么地方来的、凶得可怕的、拿着一个连响的“要命的小机器”的人。

不久之后,地方法院的人民法官到波杜勃齐来了。他审问了证人,经过好久的努力,还是没有把祸首查出来。幸好在那一次厮杀中没有打死人,受伤的也都康复了。人民法官以布尔什维克的耐心,尽力向那些站在他面前的农民说明他们的大血战是野蛮的和犯法的。他们说:

“法官同志,那完全是地界的过错,我们的地界给搞乱了。我们每年都为了那些地界械斗。”

但是有的人还是受了处罚。

一星期以后,丈量队走遍了干草场,在双方争执的地界钉上了一些木桩。一个因为天热和走了许多路而浑身冒汗的上年纪的丈量员,一边卷着他的软尺,一边对保尔说:

“这种事情我干了三十年了。到处都是为了地界引起纠纷。

你看看那条划分这些草场的界线，真是荒唐！就是醉鬼走路也比它直些。至于那些耕地呢？一片只有三步宽，这一片绕着那一片，要分清楚它们，简直会把你气疯。还不止这样，这些地是一年年地越分越小——儿子跟他爸爸分了家，一小片又分成了两片。我可以向您担保，再过二十年，这些田地都会变成地界，再也没有可以耕种的地方了。要知道，现在就已经有百分之十的耕地给地界占去了。"

"丈量员同志，"保尔笑着说，"再过二十年，我们连一条地界也没有了。"

那老头子和蔼地向对方笑了笑，说：

"您说的是共产主义社会吧？不过，您要知道，这还是遥远未来的事情。"

"您听说过布达诺夫卡集体农庄吗？"

"呵，原来您指的是它呀！"

"是呵。"

"我到那儿去过……那究竟是个例外，柯察金同志。"

丈量队的人员继续丈量。两个青年人在钉木桩。两边站着许多农民，他们瞪着眼睛监视着，以保证那些木桩准确地钉在原来的地界上，那条地界现在只剩下零零落落露在草地上、刚刚看得见的几根烂木棍了。

马车夫是一个爱说话的人，他用鞭杆子打了一下瘦辕马，转过身来对乘客们说：

"不知道为什么，本地也搞起来共产主义青年团了。早先没有这玩意儿。这些事情，可以说，全都是那个叫拉基金娜的女教员搞起来的。你们也知道她吧？她还挺年轻，可称得上是个害人精。她把村里的妇女都煽动起来，什么开会啦，组织啦，弄得一刻不得安宁。要是一个人在气头上给老婆一记耳光——老婆不打是不行的，在从前，她只好揉揉脸闭住嘴不作声。现在可不行啦，你还没有碰她一下，她就吵翻了天。她们会说要到人民法庭去告你，那些年纪轻一点的，还会说到离婚，还会向你背各种法律条文。就拿我的老伴甘卡来说吧，她向来是个不爱说话的老婆子，现在也当起代表来了。她也许算是妇女的头目吧，村里的女人都来找她。开头的时候，我很想拿马缰绳好好抽她一顿，后来我决定还是不管她。让她们闹吧！不过，提到管理家务和别的各种事情来，她倒是一个好婆娘。"

他搔着从解开的衬衫下面露出来的毛茸茸的胸脯，随便地在辕马的肚子上抽了一鞭。坐在马车上的两个乘客是拉兹瓦利欣和莉达。他们两个去波杜勃齐都有事情——莉达是去和苏维埃女代表们开会，拉兹瓦利欣是到当地的团支部去安排工作。莉达开玩笑似地问那车夫：

"怎么，难道您不喜欢共青团员吗？"

他摸了摸胡子，慢吞吞地回答说：

"哪里的话，怎么不喜欢……年轻的时候玩一玩是可以的。像演戏或是搞搞别的玩意儿，都没有什么，我自己就喜欢看滑稽戏，要是演得真好的话。起先我们都以为孩子们是在胡闹，可是结果完全相反。别人告诉我，他们对喝酒、撒野这类事都管得挺严格。他们主要是学习。只是他们老反对上帝，要把教堂改成俱乐部。这可就不对啦。为了这件事，老年人就斜眼瞧着共青团员，对他们很不满。别的还有什么呢？我告诉你，他们办得不对的地方就是：只接受村里那些穷光蛋，那些给人当雇工的，或是没有一点儿家业的人。有钱人家的儿子，他们一个也不收。"

马车下了山坡，到了乡村小学的门口。

女工安顿好两个旅客，她自己到干草棚里去睡了。莉达和拉兹瓦利欣开完了很长的会才回到这里来。屋子里很暗。莉达脱下她的皮靴，爬到床上，不一会就睡熟了。但是拉兹瓦利欣的手的粗鲁的触动，惊醒了她——他的动机是十分明显的。她问他：

"你干什么？"

"小声点，莉达，你嚷什么？你知道，我一个人躺着，怪闷的，真是！你难道就想不出比打呼噜更好玩的事情吗？"

"马上撒手，下床去，滚你的！"她猛力地推了他一下。她本来就受不了拉兹瓦利欣那淫猥的笑脸。她现在很想好好地辱骂他一顿，但是她很困，她的眼睛又闭上了。

"你撒什么娇呢？瞧你这个知识分子的扭捏劲儿。你不是贵族女子学校出来的吧？你以为我真地就相信你了？别装傻瓜了，莉达。要是你真懂事，你应当首先满足我的要求，然后你要睡多久都随便。"

他认为没有多说话的必要，就又坐到她的床沿上，伸手去扳她的肩膀，态度很强硬。

"滚蛋！"她立刻惊醒了，接着又说："告诉你，明天我一定把这件事告诉柯察金。"

拉兹瓦利欣捉住她的臂膀，气忿地低声说：

"我才不怕你的什么柯察金呢。你别不听话，不管你怎样说，反正我要达到目的。"

他们两个斗了一会儿。静静的屋子里发出了清脆的打嘴巴的声音。一下，接着又一下……拉兹瓦利欣闪到一边去了。莉达在暗中摸到了门，就推开门，跑到外面去。她站在月光下，几乎气疯了。

"进来吧，蠢丫头！"拉兹瓦利欣恶狠狠地喊着说。

他带着他的铺盖到屋檐下去，在外面过了一夜。莉达关上门，下了闩，自己蜷成一团躺在床上。

第二天早晨，在回家的路上，拉兹瓦利欣和车夫并排坐着，一根接一根地抽着烟。他心里想：

"这个碰不得的女人十有八九真要去告诉柯察金。瞧，完全是个不懂事的小娃娃！ 样子倒挺漂亮，可是，什么也不懂。我应当跟她和好，要不然，后患不堪设想。柯察金本来就瞧不起我。"

他调了坐位，坐到莉达的旁边来。他假装难为情的样子，眼睛几乎是忧郁的。他为他的行为作了一番自相矛盾的辩解，而且表示很后悔。结果他成功了，当他们快到小镇的时候，莉达答应不把昨天夜里那件事告诉任何人。

在边境的乡村里，共青团支部一个接着一个地成立起来。团区委会的人员对共产主义运动的这些萌芽非常注意。保尔和莉达整天都在那些农村里活动。

拉兹瓦利欣是不喜欢到农村里去的。他跟那些农村的年轻人合不来，得不到他们的信任，反倒常把事情弄糟。保尔、莉达和农村的青年们交朋友一点也不觉得困难。莉达把农村的少女们团结在自己的周围，和她们成了好朋友，并且保持着同她们的联系，细致地引导她们对共青团的生活和工作发生兴趣。区里所有的青年们都认得保尔。民兵第二大队吸收了一千六百个快到入伍年龄的青年参加了军事训练。在那些农村的晚会和大街上，手风琴对宣传工作的帮助比什么时候都大。保尔的手风琴使他跟青年们有了交情。他那叫人入迷的琴声，使乌克兰农村的许多青年走上了共青团的道路；这只琴奏起雄壮的军歌时是激烈而热情的，奏起有感情的乌克兰民歌时是亲切而温柔的。青年们倾听着手风琴，倾听着它的演奏者——以前的铁路工厂的工人，现在的政委兼共青团的书记的讲话。年轻的政委的琴声和他对他们所说的话已经在他们心中溶成一个和谐的整体。农村里已经可以听到新的歌声了，各家除了祷告用的诗篇和圆梦的书籍以外，也出现了别的新书。

走私者的处境越来越困难了。他们所要提防的已经不仅是国境的哨兵了，苏维埃政府现在已经有了许多年轻的朋友和真诚的助手。国境附近的团支部的同志们由于渴望亲自捕捉敌人，有时就做得过火一些，结果保尔不得不去援救他们。有一次，波杜勃齐共青团支部书记格里沙·霍罗沃季科，一个蓝眼睛、急性子、坚决反对宗教的好辩论的青年，通过他自己的线索，得到一个消息，知道一批走私物品将在某夜运交当地的磨坊主。于是他召集支部的全体同志，拿他们操练的枪和两把刺刀作武器，由他自己领着，在当天晚上谨慎地包围了磨坊，等待他们要猎取的对象。同时，国家政治保安部的边境哨所也探知了这个走私的消息，并派出了他们的哨岗。于是两方面在夜间发生了误会。多亏保安人员的镇定，共青团员在格斗中没有伤亡。保安机关的人员只是解除了他们的武装，把他们送到四公里外的邻村关起来。

这时候保尔正在加弗里洛夫那里。第二天早上，营长把他刚才接到的报告告诉了他。保尔立刻骑马去营救他的同志们。

保安机关的负责人笑着把经过告诉了他，接着说：

“咱们这么办吧，柯察金同志。他们都是好青年，我们不能委屈他们。但是为着使他们往后不要再插手我们这一部门的工作，你应该吓唬吓唬他们。”

卫兵打开仓门，十一个小家伙从泥地上站起来，难为情地、两脚倒换着站在那儿。保安机关的负责人生气地摊开两手，说：

“您瞧瞧他们。他们干出了这样的事情，现在我只好把他们送到州里去。”

格里沙一听就动火了：

“萨哈罗夫同志，我们干了什么不好的事情呢？我们只想尽我们的力量帮助苏维埃政府。我们的眼睛老早就盯着那个富农了，可是你们倒把我们当作强盗关起来了。”他说着委屈地把身子扭过去。

保尔和萨哈罗夫两个，好容易板着面孔装腔作势地交涉了一番之后，才结束了这场“吓唬”。

“如果你负责保证他们往后不再到边界上来，而在其他方面协助我们，那么，我就好好地把他们放出去。”萨哈罗夫对保尔说。

“好的，”保尔说，“我可以担保。我想他们以后不会再给我找麻烦了。”

整个支部一路唱着歌回到波杜勃齐去了。这件事情没有声张出去。磨坊主也很快就被逮捕了。这次是依法逮捕的。

德国移民在麦丹别墅一带的森林田庄里过着优裕的生活。那里有一些富农庄院，彼此相距半公里，建筑得很坚固；庄院的房舍旁边都有些附属建筑物，像一些小小的要塞似的。安托纽克匪帮就窝藏在麦丹别墅里。这个沙皇军队的司务长把他的亲属组成了一个“七人帮”，在附近大道上持枪打劫。他们杀人不眨眼，既不轻饶走私商人，也不放过苏维埃政府工作人员。安托纽克的行动诡秘神速。今天劫掠两个农村合作社工作人员，明天又在二十公里以外解除了一个邮递员的武装，把他抢个精光。他和他的伙伴戈尔季比赛，这两个匪首一个比一个坏。州里的民警和保安机关为他们费了不少的工夫。安托纽克就在别列兹多夫附近活动，因此，进城的要道都成了危险的地带。这个匪首非常难以捕捉：当他觉得危险的时候，他就躲到国境线外面去了，过些时候他又出人意料地出现了。每当听到这个难以捕捉的危险的野兽进行血腥的袭击时，利锡增就烦躁地咬着嘴唇。

“这条毒蛇还要祸害我们多久呢？畜生，等着瞧吧，我一定要亲自捉住他！”他咬牙切齿地说。有两次，利锡增抓住了匪徒的新的线索，亲自带着保尔和另外三个共产党员，紧跟追捕，但是，安托纽克还是逃走了。

为了剿匪，州里派了一小队人到别列兹多夫来。负责指挥的人是一个花花公子式的人物，叫菲拉托夫。这个傲慢得像小公鸡似的家伙，不遵守边防军的规则，认为没有向执委会主席报到的必要，竟擅自把他这一小队人开到附近的小村庄谢马基。他带着这一队人在夜里进了村庄，驻扎在靠村边的一个小房子里。这一群全副武装的人来历不明，行动又是那样鬼鬼祟祟，就引起了邻舍一个共青团员的注意，于是他就跑去报告村苏维埃主席。村苏维埃主席事先一点也不知道这支队伍的消息，就以为他们是匪徒，急忙派这个团员骑马向区里报告。菲拉托夫的愚蠢差一点让许多人白白地送了命。利锡增夜里得到关于“匪徒”的情报，马上集合了民警和十来个工作同志，骑马赶往谢马基村。他们迅速地到了那家门前，跳下马，穿过篱笆墙，冲到了房门口。门口的哨兵挨了一枪托之后，像口袋一样倒在地下。房门被利锡增有力的肩膀一撞，哗啦一声开了，接着他们就冲进了一间灯光暗淡的小屋子。利锡增一只手拿着手榴弹，作了个预备投掷的姿势，另一只手紧握着毛瑟枪，他大喊了一声，把玻璃震得直响：

“赶快投降！要不我就把你们炸烂！”

再迟一秒钟，冲进屋里来的人们就会对刚从地板上跳起来的没睡醒的人们扫射几梭子。那个手里拿着手榴弹的人的样子是那样可怕，十来个人的手都举起来了。过了一分钟，当这一小队人只穿着衬衣被赶到院子里的时候，菲拉托夫看见了利锡增胸前的勋章，他才说起话来了。

利锡增气得发疯，愤愤地啐了一口，用极端蔑视的口气骂道：

“脓包！”

德国革命的消息传到区里来了。汉堡巷战的枪声似乎也传到了这里。边境上的人们都激动起来。大家抱着热切的希望读着报纸，十月革命的风从西方吹来了。要求加入红军当志愿兵的申请书像雪片似的递到团区委来。保尔竭力说服各共青团支部派来的代表，向他们说明苏联是采取和平政策的，它现在不打算跟任何邻国作战。但是没有什么效果。每逢星期天各支部的团员都到镇上来，在神父的大花园里集合举行区团员大会。有一天中午，整个波杜勃齐共青团支部像军队似的排成队伍开到区委会的大院子里来。保尔从窗口望见他们，立刻走出去站在台阶上。以格里沙为首的十一个青年，穿着长靴，背着大袋子，在门口站住了。

保尔吃惊地问：

“格里沙，这是怎么回事？”

但是格里沙只向他丢了个眼色，两个人就走进屋里去。莉达、拉兹瓦利欣和别的两个团员把格里沙围了起来，他把门关上，严肃地皱着他那淡色的眉毛，说：

“同志们，我在进行一次战斗考验。今天我向我们支部的团员们宣布，从区里发来一个电报，不用说这是非常机密的，宣布我国与德国资产阶级的战争就要开始，而且不久还要和波兰资产阶级开战。莫斯科已经发出命令——要所有的团员都上前线，那些害怕的只要写个申请书，就可留在家里。我命令他们不许向任何人提起战争的事情，不过每人都必须自备一个大面包和一块腌肉，没有腌肉的，就带些大蒜或洋葱，一个钟头后在村外秘密集合。我说，我们先开到区里，再由区里到州的中心，在那里领武器。我这一宣布，可真起了作用。他们就向我问这问那，提出各种问题，但是我说：别多问，照我说的做吧！谁要不去，就写个声明书，因为这次出征是志愿的。接着大家就散了，我提心吊胆，恐怕结果一个也不来。要是这样，我只好解散这个支部，到别的地方工作去。我坐在村外等着。不久，一个接着一个都来了。他们有些人是才哭过的，不过竭力掩饰着。他们一共十个人，全都来了，一个逃避的也没有。你们瞧，我们波杜勃齐的支部怎么样！”他高兴地结束了他的话，得意地用拳头捶一下胸脯。

当莉达很生气地开始责备他这一举动的时候，他惊愕地睁大眼睛看着她。

“你教训我干什么呢？这正是一个顶好的考验呀！这就可以把每一个人都认识清楚。为了更像真的，我还想把他们领到州里去呢，可是他们都有点累了。现在让他们回家吧。不过，柯察金同志，你一定给他们讲讲话，要不，这算怎么回事呢？……不来一场演说是不合适的。你就说，动员令已经撤消了，可是他们表现的勇敢精神是光荣的。”

保尔很少到州的中心去。因为出门一次就要耽误好几天，而本地的工作又要他每天都在区里处理。可是拉兹瓦利欣一有机会就到城里去。他每次进城，就把自己从头到脚武装起来，暗暗把自己比作库柏[①] 小说里的主人公。他很喜欢作这样的旅

① 库柏（1789—1851），美国作家，写过多种航海小说和冒险小说，著名的有《最后的莫希干人》、《大草原》等。

行。他一走进森林里，就向乌鸦或是机灵的松鼠开枪，要不，就拦住那些单身的行人，装作真正的调查人员的样子盘问他们：是什么人，从什么地方来，到什么地方去。快到城跟前的时候，这才收起武器，把步枪往干草堆里一埋，手枪藏在衣袋里，像平常的样子走到州团委会去。

"说吧，你们别列兹多夫有什么新闻？"费多托夫问他。

在州团委书记费多托夫的办公室里，永远有满满一屋子人。大家都争先恐后地找他说话。在这种环境里工作，要善于一下子能听四个人说话，回答第五个人的问题，同时手里又写着什么才行。费多托夫非常年轻，可是他在一九一九年就已经入党了。只有在那个战乱的时期，一个十五岁的年轻人才能当上党员。

拉兹瓦利欣对费多托夫的问题随随便便地回答说：

"新闻是说不完的。一天从早忙到晚。所有的漏洞都得去堵。要知道，在那么一个毫无基础的地方，一切都要从头做起。现在我们又建立了两个新的支部。你们叫我来有什么事情？"说着他很老练地坐到靠椅上。

经济部主任克雷姆斯基的视线从一大堆公文上暂时移开了一会儿，回头看了一眼，说：

"我们是叫柯察金来的，并没有叫你。"

拉兹瓦利欣吐出一股子浓烟，然后说：

"柯察金不愿意到这儿来，所以连这样的事情也落到我的头上了……有些书记可舒服了：什么事也不做，只有像我这样的笨驴子，才肯让人骑在背上到处跑。柯察金一到边境去，就是两三个星期不回来，我只得把全部工作担当下来。"

拉兹瓦利欣故意要人觉得，只有他才是区团委最合适的书记人选。

"我总不喜欢这个家伙。"当拉兹瓦利欣离开的时候，费多托夫直率地向州团委别的委员们说。

拉兹瓦利欣的把戏无意中被发现了。有一次利锡增到费多托夫那里去取信(每一个到州里去的人,回去都要把别人的信件捎回去),他们谈了很长时间,于是拉兹瓦利欣便被揭穿了。

"不过,你还是要把柯察金派来让大家见见面,我们都还不认识他哪。"利锡增临走的时候,费多托夫这样说。

"好的,但是有个条件:你们可别打算把他调走。我们是无论如何也不答应的。"利锡增说。

这一年边境上的十月革命节空前热闹。保尔被选为边境上各村十月革命节纪念委员会的主席。在露天大会之后,邻近三个乡村到波杜勃齐来参加大会的五千男女农民,列成了半公里长的游行队伍,由民兵大队和乐队领头,举着大红旗,从波杜勃齐向边界前进。纵队秩序严整,有组织地沿着国境界标向那几个被苏联和波兰之间的国境线分成两半的乡村进发。边境的波兰兵从来没有见过这样的场面。营长加弗里洛夫和保尔骑马走在最前头,后面响着铜号声,红旗飘动的哗哗声和此起彼伏的歌声!农村的青年男女都穿着他们最好的衣裳。成年人的脸是严肃的,老年人是庄严的,而少女的笑声,像银铃一样传得很远。人群像一条大河似的从肉眼所能看到的远处流来,这水流的堤岸就是国界,但是没有一只脚踏过界线,越出苏维埃的国土。保尔让这一股人的洪流通过身边。在他们中间响起了《共青团之歌》:

从西伯利亚大森林,
　到不列颠的海滨,
最强大的力量

是红军！

接着又是女声合唱：

嗨，在那边山岗上，
妇女们收割忙……

红军的哨兵们用欢喜的微笑迎接这游行队伍，波兰士兵却现出了惊慌和羞惭。虽然事先已把这一次沿着国界游行的事正式通知了波兰的指挥部，可是那边仍然显出了相当的惊慌。战地宪兵骑巡队四处巡逻，边界的哨兵比平常多了四倍，此外，还有隐匿在洼地里准备应付任何事变的后备队。但是热闹的、愉快的游行队伍始终在自己的国土上走着，大地上空回荡着他们的歌声。

在一个小丘上站着一个波兰哨兵。苏维埃人民的游行队伍正朝他走去。当进行曲的第一声传进他的耳朵时，他卸下肩膀上的步枪，枪柄碰着脚，向大队行了个敬礼。保尔清清楚楚地听见他说：

"公社万岁！"

看那个人的眼睛就知道他是说这句话的人。于是保尔目不转睛地看着那个哨兵。

一个同志！在波兰军的外套下面跳着的是一颗同情游行群众的心。保尔用波兰话轻声回答他：

"向你致敬，同志！"

那个哨兵落到后面了。在游行队伍经过时，他始终保持敬礼的姿势。保尔几次回头去看那个黑色的小小的身影。前边他又遇见另一个波兰兵。这个人留着灰色的小胡子，四角帽边镀着镍，帽檐下面露出一对呆板无神的眼睛。保尔依然为他刚才听到的那句话所感动，就像是自言自语一样，用波兰话说：

“你好，同志！”

但是没有得到回答。

加弗里洛夫微微一笑。显然，两次说话他全都听到了。

“你的希望太大了，”他对保尔说。“他们在这边界上，除了普通的步兵，还有宪兵。你看见了他的袖章吗？他是个宪兵。”

游行队伍的排头已经走下小丘，朝一个被分成两半的乡村走去。属于苏维埃的那半个村正准备隆重欢迎客人们。所有的人都集合在界河上的小桥附近。青年男女在两旁排队。在波兰方面，屋顶和板棚顶上都挤满了人，他们注意地望着河对岸发生的事情。还有许多农民站在门口或是篱笆旁边。当游行队伍走进青年人排成的夹道时，乐队奏起了《国际歌》。接着，许多青年小伙子和白发老头儿在一个草草搭成的、挂着青翠枝叶的讲台上，发表了一些动人的演说。保尔也用乌克兰语发表了演说。他的每一句话都飘过河去，传到对面那些波兰人的耳朵里。但是波兰当局不让这些演说打动人们的心。一队宪兵用皮鞭赶他们回屋里，还朝屋顶开了几枪。

街道上没有人了。屋顶上的青年也给子弹赶走了。这一切都可以从苏维埃这边看得清楚，大家全皱起眉头。有一个老羊倌被青年们拥到讲台上，他抑制不住内心的气愤，喊着说：

“好！孩子们，你们瞧！他们从前就是这样对待我们的，但是，现在呢，在咱们的乡村里，用鞭子抽打农民的事情已经没有了。咱们消灭了地主，也就消灭了抽打咱们脊梁的鞭子。孩子们，要坚决地拥护咱们现在的政府。我是一个老头子，我不会演说。但是我要对你们说的话倒很多。在沙皇时候，咱们一辈子过着牛马生活，看着那边的人，可真难受……”他用那皮包骨头的手朝小河那面指了一下，就呜呜哭了起来，只有小孩子们和老人们才会这样哭。

接着格里沙走上了讲台。加弗里洛夫一面听着他那激动的演说，一面勒转马头，看看河那边是不是有人把这演说记录下来。但是对岸没有人，连桥头值班的哨兵也撤走了。

“这次不至于向外交人民委员部提抗议了，”他开玩笑地说。

十一月底，一个阴雨的秋夜，匪首安托纽克和他的七个党徒终于恶贯满盈了。这窝豺狼到麦丹别墅参加一个富有的外来地主的婚礼。赫罗林的党员和团员们乘机抓住了他们。

妇女们的闲谈把那些客人来参加婚礼的消息泄漏了出来。全支部十二个人立刻集合，带上他们所有的武器。他们乘车到了麦丹别墅的庄园，同时又派出一个特别通讯员跑到别列兹多夫去报告。通讯员在谢马基村碰到了菲拉托夫的队伍，于是这一队人立刻飞奔而来。这时候赫罗林的青年们已经包围了那庄园，开始和安托纽克匪帮接了火。安托纽克和他的几个党徒躲在一间厢房里，看见人就开枪。他们企图突围，但是赫罗林的青年们把他们赶了回去，还打倒了他们中的一个。安托纽克陷在这样的绝境已经不止一次，可是每次他都安全地脱逃了，手榴弹和黑夜是他的两个救星。也许这回他还能逃脱吧，因为赫罗林支部已经损失了两个人，可是菲拉托夫恰好在这时候赶到了。这样，安托纽克看出，他这回可陷在无路可逃的绝境了。他们从厢房的每个窗户回击包围他们的人，直到天亮时候安托纽克才被捕。七个人一个也没投降。为了消灭这一群狼，牺牲了四个人的性命——其中有三个是新成立的赫罗林共青团支部的团员。

保尔这个大队奉命参加地方部队秋季大演习。大队在一天之内，冒着不停的大雨开到四十公里以外新兵师的宿营地，他们从清早一直走到深夜。大队长古谢夫和政委柯察金是骑马的，他们率领的那八百个准备入伍的青年走到营房，立刻就躺下睡了。新兵师司令部把召集他们这一大队的命令下迟了，第二天清早演习就要开始。这个大队要接受检阅。全队在操场上集合了。过了一会儿，几个骑马的人从参谋部跑来了。这个已经领到服装和枪枝的大队，完全变了样子。大队长古谢夫和保尔过去对他们的大队曾花了不少的精力和时间，所以很有信心。当正式的检阅已经完毕，大队表演了操练和变换队形之后，一个面孔挺漂亮但是皮肉松弛的指挥官严厉地责问保尔说：

“您为什么骑马？我们新兵大队的队长和政委在演习的时候都是不许骑马的。我现在命令您把马送到马圈去，徒步参加演习。”

保尔知道，如果不骑马他就不能参加演习，——他的腿甚至连步行一公里也做不到。可是他怎样向这个身上装饰着许多皮带的、气势汹汹的花花公子解释呢？他仅仅回答说：

“我不骑马就不能参加演习。”

“为什么？”

保尔明白，他没有别的理由可以解释他为什么不能步行，他低声地说：

“我两条腿都肿了，连跑带走一个星期，我实在做不到。其次，同志，我还不知道您是什么人？”

“第一，我是你们团的参谋长。第二，我再一次命令您下马。您要是个残废的话，我可没叫您在军队里服役，这不能怪我。”

保尔好像挨了一鞭子。他猛拉起马辔子，但是古谢夫那强有力的手阻止了他。保尔受到这样的侮辱，忍不住要发作，同时他又竭力克制自己,内心斗争了好几分钟。但保尔已经不再是从前那样的任意由这一部队转到那一部队去的普通战士了。他现在是大队的政委,而这大队当时正在他的后面。他的行动将给全队树立什么样的军纪榜样呢!他并不是为这个花花公子而训练他的部队的。所以他下了马,忍着关节上的剧痛,朝右翼走去。

随后几天的天气都非常好。演习就要结束了。在第五天,演习在最后目的地谢佩托夫卡附近进行。别列兹多夫大队奉命从克里缅托维奇村那面去夺取车站。

保尔对这一带的地形十分熟悉,他把所有的捷径都告诉了古谢夫。大队分为两部分,神不知鬼不觉地作了深入的迂回,包围了“敌军”,喊着“乌拉”,冲入了车站。根据评判人的意见,这次作战是非常成功的。车站已经被别列兹多夫大队占领了,而防守车站的大队,被假定损失了一半的兵员,退到森林里去了。

保尔负责指挥半个大队。他和第三中队的队长和政治指导员正站在大街的中央布置他的兵员,就在这时候,一个红军战士跑到他面前,上气不接下气地告诉他说:

“政委同志,大队长问你,机枪射手们是否占领了铁路交叉点。评判团马上就要到了。”

保尔和中队长走到道口那边去。团司令部的人员早已在那儿了。他们祝贺古谢夫作战的成功。战败的大队的代表们都狼狈不安地站在那儿,甚至不打算分辩。古谢夫说:

“那不是我的功劳,柯察金是这地方的人,这全是他领我们打的。”

团参谋长骑马走到保尔面前,讥讽地说:

“同志,您的腿走得挺不错呀,看来,您骑马不过是为了出风头吧?”他本来还想多说几句,但是保尔眼睛的表情使他没敢说下去。

他走后,保尔悄悄地问古谢夫:

“你知道他的名字吗?”

古谢夫拍拍他的肩膀说:

“算了吧,别理这个骗子。他的名字好像是叫丘扎宁——革命前是一个准尉。”

保尔那一天好几次竭力回想他曾在什么地方听见过这个名字,但是他怎么也想不起来。

演习完了,大队带着很高的荣誉返回别列兹多夫,保尔实在累垮了,留在家里跟母亲住了两天。他把马留在阿尔焦姆那里。这两天,他每天都睡十二个小时,第三天他到调车场去看阿尔焦姆。在煤烟熏黑了的厂房里,有一股十分熟悉的味道,他好像回到家里似的。他使劲地嗅着煤烟的气味。这种夹着煤烟的空气,他从儿童时期就习惯了,他是在这种气味中长大的,他同它分不开。现在这种东西正在强烈地诱惑着他。他好像丢了什么宝贝似的。他已经好久没有听见火车头的尖叫了。就像碧蓝无边的大海激动着一个久别之后重回海上的水手一样,这火伕和电工呆惯了的环境也在呼唤他。他很久不能够控制这种感情。他和他的哥哥谈得很少。他发现阿尔焦姆的额上又添了一条皱纹。阿尔焦姆正在一个移动式锻工炉旁边干活。他已经有了第二个孩子。他的生活显然是很困难的。虽然阿尔焦姆没有说出来,但是这已经是十分明白的事情。

他们两个在一起干了一两个钟头的活就分别了。在路口,保尔勒住马,回头向车站望了很久,然后给了黑马一鞭子,在森林里的路上飞跑起来。

在森林里走路现在很安全了。大小匪帮已经全被苏维埃当局肃清了,他们的巢穴也都被烧毁了,因此本区各乡村的生活平静多了。

中午保尔骑马跑进了别列兹多夫。莉达在区委会的台阶上高兴地迎接了他。

“你到底回来了！没有你我们可真寂寞。”她说着就抱住他的肩膀,跟他一起走进屋里去。

“拉兹瓦利欣在什么地方?”保尔一边脱着大衣,一边问她。

莉达有点不高兴地回答说:

“不知道。呵,想起来了！他早上说,他要到学校去代你上政治课。他说这是他份内的事,不是柯察金的事。”

这个消息使保尔感到惊讶,也很不愉快。他一向就不喜欢拉兹瓦利欣。

“这个家伙又想到学校里去打什么主意呢?”保尔不高兴地想着。

“得,让他去吧。你说吧,你们这儿有什么好消息吗?你到格鲁舍夫卡去过吗?那里的同志们的情形怎样?”

保尔坐在沙发上,揉着他那两条疲倦不堪的腿。莉达把所有的事情都告诉了他。

“前天,”她说,“已经批准拉基金娜作候补党员了,这一定可以大大地加强我们波杜勃齐的支部。拉基金娜是一个很好的姑娘,我十分喜欢她。你瞧,教师们已经开始发生变化,他们有些人已经完全转到我们这边来了。”

晚上,有三个人常常在利锡增的房子里围着大桌子坐到深夜。这三个人是:利锡增本人、保尔和新任区党委书记雷奇科夫。

那扇通卧房的门是关着的。安妞特卡和利锡增的妻子已经睡着了，而他们三个人还在那里一齐低着头研读一本不厚的书。利锡增只有在夜里才有工夫读书。每当保尔晚上巡视了各村回来的时候，他都到利锡增这儿来，知道那两个人学到他前头了，他心里很难过。

有一天，从波杜勃齐传来了消息：格里沙在夜里被人暗杀了。保尔一听到这消息，忘记了腿疼，只几分钟便走到了执委会的马圈。他用疯狂的速度备好马鞍，随后便用马鞭从两边猛抽着马肚子，向国境跑去。

格里沙躺在村苏维埃的宽大的屋子里一张桌子上，桌子周围铺着绿叶，一面红旗覆盖着他。在上级负责人到来之前，任何人都不许进去；一个国境卫兵和一个共青团员站在门口守卫。

保尔走了进去，掀开了那面红旗。格里沙躺在那儿，头歪向一旁，面色像黄蜡一样，眼睁得很大，还保留着临死前的痛苦表情。他的后脑勺给锐利的凶器击碎了，现在脑袋正枕着枞树的绿叶。

是谁杀害了这个青年呢？他是独生子，母亲是寡妇，父亲从前在磨坊主那里当长工，后来是村里的贫农委员会委员，已经为革命而牺牲了。

那可怜的老妇人听见孩子死了的消息，立刻昏倒了，现在还是不省人事。她的邻居们正在看护她。她的儿子默默地躺在那儿，没来得及说出自己是被谁害死的。

格里沙的死震动了全村。这共青团的年轻领导人和农村劳动者的保护人在村里的朋友远比敌人多。

拉基金娜为他的牺牲很伤心，她在房子里不住地哭；当保尔跑去看她的时候，她甚至连头都没有抬起来。保尔沉重地坐在一只椅子上，低声地问她：

“拉基金娜同志，你想是谁杀害他的？”

“除了磨坊主那一伙，还有谁！”她说，“要知道，格里沙开始卡这帮走私犯的脖子呀。”

两村所有的人都来参加格里沙的葬礼。保尔领着他的大队和所有的共青团员来和他的同志诀别。加弗里洛夫把二百五十名边防军排列在村苏维埃前面的广场上。在悲凄的哀乐声中，他们抬出那个覆盖着红旗的棺材，把它放在广场上。在那里，在内战时期人们埋葬布尔什维克游击队员的坟墓旁边，已经掘好了一个安葬他的墓穴。

格里沙的死使他生前尽力保护的那些人更加密切地团结起来了。贫雇农青年都表示愿意给团支部以全力的支持，每个演说的人都愤怒地请求处死那些凶手，抓住他们，带他们到这个广场上来，在这坟墓旁边当众审判，好让每一个人认清敌人的面目。

接着他们放了三排枪，又在那新掘的墓穴里铺了新砍下来的常青树枝。当天晚上，支部选出了新的书记，那就是拉基金娜。同时保尔从国家政治保安部的边境哨所得到了消息，说他们那边已经找到了捉拿凶手的线索。

一星期后，第二届区苏维埃代表大会在别列兹多夫戏院开幕了。利锡增非常严肃地、庄重地开始了自己的报告：

“同志们，我很高兴能够向本届大会报告以下的情况：过去一年里我们取得了很大的成就。我们已经在本区牢固地建立了苏维埃政权，并且彻底肃清了所有的匪帮，打击了走私活动。农村贫农的组织已经壮大，共青团也壮大了十倍。同时，党的组织也发展了。最近富农在波杜勃齐杀害了我们的同志格里沙，这件案子已经破获了，凶手是磨坊主和他的女婿，他们都已经被捕了，不久就要由省法院的巡回法庭加以审讯。许多村的代表团已经向主席团提出建议,要求大会通过一个决议案,请求把这些杀人的匪徒判处死刑……”

会场立刻响起了震耳的呼声:

“赞成! 把苏维埃政权的敌人判处死刑!”

莉达在一个侧门的门口出现了,她向保尔招手。

在走廊上,她把一封上面盖着“急件”字样的信交给他。他拆开了。

别列兹多夫共青团区委会,抄送区党委会。省委决定从区里调回柯察金同志,另委派他担任重要的共青团工作。

保尔不得不和他做了一整年工作的那个区告别了。区党委在最近的一次会议上讨论了两个问题:第一,批准柯察金同志转为正式党员;第二,在解除他的共青团区委书记职务的时候,对他的品格和工作能力作出鉴定。

利锡增和莉达紧紧地握着他的手,亲切地拥抱了他,当他的马由院里走到街上的时候,十几支手枪齐放,向他致以告别的敬礼。

5

电车的发动机使劲地隆隆响着,拖着车厢沿着丰杜克列耶夫大街向上爬。它在歌剧院门前停下。从车里走出来一批年轻人,接着电车又继续向上开走了。

潘克拉托夫催着落在后面的同伴说:

“快走吧,弟兄们! 我们已经迟到了。”

到歌剧院门口的时候奥库涅夫才赶上他。

“还记得吧,伊格纳特,三年以前我们也是这样到此地来的。那时候,杜巴瓦带着一批‘工人反对派’回到我们队伍里来。那次晚会开得很好。今天我们又要和他斗一斗了。”奥库涅夫说。

他们在入口向检查人员出示了证件,就走进大厅,这时潘克拉托夫回答奥库涅夫说:

“是的,杜巴瓦的历史又在这个老地方重演了。”

有人发出“嘘”的声音,让他们肃静。他们只好就最近的位子坐下,因为下午的会议已经开始了。台上有一个女同志在讲话。

潘克拉托夫用胳膊肘碰了奥库涅夫一下,低声说:“我们来得刚好,就坐下吧,听听你的妻子说些什么。”

“……不错,我们在讨论会上花了许多时间和精力,但是,凡是参加了这种讨论的青年,都学到了许多东西。我们非常高兴指出一件事实,就是,在我们的组织里,托洛茨基分子已经被击溃了。他们没有理由埋怨,说没有给他们说话的机会,没有给他们充分发表意见的机会。不,完全相反:他们滥用了我们给他们的活动自由,做出了一连串最严重的破坏党纪的事情。”

塔莉亚非常激动,一绺头发落到她脸上,妨碍了她说话。她用力把头向后一甩,又继续说:

“我们在这里听到各区的代表同志的讲话,他们都谈到托洛茨基分子所采用的那些手段。就在这次大会上,托洛茨基分子的代表也相当多。各区有意地发给他们出席证,让大家在全市党代表大会上再一次听听他们的意见。假使他们自己不愿多说,那可就不能怪我们了。他们在各区和各支部遭到的彻底失败,已经使他们得到了一些教训。他们很难再跑到这个讲台上,把昨天说过的话再重复一遍了。”

忽然,在池座右角有一个尖锐的声音打断了塔莉亚的话:

“我们还要说话的!”

塔莉亚转过身去。

“好吧，杜巴瓦，就请你到台上来说说吧，我们大家都听听，”她这么提议说。

杜巴瓦用凶狠的目光盯着她，气愤地撇着嘴唇。

“时机一到，我们就要说话！”他大叫了一声，并且想到了他昨天在自己那一区里所遭受的惨痛失败。

会场上发出了不满意的声音。潘克拉托夫再也忍耐不住了，他说：

“怎么？还想再一次动摇党的基础吗？”

杜巴瓦听得出这是谁的声音，但是他甚至连头都没有回一下，只是紧紧地咬着嘴唇，把头低下。

塔莉亚继续说：

“杜巴瓦本人就可以作为托洛茨基分子破坏党纪的鲜明例证。他是我们共青团的一个老工作人员，好多人都知道他，尤其是兵工厂的工人更知道他。杜巴瓦是哈尔科夫共产主义大学的学生，但是我们大家都知道，他和什科连科在这里已经呆了三个星期了。在学校里功课正忙的时候，他们跑到这儿来干什么呢？城里没有一个区他们没去讲演过。不错，什科连科最近几天已经开始清醒了。是什么人派他们到这儿来的呢？除了他们之外，这里还有许多从各种组织来的托洛茨基分子。这些人从前都在本地做过工作，这次跑到这里来的目的就是给党内斗争煽风点火。他们所属的党组织是否知道他们都在什么地方呢？当然不知道。”

大会期待着托洛茨基分子出来承认自己的错误。塔莉亚尽力想启发他们承认错误，她仿佛不是在主席台上讲话，而是在作同志间的私人谈话，她说：

“大家该还记得，三年以前，也就是在这个地方，杜巴瓦和从前的一批所谓‘工人反对派’回到我们队伍里来了。大家还记得他当时说的话：‘党的旗帜永远不会从我们手里掉下去。’还不到三年，它已经从杜巴瓦手里掉下去了。是的，我要这样宣布——党的旗帜是从杜巴瓦的手里掉下去了。因为他说‘时机一到，我们就要说话’的意思，就是他和他的同伙——托洛茨基分子，还要继续走他们错误的道路。”

在后排有人说：

“让屠弗塔谈谈晴雨表吧，他是他们的气象学专家。”

会场上掀起一阵激愤的声音：

“不要开玩笑！”

“让他们答复：他们是否停止反党的斗争？”

“让他们说出来，反党的宣言究竟是谁写的？”

会场的情绪越来越激愤，主席不断地摇着铃子。

在嘈杂的人声中，一点也听不清塔莉亚的话，但是这阵暴风雨很快就过去了，她的话又听得见了：

“我们从各地接到同志们的来信——他们都支持我们，这一点使我们非常兴奋。现在让我把这些来信中的一封给大家读一段。这是奥莉嘉·尤列涅娃写来的，在场的人有不少都是认识她的，她现在是共青团州委会的组织部部长。”

塔莉亚从一大包信件中抽出了尤列涅娃的信，很快地看了一下，接着读道：

“日常工作已经停顿了，四天以来，常委会的人都到各区去了，因为托洛茨基分子发动了空前激烈的斗争。昨天发生了一件使整个组织都非常愤慨的事情。反对派在城里任何支部里都没有得到大多数的支持，就决定集中力量，在州军委会支部里大干一下。这个支部包括州计划局和工人教育处的党员在内，一共有四十二个人，但是当地所有的托洛茨基分子都集拢到这里来。我们从来还没有听过像在这次会议上听到的那样反党的言论。军委会的一个人竟公然说:‘假使党机关不投降,我们就用武力消灭它。’而那些反对派对这种话,竟报以热烈的掌声。当时,柯察金就走上台去说:‘你们既然都是党员,怎么能对这个法西斯主义者鼓掌呢?’但是他们不让柯察金继续说下去,故意把椅子弄得咚咚地响,大声喊叫。这个支部的几个党员对这种流氓行为非常愤慨,坚决要求让柯察金说下去。但是,当保尔刚刚要开口的时候,又是一阵捣乱。于是保尔向他们喊着说:‘瞧瞧你们的好民主! 无论你们怎样胡闹,我还是要说下去!’当时就有几个人捉住他的手,想把他从主席台上拉下来。这简直是野蛮的举动。保尔一面把他们推开,一面继续往下说。可是,他到底被拉下讲台,从旁门被推到楼梯上去了。有一个流氓还把他的脸打出血来。那个支部的人几乎全体退出了会场——这件事使不少的人睁开了眼睛……”

塔莉亚说完就走下了主席台。

谢加尔在省党委会当宣传鼓动部部长已经两个月了。现在他正和托卡列夫并排坐在主席团的位子上,倾听着市党代表大会代表们的发言。当时发言的还只是那些在共青团里工作的年轻党员。

“这几年来,他们成长得多么快呵!”谢加尔心里想。

“这些反对派已经招架不住了,”他向托卡列夫说,“重炮还没有拉出来,青年们就把托洛茨基分子击溃了。”

屠弗塔跳上了主席台。全场对他发出一阵不满的喧嚷声和短暂的哄笑声。屠弗塔把脸转向主席团,想对这种欢迎提出抗议,可是会场这时已经安静下来了。

“这里有人叫我气象学专家,但是,多数派同志们,你们就是这样来讥笑我的政治观点吗?”他气愤地一口气说了出来。

一阵哄堂大笑掩盖了他的声音,他愤慨地把会场的情形指给主席团看。

“不管你们怎样笑,我还是要说——青年就是晴雨表。列宁就有好几次这样说过。”

会场立刻沉静了。

“列宁怎样说的?”会场里有人问。

屠弗塔更有精神了。他说:

“当准备十月起义的时候,列宁就下过命令,把那些坚定的青年工人都召集起来,武装他们,派他们和水兵们一块儿到最重要的岗位上去。你们要不要我把这一段读给你们听听?我这里有全部引文的卡片。”说着他就去开皮包。

“我们知道这个!”

“列宁关于团结的问题是怎样写的?”

“关于党的纪律是怎样写的?”

“列宁在什么地方要青年和党对立过?”

屠弗塔回答不出来了,他只好换一个题目:

“刚才塔莉亚读了尤列涅娃的信。我们不能为某一些讨论会上的若干反常现象负责。”

和什科连科并排坐着的茨维塔耶夫非常气愤地轻轻向什科连科说:

“这个蠢小子热心得太过分了!”

什科连科也非常气愤地轻轻回答说:

“是呵!这个蠢货准会把我们彻底拖垮。”

屠弗塔的又细又尖的声音继续刺着人们的耳朵:

“既然你们组织了多数派,那我们也就有权利组织少数派!”

会场里掀起了一阵暴风雨般的喊声。

屠弗塔的话被愤怒的喊叫声淹没了。

“你说什么？还想再分成布尔什维克和孟什维克吗！？”

“全俄共产党并不是国会。”

“他们是为那些人——从米亚斯尼科夫到马尔托夫① ——卖力的！”

屠弗塔就像游泳一样挥动着双手，急急忙忙地说：

“我还是要说，应当有小组织的自由。不然的话，我们具有反对意见的人，怎样才能为自己的见解去和有组织的、由铁的纪律团结起来的多数派作斗争呢？”

会场里的吵嚷越来越厉害了。于是潘克拉托夫站起来喊着说：

“让他把话说完，听听这些话倒也有好处！他把另外一些人想说而没有说的话，都给倒出来了。”

会场又沉静了。屠弗塔也发觉他说走了嘴，恐怕现在还不该说这种话。他的思想一转，慌忙换了话题，急急忙忙结束他的讲话：

“当然，你们可以开除我们，让我们靠边站。这种情形现在已经开始了。我已经从团省委被排挤了出来。没有关系，很快就可以看到究竟谁是谁非了。”说完他就跳下主席台，走到会场里。

杜巴瓦接到茨维塔耶夫一个纸条：

“德米特里，你马上接着到台上去讲话。当然，这已经是无补于事了。我们在这里显然已经打了败仗。但是屠弗塔的话必须纠正。他简直是个胡说八道的混蛋。”

杜巴瓦请求发言，并立刻得到了允许。

---

① 米亚斯尼科夫和马尔托夫都是孟什维克。

他走上主席台的时候,整个会场都静悄悄地等待着。这种讲话前的沉寂本来是常有的现象,现在却使杜巴瓦感到这是大家对他冷淡和敌视的表现。他已经没有前些日子在各支部里发言的那股劲头了。他的气焰已经一天比一天低落,现在就像冷水浇过的篝火一样,只冒着呛人的黑烟了,——这种烟就是被无法掩饰的失败和老朋友们无情的反对所损伤的病态的自尊心,也是一种死不肯承认错误的顽固心理。他已经决心蛮干到底,虽然他明知道这样一来,只有和大多数同志离得更远。他发言的时候声音很低,但是非常清楚。

"我请求大家不要打断我的话,或是提出什么问题来反驳我。我想把我们的立场好好地申述一下,虽然我早就知道这是没有用处的,因为你们是多数。"

当他结束讲话的时候,会场里就像爆炸了一颗手榴弹似的。飓风般的喊声向杜巴瓦袭来。愤怒的呼喊像皮鞭子似的打着他的脸:

"可耻!"

"打倒分裂者!"

"够了! 少说点诽谤的话吧!"

他走下主席台的时候,又是一阵嘲弄的哈哈大笑陪送着他。这种哈哈大笑更使他沮丧。要是愤怒地大吼大叫倒使他好受一点。因为这是讥笑他,正像讥笑一个唱得走腔掉韵的三等演员似的。

"现在请什科连科发言,"主席说。

什科连科站起来说:

"我拒绝发言。"

坐在后排的潘克拉托夫用他那低沉的声音说:

"我请求说几句话!"

根据潘克拉托夫的声音，杜巴瓦已经了解到他的情绪。这个码头工人，只有当他感觉到被什么人很厉害地侮辱了的时候，说话的声调才是这样的。于是杜巴瓦一面用忧愁的眼光瞧着这微微驼背的、身躯高大的人迅速地走上主席台，一面感到心神不安。他知道潘克拉托夫要说什么话。他想起了昨天他在索洛缅卡区和一些老朋友们相遇的时候他们怎样诚恳地劝他脱离反对派。当时和他在一起的还有茨维塔耶夫和什科连科。大家是在托卡列夫那里聚会的。在场的有潘克拉托夫、奥库涅夫、塔莉亚、沃林采夫、泽列诺夫、斯塔罗维洛夫、阿尔丘欣。杜巴瓦对他们说的希望恢复团结的话，一味地装聋作哑。话谈得正热烈的时候，他竟和茨维塔耶夫一同走开了，用这来表示他不愿承认自己的错误。可是什科连科没有走。现在他又拒绝发言。"这个软弱无能的知识分子！显然，他们把他说服了，"杜巴瓦忿忿地这样想。在这狂热的斗争中，他失去了所有的朋友。在共产主义大学里，他和扎尔基的多年的友谊破裂了，因为扎尔基曾在党委会激烈地反对"四十六人声明"。后来，他们的意见分歧越来越厉害，他和扎尔基连话也不说了。在这以后，他好几次在自己的寓所里看见扎尔基——他是来找安娜的。安娜在一年以前作了杜巴瓦的妻子。他们两个人各有各的房间。杜巴瓦认为安娜之所以不赞同他的见解，他和安娜的关系之所以比较紧张，而且越来越恶化，还有一个原因就是扎尔基成了她的常客。这倒不是由于嫉妒，而是安娜和扎尔基的友谊使杜巴瓦非常不满，因为他已经不和扎尔基说话了，安娜倒和他来往。后来他终于把这话对安娜说了，这就发生了一场非常厉害的争吵，他们之间的关系也变得更紧张了。他这次到这里来，事先就没有告诉她。

潘克拉托夫的演说打断了他的思绪。

"同志们！"他把这个词说得特别清楚而响亮。他登上主席台，站到台前沿。"同志们！我们九天以来都在听着反对派的发言。我老实说，他们已经不是战友，不是革命的战士，不是和我们共同斗争的阶级弟兄了。他们的言论是含着深深的敌意的，是不可调和的，是恶毒的，是有意诽谤的。同志们，这是诽谤的言论！他们骂我们布尔什维克是党内专制的拥护者，是出卖本阶级和革命利益的人。他们诽谤我们党内那些真正优秀的、经过考验的人和光荣的老布尔什维克战士，那些培育了全俄共产党、教育了全俄共产党的人们，那些曾在沙皇专制的监牢中受尽折磨的人们，那些追随列宁同志跟国际上的孟什维主义以及托洛茨基作无情斗争的人们。他们说这些人都是党的官僚主义的代表。要不是敌人，哪一个能说出这样的话来？难道党和它的机关不是一个整体吗？大家想想，这是什么话？当我们的队伍正被敌人包围的时候，竟有人唆使青年红军战士去反对他的指挥官、政委，以及司令部，我们怎样称呼这种人呢？比方说，我今天是个车工，按照托洛茨基分子的意见，还可以算是一个'正派'人，可是明天我作了党委会的书记，就是一个'官僚'和'党老爷'了！这是什么话?！同志们，怎么能不叫人奇怪呢？在那些自称反对官僚主义和拥护民主的反对派中间，恰恰就有一些官僚：比方说，不久以前因为犯了官僚主义而被解除工作的屠弗塔，以其'民主'而在索洛缅卡特别著名的茨维塔耶夫，或是那个曾经因为在波多尔区使用强迫命令方法和高压手段而三度被省委解除工作的阿法纳西耶夫，都是这种人。凡是受过党的处罚的人，现在都结合在一起进行反党的斗争，这是事实。关于托洛茨基的'布尔什维主义'是什么货色，让那些老布尔什维克去说吧，他们知道得更清楚。现在必须让青年们都知道托洛茨基反对布尔什维克的斗争的历史，知道他经常从这个阵营倒向另一个阵营的情形。反对反对派的斗争已经团结了我们的队伍。这种斗争在思想上使青年们坚强起来了。在反对小资产阶级倾向的斗争中,锻炼了布尔什维克党和共青团。反对派里那些歇斯底里的恐慌病患者,正预言我们在政治上和经济上要破产。我们的未来会证明这种预言的价值的。他们要求我们把老布尔什维克,像托卡列夫这样的同志,都送到机器旁边去,而让杜巴瓦这类把反党的斗争看作英雄行为的破晴雨表来接替老同志的位置。不,同志们,我们才不这样蠢呢。老年人是需要人来接班的,然而不是把岗位交给那些一遇到困难就疯狂地攻击党的路线的人。我们绝不允许任何人来破坏我们伟大的党的团结。老战士和青年近卫军永远不会分裂的。我们在列宁的旗帜下和小资产阶级倾向所作的斗争,一定会得到胜利!”

潘克拉托夫走下讲台,全场热烈地对他鼓掌。

第二天,在屠弗塔家里聚集了十来个人。杜巴瓦说:

“我和什科连科今天就要回哈尔科夫去了。我们在这里已经没有什么事情可做了。你们千万不要散伙。咱们现在只有等待局势的转变。很明显,全俄共产党代表大会将要谴责咱们,不过,要是说马上就会镇压咱们,我觉得还早。多数派已经决定还要在工作中考验咱们一次。现在,特别是在这次大会之后,还要再搞公开斗争,这就会被党开除,咱们决不采取这种行动计划。将来究竟怎样,现在还很难说。似乎,再没有什么可说的了。”于是杜巴瓦站起来就想走。

薄嘴唇的瘦子斯塔罗维洛夫也站了起来,卷着舌头结结巴巴地说:

“德米特里,我不明白你的意思。怎么?是不是大会的决议我们可以不服从呢?”

茨维塔耶夫粗暴地打断他的话:

"形式上——还得服从，要不，他们就会收回你的党证。将来怎么办，我们要看风转舵。现在可以散会了。"

屠弗塔坐在椅子里不安地晃了一下。什科连科愁眉不展，脸色苍白，眼睛周围因为失眠而发青。他正坐在窗边啃指甲。当茨维塔耶夫说到末了几句话的时候，他停止了他那苦恼的动作，转过身来，突然气愤地粗声对大家说：

"我反对这一套。我个人认为大会的决议我们必须服从。我们已经申述了自己的意见，大会既然作出了决议，我们就得服从。"

斯塔罗维洛夫用赞同的眼光看了看他，小声说：

"我的意思也是这样。"

杜巴瓦用眼睛盯着什科连科，故意用讽刺的口吻说：

"你爱怎样就怎样好了，并没有人管你。你还有机会到省代表大会上去'检讨'。"

什科连科一跳站了起来。

"你这是什么话，杜巴瓦同志！我老实说，你这些话只能推动我离开你，使我不得不仔细考虑昨天的立场。"

杜巴瓦向他挥手说：

"你只可以走这条路了。去检讨吧，现在还不晚。"

于是杜巴瓦和屠弗塔等人握手告别了。

杜巴瓦走后，什科连科和斯塔罗维洛夫马上就离开了。

一九二四年这历史上特别冷的一年来到了。正月里满地是雪，非常冷。从下半个月起，又刮着暴风，下着连绵不断的大雪。

西南的铁路线都埋在雪底下了。人们不得不和这残暴的天灾进行斗争。

扫雪机的铁犁头钻进山样的积雪里，给列车开出一条路来。

严寒和暴风雪毁坏了表层结了冰的电报线,在十二条线里,只有印欧线和其他两条直通线还可以通报。

在谢佩托夫卡车站的电报房里,三架莫尔斯电报机达达响着,只有内行人的耳朵才能听懂这不间断的语言。

两个女报务员都是年轻的,她们从开始工作到现在,至多才收过两万米长的电报纸条,但她们的同事里有一个老头子却已收了二十万米的电报纸条了。他不像她们那样皱着眉头读那些纸条,拼那些难解的字母和句子。他只倾听着那机器的达达的响声,就把字一个一个地写在电报纸上。他正根据音响,收着电报:

"发往所有各站,发往所有各站,发往所有各站!"

他一面记下这些字,一面想道:"这大概又是一个关于和积雪斗争的通知。"这时候,风正在户外呼啸,一团一团的雪片直向窗户上扑来。他觉得仿佛有什么人在外面敲着窗子,他的眼睛朝发声的地方望去,不由地欣赏起玻璃窗上那美丽精巧的霜花。世上决没有人能做出这么精致的雕刻,这么一种独出心裁的枝叶花纹。

这景致吸住了他,他不听那机器的响声了。等他回过头来的时候,已经积了不少的纸条,于是他急忙拿起来读:

"一月二十一日下午六时五十分……"

他慌忙记了下来,把纸条丢开,然后又用手托着头,开始倾听:

"在高尔克逝世……"

他缓缓地记下来。他一生听到了无数的喜报和讣闻,总是他最早听到别人的快乐和悲哀的消息。他对那些简略而不完整的短句的意义,早已完全不假思索了;他只是收下来,把它记在纸上,一点也不注意它的内容。

现在又是某一个人死了,有人正在把这消息告诉其他人。他完全忘记了这电报的开头的话:“发往所有各站,发往所有各站,发往所有各站!”收报机继续滴达地响着,老报务员把那些滴达声译成了文字:“弗……拉……基……米……尔——伊……里……奇……”这几个字并没有引起他的注意,他安心地坐在那里,也有点疲倦了。他想,在某一地方,某一个叫作弗拉基米尔·伊里奇的死了,而他正在把那悲惨的消息记下来,准备通知谁。有人将因为绝望和忧伤而号哭;但是这都和他无关,他只是一个局外的旁观者。收报机继续响下去,几点之后是一划,又是几点,又是一划,这老人从那些熟识的滴达声中,已经知道这个字的第一个字母,于是他在格子纸上写下字母Л。在这个字母之后,他又写下第二个字母Е。在Е之后,他小心地写了一个Н,随后又添上一个И,最后一个字母Н已经是自动地写出来的了。

收报机打出了间隔,老报务员的眼睛只用十分之一秒钟的时间在他所写下来的字母上一瞥,——ЛЕНИН(列宁)。

收报机还继续滴达响下去,可是这老报务员方才碰到的那个熟识的名字再次出现在他们的脑海里。他又把那最后几个字母看了一看——**列宁**。怎么?……列宁?……他的眼睛注视着那电报的全文。他瞪着那些字,看了一会儿。于是,在他三十二年的工作过程中,他第一次不相信自己所抄下的电文了。

他核对了三次,看来看去还是那句话:弗拉基米尔·伊里奇·列宁在高尔克逝世。那老头子从坐位上跳起来,手里拿着那螺旋形的纸条儿,狠命地瞪着它。两米长的小纸条证实了他不能相信的消息!他把死人一般苍白的脸转过来对着他那两个女同事,她们听到了他的吃惊的喊叫:

“列宁逝世了!”

这惊人的噩耗从敞开的大门溜出了机器房，又以狂风一样的速度闯进了车站，冲到暴风雪里，在铁路线和交叉点上面旋卷着，然后像一阵刺骨的冷风，吹入了调车场那一扇半开的大铁门。

在调车场里，有一辆火车头正摆在一号修理地坑上面；小修队正在修理它。波利托夫斯基老头子亲自走进车头下面的地坑里，把损坏的地方告诉钳工们。勃鲁扎克和阿尔焦姆两个正忙着把弯了的炉条锤直。勃鲁扎克钳住炉条，把它放在砧子上，阿尔焦姆就用铁锤锤它。

近几年来，勃鲁扎克已经老了许多，他所经历的一切已经在他额上刻了一条很深的皱纹，额角的头发也白了，他的背也驼了，那对深深凹进去的眼睛老是现出忧郁的神色。

有一个人突然从开着的门缝挤进来，在傍晚的昏暗中看不清是谁。打铁声掩住了那个人的第一声叫喊，但是当他走到火车头周围的人们跟前的时候，阿尔焦姆的铁锤突然在空中停住了。

“同志们！ 列宁逝世了！”

那铁锤缓缓地从他肩膀上落下来，阿尔焦姆的一只手轻轻地把它放在水泥地上。

“你说什么？”阿尔焦姆的手像一把钳子似地抓住了带来这惊人消息的人的皮外套。

这个浑身是雪的人沉重地喘着气，用低沉而伤心的声音说：

“真的，同志们，列宁逝世了……”

因为那个人没有高声喊叫，这回阿尔焦姆才明白这个可怕的消息是真的，他马上仔细看一看那人的脸：原来这是党支部的书记。

人们从地坑里爬上来，沉默地听着那个世界著名的人逝世的消息。

在大门那边，一个车头吼叫起来，使他们哆嗦了一下。车站边上又有一个车头立刻吼叫起来，然后又是第三个车头……发电厂的汽笛也随着像炮弹飞啸一样地尖叫起来，附和着机车的不安的强大的吼叫声。一列即将开往基辅的客车，它那快速而漂亮的 C 型机车拉响了铜钟，清脆的钟声又淹没了别的声音。

谢佩托夫卡——华沙直达列车的波兰机车上的司机知道了这些汽笛声的意义，他又倾听了一会儿，就慢慢地举起手拉下那放开汽笛活塞的小铁链。这倒把国家政治保安部一个工作人员吓了一跳。那个波兰司机知道，这是他最后一次拉汽笛了，往后他再也不能在这个车上干活了，但是他的手仍然没有离开那小铁链，他的机车的汽笛声把那些坐在包厢软席上的波兰外交信使和外交人员吓得惊慌地跳起来。

调车场里挤满了人。他们从所有的门拥了进来，当那巨大的修理厂挤满人的时候，在悲痛的沉默中有人开始讲话了。

讲话的是谢佩托夫卡州党委书记、老布尔什维克沙拉勃林。

"同志们！全世界无产阶级的领袖列宁死了。党遭受到了一个无可补救的损失，——那个缔造了布尔什维克党和教导它对敌人进行不妥协的斗争的人与我们永别了……党的和我们阶级的领袖的逝世，应当是号召我们无产阶级的优秀的子弟们加入我们队伍的号角……"

哀乐声响起来了，几百个人都脱下帽子，连十五年来没有流过眼泪的阿尔焦姆，也感到他的喉咙哽咽起来，他那宽大的肩膀正在颤动。

铁路工人俱乐部的墙壁好像受不住那么多人的推挤似的。外面冷得刺骨，门口两棵云杉都蒙上了厚雪，结了冰柱，但在大厅里，由于荷兰式炉子的热气和六百个参加党所召开的追悼大会的人们的呼吸，空气很闷热。

大厅里没有惯常的喧嚷声和谈话声。巨大的悲伤让大家的声音都哑了，他们只是低声地谈话，而且从几百双眼睛里都可以看到悲伤与不安，就像这是一群失去了有经验的领航员的船员一样，那领航员已被狂风卷到海里去了。

党委会的委员们沉默地走上主席台，坐在桌子旁边。矮胖的西罗坚科小心地拿起一只铃，只轻轻一摇就放下了。这已经够了，会场逐渐被难堪的沉寂笼罩了。

报告完了以后，党委书记西罗坚科立刻站起来。他宣布了一件事，这种事在追悼会上宣布是很少有的，但是任何人都没有感到惊奇。他说：

"有一批工人请求大会考虑他们的入党申请，在申请书上签名的有三十七人。"他接着就念那个申请书：

西南铁路谢佩托夫卡站布尔什维克共产党组织：我们领袖的逝世号召我们加入布尔什维克的队伍。我们请求在今天的大会上审查我们，并接受我们加入列宁的党。

在这下面是两行签名。

西罗坚科念着，每念完一个名字就停顿几秒钟，让听众有时间记住那熟悉的名字。

"波利托夫斯基，斯塔尼斯拉夫·齐格蒙多维齐，——火车司机，工龄三十六年。"

会场发出一片赞成声。

"柯察金，阿尔焦姆·安德列耶维奇，——钳工，工龄十七年。”

“勃鲁扎克，扎哈尔·瓦西利耶维奇，——火车司机，工龄二十一年。”

大厅里的声音越来越大，讲坛上那个人还在念着那些名字，大家都知道这些人都是长久跟钢铁和重油打交道的产业工人。

当名单上的第一个人走上讲坛的时候，全场静得连一点儿声音也听不到。

老头子波利托夫斯基在叙述自己的生涯的时候，怎么也抑制不住内心的激动。

“……同志们，我还能说什么呢？从前一个工人的生活是什么样子，大家全都知道。过的是奴隶的生活，老的时候像一个叫化子一样死去。唉，我得承认一件事，革命爆发的时候，我以为我已经是一个老头子了，肩膀上又挑着家庭的重担，所以我当时没有想到入党。虽然我从来不曾在战斗中帮助过敌人，但也很少参加战斗。一九〇五年我在华沙的工厂做工，那时候我作过罢工委员会的委员，和布尔什维克们一道工作过。那时候我还年轻，而且干事也泼辣。老话还提它干什么！列宁的死叫我太伤心了，我们永远失去了我们的朋友和保护人，我不能再说我年老了！……让讲得好的人讲吧，我不会讲话。不过，有一点是肯定的：我永远跟着布尔什维克走，永远不变心！”

老司机的白发苍苍的头，倔强地点了一下，灰色眉毛下面的眼睛射出坚定的目光，一眨也不眨地注视着会场里的人，仿佛在等候着他们的裁决。

没有人举手反对这矮个子的白头发的老头子。当党委要求非党员们和党员一样举手表示意见时，也没有一个人弃权。

波利托夫斯基在离开讲坛时，已经成了一个党员。

会场里的每一个人都明白，一桩不平常的事情正在进行。

在老司机刚才站立的地方，现在站着身材高大的阿尔焦姆。这个钳工不知道怎样去对付他那两只大手，因此他老是摸他那顶带大耳罩的帽子。他那件边上已经脱了毛的羊皮短外套完全敞着，里面灰军服领子上的两颗铜钮扣都扣着，这使他显得就像过节那样整洁。他面对着大厅，突然看到一个熟识的妇女的面孔——石匠的女儿加莉娜坐在从缝纫工厂来的工人们中间。她给他一个宽恕的微笑，那微笑里含着赞成的表情，而在她的嘴角上，还另有一种半隐半露的、只能意会的表情。

“阿尔焦姆，讲讲你的经历吧！”西罗坚科说。

阿尔焦姆·柯察金觉得难于开头，他不习惯在大会上说话。也只在这时候他才感觉到他还不知道应该怎样把生活中积累的一切事情告诉听众。他很难把字句凑拢在一起，同时他又十分激动，这就更妨碍他说话了。这样的情形是他从来没有体验过的。他心里十分明白，他的生活已经发生了大转变，——他现在正要跨出最后的一步，转向一个新的方向，一个能够使他那委靡不振的生活得到温暖和具有意义的方向。

“我母亲生了我们四个。”他开始说。

会场里很静。六百个人都小心地倾听这高大的、生着鹰鼻子和浓眉大眼的工人讲话。

“我母亲在阔人家里当佣人。我不大记得我爸爸，他和我母亲合不来。他时常喝醉。我们和母亲在一起过活。她没法养活我们那么多人。她一个月只拿到四个卢布，吃东家的饭，就为了这几个钱，她一天从清早忙到半夜，腰都累弯了。我侥幸能在初级小学念了两个冬天，学会了读书写字，但是到了我满九岁的时候，我母亲没有法子了，只好叫我到一个小铁厂当学徒——我干了三年，没工钱，只管饭……老板是一个德国人，叫费斯特。他本来不愿收容我，因为我年纪太小，但是我长得很高很壮，母亲就把我的年龄多报了两岁。我给那德国人干了三年,什么手艺也没有学到,只替老板做些零活和买酒。他时常喝得醉醺醺的……一会儿叫我去撮煤,一会儿叫我去拿铁……他老婆拿我当她的小奴才:叫我倒尿盆,削土豆。她动不动就踢我,常常是没有理由,只是由于习惯。只要我没能让她满意,她就照着我的脸上给两三巴掌,她因为她男人喝酒就常常拿别人出气。有时我从她手里挣脱,跑到街上,可又能向哪里逃呢?我能够向谁诉苦呢?我母亲远在四十俄里以外,而且,她那儿也没有我安身的地方……在厂里也是一样。厂里的工头是老板的兄弟,那混蛋,总是拿我来开心。有一回,他说:'去,把那个铁垫圈给我拿过来,'他指着安放铁炉的那个角落说。我就用手捡起那个铁垫圈——这才知道那铁垫圈是刚刚从炉里拿出来的。它搁在那里是黑色的,可是用手一拿,就把你指头上的皮烫掉了。我痛得大声号哭,可是他倒哈哈大笑起来。我实在忍受不住这种熬煎了,就逃回母亲那儿去。可是母亲没有地方安置我,她又哭着把我带回那个德国人那里。在第三年,他们才教我一点手艺,还是不断打我。所以我又逃走了,到了老康士坦丁诺夫。我在那边一家腊肠作坊里干活。差不多两年的时间,都是在洗肠子,过着狗一样的生活。后来老板赌钱把作坊输掉了,欠了我们四个月的工钱逃走了。这样我才逃出了那个臭茅坑。我爬上火车到日美林卡去找工作。我很感激那里铁路工厂里的一个工人,他很可怜我。他弄清楚了我在铁工厂做过工,就假装是我的叔叔,竭力把我荐到厂里去。我的个子高,他们就说我是十七岁,于是我就作了钳工的下手。后来我转到这里,已经做了九年工。这就是我过去的生活,至于现在的情形,你们大家都知道。"

阿尔焦姆用帽子擦了擦额上的汗,深深地叹了一口气。现在他必须说到更重要的一部分了,这也是最难说的一部分,他不能等到别人问他之后再说。他紧皱着浓眉，继续说下去：

“谁都有权问我，为什么我没有在革命的烈火刚一烧起来的时候就作布尔什维克？我能回答他们什么呢？那不是年龄的关系，我离年老还远得很，可是我到现在才找到自己的路。我在这里有什么可掩饰的呢？我们都迷了路。老实说，我们都应该在一九一八年，也就是在举行大罢工反对德国人的时候，就开始走这条路的。有一个水兵叫朱赫来，他和我们谈过不止一次。直到一九二〇年，我才拿起了步枪。后来这事情结束了，我们把白军赶进了黑海，我们又转回家来。接着就是结婚，生孩子……我让家事给拖住了。但是现在，我们的列宁同志死了，党发出了号召，我看看自己的生活，看出了它缺少的是什么。我们仅仅保卫苏维埃政权还不够，还应当像一家人一样加入它，来接替列宁，让苏维埃政权像铁打的江山一样。我们都应当作一个布尔什维克——它是我们自己的党嘛！”

阿尔焦姆就这样简单而又十分诚恳地结束了他的发言，他对他刚才那种不平常的措词虽然感到不自然，但是他觉得肩膀上的重担已经卸掉了，因此挺直身子站在那儿等待别人发问。

“也许有人要提出问题吧？”西罗坚科对大家说。

坐位上的人们动弹起来了，可是没有人立刻说话。随后，一个径直从机车上走来开会的、浑身黑得像甲虫一般的司炉，坚决地喊道：

“我们还要问他什么呢？难道我们大家还不了解他吗？把党证给他就得了！”

矮胖的锻工基利亚卡又热又激动，满脸通红，他用伤风的沙哑声音喊道：

“他这种人是不会出岔子的，他会成为一个坚强的同志，我们表决吧，西罗坚科！”

就在这时候,后面共青团员的位子上有一个人——他在暗处,认不出他是谁——站起来说:

"让阿尔焦姆·柯察金同志告诉我们,他为什么要去种地?当一个农民会不会使他的无产阶级意识模糊起来?"

会场上掠过一阵轻微的、不赞成的声音,有人责备说:

"说得简单明白些! 不要卖弄……"

但是阿尔焦姆已经开始回答了,他说:

"没关系,同志。那个青年人说得对,我种过地。这是实话,不过它并没有让我失去工人阶级的良心。从今天起,所有这些都结束了。我一定把我的家搬到工厂附近来,这里可靠得多。不然的话,这块地会把我缠死的。"

当阿尔焦姆看见许许多多的手举起来的时候,他的心又哆嗦了一下;可是他接着觉得浑身轻松了,他挺着身子走回了自己的坐位。他听见西罗坚科在他后面说:

"全体通过。"

扎哈尔·勃鲁扎克是第三个走到主席台前的人。他是不擅长说话的。波利托夫斯基的这个老助手早已当上了司机。他讲了自己劳苦的一生,快要结束时,他提到他近来的生活,他的声音很低,但是大家全听得见。他说:

"我应该替我的孩子们完成他们的任务。他们牺牲了,那并不是让我坐在后门口去哭泣。我一直没有补上他们牺牲的损失。现在,我们领袖的死,才打开了我的眼界。大家不要问我过去的事,让我的生活打今天起从头开始吧!"

扎哈尔想起了往事,心绪很乱,愁眉不展,可是谁也没有提出严厉的问题,大家都举手接受他入了党。这时候他的眼睛又有光彩了,他的花白的脑袋又抬起来了。

对这一批请求入党的人们的审查一直持续到深夜。只有大家都熟悉的那些经过了生活考验的最优秀的人，才被吸收为党员。

列宁的死使几十万个工人成了布尔什维克。领袖逝世了，但是党的队伍并没有动摇。一棵根深叶茂的大树，如果只折断它的树梢，是不会枯死的。

6

两个人站在饭店音乐厅的门口。其中一个戴着夹鼻眼镜的高个子佩着有“纠察队长”三字的红色臂章。丽达问他：

“乌克兰代表团是在这里开会吗？”

“是呀！有什么事情？”那高个子打着官腔回答说。

“请让我进去。”丽达说。

那高个子堵住了半边门，从头到脚地打量了丽达一番，说：

“您有出席证吗？只许有表决权和发言权的代表进去。”

丽达从皮包里拿出一个印着金字的证件，那高个子念着：“乌克兰中央委员会委员。”他不再装腔作势了，马上客气地、亲热地说：

“请进，左面有空位子。”

丽达在一排排的椅子中间走过去，找到一个空位子，坐下了。看情形，会议快要结束了。她仔细听着主席说话。她觉得那声音似乎挺熟。

“同志们，出席全俄代表大会各代表团首席代表会议的代表和出席代表团会议的代表都选出来了。现在离开会还有两个钟头，我们再把代表名单核对一次。”

这时候丽达才认出这个正在急急忙忙念着名单的人是阿基姆。

念到每一个人名，就有一只拿着红的或白的出席证的手举起来。

丽达聚精会神地听着。

骤然她听到了一个熟识的名字：

“潘克拉托夫。”

她朝那只高举着的手望了一眼，但在人头的大海中看不清那码头工人的熟悉的脸。名单很快地念下去，又有一个熟识的名字——奥库涅夫，他后面又是一个熟识的名字——扎尔基。

她看见了扎尔基。他就坐在离她不远的地方，身子半朝着她。他的侧影引起了她的回忆……是的，他是伊凡，她已经有好几年没见到他了。

名单继续念下去，突然，有一个名字使她哆嗦了一下：

“柯察金。”

离她很远的地方，有一只手举上来又放了下去。多么奇怪。她迫切地想去看看那个不相识的、与她死去的朋友同姓的人。她的眼睛一刻也不离开那个刚才举手的地方，竭力想看到他，但是所有的脑袋看来全是一样。她站起来，沿着墙边的通道向前排走去。这时候阿基姆已经念完了名单。接着就是一阵挪椅子的嘈杂声、响亮的谈话声，以及青年的笑声。阿基姆正竭力想压倒这些吵嚷声，高声喊着说：

“同志们，别迟到！……记住，大剧院……七点钟！……”

出口处非常拥挤。

丽达心想，在这股人流里她大概找不着那些刚才她听到名字的人们。唯一的办法是盯住阿基姆，再由他找到别人。她一边让最后的一批代表从她旁边走过去，一边朝阿基姆那里走。

她听见她后面有人说：

“喂，柯察金，老朋友，我们也走吧！”

然后她又听到一个声音，那么熟悉而又那么难忘的声音，回答说：

“走吧。”

她连忙转过身去。只见一个高大而微黑的青年人正站在她的面前，他穿着草绿色的军便服、蓝色的马裤，腰里束着一条高加索式的窄皮带。

她睁大眼睛瞪着他，当他两手亲热地搂着她，用颤抖的声音轻轻地叫一声“丽达”的时候，她才明白，这真是保尔。

“你还活着？”

这简单的问话已经告诉了他一切。她始终不知道关于他死去的消息是误传的。

音乐厅早已经空了。从敞开的窗户可以听到市内这条主要街道——特维尔大街——上的吵嚷声。时钟清楚地敲了六下，而他们两个觉得仿佛见面才几分钟似的。可是时钟告诉他们，该动身到大剧院去了。

当他们沿着宽大的台阶往街上走的时候，她又从头到脚把保尔打量了一番。现在他已经高过她半个头了。他还是老样子，只是更加英俊，更加沉着了。她对他说：

“你瞧，我还没有问你现在在哪里工作。”

“我是团的州委书记。正像杜巴瓦说的，做‘机关老爷’了。”保尔笑着说。

“你看见过他吗？”

“看见过，不过，那次见面留下一个很不愉快的印象。”

他们走到外面。街上是一片迅速开过的汽车的喇叭声和行人的走动与喊叫声。在到剧院去的路上，他们几乎没有说话，全想着同样的事情。剧院已经被一片骚动的人海包围了。这人海冲击着那巨大的石头建筑物——每个人都竭力想冲进由红军战士守卫着的入口,但是大公无私的卫兵却只让代表们通过,于是代表们骄傲地高高地摇着他们的出席证,走过那警卫线。

剧院周围的人海里尽是共青团的团员。他们虽然没有得到旁听证,但是仍然想不顾一切地进去参加大会的开幕式。有些机灵的小伙子就混在真正的代表中间,也摇着一张红纸冒充出席证,向会场的门口走去,而且竟有人真地混到了会场的门口。但他们一碰到引导外宾和代表进会场的值班中央委员或是纠察队长,就又被赶到外面来。于是别的"无证者"就特别高兴。

剧院里甚至连那些想进去的人的二十分之一也容纳不下。

丽达和保尔费了很大的劲才挤到会场门口。代表们不断乘着电车和汽车赶来,门口挤得水泄不通。红军战士——他们也是共青团员——难以维持秩序了,他们被挤到墙边去,同时大门口到处一片叫喊声:

"挤过去,兄弟们,挤过去!"

"去叫一下恰普林,萨沙·科萨列夫,他会放我们进去的!"

"挤过去,伙伴们,咱们要胜利了!"

"冲呵! ……"

一个非常机警的、戴着青年共产国际徽章的小伙子,像一条泥鳅似的,和保尔、丽达同时挤过了大门,躲过了纠察队长,连忙就向休息室走去。一转眼,他已经在代表的洪流中消失了。

他们走进正厅,丽达指着后排坐位说:

"咱们就坐在这儿吧。"

他们坐在一个角落里。

"我要你回答一个问题。"丽达说。"虽然这已是过去的事了,我想你会回答我的:为什么当时你中断了咱们的学习和咱们的友谊呢?"

他从会面的最初一瞬间就预料到她会提出这个问题,然而他还是感到难以回答。他们的视线互相接触了，保尔看出她是知道原因的。他说：

"丽达，我想你是完全知道的。这是三年前的事情，现在，我只有埋怨当时的保尔了。保尔·柯察金一生犯了许多大大小小的错误，其中有一桩就是你刚才所说的。"

丽达微笑了。

"一个很好的开场白，"她说，"但是我所要求的是答案！"

保尔低声说：

"这件事不仅怪我，'牛虻'和他的革命浪漫主义也该负责。那些生动地描写坚毅勇敢的、彻底献身于我们事业的革命者的书，给了我难忘的印象，使我产生做这种人的愿望。所以，我用'牛虻'的方式处理了我对你的感情。现在我感到，这不仅是荒唐，而且尤其令人遗憾。"

"那么说，你已经改变了对'牛虻'的看法？"

"不，丽达，基本上没有改变！我只是抛弃了那种用苦行来考验自己意志的毫无必要的悲剧成份。但是在基本方面我是赞成牛虻的。我赞成他的忠诚、他那无穷的接受各种考验的力量，我赞成那种受苦而毫不诉苦的人。我赞成那种革命者的典型，在他们看来，个人的事情丝毫不能与全体的事业相比。"

"保尔，现在只有遗憾了，因为这些话在它该谈的时候没谈，过了三年之后才谈，"丽达说。她笑了笑，好像正在想着什么事情似的。

"丽达，你是不是因为我一直只能是你的同志，而不能成为比同志更亲近的人而觉得遗憾呢？"

"不，保尔，你过去本来可能成为比同志更亲近的人。"

"那么，事情还来得及补救。"

"已经迟一点了，牛虻同志。"

丽达对她自己开的玩笑微微一笑，并且解释说：

“我现在已经有一个小女孩了。她有一个父亲，也是我的好朋友。我们三个和谐地生活在一起，照现在说来，这是不可分割的三位一体。”

她用手指碰了碰他的手。这是表示对他关切的一种动作，但她立刻看出这是没有用处的。这三年来，他不光是体格方面长大了。她知道他这时很难过——他的眼睛告诉了她，但是他没有丝毫做作地真诚地对她说：

“不管怎样，我所得到的还是比我方才失去的要多得没法比。”

他们站起来。应该到更前面的位子上去了。他们向乌克兰代表所在的那一排走去。乐队奏乐了。巨大的横幅红得好像火焰，闪光的大字好像在喊着：“未来是我们的！”正厅里、包厢里、楼座上，坐满了几千人，他们在这剧院里化为一个能量永远不衰减的强大的变压器。这大剧场把伟大的工人阶级的青年近卫军的精华容纳在它的四壁里。几千只眼睛全都反映着沉重的帷幕上面那发光的标语——“未来是我们的！”

人们仍然不断地拥进来。再过几分钟，那沉重的天鹅绒帷幕就会揭开，而情绪激动的全俄共产主义青年团中央委员会书记，在这无比庄严的时刻也会暂时失去他的镇定，他将激动地宣布：

“全俄共产主义青年团第六次代表大会现在开幕。”

保尔从来没有这么明显地、这么深刻地感到革命的伟大和革命的力量，感到这种无可形容的骄傲和无可比拟的喜悦，这种骄傲与喜悦是生活给他的，是生活把他这个战士与建设者引导到这里来，引导到这次布尔什维克主义青年近卫军的胜利庆祝会上来的。

大会占去了参加者的全部时间：从早晨直到深夜。保尔只是在最后的一次会议上才又看见了丽达。他看见她正在一群乌克兰代表中间。丽达对他说：

"明天大会一结束，我就要走了。我不能确定我们临别能不能有一个谈话的机会。所以我今天把我过去的两本日记和一封给你的短信都准备好了。你读完之后再寄给我。那些东西会把我没有机会告诉你的事情都告诉你。"

他握着她的手，目不转睛地注视着她，好像要把她的脸印在他的记忆里似的。

第二天，他们按照约定在大门口会面了，丽达交给他一个包和一封封好了的信。周围有许多人，所以他们十分拘谨地互相道了再见。但是他从她那湿润的眼睛里看到了盈溢的温情和微微的忧郁。

又过了一天，火车载着他们向不同的方向走了。

乌克兰的代表们占了几节客车，保尔是在基辅组的。那天晚上，所有的人都睡了，奥库涅夫也在他旁边发出轻轻的鼾声，这时候，保尔移近灯光，打开了那封信：

保夫鲁沙，亲爱的！

我本来可以把这些亲自告诉你，但是，还是写给你要好些。我只有一点希望：不让我们在大会开幕时说的话在你的生活中留下痛苦的伤疤。我知道你是很坚强的，所以我相信你所说的话。我对于生活的看法并不太拘泥于形式，在私人关系上是可以有例外的（不过，这种情形确实非常之少），如果这种关系是真正由不平常的、深沉的感情所引起的话。你就是应该得到这种例外的。我本来想偿还我们青春的宿债，但是，我还是把我最初的愿望打消了。因为我觉得那样做并不会使我们得到很大的愉快。不过，保尔，你对你自己不应该那样苛刻。在我们的生活里不光有斗争，而且有美好的感情带来的欢乐。

至于你的生活的其他部分，就是说关于它的基本内容，我是丝毫不为你担心的。紧握你的手。

丽达

保尔沉思着把那封信撕成碎片，把手伸到窗外，让风把那些碎片从手里吹走。

到了早上，他已经看完了那两本日记，并把它们包好扎了起来。到了哈尔科夫，一部分乌克兰代表——奥库涅夫、潘克拉托夫和保尔等人都下了车。奥库涅夫要把住在安娜家里的塔莉亚接出来上基辅。潘克拉托夫已经被选为乌克兰共青团中央委员会委员，有事要去基辅。保尔决定和他们一道去基辅，顺便在这儿下车去看看扎尔基和安娜。他在车站邮局为寄还丽达的日记本耽搁得太久，他从邮局出来的时候，朋友们都走了。

他坐电车到了杜巴瓦和安娜住的地方。保尔上了二楼，敲了敲左边的门——安娜住的房间。里面没有人答应。天还很早，安娜不会这么早就去上班的。“也许她在睡觉，”他这样想。隔壁的门打开了一点，睡眠不足的杜巴瓦走到门口。他面色灰暗，眼圈发黑。他身上散发着强烈的洋葱味，保尔那灵敏的嗅觉还马上闻到了熏人的酒气。从半开着的房门，保尔看见在他床上有一个胖女人，确切一点说，看见了一个女人的赤裸的肥腿和肩膀。

杜巴瓦注意到了他的目光，用脚把门关起来。

“你做什么，是来看安娜·鲍哈特同志的吗？”他眼睛看着墙角,用沙哑的声音问道。“她已经不在这里了,你难道还不知道吗?”

保尔皱着眉头仔细地打量着他。

“我不知道。她搬到什么地方去了?”保尔问道。

杜巴瓦忽然发起脾气来了。

“这个我就管不着了。”接着,他打了一个嗝,用勉强抑制住的恶狠狠的声调说:“你是不是来安慰她的?来得正是时候。已经腾出了空位置,你赶快行动吧!而且,她一定不会拒绝你的。她本来就不止一次地对我说过她很喜欢你,或是像娘儿们的另外一种说法……抓住机会,这回你们的精神和肉体可以一致了。”

保尔感觉两颊发烧。但他还是遏止着自己的火气,轻轻地说:

“德米特里,你怎么弄到这个地步!我真没有料到你会变得这样无赖。要知道你从前并不坏。你为什么会这样堕落呢?”

杜巴瓦身子靠到墙上。看样子,他是因为赤脚站在水泥的地上觉得有点冷,所以他把身子缩了起来。他的房门忽然开了,从里面伸出一个睡眼朦胧的女人的胖脸来。

“亲爱的小猫,进来吧,你老站在那里干什么?……”

杜巴瓦没有让她说完,就通的一声把门关上,并且用他的身子抵住。

“真是一个好的开始……”保尔说,“你看,你弄了个什么人来?你这样下去怎么得了呵?”

显然,杜巴瓦已经没有耐心再谈下去,他喊着说:

“连我应该和什么人睡觉也要听你们的指示吗?那些老调子我已经听够了。你从哪里来的,就滚回哪里去吧!你去吧,告诉人说:杜巴瓦现在又喝酒又嫖女人!”

保尔走到他跟前，非常激动地向他说：

“德米特里，把这个女人赶出去，我还想和你再作一次最后的谈话……”

杜巴瓦脸子一沉，一转身就走进屋里去了。

“呸，这个坏蛋！”保尔轻轻地骂了一句，慢慢走下楼去。

两年过去了。无情的时光不断地积成日，积成月，而生活，飞速前进的、丰富多彩的生活，在这些表面似乎单调的日子里，总是充满着新鲜的、今天不同于昨天的事物。一个伟大国家的一亿六千万人民，第一次在世界上成了他们自己那广大的土地和丰饶的资源的主人，并且正为了恢复被战争所破坏的国民经济而英勇地紧张地劳动。国家越来越强，它的力量也越来越大了。不久以前，那些破烂的工厂还是没有生气的、阴沉沉的；可是今天，烟囱已经都冒烟了。

保尔·柯察金觉得，这两年过得快极了，简直是不知不觉地过去了。他不能悠闲地过日子，不能每天打着呵欠迎接清晨，也不能在晚上准十点就睡觉。他总是匆忙地生活着，不仅他一个人匆忙，他还催促别人。

他是吝惜睡眠时间的。时常在深夜里还可以看见他的窗户透着亮光，人们在那里围着桌子坐着。这是在学习。在这两年里，他已经念完了《资本论》的第三卷，认识了极其复杂的资本主义的剥削结构。

拉兹瓦利欣到保尔工作的这州里来了。省委派他来，建议让他担任共青团区委书记。他到达的时候保尔正好出差，州团委会就在保尔缺席的时候把他派到一个区里去了。保尔回来后知道了这事情，可是什么话也没说。

一个月以后，保尔到拉兹瓦利欣那个区里去视察。他发现的事实并不多，但是其中已经有了这样的事情：拉兹瓦利欣常常酗酒，并且拉拢坏分子，排挤优秀分子。保尔把这些问题在州委会上提出来，当州委委员们全都主张给拉兹瓦利欣一个严厉申斥的时候，保尔却出人意料地说：

“我主张开除，并且不许重新入团。”

所有的人都觉得这处分太重，但是保尔又说：

“这流氓应当开除。我们已经给过这个腐化的中学生一次做人的机会了，他纯粹是混进团里来的。”保尔接着便把他在别列兹多夫的情形叙述了一遍。

拉兹瓦利欣喊着说：

“我对柯察金的指责提出坚决的抗议。这完全是他想报私仇。谁都可以捏造反对我的借口。让柯察金拿出真凭实据来。我也可以捏造，说他干着走私的勾当——难道也应当开除他吗？不，让他拿出证据来！”

“你等一下，我们会拿出证据来的，”保尔对他说。

拉兹瓦利欣出去了。半个钟头以后，保尔胜利了，州委会通过了决议：“开除异己分子拉兹瓦利欣的团籍。”

夏季到来的时候，保尔的朋友们一个一个地都到外地度假去了。那些身体不好的都要到海边去。一到夏天，大家都想着休假，保尔就帮助他们，竭力使他们得到去疗养院的疗养证。他们临走的时候脸色苍白，神情倦怠，但都是快乐的。他们留下的工作就落在保尔的肩膀上，而他也就像一匹拖着车子上山的驯顺的马一样，把工作全担负起来。他们回来的时候，个个都晒得黝黑，精神饱满，精力充沛。接着是另一批人去疗养。整个夏天虽然人手不足，但是工作并没有停止，保尔也就没有一天不在办公。

每年夏天都是这样过的。

保尔顶不喜欢秋天和冬天：这两个季节给他带来许多肉体上的痛苦。

他特别急躁地等候着今年的夏天。他的身体正在逐年衰弱，甚至连他自己也不得不痛苦地承认这一点。现在他只有两条出路：或是自己承认无力担负繁重的工作，换句话说，自己承认是一个残废；或是继续工作，直到完全不能工作的时候为止。他选定了后一条。

有一天，在州党委常委会上，州卫生处长——一个老医师，也是秘密工作时期的老党员——巴尔捷利克老头子，坐在保尔旁边，对他说：

“柯察金，你的气色很不好。你到医务委员会检查过吗？你的健康情形怎么样？大概没有去吧，是不是？我不记得了。不过，老弟，应该好好地给你检查一下。星期四下午你来一趟吧。”

保尔没有到医务委员会去。他很忙。可是巴尔捷利克没有忘记他，他跑去找保尔，硬把他拉到自己那里去了。经过一番仔细的检查（巴尔捷利克以神经病理学家的资格亲自参与了检查），写出了如下处理意见：

> 医务委员会认为保尔·柯察金应当立即休假，去克里木长期疗养，并进一步认真治疗，否则难免发生严重的后果。

在这处理意见前面还有很长的一串拉丁文的病名表。保尔从这病名表里所能了解的只是：他主要的病不在他的两条腿，而是中枢神经系统受到了严重的损伤。

巴尔捷利克亲自把委员会的诊断书送给了州党委会，大家全都赞成立即解除保尔的工作。但是保尔本人提议，等到共青团州委员会组织部长斯比特涅夫回来之后他再离开。他担心州团委会没有人负责。这一点虽然巴尔捷利克反对，但是大家都同意了。

再过三个星期保尔就要去度他一生中的第一次假期了，他办公桌的抽屉里已经放着一张到耶夫帕托利亚疗养院去的疗养证。

柯察金现在比往常更努力工作。他召集了州团委的全体会议。为了使他能放心地离开，他竭力在临走之前把所有的事都办停当。

可是，就在他要去休养、要看见他有生以来从没见过的大海的前夕，竟发生了一桩意外的丑恶事件，一件他无论如何也想不到的事情。

下班之后，他走进党委宣传部的办公室，坐在书架后面敞开的窗户的窗台上，等着宣传部开会。他进去的时候，办公室里一个人也没有。不久就有几个人进来。保尔在书架后面看不见他们，但是他听出了一个人的声音，那就是本州财经处长，一个漂亮的高个子，带着军人派头的法伊洛。保尔一向就听说法伊洛是一个酒鬼，见了长得不错的姑娘就追。

法伊洛以前打过游击，他一遇到适当的机会，就眉飞色舞地告诉人家说，他怎样在一天之内砍下十几个马赫诺匪帮的头。保尔实在讨厌他。有一次，一个年轻的女团员哭着走到保尔跟前，诉说法伊洛怎样答应和她结婚，但是和她同居了一个星期之后就抛弃了她，甚至和她见面时连一句话都不说。当这件事提到监察委员会的时候，法伊洛还是逃脱了惩罚，因为那个女孩子提不出证据。可是保尔却相信她所说的话。

那些走进办公室来的人不知道保尔坐在那儿。其中有一个人说：

“喂,法伊洛,你的事情怎么样?你最近又有了什么新的收获?”

问话的人是格里鲍夫,法伊洛的朋友之一,同他是一样货色。不知道为什么,格里鲍夫竟被认为是一个好的宣传员,虽然他是一个极端浅薄和无知的人,甚至可以说是一个大笨蛋。但是他对这个宣传家的称号很得意,一有机会,不论是适当不适当,总要夸耀一番。

“你应当祝贺我!昨天我已经把科罗塔耶娃弄到手了。你还说我怎么也不会成功。不,老弟,我要是看中一个娘儿们,我就准能……”接着法伊洛说了一句脏话。

保尔立刻感到神经哆嗦了一阵——这是极端愤怒的征兆。科罗塔耶娃是州妇女部主任,她和保尔同时到本州来,因为是同事,保尔成了她的好朋友。她是一个很可爱的党的工作人员,她对每一个妇女,对任何一个到她那里请教或求助的人,都是同情和关心的。委员会的同志们对她都很尊敬。她还没有结婚,法伊洛所说的,无疑就是她。

“你不是撒谎吧,法伊洛?”格里鲍夫问。“我看她不像是那种人。”

“你说我撒谎吗?那么,你把我当什么人呢?比科罗塔耶娃更难弄的娘儿们我还弄到手哩;你只要知道怎么去弄。对每个女人都要有一种特殊的接近方法。有的当天就让你弄到手,不用说,这些都是废料。有的你就得追上一个月。主要的是要懂得她们个人的心理。对每个人都要用特殊的方法。老弟,这是一门完整的科学,而在这方面,我是一个专家。哈——哈——哈……”

法伊洛说到这里,他那股自满劲儿使他喘不过气来。那些听者就开始逗他说下去。他们迫不及待地想知道具体细节。

保尔站起来,紧握着他的拳头,他觉得他的心正在疯狂地跳动。

"自然,像科罗塔耶娃那样的女人,打算随随便便就弄到手,那连想也别想,可是我又不肯丢开她,尤其是因为我和格里鲍夫打了一箱葡萄酒的赌。于是我就开始运用战术……我到她那儿去了一两次。我看,她不理我。我心里想,外边正有关于我的种种流言,说不定她已经听到什么了……一句话,侧击是失败了……因此我就迂回,迂回。哈,哈,……你猜我怎么着,我就开始述说我怎样参加战争,杀了那么多的人,怎样作了这么个流浪汉,一向又怎样受过许多的苦,始终没能给自己找到一个合适的女人,以致过着这么孤独的可怜虫的生活……没有一个人体贴我和对我表同情……一直这样诉苦,一味假装可怜。一句话,进攻她的弱点。我在她身上费了许多工夫。有一阵,我甚至想索性放弃她,结束这场滑稽表演。但是,这在我是一桩有关原则的事情,所以我仍然坚持下去……到了最后,她终于让我弄到了手。老天不负苦心人,——没料想我得到的不是一个妇人,而是一个处女。哈,哈!……太有趣了!"

法伊洛还在把他那令人作呕的故事继续说下去。

保尔已经记不清楚当时他是怎样一下子就冲到法伊洛跟前。

"你这畜生!"保尔喊着说。

"你骂谁畜生?指我还是指你?你这偷听人家说话的畜生!"法伊洛回答说。

保尔显然还说了别的话,因此法伊洛就抓住他的胸口,说:

"你以为你可以这样侮辱我吗?"

接着就给保尔一拳。原来他是喝醉了的。

保尔拿起一只橡木方凳,只一下就把法伊洛打倒在地上。

保尔的手枪不在身边,这样法伊洛才没有丧命。

然而他已经打伤了人了,因此就在预定动身去克里木的那一天,保尔不得不出席党的法庭。

整个党的组织都在市立剧院里集合。宣传部里发生的事情把所有的人都惊动了,所以这次的审问也就变成了一场关于道德问题的激烈辩论。日常生活准则,个人间的相互关系,以及党的伦理道德等问题成了辩论的中心,审问的案件反而退居次要地位。这个案子只是一个信号。法伊洛本人在法庭上的一举一动都是挑战式的。他厚颜无耻地微笑着说,这个案子应由人民法院审理,而柯察金把他的头打破了,应该被判处强劳。问他问题的时候,他坚决拒绝答复。

“什么?你们打算利用我这案子来作谈话资料吗?对不起,办不到。你们可以随便给我加上什么罪名,可是妇女们对我的攻击,理由很简单,只是因为我不理睬她们。这值不得小题大做。要是现在是一九一八年,我早就照我自己的办法和柯察金这疯子算账了。现在就是没有我在这儿,你们也可以处理的。”说完他离开了法庭。

当法庭主席要求保尔叙述经过的时候,保尔便开始平心静气地述说,但是谁都可以看得出,他是在竭力抑制他自己。他说:

“这里所讨论的事情,是因为我没有控制住我自己才发生的。从前,我常用我的拳头来代替我的头脑,但这样的时期早已过去了。这次事件是意外的,在法伊洛的头上挨了一下之后,我才明白我错了。我的这种‘游击作风’的暴露近几年来还是头一次。我痛责我自己的行动,虽然,说句实话,他挨打是应该的。在我们共产主义者的生活中,法伊洛事件是一个丑恶现象。我不明白,一个革命者,一个共产党员,怎么可以同时又是一个淫棍,一个流氓。我永远不能跟这种丑恶的现象妥协。这次事件已经使我们全体不得不来好好地谈谈生活准则问题了,这是整个事件唯一的积极结果。"

绝大多数党员举手赞成开除法伊洛的党籍。格里鲍夫因为作假见证,受到了警告、严厉申斥的处分。别的参加谈话的人都承认了错误,受了批评。

巴尔捷利克把保尔的神经状态告诉了法庭。当党检察员提议给保尔申斥处分的时候,全体都表示强烈的反对,因此党检察员撤回了他的要求,保尔被宣布无罪。

几天之后,列车载着保尔上哈尔科夫去了。州党委会因为保尔坚决申请,同意了让他到乌克兰共青团中央委员会去听候分配。他得到了一封公正的鉴定书之后,就动身了。阿基姆恰好是乌克兰共青团中央委员会的书记之一。保尔跑去看他,把事实的经过告诉了他。

阿基姆读着保尔的鉴定书,在"对党异常忠诚"之后,接着就是:

> 具有党员应有的涵养,只是在极少的场合表现暴躁,不能自持,这是因为他的神经系统曾受过严重的损伤。

"呵,亲爱的保尔,"阿基姆说,"他们到底还是把那件事记在这个很好的鉴定书上了。可是你用不着担心,就是身体最健康的人,有时也难免做出这样的事。你到南方把身体养好吧。等你回来,咱们再决定你到哪里工作。"

于是阿基姆紧紧地握住他的手。

这儿是中央委员会的"公社社员"疗养院。花园里有玫瑰花花坛、闪烁的喷泉、爬满葡萄藤的大楼房。休养员们穿着白色的服装和浴衣。一个年轻女医生记下了他的姓名。一所楼房拐角上的一个宽敞的房间里，床上铺着白得耀眼的床单，屋子里十分清洁和安静。保尔照例洗了一个澡，周身轻快，换了衣裳，然后就急忙到海边去了。

他面前是一片壮丽而宁静的、碧蓝无边的、像光滑的大理石一般的海。在目所能及的远处，海和淡蓝色的云天相连；涟波映着熔化的太阳，现出一片片的火焰般的金光。远处连绵的群山，在晨雾上隐现。他的肺深深地吸着使人心旷神怡的新鲜的海风，眼睛一刻也没有离开这伟大宁静而碧蓝的沧海。

懒洋洋的波浪亲切地朝脚边爬过来，舐着海岸金色的沙滩。

7

在中央委员会疗养院的隔壁，有一个属于中央医院的大花园。病人们由海滨回疗养院，总是经过这花园。在这花园的一堵灰色石灰石高墙旁边，有一株很茂盛的法国梧桐，保尔很喜欢在它的树荫下休息。那个地方很少有人去。他从那里可以静看花园小径上川流不息的行人；在晚上，那又是一个避开这大疗养地的恼人的闹声和静听音乐的好地方。

这一天，保尔又跑到那幽僻的角落去，舒服地躺在一只藤子编的摇椅上打瞌睡。他刚洗完海水浴，阳光和海水使他疲乏了。他的厚毛巾和一本还没看完的富曼诺夫的小说《叛乱》，放在旁边另一只摇椅上。刚到疗养院的头几天，他的神经仍然紧张，一直在头痛。教授们还正在研究他那复杂而古怪的病症。许多次的敲呀，听呀，已经使他厌倦了。病房的责任医生，一个令人喜欢的年轻女党员，名字很古怪，叫耶路撒冷奇克，她每次都是很费劲才找到她这个病人，并且要耐着性子说服他，叫他跟她一道到这一个或是那一个医学专家那里去。

“说老实话，我真讨厌这一套了，”他说。“我一天总得有五次回答他们那相同的问话。他们不是问‘您的祖母是不是疯子？’就是问‘您的曾祖父是不是患过风湿症？’……真是见鬼，他生什么病，我怎么会知道，我压根儿就没有见过他！每一个大夫都想叫我承认我曾生过淋病或是别的更恶劣的病症，老实说，我有时真想敲他们的秃脑袋。我请你让我休息一下吧！要不，如果他们再这样研究我六个星期的话，我就准要变成一个危害社会的分子了。”

耶路撒冷奇克医生笑着，用玩笑回答他。但在几分钟之后，她就挽着他的胳膊，一面对他说着有趣的故事，一面把他领到外科医师那里去了。

今天没有预定要检查。这时候离午餐还有一个钟头。保尔在半睡中听到了脚步声。他没有睁开眼睛，心里想：“他们会以为我睡着了，就走开的。”希望落了空：摇椅咯吱一响，有一个人坐了下来。一阵微香告诉他，坐在他旁边的是一个女人。他睁开眼睛。最先看到的是一件白得晃眼的连衣裙、两条晒黑了的腿和一双穿着山羊皮便鞋的脚。接着，他又看到一个留着男孩发式的头、两只大眼睛和一排细小的白牙齿。她有点不好意思地对他一笑说：

“对不起，说不定我打搅了您吧？”

保尔一声也没响。这是颇不礼貌的，不过他还是希望她会走开。

“这是您的书吗？”她翻着那本《叛乱》，问他。

“是的，是我的。”

沉默了一分钟。她又说：

"同志,请告诉我,您是住在中央委员会疗养院里的吗?"

保尔不耐烦地微微动了一下。心里想道:"从什么地方来了这么一个人?这叫作什么休息呵?等一下她一定还要问我生的是什么病呢。我还是走吧。"因此他粗鲁地回答说:

"不是。"

"可是,我好像在那里见过您。"

保尔已经站了起来,就在这时候,他听到后面有一个响亮的女性的声音问道:

"朵拉,你躲到这儿来干什么?"

一个皮肤晒黑了的、胖胖的、淡黄色头发的、穿着疗养院浴衣的女人,在摇椅的边儿上坐下。她瞟了保尔一眼,问他:

"同志,我在什么地方见过您。您是在哈尔科夫工作吗?"

"是的,在哈尔科夫。"

"做什么工作?"

保尔已经决定结束这场没完没了的谈话,就回答说:

"管理垃圾的!"她们的哈哈大笑使他禁不住哆嗦了一下。

"同志,您这种态度,恐怕不能说是很有礼貌吧?"

他们的友谊就是这样开始的。哈尔科夫市党委会常委朵拉·罗德金娜以后还时常回忆起他们相识时的这段趣事。

有一天,保尔为了去看某次午后歌舞会的演出,到泰拉萨疗养院的花园里去了,他想不到在那里碰到了扎尔基。并且,说起来令人觉得奇怪,促使他们见面的是一场狐步舞。

当一个胖胖的歌手唱完了那支《销魂之夜》的歌曲之后,一个男的和一个女的出台了。那男的戴着一顶红色的圆筒高帽子,上身穿着雪白的胸衣,打着领带,下半身几乎全裸,只在屁股上围着一串一串彩色的金属片。一句话,像野人,又不像野人。那女的很好看,身上堆着许许多多的布条子。这一对怪物开始在舞台上缓缓地移动，跳着一种扭屁股的狐步舞，这使那一群站在疗养院休养员们的安乐椅和躺床后面的长着牛一样的粗脖子的“耐普曼”[1] 乐得直喊。真是难以想象还有什么比这更丑恶的景象了。那个戴着滑稽的圆筒高帽子的胖子，和那个女人紧紧粘在一起，在台上左摇右摆地跳起了狐步舞。保尔后面一个肥猪似的大胖子呼哧呼哧地喘着气。保尔正要转身走开，突然，在靠近舞台的最前排的地方，有一个人站起来，愤怒地喊道：

“这样的卖淫，够了！滚你们的蛋吧！”

保尔认出，这是扎尔基。

钢琴师的乐声中断了，小提琴吱哑一下沉默了，舞台上那两个舞蹈者也停止了他们的摇摆。站在椅子后面的人们气愤地骂着方才说话的那个人：

“真可恶，打断这么一出好戏！”

“整个欧洲都在跳舞呀！”

“太气人了！”

但是，就在这时候，在“公社社员”疗养的乌克兰切烈波韦茨县共青团县委书记谢廖沙·日巴诺夫把四个手指夹进嘴里，吹了一声尖锐的好汉哨。别的人也纷纷附和。于是舞台上那两个家伙消失了，就像被一阵风吹走了似的。过了一会儿，报幕的小丑，像一个机灵的奴仆似的，跑到前台来，对观众宣布说，歌舞班马上就走。

“大路朝天，赶快滚蛋，爷爷问你，就说去莫斯科转转！”一个穿着疗养院的长衫的小伙子在大家的哄笑声中把报幕人送下舞台。

保尔跑到前头找到了扎尔基。他们两个在保尔的房间里谈

---

① “耐普曼”是苏联新经济政策初期的资产阶级分子。

了很久。扎尔基在党的一个州委会里负责宣传鼓动工作。

“你知道我已经结婚了吗？我们马上就要有个女孩，或者是一个男孩。”扎尔基说。

“呵，她是谁？”保尔惊异地问他。

扎尔基从他口袋里拿出一张相片给保尔看。

“认得她吗？”

保尔一看，原来是他和安娜·鲍哈特的合照。

“杜巴瓦现在在什么地方呢？”保尔更惊异了，问。

“他现在在莫斯科。他被党开除之后就离开了共产主义大学，现在正在莫斯科工学院读书。听说，他又恢复了党籍，那也白搭。这个人中毒太深了……你知道潘克拉托夫在什么地方吗？他现在作了造船厂的副厂长。其余的人我知道的很少。大家都分散在各地工作，能够碰到一块儿，叙叙往事，是多么令人愉快的事呵！”扎尔基高兴地回答。

朵拉和别的几个人走进了保尔的房间里。一个高个子把门关了。朵拉看见了扎尔基身上的勋章，就问保尔：

“你的这位同志也是党员吗？他在什么地方工作？”

保尔不明白是怎么一回事，就简单地把扎尔基的情形讲了一下。

“那么，他可以留在这里。这些同志是刚从莫斯科来的。他们要把最近党内的一些消息告诉我们。我们决定在你的房间里举行一次特殊的内部会议。”朵拉解释说。

房间里所有的人，除保尔和扎尔基之外，差不多全是老布尔什维克。莫斯科党监察委员会委员巴尔塔绍夫把有关托洛茨基、季诺维也夫和加米涅夫所领导的新反对派的各种事情告诉了他们。末了，巴尔塔绍夫说：

“在这个紧张的时期，我们每一个人都必须坚守我们的岗位。我明天就动身。”

在这次会议的三天之后,疗养院已经空了。跟别人一样,保尔也提前走了。

他在共青团中央委员会没有等候多久,就被派到一个工业区去,担任团的州委书记,一个星期后,城里的团员们已经听到他第一次的演说了。

深秋时候,州党委会的汽车载着保尔和另外两个工作人员,到离城稍远的一个区里去,汽车滑进路旁的壕沟里,翻倒了。

三个人都受了伤,保尔的右膝被压坏了。几天之后,保尔被送到哈尔科夫外科学院去。外科医生们检查了他那条肿着的右腿,看了爱克斯光照片,决定立刻动手术。

保尔表示同意。

那个领导会诊的胖教授说:

“好,就定在明天早上。”他说完就起身走了,别的医生也跟着他走出去。

一间明亮的单人病房,洁净无尘,有着医院所特有的、他长久没有闻过的味道。他向周围看了看:一张铺着雪白台布的小桌子,一个白色的方凳——这就是全部家具。

一个女护士捧着晚餐进来。

保尔谢绝了晚餐。他半躺在床上,写他的信。腿上疼得厉害,影响他的思索;他也不想吃东西。

他写好第四封信的时候,房门悄悄地开了,保尔看见一个穿白衣戴白帽的年轻女人走到他床前。

在薄暮中,可以隐约看见她那很细的眉毛和一对仿佛是黑色的大眼睛。她一只手拿着一个纸夹,另一只手拿着一张纸和一枝铅笔。她说:

“我是你这病房的医生,今天我值班。我要填这张表,不管您愿意不愿意，您得回答我所有的问题。”

她和气地笑了一笑。这微笑减轻了“审问”的不快。保尔不但把他自己的、连他祖先三代的事情也都告诉了她，整整讲了一个钟头。

手术室里有好几个戴着口罩的人。

镀镍的外科用具闪着亮光，一张窄长的手术台下面放着一个大盆。当保尔躺到手术台上的时候，医生已经洗了手。施行手术的准备正在他身后急速进行。保尔向周围看了看。一个女看护正在安放手术刀、小镊子。责任医师巴扎诺娃开始解下保尔腿上的绷带。然后轻声地告诉他说：

“柯察金同志，别往那里看，这对神经会有刺激……”

“大夫，谁的神经？”保尔开玩笑地问。

几分钟后，他的脸完全给面罩蒙上了，那教授对他说：

“别害怕，我们就要给你施行哥罗芳麻醉。你用鼻孔深深地吸气，一二三地数下去。”

从面罩下面发出的声音平静地回答说：

“好。我事先向你们道歉，我恐怕会不自觉地说出一些难听的话来。”

教授忍不住笑了。

接着，令人窒息的、味道难闻的第一滴麻醉药水滴下去了。

保尔深深地吸了一口气，开始数下去，竭力想念得清楚些。这样，他便开始了他的悲剧的第一幕。

阿尔焦姆几乎不知道为什么在打开信的时候非常激动，把信封撕成了两半。他的眼睛接触到最初的几行，就慌忙地一气读下去：

阿尔焦姆！我们很少通信。

一年至多只有一两次吧！可是次数多少有什么关系呢？你来信说，为了同老根一刀两断，你和你的家已经从谢佩托夫卡搬到卡扎亭的工厂去了。我明白你的意思——你说的老根就是斯捷莎跟她的家庭那种小私有者的落后心理，以及别的一切。要改造斯捷莎那种人是不容易的，我恐怕你未必能办到。你又说，“人岁数一大，学习就很困难。”可是你学习的成绩并不坏。你那样固执，不肯放弃工厂的工作去作镇苏维埃的主席，也是错误的。你不是为建立苏维埃政权打过仗吗？那么，你就应当掌握它。从明天起，就开始担负起镇苏维埃的工作吧！

现在谈谈我自己的事情。我的情形有点不妙。我开始常常住在医院里了。他们给我开了两次刀，我已经流了不少血，失去了不少精力，可是直到现在，还没有人能答复我：这样的事情究竟到什么时候才算完。

我已经脱离了工作，给自己找到了一种新的职业——“病号”。我已经忍受了许多痛苦，而结果是——右膝已成残废，身上添了许多刀口的缝线，而最后医生还有一个新的发现：七年前我脊骨上受过暗伤，现在他们说我大概要为它付出极高的代价。我准备忍受一切，只要能够让我归队。

在生活中，再没有比掉队更使我恐惧的了。我甚至连想都不敢想它。因此我才不怕忍受任何痛苦，可是直到现在，依然没有起色，正相反，光景越来越惨淡。在经过第一次手术之后，我刚能走动立刻就恢复了工作，但是不久他们又把我送回来。现在我刚收到进耶夫帕托利亚的麦纳克疗养院的入院证。我明天就动身。阿尔焦姆，别难过，我不会那么轻易死掉的。我自己有着足够三个人的生命力。哥哥，我们还要做很多工作呢！要注意你的健康，别再一下扛三百多斤。要不，以后党就要付出极大的代价来修补它。光阴给我们经验，读书给我们知识，可是这一切并不是为了在医院里作客。握手。

保尔·柯察金

就在阿尔焦姆紧皱着他那对浓眉、读着弟弟来信的时候，保尔正在医院里和巴扎诺娃告别。她握住他的手，问他：

"您明天就动身到克里木去吗？那么，今天您打算怎样过呢？"

"朵拉同志马上就来，今天白天和晚上我住在她家里，明天一早她送我上车。"

巴扎诺娃是认得朵拉的，因为朵拉时常来看保尔。

"柯察金同志，"巴扎诺娃说，"咱们约过在您动身之前和我父亲见见面，您忘了没有？我已经把您的病情全部告诉了他，我很想让他给您检查一下。今天晚上就可以。"

保尔立刻同意了。

当天晚上巴扎诺娃就带着保尔走进了她父亲那宽敞的诊所。

著名的外科医生当着女儿的面给保尔作了一次详细的检查。巴扎诺娃还把医院里的爱克斯光照片和分析报告带了来。保尔不禁注意到，在巴扎诺娃的父亲用拉丁语说了很长的一句评语之后，她的脸色突然苍白了。他注视着老教授那个大而光秃的头，竭力想从他那对敏锐的眼睛里探索出什么来，但老教授是深不可测的。

在保尔穿好衣服的时候老教授十分亲切地和他道了再见，

因为他得赶去开会，托付他女儿把诊断的结果告诉保尔。

保尔躺在巴扎诺娃的一间布置得很优雅的房间的沙发上，等着她说话。但是她不知道要怎样开头，不知道要怎样说才好；她实在很难措辞。她父亲告诉她说，就眼前而论，保尔体内的致命炎症正在发作，目前无药可治。他反对再施行外科手术。他说："这个青年人正面临着完全瘫痪的悲剧，我们没有法子防止它。"

作为他的医生和朋友，巴扎诺娃觉得不能把这一切都告诉保尔；她只泄漏了一部分病情，而且说得十分谨慎。她说：

"柯察金同志，我相信耶夫帕托利亚的泥疗法会给您带来转机。到了秋天，您就可以恢复工作了。"

但是当她这样说的时候，她忘了有一对非常敏锐的眼睛正在注视着她。

"从您所说的话里，更正确地说，从您所避免说出的话里，我已经知道了我的病情的全部严重性。您该记得，我请求过您永远对我说真话。什么事情您都用不着瞒我，我听了不会昏厥，也不会自杀。可是我一定要知道我的将来如何。"保尔说。

巴扎诺娃和他开了个玩笑，把他的探问岔开了。

那天晚上，保尔并没有探听到他真实的病情。当他们分手的时候，巴扎诺娃亲切地对他说：

"柯察金同志，别忘记我是您的一个朋友。很难说您将来的生活里会发生什么样的情况。如果您需要我的帮助或是我的意见，请写信给我。我愿意随时为您尽力。"

她从窗口看着那高大的穿着皮外套的人用力拄着手杖，缓缓地从门口向一辆出租的轻便四轮马车走去。

又是耶夫帕托利亚。又是南方的热天和戴着绣金小圆帽的吵吵嚷嚷的晒黑的人们。汽车在十分钟内就把乘客送到那灰色的石灰石筑成的两层楼——麦纳克疗养院去了。

值班医师把他们分到各个房间里。

当他领着保尔到第十一号房间的时候,他问保尔:

"同志,你的入院证是属于哪一类的?"

"乌克兰共产党中央委员会。"保尔回答。

"那么,我们让你和埃勃涅同志住在一起吧。他是一个德国人,要我们给他找一个俄国同伴。"那医师一面说,一面敲门。他们听到里面传出一句发音很不准确的俄国话:"请进。"

进到房里,保尔放下提箱,转过身,对着躺在床上那个长着漂亮活泼的蓝眼睛和金头发的人。那德国人对他和蔼地微微一笑。

"顾特莫根,盖诺森,① 我想说'您好',"他改用俄语说,同时把他那只苍白的、指头很长的手伸给保尔。

几分钟后,保尔已经坐在那德国人的床上,两个人开始用一种"国际"语言,作着热烈的谈话了。在这种"国际"语言的谈话中,话语的作用是次要的,一切难懂的字句,全用猜想、手势和表情,总之,全用不成文的世界语的一切秘诀,来帮助说明。保尔已经知道了埃勃涅是一个德国工人。

在一九二三年的汉堡起义中,埃勃涅大腿上中了一枪,现在旧创复发,使他病倒了。尽管创口疼痛,他仍精神饱满,所以立即赢得了保尔的敬重。

保尔现在有了一个再好不过的同伴。这不是一个成天对人讲述自己的疾病和唉声叹气的人。相反,同他在一起会使你连自己的痛苦都忘记了。

---

① 德语:"早安,同志"的译音。

"可惜我对德语一点也不懂,"保尔暗想。

在花园的一角,有几把摇椅、一张竹桌和两只病人坐的轮椅。五个病人每天在治疗之后就在这儿消磨一整天,别的病人都叫他们"共产国际执委会"。

埃勃涅斜靠在病人坐的轮椅上,另一只轮椅上坐着完全禁止用脚的保尔。其他三个人:一个是身粗体重的爱沙尼亚人瓦伊曼,他是一个共和国的贸易人民委员部的工作人员;一个是褐眼睛、像十八岁少女的青年妇人玛尔塔·劳琳,她是拉脱维亚人;另一个是身材魁梧、鬓角业已灰白的西伯利亚人列杰尼奥夫。的确,这里有五个民族——德国人、爱沙尼亚人、拉脱维亚人、俄罗斯人、乌克兰人。玛尔塔和瓦伊曼会说德国话,埃勃涅请他们作翻译。保尔和埃勃涅因为住一间房子,就成了朋友;玛尔塔和瓦伊曼又因语言相通和埃勃涅很接近;而使保尔和列杰尼奥夫成为朋友的,是下象棋。

在列杰尼奥夫入院之前,保尔是疗养院里的象棋"冠军"。他在经过一番紧张的战斗之后,把瓦伊曼的锦标夺了过来。瓦伊曼的失败使他失去了往常的沉静态度,很久都不肯饶恕打败他的保尔。不久,疗养院里来了一个高个子老头儿,他虽然已经五十岁,看来还十分年轻。他要和保尔下一盘。保尔没有想到他是个厉害对手,他沉着地开棋,想牺牲一卒以取得优势,列杰尼奥夫对这一着的回击,是推进他的中卒,不吃弃卒。作为"冠军"的保尔,是不能不和每一个新来的棋手下一局的。每次都有许多旁观的人。早在走第九步的时候,保尔就已经发觉列杰尼奥夫那些沉着推进的卒子正在围困他。他已经知道他遇到了一个危险的敌手:现在他后悔开头不该那样粗心。

经过三个钟头的角斗,尽管他竭尽全力,结果还是被迫让位。他比周围所有的人更早地看出了自己的失败。他看了他的对手一眼。列杰尼奥夫和蔼而慈爱地微微一笑。显然,他也看出这一局是他胜了。但是非常冲动的和幸灾乐祸的、切盼保尔失败的瓦伊曼却还没有看出来。

“我永远要坚持到最后一卒,”保尔说。这句话只有列杰尼奥夫一个人懂得,他同意地点了点头。

在五天之内,保尔和列杰尼奥夫下了十盘,输了七盘,赢了两盘,一盘是和棋。

瓦伊曼洋洋得意地说:

“好! 谢谢你,列杰尼奥夫同志! 这回你可把他打得落花流水了! 活该! 他打败了我们所有的人,可是结果一个老手叫他栽了跟头! 哈哈哈! ……”

他又转身对那个失败了的冠军说:

“喂,打败仗的味道怎样?”

保尔失掉了“冠军”称号。保尔棋赛的失败不是偶然的。他只懂得象棋战略的皮毛,一个普通的棋战好手自然要输给一个精通棋艺的名家。不过,他虽然失去了这个游戏的“冠军”荣誉,倒结交了一个好朋友,列杰尼奥夫后来成了他的最亲近、最敬爱的人。

这两个人发觉他们有一个共同值得纪念的日期:保尔出生和列杰尼奥夫入党正好在同一年。他们是两种典型人物的代表,一个是布尔什维克的老战士,另一个是布尔什维克的青年近卫军。一个具有巨大的生活经验和政治经验,从事过多年的地下工作,蹲过沙皇监狱,以后又做过重要的国家行政工作;另一个具有烈火般的青春,虽然只有短短八年的斗争经历,但这八年却抵得上好几个人的一生。而且这年老的和年轻的两个人都是满腔热情,身患重病。

一到晚上，保尔和埃勃涅的房间便成了俱乐部。这俱乐部是一切政治新闻的泉源。第十一号病室的晚上是热闹的。瓦伊曼时常想讲些淫秽的笑话——他是最喜欢这种笑话的人，而每次，他总是同时受到玛尔塔和保尔的攻击。玛尔塔是用巧妙而辛辣的讥刺奚落他；要是不奏效，保尔便参加进去。比方，玛尔塔有一天这样说：

"瓦伊曼，你也该先问问我们，我们大家也许根本不欣赏你那种'俏皮话'……"

保尔接着就用一种不平静的声调插嘴说：

"我完全不明白，像你这样的人怎么会……"

瓦伊曼就噘着厚嘴唇，用两只小眼睛讥讽地瞧着大家的脸，说：

"应当在中央政治教育委员会里设一个道德监督处，请保尔作监督主任。我是可以原谅玛尔塔的，她是女性，本来应当抱敌对态度，但是保尔却把自己装扮成一个不懂事的小孩子，像共青团的小宝贝似的……再说，我根本不喜欢鸡蛋来教训母鸡……"

在双方关于共产主义伦理作了这次热闹的舌战之后，淫秽笑话的问题便被提出来作原则性的讨论。玛尔塔把各种意见都翻译给埃勃涅听，随后埃勃涅用德语和不正确的俄语说：

"我同意保尔，讲色情笑话是不太好。"

瓦伊曼被迫后退了。他竭力用玩笑来打掩护，可是从此之后，他不再讲述这类笑话了。

保尔开头以为玛尔塔是共青团员。在他看来，她似乎只有十九岁。有一天，在和她谈话的时候，他才知道她已经三十一岁了，从一九一七年起，她就是党员，而且一直是拉脱维亚共产党的积极的党员。保尔当时的惊讶是可以想见的。一九一八年白党已经把她判处枪毙，但是苏维埃政府用白军俘虏把她和另外一些同志赎换回来。现在她在《真理报》工作，同时在大学进修。保尔想不出他们的友谊是怎样开始的，不过这个时常来看埃勃涅的小个子的拉脱维亚妇人已经成了他们“五人小组”中不可分离的一员了。

老党员埃格利特也是拉脱维亚人，时常对她调皮地打趣说：

“玛尔塔，可怜的奥左尔在莫斯科不知道怎样过呢。不能这么办哪！”

每天早晨，在起床铃快要响的时候，疗养院里总有一只公鸡大声啼叫。这是埃勃涅逼真的模仿。院里的职员竭力想找出这只不知怎么就跑到疗养院来的公鸡，却怎么也找不到。这使埃勃涅非常高兴。

到了月底，保尔的病况更坏了。医师们不许他下床。这使埃勃涅很难过，因为他非常喜欢这个从来不诉苦的、生气勃勃和精力充足的、但年纪这么轻就丧失健康的青年布尔什维克。当玛尔塔告诉埃勃涅，医师们都说保尔的未来一定很悲惨的时候，埃勃涅听了非常焦急。

一直到保尔离开疗养院，医生们始终都不允许他下地。

保尔竭力不让旁人看出他的痛苦，只有玛尔塔从他异常苍白的脸色中猜出几分。在他要出院之前一星期，保尔收到乌克兰共青团中央委员会的一封信，通知他的假期延长两个月。信里又说，据疗养院的报告，按他目下的健康情况，恢复工作是完全谈不到的。中央委员会还随信汇来一笔钱。

保尔经受了这初次的打击，正如他在学习拳击时经受了朱赫来初次的打击一样：当时他虽然倒下去，可是立刻就站了起来。

他意外地又收到一封他母亲寄来的信。老太太在信里告诉他说，她有一位老朋友——阿莉比娜·丘查姆，住在离耶夫帕托利亚不远的一个港口上，她们已经十五年没有见面了，所以她很盼望保尔能去看看阿莉比娜。这封意外的信，在保尔的一生中产生了很大的影响。

一星期后，全疗养院的人都到码头欢送保尔。埃勃涅亲热地拥抱他，像兄弟一样地亲吻他。玛尔塔没有在场，所以保尔没能和她告别就走了。

第二天早上，一辆载着保尔离开码头的四轮马车驶到一座有小花园的小房子跟前，保尔叫那个陪他的人进去问问，丘查姆家是否住在那里。

丘查姆家一共有五个人：母亲阿莉比娜·丘查姆是一个胖胖的、上了年纪的妇人，有一对大而抑郁的黑眼睛，衰老的脸上残留着过去美貌的痕迹；她的两个女儿廖莉亚和达雅，还有廖莉亚的小男孩，和那个讨厌的、肥胖得像只骟猪的老头子丘查姆。

老头子在合作社工作；小女儿达雅在外面做些粗活；大女儿廖莉亚过去是个打字员，不久之前和她丈夫——一个流氓和醉鬼——离了婚，现在失业。她成天在家，忙着照顾她的小男孩，并帮着母亲料理家务。

除了两个女儿之外，阿莉比娜老太太还有一个名叫乔治的儿子，不过他现在在列宁格勒。

丘查姆家的人都亲切地欢迎保尔，只有那老头儿用防范的、甚至可说是恶意的眼色仔细打量了客人一番。

保尔耐心地把他所知道的他们柯察金家的事情全告诉了他母亲的老朋友，同时也顺便问了她和她家的生活情况。

廖莉亚已经二十二岁了，她是个心地单纯的女子，宽脸庞，很开朗，留着褐色的短发。她立刻成了保尔的好朋友，并且很乐意地把家里的全部秘密都告诉他。保尔从她嘴里知道了老头子专横，暴虐，压制全家，扼杀任何主动精神，剥夺所有自由。他气量小，心地狭窄，好吹毛求疵。由于他压制整个家庭，儿女们都极端厌恶他，他的妻子也非常厌恶他，二十五年来她一直都在反对他的暴虐行为。女儿们永远是站在母亲方面。家庭里不断吵闹，生活很不愉快。他们每天都在为了大大小小的事情而生气。

乔治是她家里的第二个魔王。从廖莉亚的话里知道，他是一个典型的花花公子，一个只知道吃好菜、喝好酒和穿漂亮衣裳的自负而傲慢的家伙。他念完了中学之后，因为是母亲的宠儿，就立刻向母亲要钱到首都去。他说：

"我要进大学。叫廖莉亚卖掉她的戒指，你卖掉你的东西，我要钱。至于你们怎样弄到钱，那我不管。"

他知道他的母亲不会拒绝他，所以就无耻地尽量利用她这个弱点。他对待姐妹们很傲慢，无礼，认为姐妹们要比他低一等。现在他母亲还是把她从老头子那里弄来的每一个铜板，连同达雅的收入都一齐寄给他。但是，他没有考上大学，却舒舒服服地住在他舅舅家里，用一封封的电报逼着他母亲寄钱。

直到晚上，保尔才见到达雅。她母亲在门廊里低声对她说，客人已经到了。她和保尔见面的时候，不好意思地把手伸过去，在这位不认识的年轻男人面前羞得脸红到耳朵根。保尔没有立刻放开她那强壮的起茧的手。

达雅已满十八周岁，虽然不算漂亮，但是那一对淡褐色的大眼睛、有点像蒙古画上那样的细眉毛、端正的鼻子和丰满的嘴唇，使得她很动人；她那件带条纹的工人短衫紧紧地绷着富有弹性的年轻的胸脯。

姐妹俩住在两间狭小的房间里。达雅的小房间放着一张小铁床，一个上面摆着许多玩具、镶着一面镜子的衣柜，墙上挂着三十几张相片和风景画。窗台上摆着两盆花——深红的天竺葵和粉色的马兰花。淡蓝的带子束住薄纱窗帘。廖莉亚逗她说：

"达雅向来是不让男人进她这房间的,可是,您瞧,她为您竟破了例哩。"

第二天晚上,全家都在两个老年人住的房子里喝茶。只有达雅留在自己的房间里,在那里听着大家谈话。她爸爸故意不断用匙子搅着茶杯里的糖,一面从眼镜的上方恶意地打量着坐在他前面的客人,说:

"我反对现在的新家庭的规矩;他们想结婚就结婚,想离婚就离婚,完全自由。"

他呛了一下,咳嗽起来,喘过气后就指着廖莉亚说:

"比方说,她一点也没有征求别人的同意,就和那个流氓结了婚,回头,也是不问问别人,又和他离了婚。现在可好,我们还得养活她和一个野孩子。太不像话了!"

廖莉亚痛苦地红着脸,把满含泪水的眼睛避开了保尔。

"怎么,您认为她应当继续和那个寄生虫生活下去吗?"保尔问道,他的眼睛闪着两朵愤怒的火花,一直在瞪着那老头子。

"在嫁人之前,应当仔细看看嫁的是什么人。"老头子说。

母亲插嘴了。她好容易才抑住她的气愤,断断续续地说:

"我说,老头子,为什么要在一位生人面前谈起这种事情呢?不谈这些,找点别的谈谈好不好?"

老头子的身子向她一扭,说:

"我知道我该谈什么! 你们现在倒教训起我来了?"

那天晚上,保尔把丘查姆家的事情想了很久。偶然的机缘把他带到这里,现在他倒不由自主地参加了这幕家庭悲剧。他在想,怎样才能够帮助那老太太和她的两个女儿摆脱这种束缚。他自己的生活正遇到困难,他本身就有许多没有解决的问题,他现在比过去任何时候都难以采取什么果断的行动。

办法只有一个,那就是拆散这个家庭——让老太太和两个女儿永远离开那老头子。但这件事并不那么简单。他不能组织这个家庭革命，因为再过几天他就得离开他们，说不定将永远不会和他们再见面。那么，就一切听其自然，避免去吹动这个小屋子里的灰尘吗？可是老头子那副讨厌样子使他不能平静。他拟了许多方案，然而似乎都没有实行的可能。

第二天是星期日，保尔由镇上回来的时候，发觉只有达雅一个人在家，别的人都去串亲戚了。

保尔走进她的房间，因为非常疲倦，就坐在椅子上。

“你为什么不到外面溜达溜达，散散心呢？”他问她。

“我哪里也不想去，”她低声地回答。

他想起了昨夜所想的几种方案，决定试探一下她对这些想法的反应。

为了使他们的谈话能在别人回来之前结束，他就开门见山地说：

“你听我说，达雅，咱们彼此可以称呼‘你’。咱们为什么要讲客套呢？我马上就要走的。真不凑巧，这次到你们家来，我自己也正陷于困境，要不然，情形一定会两样。要是这件事发生在一年之前，咱们大伙就可以一齐离开这儿。像你和廖莉亚这样的工人，到处都可以找到工作！你们应当和老头子断绝关系，这种人你是劝不了的。可是现在不能这样做。我连我自己的将来都无法掌握，所以说，我目前是束手无策。那么，现在怎么办呢？我首先要设法恢复我的工作。关于我的病情，不知道那些医师说了一些什么鬼话，因此同志们叫我无限期地治疗下去。那怎么行？我们得先把这件事扭转过来……我给我母亲写信，商量一下看，我们就会有办法结束这件麻烦事。不管怎样，我决不会丢开你们不管。不过有一点，达雅，你们大伙，特别是你，必须彻底改变你们的生活。你有这样做的力量和愿望没有？”

她抬起头来,小声回答说:

"愿望是有的,可不知道有没有力量。"

保尔懂得她的犹豫,他说:

"达雅,亲爱的,这个你别着急!只要有愿望,自然就会有力量。现在你告诉我,你对你的家庭很留恋吗?"

这问话出乎她的意外,她没有立刻回答。过了一会儿,她说:

"我很可怜我母亲。父亲已经欺负了她一辈子,现在乔治又尽着折磨她,我实在替她难过……虽然她对我并没有对乔治那样好……"

在这一天,他们说了许多话,在家里人快要回来之前,保尔开玩笑地说:

"真奇怪,老头子到现在还没有把你嫁出去!"

她吃惊地把手一甩,说:

"我决不结婚。廖莉亚的事情就是给我的教训。我死也不嫁人!"

保尔笑了笑,说:

"这么说,发誓一辈子不结婚了?要是有一个小伙子来追求你,钉着你不放,我说的是,一个挺好的小伙子——那时候可怎么办呢?"

"就是那样,也不!他们在追求你的时候全是挺好的。"

保尔把一只手放在她肩膀上,和解地说:

"好吧。独身生活也可以过得不错。不过,你这样对待年轻小伙子未免太残酷了。好在你还没有怀疑我在向你求婚,要不,我就有点难以下台了。"说着,他友爱地用他那冰冷的手抚摸了一下她的胳膊。

"你们这样的人,不会找我们这样的人作妻子的,我们对你们有什么用呢?"她轻轻地说。

几天之后,火车载着保尔到哈尔科夫去了。达雅、廖莉亚和她们的母亲以及姨母萝扎都到车站送行。临别的时候,阿莉比娜要他答应别忘了她的女儿们,还要设法帮她们跳出牢笼。他们像亲骨肉一样地分了手;达雅的眼睛含着泪。保尔在很远的地方还能从车窗认出廖莉亚摇着的白手帕和达雅那件条纹短衫。

保尔到了哈尔科夫不愿意去麻烦朵拉,就住到自己的朋友彼佳·诺维科夫那里。休息了一会,他就坐车到中央委员会,在那里等着阿基姆。等到只留下他们两个人的时候,保尔要求阿基姆立刻分配他工作,可是阿基姆坚决地摇摇头,说:

"保尔,这不成! 医务委员会和党中央已经有了决定,决定这样说:'由于病情严重,送神经病理学院治疗,不予恢复工作。'"

"阿基姆,算了吧,让他们爱写什么就写什么吧!"保尔说。"我向你要求——派给我工作! 到处住医院,这有什么用处?"

阿基姆不听他的话,他说:

"我们不能违反决定。你明白,亲爱的保尔,这也是为了你好。"

但是保尔一再坚决要求,阿基姆实在没有办法,结果只好同意给他找一个工作。

第二天保尔就在中央委员会书记处机要科里工作了。他心里想,只要他重新开始工作,那么,他已经失去的精力就会恢复的。但是,从第一天起他已经看出他想错了。他时常一连八个钟头坐在办公室里不去吃饭,因为他没有力气从三楼下来,到隔壁食堂去吃饭。不是这只手麻了,就是那只脚木了。有时甚至整个身子都不能动弹，而且发烧。有一天，他要去上班的时候，突然起不来床了，等到发作过了以后，他一看，已经要迟到一个钟头了。结果他终于因为不断迟到而受到了警告。这时候他明白了：他一生中最可怕的事情开始了——他要掉队了。

阿基姆曾经两次帮助他，调他到别的部门工作，结果不可避免的事情终于发生了：过一个多月，他又躺在床上了。那时候他想起了临别时巴扎诺娃所说的话，就写信给她。她当天就来看他，他从她嘴里知道了最重要的事情——他不一定非得住院不可。

"这么说来，我已经健康到不值得医治了。"他本来想开这么一句玩笑，但结果并不成功。

他刚觉得身体稍微好了一点，就又马上到中央委员会去了，可是这回阿基姆的态度很坚决。他坚决建议保尔去住院。保尔却用低沉的声音回答说：

"我哪儿也不去。这没有用处。我已经从权威方面了解到这一点。我只剩下一条路——退休，领残废抚恤金。可是我决不这样干。你们不能阻止我工作。我不过才二十四岁，我不愿意带着一张残废证，明知无用，还是走遍各个医院，一直到死。你们应该给我一个适合我的身体条件的工作。我可以在家做事，或是住在什么机关里面……只有一点，别叫我当个光管登记发文簿子的文书。我所需要的是能够使我感觉到自己是在队伍里面那样的工作。"

他越说越激动，声音越来越大。

阿基姆很了解这个直到最近还像生龙活虎一般的青年人的感情。他了解保尔的悲剧，也知道像保尔这样把自己短短的生命献给党的人，一旦离开斗争，回到后方，那实在是可怕的事。因此他决心尽力帮助他。他说：

“好的，保尔，你不要着急。明天书记处有会议。我一定把你的问题提出来。你可以相信，我一定尽我的力量帮你解决。”

保尔勉强站起来，伸手给阿基姆。

“阿基姆，”他说，“你真地以为生活会把我赶到一个角落，把我挤成一张薄饼吗？只要我的心脏还在跳动，”他突然用力抓住阿基姆的手紧压着他的胸脯，于是阿基姆清楚地感到那迅速而又微弱的跳动。“只要它还在跳动，你们就不能叫我离开党。能使我离开战斗行列的，只有死。老兄，你千万别忘记这一点。”

阿基姆没有回答。他知道这绝不是漂亮话，而是一个身负重伤的战士的呼喊。他了解，像保尔这样的人只能说出这样的话和表达出这样的感情。

两天之后，阿基姆告诉保尔说，某一中央刊物的编辑部里有个重要工作，但是必须看看他是否适合在文艺战线工作。编辑委员会同保尔很客气地谈了一次话。副总编辑是一个女同志，她是个老地下党员，现在是乌克兰共产党中央监察委员会主席团的委员，她问了保尔几个问题：

“同志，您受过什么教育？”

“初等小学三年。”

“有没有进过党的政治学校？”

“没有！”

“呵，这也没有什么，没有进过党的政治学校的人也能培养成好的新闻工作者。阿基姆同志向我们介绍过您。我们可以给您一个不必到这里办公而在家里做的工作，并且尽力给您一些方便的条件。但是这一门工作需要广泛的知识，特别是文学和语言方面的知识。”

这话等于告诉保尔，他一定要失败了。半个钟头的谈话，证实了他知道得太少；而当他写完了一篇文章之后，那副总编辑用她的红铅笔划出来三十处以上修辞方面的毛病，还指出不少拼音错误的地方。她说：

“柯察金同志，您很有才气，如果再努力刻苦自修，您很有可能成为一个文学工作者。但是现在，您的文章不够通顺。从您这篇文章可以看出，您还没有掌握俄文。这没有什么奇怪的，因为您一向没有学习的时间。非常抱歉的是，我们不能任用您。可是我要再说一遍：您很有才气。您的文章用不着改变内容，只要在文字上好好地修改一下，就是很好的文章。但是我们需要的是能够修改别人文章的人。”

保尔拄着他的手杖，站起来。他的右眼眉在抽动，他说：

“不错，我完全同意您的意见。我怎能成为一个文学工作者呢！？我从前是一个好司炉，后来又是一个不错的电工。我一向又很会骑马，能够鼓动共青团员，但在你们这个战线，我却是一个不合格的战士。”

他和她握握手就走了。

在走廊转弯的地方，他差点摔倒。一个拿着公事包的女同志扶住了他。

“同志，您怎么啦？您的脸色这么苍白！”

几秒钟后，保尔完全恢复过来了。他轻轻地推开那女同志，拄着他的手杖走了。

从那天起，保尔的情形一天比一天坏起来。找工作是不用想了。他多半是整天躺在床上。中央委员会解除了他的工作，并要求中央社会保险总局给他抚恤金。在收到抚恤金的同时，他还收到了残废证。中央委员会又额外给他一些钱，同时给了他要到哪里就到哪里的证件。接着他收到玛尔塔一封信，她请他到她家休息一下。即使没有接到她的邀请，保尔也想到莫斯科去，他希望在苏联共产党中央委员会里会碰到好运气，就是说，能找到用不着走动的工作。但是在莫斯科也是一样，还是劝他医治，并且答应把他送到好的医院去。他拒绝了这个建议。

保尔不知不觉已经在玛尔塔和她的朋友娜佳·佩捷尔松同住的寓所里住了十九天。他时常整天独自在家，因为娜佳和玛尔塔两人一早就出去，很晚才回来。保尔成天读书——玛尔塔有许多书，可是一到晚上，就有许多女朋友，有时也有男朋友来看她们。

他常收到由黑海港口发来的信。丘查姆家邀请他到她们那里去。生活的绳扣儿越拉越紧。她们正盼望着他的帮助。

一天早上，保尔离开了鹅舍胡同那所安静的寓所。列车迅速地载着他奔向南方，奔向海洋，躲开那阴湿而又多雨的秋天，到南克里木那温暖的海岸去。他瞧着电线杆飞过去。他的眉毛紧锁，他那黑色的眼睛里隐藏着顽强的意志。

8

海浪在他脚下冲击着零乱的石堆。从遥远的土耳其吹来的干燥的海风吹着他的脸。海港沿岸是个不规则的弓形，由一条用钢筋水泥筑成的防波堤挡着海浪。连亘的山脉伸到海滨就中断了，城郊那些白色的小房子一直排列到很远的山顶上。

城外那座古老的公园里很静。秋风扫下来的枯黄的枫叶缓缓地飘落在很久不修理的、长满杂草的小径上。

一个波斯老马车夫把保尔从城里拉到这儿来；当他扶着这个奇怪的乘客下车的时候，他禁不住问道：

“你到这儿来干什么？这儿没有姑娘，又没有戏院，只有豺狼。一个人逛……你要在这儿干什么呢？我真不明白！还是让我拉你回去吧，同志先生！”

保尔付了车钱，那老头也就走了。

公园里一个人也没有。他在海边找了一个长凳子坐下，让那已经不太热的阳光照着他的脸。

他特地跑到这僻静的地方来，为的是回顾他的生活历程以及考虑今后怎么办。现在已经到了进行总结和作出决定的时候了。

他第二次回来，使丘查姆家的冲突极端尖锐化了。那老头子听说他来了，非常愤怒，在家里引起了一次可怕的争吵。领导这次反抗的自然是保尔。老头儿突然遭到了他老婆和女儿们的强烈反攻。从保尔第二次回来的第一天起，全家就分成两个敌对的和互相仇视的阵营。通到老头子那边去的门已经钉上了，把侧面一间小房租给保尔住。房钱预先付给老头子。他似乎很快就坦然了，因为两个女儿既然同他断绝了关系，他就不必再负担她们的生活费。

为照顾面子，她们的母亲还和老头子住在一起。老头子从来不到年轻的人们那一面去，他不愿意碰到那个可恨的人，可是在院子里，他却像火车头一样地喘着粗气，表示他是这里的主人。

老头子在没到合作社工作之前，会两门手艺——鞋匠和木工活，现在把板棚改成了作坊，一有空就做这两项行当，弄一点零钱。后来，为了跟他的房客作对，他就把工作台移到保尔房子的窗户底下，拚命敲着钉子。老头子很开心，他知道这样可以妨碍保尔读书。他时常低声狠狠地自言自语地说：

“你等着好了，我一定要把你轰出去……”

在遥远的地平线上，汽船的烟柱像一条黑云似的在舒展。成群的海鸥嘶叫着向大海冲去。

保尔两手抱着头，陷入了沉思。他的一生，由幼年到现在，一幕幕地在他眼前闪过。他这二十四年的生活过得好呢，还是不好？他一年又一年地回想着，像一个铁面无私的法官似地检查着自己的生活。结果他非常满意，认为他的生活过得还不算怎么坏。但是也犯过不少的错误，这都是由于缺乏经验，由于年轻，然而大半还是由于无知。最主要的是在火热斗争的年代他并没有睡觉，在争夺政权的残酷斗争中，他找到了自己的岗位，而且在那革命的红旗上，也有他的几滴鲜血。

他在力量完全丧失以前并没有离开队伍。现在，他被打伤了，不能坚守阵地了，他只剩下了一条路——进后方的医院。他记得在华沙附近大战时，一粒子弹射倒了一个战士。他摔下马，倒在地上。同志们连忙扎好他的伤口，把他交给救护人员，马上又去追赶敌人。骑兵队伍并没有因为丧失一个战士而停止前进。在为了伟大的事业而进行的斗争中，就是这样的，而且也应当这样。不错，也有过例外。他就看见过一些无腿的机枪手，坐在拉着机枪的车上——这是敌人最怕的人们，他们的机枪给敌人送去死亡和毁灭。他们那钢铁一般的意志和锐利的目光，使他们成为各团队的光荣。但是像他们那样的人不多。

现在，他受了重伤，永远没有归队的希望了，他应该怎样来处置他自己呢？他不是已经逼得巴扎诺娃吐露了真情吗？那么往后怎么办呢？这个没有解决的问题，像无底的深渊出现在他面前。

他既然失去了最宝贵的东西——战斗的能力，为什么还要活着呢？在现在和在凄凉的将来，他将怎样才能证明自己生活得有价值呢？用什么来充实这生活呢？光是吃喝和呼吸吗？只作一个无用的旁观者，看着同志们在战斗中向前猛进吗？成为队伍的累赘吗？他应不应该毁掉这个背叛了他的肉体呢？朝心口打一枪——一切难题都解决了！以往既然能够生活得不坏，现在就应当在适当的时间结束这个生命。谁能责备一个不愿意作绝望呻吟的战士呢？

他的手在口袋里摸着勃朗宁的光滑枪身，指头习惯地握住了枪柄。他慢慢地抽出手枪来，大声对自己说：

"谁能想到你会有今天哪？"

枪口轻蔑地对着他的眼睛。他把手枪放在膝上，狠狠地骂着说：

"朋友，这是假英雄！任何一个笨蛋都会随时杀死自己！这是最怯懦也是最容易的出路。活着有了困难——就自杀。你有没有试试去战胜这种生活？你已经尽了一切力量来设法冲出这个铁环吗？难道你已经忘记了在诺沃格勒－沃伦斯基附近一天作过十七次的冲锋，而终于排除一切困难攻克了那个城市吗？把手枪藏起来，永远不要让别人知道你有过这种念头。即使生活到了实在是难以忍受的地步，也要活下去，使生命变得有益于人民！"

他站起来走到大路上。一个赶着牛车到镇上去的山里人搭载了他。到了镇上，他在一个十字路口买了一份当地的报纸。报上登着城里党组织在杰米扬·别德内依俱乐部开会的消息。那天，他直到深夜才回去。他没有想到他在那次积极分子会议上的发言竟是他最后一次在大会上的演说。

达雅还没有睡。她很着急，因为保尔出去了那么久没回来。他发生了什么事吗？他到哪儿去了？她今天看出来在保尔眼里有一种往常所没有的冷酷的表情。他很少说到他自己，但是她感觉到他正在遭受着什么不幸。

她母亲房里的钟敲了两下的时候，她听见栅栏门响了一声。

她披上一件短上衣就跑去开门。廖莉亚正在自己的房里熟睡，喃喃地说着梦话。

达雅看见保尔回来了，十分高兴，等他一走进门廊，就低声对他说：

“我正在为你着急呢。”

保尔也低声回答说：

“达雅，亲爱的，我是到死也不会出什么事的。怎么，廖莉亚睡了吗？你知道，我一点也不想睡。我要把今天发生的事情告诉你。我们到你房里去吧，要不我们会吵醒廖莉亚的。”

达雅踌躇了一下。这怎么行？在深夜里和他对谈？要是母亲知道了，她会怎样想呢？然而她不能对他这样说，他会难过的。而且，他究竟要告诉她什么呢？就在她这样想着的时候，她已经把保尔带进了自己的房间。

“达雅，是这么回事。”他们坐在黑暗的房间里，互相离得那样近，她甚至可以感觉到他的呼吸。他压低了声音说：“生活变得有时让我也觉得奇怪。这些日子我的心情非常坏。我不知道我以后在世上怎样生活下去。我有生以来从没有像这些日子这样心情沉重。可是今天，我召集了一次我个人的‘政治局会议’，通过了一个极端重要的决议案。我把这些告诉你，你可不要觉得奇怪。”

他把他最近几个月来的全部心情，以及他在城外公园里的大部分想法都告诉了她。

“我的情况就是这样。现在我要说到最重要的部分了。你们的家庭纠纷还刚在开始。你应当离开这儿，到空气新鲜的地方去，尽可能离这个窝远一点儿，开始过新的生活。我既然卷入了这场斗争，就得干到底。你我两人的个人生活现在都没乐趣。我已经决心给它放一把火。你明白我的意思吗？你愿意作我的伴侣,我的妻子吗?”

达雅一直非常激动地听着他的话,听到最后这一句,因为完全出乎她意料之外,她吓了一跳。他接着又说:

“我不是要你今天答复我,达雅。你得好好想一想。你当然不明白,我这个人怎么能这样,一点也没有像平常人做的那样,献殷勤,说花言巧语,直接就向你提出这个要求。可是那种花言巧语有什么用处呢?这儿是我的手,你瞧,小姑娘,在这儿。要是你这次相信了,那么,你是不会受骗的。我有许多你所需要的东西,同样,你也有许多是我所需要的。我已经决定:我们的结合要一直继续到你成为一个真正的人,成为我们当中的一个,我一定要帮助你做到这一点,要不我就一钱不值。在这之前,我们不应当破坏我们的结合。一到你长成了,你就可以不受任何束缚。谁知道,也许我有一天会变成一个完全的废人。你记住,到了那时候,我决不拖累你。”

他停了一下,然后又用一种温和而亲切的声音说:

“现在,我把我的友谊和爱情献给你。”

他始终握着她的手指头,而且是那样地镇定,就像她已经同意了似的。

“你永远不会遗弃我吗?”

“达雅,口说不足为凭。你只相信一点好了——相信像我这样的人是不会背叛朋友的……但愿别人也不背叛我。”他痛苦地结束了他的话。

“我今天什么也不能对你说,”她说,“这一切太出乎我意料之外了。”

他站起来说:

“睡吧,达雅,天就快亮了。”

他回到自己房里,没有脱衣裳就躺下去,头一挨着枕头,立刻就睡熟了。

在他房间靠近窗台的桌子上，堆着几摞由党委图书馆里借来的书、一叠报纸和几本记得满满的笔记本。还有房东借给他的一张床、两把椅子。在通到达雅房间的那扇门上，挂着很大一幅中国地图，上面插着许多小黑旗和小红旗。当地党委会答应把党委资料室的书供保尔阅读，此外，他们还同意请城内最大的港口图书馆主任经常作他的学习辅导员。不久，他就开始从那里借来大批书籍。廖莉亚看见他一天到晚念书，记笔记，只在吃饭时候才停一会儿，她总觉得惊奇。每天傍晚，他都是和那姐妹俩在廖莉亚房里度过。他时常把他读过的东西告诉她们。

老头子每次在午夜过了很久以后到院里去，总是看见他这位讨厌的房客的护窗板缝里有一线灯光。他轻轻地走到窗前，从窗板缝向里一看——保尔正在那里埋头读书。

"别人都睡了，可是这个屋子的灯总是整夜点着。他在家里晃来晃去，就像当家的一样。两个黄毛丫头也开始跟我犟嘴了。"老头子很不高兴地这样想着，又走开了。

保尔能有这么多的闲工夫，又不担任一点工作，这在八年来还是第一次。他像一个刚刚入门的学生，如饥似渴地阅读。甚至一天一夜读十八个钟头。假如不是达雅仿佛无意似的说了这样几句话，他的健康会受到什么样的影响是很难说的：

"我已经把我的衣柜移开了，通你屋子的门已经可以打开了。要是你有什么事情要和我谈，你可以直接进来，用不着经过廖莉亚的房间了。"达雅说。

保尔的脸上现出了光彩，达雅给他一个高兴的微笑——他们的结合成功了。

老头子在半夜的时候再也看不见房角窗户里的灯光了，同时母亲却开始看出达雅眼睛里的隐秘的快乐。她那双被爱情的火烧得发亮的眼睛下面有着两块黑晕——这是睡眠不足的结果。这座小院里经常可以听到吉他声和达雅的歌声了。

成了妇人以后,她有一件事常常觉得苦恼,那就是,他们的爱情好像是偷来的。只要一听到沙沙的声音她就吓得哆嗦,总觉得是母亲的脚步声。还有一点也很使她不安:要是有人问她,为什么现在夜里要把房门扣上,她该怎样回答呢?保尔看出了她的心理,便温柔地安慰她说:

"你怕什么呢?仔细分析起来,你我就是这里的主人。安心地睡吧,谁也没有权利干涉我们的共同生活。"

她把脸紧靠着他的胸脯,双手抱着她的爱人,安心地睡熟了。他一动也不动地躺在那儿,静听着她的呼吸,生怕惊醒她的美梦;他对这个把一生付托给他的少女,怀着无限的柔情。

第一个知道达雅眼睛为什么那样明亮的,是她的姐姐。从那天起姐妹俩就疏远了。不久她母亲也知道了。或者,更准确地说,是猜到了。她防范起来了。她没有料想到保尔·柯察金会这样。有一天,她对廖莉亚说:

"我们达雅和他不相配。这件事会有什么结果呢?"

她忧心忡忡,可是她又没有决心和保尔谈这桩事情。

青年们开始来找保尔了。小房间里有时挤满了人。这时候老头子就可以听到像一群蜜蜂似的嗡嗡声。时常听见大家一齐合唱:

我们的大海无限凄凉,
日日夜夜呼号喧嚷……

要不就是保尔所喜爱的歌:

茫茫世界被血泪染遍……

这是党内工人积极分子的学习小组在聚会,这个小组是在保尔写信要求参加宣传工作以后党委会交给保尔负责的。他的日子就是这样度过的。

现在他双手又握住舵轮了,而生活呢,在几经波折之后,又趋向了一个新的目标。保尔现在正梦想着通过研究和通过文学重返战斗的行列。

但是生活给他带来了一个接着一个的障碍。每次出现障碍,他就担心地想着,这些障碍对他要达到的目标会有多大的影响呢?

突然,那个没考上大学的乔治·丘查姆带着老婆从莫斯科回来了。他住在那个在沙皇时代作过律师的岳父家里,可是时常回家来刮他母亲的钱。

他这一来,使家庭内部关系更加恶化了。他毫不踌躇地站在他爸爸方面,而且还和那个反对苏维埃政权的岳父一家联合,玩弄阴谋诡计,存心要把保尔从家里赶出去,叫达雅和他断绝关系。

在乔治回来两个星期之后,廖莉亚在邻近的一个区里找到了工作。她把母亲和孩子都带到那儿去,保尔和达雅也搬到离得很远的一个滨海小城去了。

阿尔焦姆很少接到他弟弟的来信,但是,在镇苏维埃里,每逢他看见自己桌子上的灰信封和有棱有角的熟悉字体的时候,他就要失去往常的平静。这一回,当他撕开信封的时候,他满怀深情地想道:

"呵,保夫鲁沙,保夫鲁沙,弟弟呀!要是我们俩能在一起,该有多么好呵!你的各种意见,对我都会是很有用的。"

保尔的信上说:

亲爱的阿尔焦姆哥哥:我要把我自己的事情告诉你。我想,这些话除你以外我是不会向别的任何人说的。你知道我,你理解我信上的每一个字。这一次,我在为健康而斗争的战线上,不断地受到生活的逼迫。

我接连地遭受打击。在一次打击之后,我好容易快要爬起来,另一次打击,比上一次更无情的打击又来了。最可怕的是我已经失去了抵抗力。我的左臂不能动弹了。这本来已经够痛苦的了,可是,接着我的两条腿也不听话了。本来我就只能勉强行动(只限于室内),现在甚至要下床走到桌子跟前都很费劲。可是,恐怕这还不算完。明天怎样?我不敢预料!

我再也不能走出屋子了,我只能从窗户看到海的一角。一个人有个不受支配的背叛的肉体,又有一颗布尔什维克的雄心和意志,他迫不及待地向往劳动,向往你们正在整个战线上进攻的大军,向往那排山倒海、滚滚向前的钢铁巨流。一个人兼有这两者,世上还有比这更惨的悲剧吗?

但是,我仍然相信我能归队,在勇猛前进的队伍里也会有我一把刺刀。我不能不这样相信,我没有权利不这样相信。十年来,党和团教给了我反抗的艺术,领袖说,没有布尔什维克不能攻克的堡垒。这对我也适用。

现在我的生活就是学习。读书,读书,还是读书。阿尔焦姆,我读了许多书。我读完了主要的古典文学作品,又念完了共产主义函授大学的第一年课程,而且考试及格。每天晚上,我辅导一个青年党员小组学习。我通过那些同志与党的实际工作保持联系。此外,还有我亲爱的达雅,她的成长和她的进步,是的,还有她的爱以及她对我的亲切的照顾。我们和谐地在一起生活。我们的预算表是简单明了的——靠我的三十二卢布的残废金和达雅的工资过活。她正沿着我走过的道路走到党的行列里来。以前她曾经作过家庭女工,现在在饭厅里洗家什(这小镇上没有工厂)。

前几天,达雅得意地把她第一次当选为妇女部代表的证件给我看。这证件对于她,不仅仅是一块普通的硬纸。从这我正看到一个新人的诞生,我将尽我的力量帮助她。终有一天,一个大的工厂,一个工人的集体,会使这个新人完全成熟。我们住在这里的时候,她只有沿着这样一条唯一可以行得通的道路前进。

达雅的母亲来过两次。她母亲不知不觉地想把达雅往后拉,想把她拉到个人的小圈子里去过那种狭窄的琐碎的生活。我曾努力说服她母亲,告诉她不应当把她自己过去生活的阴影再投到她女儿的道路上。但是结果并没有说动她。我觉得她母亲将来一定会成为她新生道路上的障碍,和她斗争一定是无法避免的。握手。

你的保尔

老玛切斯塔第五疗养院的三层石头楼房建在从悬崖上开辟出来的一个平场上。它周围全是森林,下山的道路曲曲弯弯。各房间的窗户都开着,阵阵的微风把下面硫磺矿泉的味道吹上来。保尔现在一个人住着一个房间。明天有新的同志来。那时他就有同伴了。窗外有脚步声和一个人的熟悉的说话声。有几个人在谈话。可是他在什么地方听到过这个很粗的男低音呢?

他仔细一想,忽然想起那个虽然藏在记忆深处但还没有忘掉的名字:“列杰尼奥夫。这是他,绝不是别人。”保尔确信不会弄错,于是喊了他一声。一分钟之后,列杰尼奥夫已经坐在他身边,快活地拉着他的手说:

“呵,你还活着?那么,你说,有什么可以让我高兴的事吗?呵,怎么,你当真当起病号来了?我不赞成。你可以拿我作例子。医生也早说过我非退休不可,可是我像故意和他们作对似的,仍然支持到现在。”说到这里,列杰尼奥夫温和地笑起来了。

保尔在这谈笑里体会到一种暗含着的同情和忧虑。

他们兴奋地谈了两个钟头。列杰尼奥夫把有关莫斯科的一些消息告诉了保尔。从列杰尼奥夫那里,保尔第一次知道了党的一些重要决议——农业的集体化、农村的改造等等。每一个字他都如饥如渴地注意听着:

“我还以为你在你的家乡乌克兰什么地方工作呢,哪知道是这样不幸。不过没有关系,过去我的情形比你还坏,我曾经完全卧床不起,可是现在,你看我不是挺精神吗?要知道,现在我们绝对不能懒懒散散地过日子。这样不行!我有时这样想:好歹要休息休息,稍微喘一口气。现在已经上了年纪了,每天工作十至十二小时实在吃不消。可是,只要这样想一想,检查一下工作,看看能不能卸掉一部分责任,结果每次总是这样——单单为了想要卸除一部分责任,你就得钉在那儿办移交,每天别想在十二点以前回家休息。机器开得越快,每一个轮子也就转得越快。而我们现在——速度没有一天不是激增着的,因此,像我们这些老头子,也不得不和年轻的时候一样干了。”

列杰尼奥夫用手摸了摸他那高大的额头,用父亲一样慈爱的口吻亲切地说:

“现在,你把你的事情讲一讲吧。”

列杰尼奥夫倾听着保尔叙述自己的生活，同时保尔也看到了列杰尼奥夫正用着生气勃勃的、赞成的目光瞧着他。

在凉台的一角，在浓密的树荫底下，聚集着一群病友。切尔诺科佐夫紧皱着浓眉，坐在一张小桌子旁边读《真理报》。他的黑斜领衬衫，旧鸭舌帽，瘦削的、好久没有刮过胡子、晒黑的脸，一对深陷的蓝眼睛——所有这些，都表明他是一个多年的矿工。十二年前，他放下了他的铁镐，被派到边区做领导工作，但是现在看起来，他仍然像是刚从矿井里出来似的。这从他的言谈举止以及他使用的语汇上都可以感觉出来。

切尔诺科佐夫是边区党委会常委和政府委员。一种痛苦的病——腿上的坏疽病——不断消耗他的精力。他非常痛恨这条病腿，它已经叫他在床上躺了差不多半年了。

坐在切尔诺科佐夫对面的，是一边沉思一边抽烟的日基廖娃。她今年三十七岁，入党已经十九年了。在彼得堡做地下工作的时候，大家都叫她"金工小淑拉"。她差不多还是女孩子的时候，就尝过流放西伯利亚的味道了。

坐在桌边的第三个人是潘科夫。他正低着头读德文杂志，并且不时地扶一扶鼻梁上的玳瑁眼镜，他的侧影很美，很像古代的雕像。当你看到这位三十岁的大力士艰难地抬起他那只不听指挥的腿的时候，就不禁替他难过。潘科夫是一个编辑、作家，在教育人民委员部工作。他很熟悉欧洲，通晓好几种外国语。他知识丰富，就是很稳重的切尔诺科佐夫对他也很尊敬。

"这就是你同房的病友吗？"日基廖娃瞧着坐在手车里的保尔，轻轻地问切尔诺科佐夫。

切尔诺科佐夫丢下了报纸，马上容光焕发地说：

"呵，这是保尔·柯察金。淑拉，应当介绍给你们认识认识。

是疾病把他绊倒了，不然的话，把这小伙子派到我们那些老大难的地方是可以起作用的。他是第一代的共青团员。总之，要是咱们能帮助这个小伙子的话，他将来还能够工作的。我已下定决心扶他一把。”

潘科夫倾听着切尔诺科佐夫的叙述。

“他害的是什么病?”日基廖娃又轻轻地问。

“那是一九二〇年内战的时候得的，他脊椎骨受过伤。我和这里的大夫已经谈过了，你知道，恐怕那样的暗伤会使他完全瘫痪。你瞧有多么严重!”

“我马上去把他推到这边来。”日基廖娃说。

他们的友谊就是这样开始的。就连保尔也没有想到，后来日基廖娃和切尔诺科佐夫都成了他最亲近的人，在他以后病重的几年里，他们都是他最有力的支柱。

生活还是照旧。达雅做她的工。保尔读他的书。但是他刚刚要开始小组的工作，一个新的不幸又悄悄地向他袭来——他的两条腿完全瘫痪了。现在能听他使唤的只有右手了。经过长期的和完全无效的努力之后，他知道他实在是再也不能走动了，这时候他把嘴唇都咬出了血。达雅勇敢地掩盖着她的失望和由于无力帮助他而引起的苦痛。可是保尔却像抱歉似的微笑着说：

“达雅，亲爱的，咱们俩只得离婚了。咱们在约定的时候并没有说可以这样过下去呀。亲爱的，今天我要好好考虑这个问题。”

她不让他再说下去。她难以抑制地痛哭起来。她的头紧贴着他的胸脯，抽抽搭搭地哭起来。

阿尔焦姆知道了弟弟的病情，就写信给他母亲，老人家立刻抛下一切,到保尔这儿来了。现在母亲、保尔和达雅三个住在一起,老太太跟儿媳妇很合得来。

保尔不顾一切继续学习。

在一个阴湿的冬天的晚上,达雅带着第一个胜利的消息回到家里——她被选为市苏维埃的委员了。从那天起,保尔就开始不常看见她了。达雅常从她洗家什的那个疗养院厨房,径自上苏维埃或妇女部去,深夜才回到家里,因此非常疲倦,但是脑子里却装满了新鲜事儿。接受她作候补党员的日子越来越近了,她正十分兴奋地准备着。可是,就在这时候,新的不幸又来了。保尔的病情继续恶化。他的右眼火烧火燎地疼起来,连左眼也疼起来了。他有生以来第一次明白了什么叫作失明——周围的一切都像蒙上了一层黑纱。

现在,一个可怕的障碍——所以可怕,是因为它似乎是不能克服的——已经悄悄地挡住了他的进路,阻止他继续前进。他的母亲和妻子悲观失望到了极点,但是他本人却很冷静。他坚决地对自己说:

"我应当等一等。如果真是没有前进的可能了,如果失明把我直到现在为了恢复工作所尽的一切努力都给取消了,如果我再也不能归队了——那就应当结束这生命。"

他写了许多信给他的朋友们。他们都回信劝他坚定和继续奋斗。

就在这痛苦的日子里,有一天晚上,达雅怀着无比的快乐和兴奋跑回家来,告诉他:

"保夫鲁沙,我现在是候补党员了!"

当保尔听着她叙述党支部接受这位新同志的经过时,他想起了当初他自己入党时的情形。他使劲握着她的手,对她说:

"呵,达雅同志,现在咱们俩可以组成一个小组了!"

第二天，保尔写信给区委书记，请他来看他。当天晚上，一辆满是泥浆的汽车停在门口，留着大胡子的中年的拉脱维亚人沃利麦尔握着保尔的手，说道：

“怎样，生活好吗？你怎么能这样过日子呢？起来吧，我们马上派你下地干活去。”他说着就大声笑起来。

区委书记和保尔谈了两个钟头，甚至忘记了他晚上还要开会。他一边在房间里来回走着，一边听着保尔的兴奋的谈话，最后他说：

“你别提学习小组的事了。你所需要的是休息，还要问问眼睛有没有法治。也许还可以挽救。你到莫斯科去一趟好不好？你好好考虑一下……”

保尔打断他的话，说：

“沃利麦尔同志，我需要的是人，是活的人！我不能独自过活。我现在比以前任何时候更需要与活人接触。给我找一些青年人来，最好是一些没有什么经验的小伙子。在你们的乡村里，他们都是非常‘左’的，都想组织公社，——他们嫌集体农庄不够味了。要是你再不注意这事情，那就难怪团员们还不会走就想跑了。我从前也是这样的，我了解这一点。”

沃利麦尔站住了，问：

“你怎么会知道这些事情？这消息今天才由区里传到呀！”

“同志，你也许还记得我的妻子吧？”保尔微笑着说。“你们昨天才接受她入党。这是她告诉我的。”

“什么，达雅，那个洗家什的女工？原来她是你的妻子呀！哈哈，我还不知道哪！”沃利麦尔想了一会儿，用手拍了一下自己的前额，说：

“呵，有了，我们有一个人可以派到你这儿来，那就是列夫·别尔谢涅夫！你再也找不到一个比他更好的同志了。你们两个的性情也相近。你们两个简直就是两个高频变压器。你知道，我作过电工，所以我拿这样的东西来打比方。列夫还可以给你装一个无线电收音机，他是一个无线电专家。你知道，我常常在他那里戴上耳机，一直听到夜里两点。连我老伴也起了疑心，她说，老鬼，你每天夜里究竟到什么地方逛去了？”

保尔笑着问他：

“别尔谢涅夫是个什么样的人呢？”

沃利麦尔来回地走累了，就坐在椅子上，说：

“别尔谢涅夫是我们这儿的公证人。可是他当公证人，正像我当芭蕾舞女演员一样外行。不久以前，他是一个担任重要职务的干部。他从一九一二年起就参加了革命运动，十月革命时就入了党。内战时期他是军级干部——在骑兵第二军负责革命法庭，在高加索地方肃清‘白’虱子。他到过察里津、南部前线，在远东管过一个共和国的最高军事法庭工作。他是一个经历过艰难困苦的人。后来肺结核使他躺倒了，因此才从远东调到这儿来。到高加索这儿，他作过省法院院长和边区法院的副院长。后来他的肺病更严重了，有了致命的危险，他们才把他送到这儿来。这就是我们得到这个不寻常的公证人的经过。公证人的职务十分清闲，因此，他还活着。后来大家就悄悄地让他领导一个支部，接着又叫他参加区委会，又叫他领导政治学校，再后来又叫他参加监察委员会；不论成立解决什么难题的重要委员会，都得有他参加。除此之外，他又爱打猎，又是一个热心的无线电迷；虽然他只有半个肺，可是他一点也不像个病人。他的精力非常充沛。我相信，有一天他总要在由区委会赶到法院去的路上死去的。”

保尔听到这里，就插嘴提出一个尖锐的问题：

“你们为什么要给他这么多的工作呢？他在你们这儿做的

工作，比他原先的工作还多。”

沃利麦尔眯着眼瞟了保尔一下，说：

“要是我们给你一个小组，派你一些工作，别尔谢涅夫也一定要说：‘你们为什么要给他这么多的工作呢？’而他对他自己呢，倒这样说：‘在紧张的工作中活一年，比在医院里苟且偷安地混五年要强得多。’显然，只有在我们建成了社会主义之后，我们才能谈得上珍惜人。”

“这是对的，”保尔说。“我也赞成干一年强过苟且偷安混五年的意见。但是我们在浪费我们的力量方面有时是有罪的。现在我才明白，这与其说是英勇，不如说是任性和不负责任。现在我才认清了我过去实在没有那样糟蹋我的健康的权利。原来这是一点也不英勇的。如果我以往不是斯巴达式那种干法，我很可能再多活几年。总之，‘左倾’幼稚病是造成我目前状况的主要危险之一。”

“现在你是这么说，可是如果你明天能下床，你就把什么都忘了。”沃利麦尔心里这样想，但是没有说出口。

第二天晚上，列夫·别尔谢涅夫来看保尔。他直到半夜才走。列夫离开他的新朋友时，他觉得好像找到了失散多年的兄弟一样。

早上，有几个人爬到屋顶上去架设天线，列夫一面在房里安装收音机，一面讲述着他经历过的一些有趣的故事。保尔看不见他，但根据达雅的叙述，他知道列夫是一个长着淡黄色头发的、眼睛淡蓝、身体高大和举动敏捷的人，也就是说，这跟保尔在他们会面的最初几分钟所想象的一模一样。

天黑的时候，三只灯亮了，列夫郑重地把耳机递给保尔。太空中传来一片杂音。接着是像鸟的啁啾声一样的海港电报的电码声，从某一地方——显然是在附近的海里——又传来了轮船

无线电台发报的声音。然后,可变电感器的线圈从杂乱的吵闹声中寻到了一个越来越清楚的、沉着而自信的说话声:

“注意,注意,这是莫斯科广播电台……”

这小小的收音机和它的天线可以收听世界上六十个电台的广播。保尔长期被隔绝的生活现在突然从耳机的膜片冲了出来,使他感到了它那巨大的搏动。疲倦的列夫·别尔谢涅夫看见保尔的眼睛现出的喜悦的神情,满意地微笑了。

大房子里所有的人都睡熟了,达雅不安地说着梦话。她每天很晚才回家,又冷又累。保尔和她在一起的时候很少。她工作越是积极,闲暇的晚上就越少,这让保尔想起了别尔谢涅夫某次说的话:

“如果一个布尔什维克的妻子是个党内的同志,他们相互见面的机会就很少。这有两点好处:既不会互相腻烦,又没有时间吵嘴。”

他能够表示反对吗?他早就应该料到这一点。过去,曾经有一个时候,达雅曾把她的每个晚上都给了他。那时候对他有更多的温存和照顾。可是那时候她只是他的朋友和妻子,而现在她却是他的学生和党内的同志。

他明白,她政治上越成熟,她能照顾他的时间就越少。他坦然地接受了这必然的结果。

党交给了他一个学习小组。

每天晚上他屋子里又热闹起来了。跟青年人在一起的时间使保尔得到了精力和朝气。

其他的时间,他总是听广播。为了要喂他食物,她母亲总得费好大劲才能使他放下听筒。

无线电广播把失明所夺去的东西又给了他,——他又有了学习的可能,而且因为他不顾一切地努力学习,他就忘掉了身体经常发烧带来的剧烈疼痛,忘掉了眼睛的火烧火燎的炎肿,以及对他残酷无情的生活。

当他由天线的电波中收听到由马格尼托哥尔斯克钢铁企业建筑工地上发出的消息,知道那些接替他这一代共青团岗位的青年们,高举青年共产国际的旗帜取得了光荣的成就时,他异常地快乐。

他想象着像大群母狼一样残暴的大风雪,想象着乌拉尔地区可怕的严寒。狂风彻夜怒吼,由第二代的共青团员组成的队伍整夜在暴风雪里,借着弧光灯的亮光,安装那巨大厂房房顶上的玻璃,抢救了大规模的联合企业刚建好的第一批车间。基辅的第一代共青团员冒着风雪建筑起来的运输木材的铁路支线,和它比起来好像是微不足道了。祖国壮大了,人民也成长起来了。

在第聂伯河上,大水冲垮了钢闸,波浪汹涌,淹没了机器和活人。又是共青团员去和灾害进行斗争。不休息不睡眠,经过两天苦战之后,他们终于把冲出来的洪水赶回钢闸里去了。在这艰巨的斗争中,新一代的共青团员起着带头作用;而在那些英雄人物中,保尔喜悦地听到一个熟悉的名字——潘克拉托夫。

9

他们到了莫斯科,在某机关的档案库里住了几天,那个机关的首长帮助保尔住进了一个专科医院。

直到现在保尔才明白:当一个人身体健康、充满青春活力的时候,坚强是一桩比较简单和容易的事;而只有在生活用铁环紧紧把你箍起来的时候,坚强才是光荣的事情。

从保尔在档案库里住过几天那时候到现在，一年半过去了。那是十八个难以形容的痛苦的月份。

医院里的阿维尔巴赫教授直率地告诉保尔说，他的视力是无法恢复了。如果以后什么时候炎症能够消失，那时可以试着在瞳孔上做做手术。现在提议他先采取些外科治疗措施，消除炎症。

他征求保尔的意见，保尔表示，医生们认为可以做的，他都同意。

当他睡在手术台上，他的颈部被割开，一侧甲状腺被割去的时候，死神的黑翅膀曾前后三次碰过他。但是，保尔的生命是顽强的。每次，经过几个可怕的令人焦虑的钟点之后，达雅总是发现自己的丈夫面色像死人一样白，可是仍然活着，而且跟往常一样地镇定和和蔼。他对她说：

“亲爱的，你别担心，我不会这么容易就死的。我还要再活下去，故意和那些有学问的医生们的预测开开玩笑。关于我的健康状况，他们的意见都是对的，但他们要写个证明文件，说我百分之百丧失了劳动能力，那就大错特错了。我们往后再瞧一瞧。”

保尔坚定地选择好了一条道路，他决心从这条道路回到新生活建设者的队伍中去。

冬天过去了，春天已经把窗户推开。失血过多的保尔挺过了最后一次手术，他觉得他再也不能住在医院里了。许多月来，周围是活人的受难和注定要死的人们的呻吟和哀号，这比他自己的苦痛还要使他难受。

当医生提议再做一次手术时，他冷淡而坚决地回答说：

“不要了。已经够了。我已经把我自己的一部分血献给了科学,剩下的留给我自己做点别的事吧。”

当天保尔就写信给中央委员会,请求帮助他在莫斯科找个住处,因为他的妻子正在当地工作,而且他本人再继续流浪也没有好处。他向党请求帮助,这是第一次。莫斯科苏维埃拨给他一间房子。他怀着一个永远不再回来的希望离开了医院。

那间朴素的房子是在克鲁泡特金街附近的一条僻静的胡同里,在他看来,这已经是最高的享受了。他时常在夜里醒来的时候还不相信他已经离开了医院,而且离得远远的了。

达雅现在已经是正式党员了。她工作很努力,不管她个人的生活中有什么悲剧,她并没有落在其他女突击手的后头,工人们对这个沉默寡言的女工表示了信任:推选她当工厂委员会的委员。保尔现在因为他的妻子变成了布尔什维克而感到自豪,这大大减轻了他的苦痛。

巴扎诺娃有一天来看保尔,她是出差到莫斯科来的。他们谈了好久。保尔热情地告诉她,他已选定了一条道路,不久之后,他可以回到战士的队伍里去。

她看见了保尔鬓上的银色发丝,小声地对他说:

“我看出您经受了很多折磨。但是您仍然没有失掉您那不熄灭的热情。还有什么比这更可贵呢?您决心开始您在这五年来不断准备着的工作,这是很好的。可是您怎么工作呢?”

保尔微笑着安慰她说:

“明天他们就要给我拿来一个硬纸做的格子板。我没有这个格子板是不能写字的。上一行和下一行常常串起来。我想了很久才想出这个办法,那就是在硬纸板中间刻出一些空行,使我的铅笔能一行一行写下去。当你看不见你所写的字的时候,写字并不是一桩容易的事情，可也不是不可能的。这是我深信不疑的，我曾经试了很久，总是写不好，现在我开始慢慢地写，每个字母都很仔细写，结果写出来挺好。”

保尔开始工作了。

他打算写一部关于科托夫斯基的英勇骑兵师的中篇小说。书名是油然而生的：

《暴风雨所诞生的》。

从那天起，他就把全部心神贯注在这本书的创作上面。缓缓地，一行又一行地，写成了许多页。他全心全意地去刻画他书中人物的形象，有时候，那些生动的、难忘的景象那么清晰地重现了出来，但是他却不能用文字加以表现，写出的字句是那样呆板、无力和缺乏感情，这时候他才初次体验到了创作的痛苦。

他写的每一件事、每一句、每一个字，都必须记住，线索一断，工作就受到了阻碍。他母亲忧伤地关心着儿子的工作。

在写作过程中，他时常必须凭着记忆背诵整页，甚至整章，他母亲有时候以为她儿子发疯了。他正在写的时候，她总是不敢走到他跟前，只有在她进去收拾滑到地板上的稿纸的时候，才提心吊胆地对他说：

“保尔，亲爱的，你难道不好做点别的事情吗？谁像你这样，写起来没完……”

他看见她这样担心，就笑起来了，并且安慰她说，他还没有到完全“发疯”的地步。

计划中的小说已经写完了三章。保尔把它寄到敖德萨，给科托夫斯基师的一些老同志看，征求他们的意见。他很快就得到了称赞的回答，但是原稿竟在寄回来的途中被邮局遗失了！六个月来的心血白费了。这对他是一个极大的打击。他非常后悔他当时没有留下一份底稿。他把他的损失告诉了列杰尼奥夫。

“你做事怎么这样粗心？现在安下心去吧，骂也没用啦。重新开始吧。”

“可是，列杰尼奥夫同志，你知道，我六个月的心血白白地糟蹋啦。这是我每天紧张地工作八个钟头的成果呵！真该死，我们现在还有这样的寄生虫。”

列杰尼奥夫竭力安慰他。

他只好重新开始工作。列杰尼奥夫给他弄到一些纸。把他写好的原稿拿去，用打字机打出来。一个半月之后，第一章又重新写成了。

柯察金家跟一家姓阿列克谢耶夫的住在一所房子里。那家的大儿子亚历山大是本市一个区的团委书记。他有一个十八岁的妹妹，名叫加莉亚，刚从工厂艺徒学校毕业。加莉亚是一个朝气蓬勃的少女。保尔让母亲去问她，是否愿意帮他的忙，当他的“秘书”。加莉亚很高兴地答应了，并且跑过来看他，满脸笑容，非常亲切。她听到保尔正在写一部小说，就说：

“柯察金同志，我非常愿意帮助你。这跟替我父亲写那些保持住宅清洁的无聊通知完全不同。”

从这天起，文学工作就以双倍的速度向前推进了。一个月内，保尔完成的工作是那么多，连他本人也很惊讶。加莉亚抱着同情心竭力帮助他工作。她的铅笔在纸上沙沙地响着。遇到她最喜欢的一段，她就念上好几遍，对他的成功表示真挚的欢喜。在这座房子里，相信保尔这件工作的，仅仅她一个，其余的都认为这是徒劳无功，认为这只是他在无所事事之中，想找一个消磨日子的方法罢了。

接着，因公外出的列杰尼奥夫回到莫斯科来了，他读了头几章，就说：

“干下去，朋友！胜利是属于我们的！保尔同志，你会得到伟大的成就的。我坚决相信，你想重新归队的理想，不久就会实现的。孩子，千万别泄气。”

老头子非常满意地离开了保尔，因为他看见保尔的精力很充沛。

加莉亚按时来，随着她的铅笔在纸上的沙沙响声，那些追述难忘的往事的字句一行一行地增多了。当保尔凝神深思，为那些回忆所感动的时候，加莉亚就可以看到他的睫毛怎样颤动，他的眼睛怎样现出各种不同的表情，这些正是他的思想活动的反映。要说他双目失明，那简直是令人难以相信。你瞧，他那对清澈的、没有斑点的瞳孔多么有生气啊。

每天工作一结束，加莉亚就把记下来的念给他听；他在留神谛听的时候，总是皱着眉头。

“柯察金同志，您为什么皱眉头呢？您瞧，您写得多好呵！”

“不，加莉亚，写得不好。”

当他认为写得不好的时候，他就亲自动手重写。有时他实在受不了格子板的狭窄框框的束缚——他就把它扔掉。这时他对那剥夺了他的视力的生活特别憎恨，他把铅笔一支又一支地弄断，把嘴唇咬得出血。

工作越接近尾声，他那被抑制的感情也就越发经常地冲击他一向毫不松懈的意志。那些被抑制的感情就是忧伤，以及除他之外别的任何男女都有权抒发的那种人类通常的热烈或温柔的感情。要是他屈服于那些感情中的任何一种，事情就会得到悲惨的结果。

达雅每天很晚很晚才从工厂里回家来，她跟保尔的母亲小声交换了几句话，就上床去睡了。

最后的一章写成了，加莉亚花了几天的时间，把全篇小说念给他听。

明天就把原稿寄给列宁格勒的州委员会文化宣传部。如果他们给它开“许可证”，他们就会把它送到出版社去，这么一来……

想到这里，他的心怦怦地跳起来了。这么一来……新的生活就开始了，这是由多年的紧张而顽强的劳动换来的。

这本书的命运决定着保尔的命运。如果原稿被退回来，那么，他就完了。如果它的缺点是局部的，还可以由他进一步地加工来消除的话，那么，他就马上开始新的进攻。

母亲把那沉重的包裹送到邮局去了。紧张期待的日子开始了。保尔一生从来没有像现在这样焦急地等待着来信。他从早班的信等到晚班，可是列宁格勒仍然没有回音。

出版社的沉默越来越急人。失败的预兆一天比一天明显了。保尔觉得：如果他的著作遭到无条件的拒绝，那也就是他的灭亡。那样他就不能再活下去了。活下去也没有意义了。

在这时候，他又想起了郊外海滨公园里的那一幕情景。他反复地问他自己：

“为了挣脱铁环，争取归队，使你自己的生命变得有用，你是否已经尽了一切努力呢？”

他每次的回答都是：

“是的，我似乎已经尽了一切努力了！”

许多天过去了，正在等待得难以忍受的时候，他那跟他一样激动的母亲突然走进屋子，喊道：

“列宁格勒来信了！！！”

那不是信，是由州委会打来的电报。电报纸上只有简单几

个字:

小说大受赞赏。即将出版。祝贺成功。

他的心又怦怦地跳起来了。他日夜盼望的梦想已经实现了!铁环已经被砸碎,现在他拿起新的武器,回到战斗的队伍里,开始了新的生活。

附注

第3页，在……但是他怕挨罚，没敢问一句之后，原稿中接下去为：保尔也信教。他母亲是个教徒，常向他讲圣经上的道理。他坚信世界是上帝创造的，而且不是几百万年，而是不久前的事。

把这几句话删去，显然是为了塑造一个保尔的完美形象，仿佛他生下来就选择了自己的人生道路。类似的可能性我们还见于其他章节。

第5页，……蓬乱头发……第五版中蓬乱一词印错。按原稿改正。

第8页，……打肿你的狗脸……中的肿字第五版中印错。按原稿改正。

第9页，我一定要揍那个黄毛小子的狗脸，对，一定要揍他一顿。原稿中对保尔的性格表述得更形象一些：我非抽那个混小子的狗脸不可。我真该当场就抽他，那会把我赶出来。可还是得非揍他一顿不可！

第9页，保尔两眼盯着地板上破烂的地方……第五版中错为盯着一块地板。按原稿改正。

第10页，有六条铁路线在谢佩托夫卡中继站交轨。文学遗产委员会1954年会议上决定把六条铁路线改为五条，理由是在下文第124页（第五版为第103页）中谈到：闪亮的铁轨由这个镇向五个方向伸去。这样的决定不能认为是合理的，因为向五个方向伸展开去多少条铁路线都有可能，比如说，向一个方向可能伸展出两条铁路线。也曾想彻底弄确切谢佩托夫卡镇当时到底有过多少条铁路线，这也没有什么道理。况且，奥斯特洛夫斯基也不是写纪实小说。因此，本版仍保留了作者的说法。

第16页，在睡去吧，保尔，我替你看一会儿水锅一句之后，原稿中还有整整一节叙述克利姆卡向保尔讲述普罗霍尔许诺给佛罗霞三百卢布，说服她同穆欣－普什金过夜的情节。

第43页，……布尔什维克组织的游击队已经有十个左右这句话，在青年近卫军出版社1935年版本中有几种不同方案：游击队已达十个之多，部分是布尔什维克组织的。在第五版中部分一词被勾掉。当时，我们在原稿中还发现有第三种更加完全，因而也更加易懂的方案：游击队运动在全省开始兴起，游击队已经达到十个，其中有的是布尔什维克和部分社会革命党人组织的。照上边那样一改，势必使读者无法正确想象时代的复杂性，那些年代游击队因为是由不同党派和集团组建的，彼此之间有可能互相敌对。原稿中接下去还有多处都可以证实这一点。

第44页，波诺马连科在第五版中错为波纳马连科。按原稿改正。

第52页，在我想，大概是到柯察金家去了一句后，第五版中漏掉了你找妈妈有事吗？一句。按原稿补正。

第68页，在激烈而残酷的斗争席卷了乌克兰一句话之前，原稿中有一段关于冬妮亚(原稿中为伊拉)和保尔的饶有兴味的描述：

雨点噼噼啪啪敲打着窗户。雨水从屋顶上汩汩地流下来。狂风呼啸，骚扰着花园里的樱桃树，树枝吹俯到窗子上，枝梢不断轻轻抽打着窗玻璃。伊拉不止一次地抬起头来听听是否有人敲门，确信是风声之后，她皱了皱眉头。这风雨搅得她写不下去，心头不由得一阵惆怅。她面前桌子上摆着几张写满了的信纸。写完最后一页，伊拉把披肩裹暖和一点，把写好的这封信重读了一遍：

亲爱的塔尼娅：

碰巧我爸爸的助手要去基辅，就便给你带去这封信。

很久没写信了，请原谅。

可眼下这么兵荒马乱的，一切都乱糟糟的，思想没法集中。就是想写信也没人捎去，又不通邮。

你知道，爸爸不同意我这样年纪就去基辅，七年级我只得在本地中学读了。

我想念朋友们，特别是你。在这里我一个同学都没有，多半都是些俗气的男孩子和既傲慢又愚蠢的土里土气的女孩子。

前几封信中我和你谈到过保尔。我错了，塔尼娅，当时我想，我对这位小火伏的感情不过是年轻人的逢场作戏，过眼云烟般的好感。这种事，我们生活中多得是。可事实不是这样。的确，我们俩都很年轻，两人的年龄加在一起也只有三十三岁，但这里有比年龄更重要的东西。我不晓得该叫什么，反正不是逢场作戏。

眼下正是细雨连绵的深秋时节，遍地的泥泞足可把人淹死。在这寂寞的小镇子上，唯能弥补这平淡生活和充实着我整个自身的就是这不意萌发的对这个邋遢小火伕的感情。

我已经开始从一个不安分的，有时还好异想天开、总想去寻求某种光明的、不平凡的生活的小女孩慢慢长大了。开始从读过的一大堆小说中解脱出来。这些小说有时常触发你对生活的好奇心，促使你追求某种比这种乏味的、令人厌烦的生活更加光明、更加充实的生活。这种单调乏味的生活使绝大多数的女性感到压抑，我就是这其中之一。对保尔的感情就是随着对某种不平凡的、光明的东西的追求产生的。在我熟悉的年轻人中间从没遇见过这样的人，没有一个具有他这样坚强的意志和对生活如此坚定而又是非分明的独特见解。就是我们之间的友谊本身也不一般。就因为追求某种更富色彩的东西，我任性地想"考验"他一下，有一次，差点搭上了一个少年的性命。现在想起来我还感到羞愧。

这是今年夏末的事。我和保尔来到湖边我喜欢去的那个悬崖上。这时，那种鬼迷心窍的念头又驱使我再次考验一下保尔。去年夏天我带你去过那地方，你知道那个高高的悬崖。足有五丈高，你想想看，我简直是疯了。我对他说：

"你敢从这里跳下去吗，谅你不敢。"

保尔朝下望了望水面，摇摇头说：

"去他的！我不要命了吗？谁活腻了就让谁跳去好啦！"

他把我激他当成了玩笑。尽管我已经多少次亲眼目睹过他的英勇行为，他那种天不怕地不怕的劲儿有时达到近乎粗鲁的地步。但此时此刻，我却觉得他未必能完成这一冒生命危险的真正壮举。他那点勇气充其量只够打打架、冒点险，或偷支手枪什么的。

就在这时，发生了那件糟糕的事，它使我永远也不敢再去任性搞恶作剧了。我对他说了我瞧不起胆怯行为。我只是想检验一下，看他敢不敢这样做，并不强求他跳下去。就这样，我就一心想跟他开开这个玩笑，想再狠狠激他一下，我向他提出了条件：如果他真是个勇敢的人，而且想得到我的爱，那就让他跳下去。只要他做到了，他就可以得到我。

塔尼娅，我深深意识到，这太过分了。他被这样的提议震惊了，眼盯盯地看了我好几秒钟。我甚至还没来得及站起来，只见他把脚上的凉鞋一甩，就纵身从悬崖上跳了下去。

我吓得狂叫了一声，但已经晚了，他那绷紧的身躯已经向水面飞落下去。这短短三秒钟显得无限之长。当水面腾起的巨大水柱瞬息间将他吞没的时候,我骇怕了,我冒着自己也可能从悬崖上滑下去的危险,怀着慌乱而又懊恼的心情望着水面上一圈圈扩展开来的波纹,经过了一段仿佛无限长久的期待之后,水面上终于露出了那个我心爱的黑色的脑袋。我失声大哭着朝着下边的一条通道跑去。

我知道,他跳崖并非为了得到我,我许下的愿至今也没有偿还,只是考验他的想法算是从我的愿望中彻底根除了。

树枝不停地敲打着窗户,不让我写下去。我今天心情不好,塔尼娅,周围一切都这么阴暗,这也影响我的情绪。

车站上列车往来不断。德国人在撤退。他们从四面八方往这里调动,随即分别登车开走。据说,离这里二十里路的地方起义军和撤退的德军在交火。你知道,德国人那里也闹革命,他们也急着回国。车站上的工人快跑光了。像是要出什么事情,我不清楚,但非常提心吊胆。等候你的回音。

爱你的伊拉

1918年11月29日

第72页,镇外有一个配有机枪的彼得留拉岗哨。这里有可能是作者的疏误。按照作者的构思,即使岗哨上配有几挺机枪,战士们看到骑兵时也会扑到架设在路上的那一挺机枪上去的。但无论如何,编辑不经作者擅自改动都是不适当的。

第76页,在吓糊涂了的市民们全跳出温暖的被窝一句之后,原稿中还有一段描写一个市民误把匪帮相互间的交火当成是新政权来了的复杂心情:

阿夫托诺姆·彼得罗维奇抬起头仔细听着,不,他没错——是在打枪。他急忙跳下床,把鼻子贴在窗玻璃上又听了几秒钟——没有什么可怀疑的,城里是在打仗。

得赶紧把挂在舍甫琴科像下的旗子摘下来。挂彼得留拉的旗,红军来了就麻烦,可舍甫琴科的像大家都敬重。塔拉斯·舍甫琴科是好人,挂他的像不必骇怕——无论什么人来都不会说他的坏话。旗,那是另一码事。他阿夫托诺姆·彼得罗维奇可不是傻瓜,也不会像格拉西姆·列昂季耶维奇那样马虎大意。有这样的好办法,何必拿列宁去冒险呢?

他试着把旗子摘下来,但钉子钉得太结实,他使劲一拔,失去了平衡,咕咚一屁股蹲到了地板上。妻子被这一声吓得腾地爬起来……

“你怎么,疯了?老东西!”

阿夫托诺姆·彼得罗维奇坐骨蹲到地板上,正疼得难受,他冲到妻子跟前喊道:

"你就只管睡吧,一觉睡到天堂里去。城里鬼晓得出了什么事,可她就知道睡。这旗子挂上去摘下来都是我的事,这么说,跟你就毫不相干?"

唾沫星喷到她的脸上。她拉起被子把头蒙上,阿夫托诺姆·彼得罗维奇听到她在被窝里闷声闷气地骂了一句:

"白痴!"

枪声渐渐稀疏下来,回声依然像锤击似的隐约敲打着窗户,城郊电汽磨坊那边不时传来狗叫般的机枪声。

天色已经破晓。

第 86 页,从这是一个漆黑的、阴沉的夜到他走到柯察金家……这一段,原稿有所不同,对当时兵荒马乱的气氛表述得更具体一些:

这是一个漆黑的、阴沉的夜。

乌云就像远处着大火腾起的滚滚浓烟,从蓝黑色的天空缓缓飘浮过来,遇到塔顶后,便以它浓重的雾气把它遮挡起来,整个佛塔便像被涂满了污泥变得模糊了。渐渐逼近的乌云仍不停地把它的污秽涂抹得越来越浓密,昏黄的、微微颤抖的月亮如同掉进了染缸,渐渐沉没了。

在这样的夜里,你就是把眼睛睁得再大,依然望不穿这越来越浓重的黑暗。人们都只好像瞎子一样摸索着,伸脚试探着走路,随时都有跌入壕沟摔个头破血流的危险。

在这样的时刻,在一九一九年四月这种很容易就会在脑袋上、身上被多打上几个窟窿,或被用枪托子捣掉几颗门牙的年月,一个人要出门,只要不管不顾地上街,那就难免闹个头破血流。

市民都知道,这种时候就该呆在家里,灯也别点,灯光会惹事的,说不定就会招个什么不速之客来,那就难免遭殃。屋里最好是黑洞洞的,这样才安全。谁要偏偏在这种时候出去,那就让他去好了。就有这样的人,他们总不肯老老实实在家呆着。那好吧,就让他们到处跑去吧,这不干市民们的事。市民自己是不会外出的,请相信好了,不会外出的。

就在这样的夜里,有个人影正顺着大街急匆匆地向前走着,两脚踩着烂泥,遇到特别危险难走的地方,还压低嗓门儿骂几句。

第 92 页,保尔非常不放心,再也不能呆在谢廖沙家里,不管他们怎样留他吃中饭,他还是走了。原稿中这句话有所不同:

保尔要走。瓦莉亚知道,这些日子保尔在家挨饿,因为没钱买吃的,柯察金家但凡能卖的东西,都已经换面包吃了。她强留他吃饭,并吓唬他说总不能为留他吃顿饭再吵一架。保尔也觉得实在饿了,就留下来,端起粥碗,狼吞虎咽地吃了起来。

第97页,……他用口哨低声吹着流行歌曲……一句,第五版中口哨一词印错。按原稿改正。

第104页,……已经知道是谁袭击的了……第五版中袭击一词印错。按原稿改正。

第112页,……接着她弯下身子,贴着耳朵说……第五版中这句话断句的方法不同。第五版的断句法容易使读者混淆,因为作者在这里没有指明她是造私酒的女人还是年轻女人。按原稿改正。

第134页,妈妈,我请求你,让他暂时住在我们家里。原稿中女主人公伊拉(冬妮亚)请求妈妈的口气更坚决:

"……也许就住几天。他饿着肚子,疲惫不堪。好妈妈,你要是爱我,你就不会反对。我求求你啦。"

女儿祈求地望着母亲,母亲体贴地审视着伊拉。

第134页,在……他们会把他当作大人枪毙的一句之后,原稿中接下去还有一段更深刻展示冬妮亚母亲性格的描写:

她们彼此再没有说什么。叶卡捷林娜·米哈伊洛夫娜一生已经吃够了她那位既严厉又守旧的母亲的苦头,听够了她那些虚伪的"礼仪"和"修养",忘不了她那折磨人的家教。她记得这些礼教如何扼制了她的青春年华,所以,她在教育子女方面态度比较开明,尽量不受那些小市民阶层的偏见和陈规陋习的约束。尽管如此,她仍然殷切地关心着女儿的成长,有时也为她提心吊胆,常在不知不觉中帮助她从迷津中解脱出来。

眼下,叶卡捷林娜又在为柯察金住到家里来而担忧。

第138页,……瓦莉亚痛苦地说,第五版错为:瓦莉亚痛苦地说过。按原稿改正。

第139页,在在人生的道路上遇到这个姑娘,真是极大的幸福!一句话之后,原稿中还有几行表现保尔的纯洁和性格完整性的文字:

最后的几个小时他们是紧靠在一起度过的。

"你还记得我在悬崖上面向你许的愿吗?"她的话音轻得刚刚能听见。

他闻得到她的发香,仿佛也看到了她的眼睛。他当然记得。

"难道我能容许自己要你还愿吗?伊拉,我非常尊敬你,我无法向你表达我的这种感情,我不会。我知道,你是顺口那么说的。"

他不能再说别的。是的。她那熟悉的、炽热的芳唇打断了他的话。她那如同弹簧般柔软的身子顺从地……但青春的友谊是高于一切的,它比烈火更加热烈和灿烂。想抵挡这种诱惑是很难的，非常之难，但只要你有坚强的性格和对友谊的真诚，又是可能的。

第148页，“你是谁家的？”

“勃鲁扎克……”

“哦，是扎哈尔的儿子！”

第五版中漏掉了谢尔盖的答话：

“你是谁家的？”

“哦，是扎哈尔的儿子！那好了，你去干吧，把小兄弟们组织起来吧！”

按原稿改正。

第154页，他虽然没有读过中学……第五版中错为他虽然没有读完中学……按原稿改正。

第155页，只好用机枪来扫射你们！第五版中扫射一词印错。按原稿改正。

第162页，皮尔苏茨基分子所组织的“狙击队”的枪械和文件。第五版中为法西斯联盟“狙击队”的文件。在那本赠书中法西斯一词被勾掉，改为皮尔苏茨基分子联盟。

第163页，在其中有一个瘦高个子，身上紧紧地束着一条镶银的武装带，他走近多林尼克，说：这句话之后，原稿中接下去更加具体、更有意思地展现了当时复杂多变的时代特点：

“你废话少说，弄一百车干草去。马快饿死了，没法跟白军打仗了。你不给，我就把你们全砍了。”

多林尼克气愤地摊开两手说：

“同志，半天工夫我到哪里给你弄一百车干草去？这得开车到乡下找去，这事两天都不够。”

大个子两眼闪着凶光：

“我告诉你，到傍晚要是没有干草，统统砍掉你们的脑袋。你们这是反革命行为。”他说着用拳头砰地捶了下桌子。

多林尼克勃然大怒：

“你少拿这一套吓唬我，要吓唬人我也会。明天之前干草不可能有，懂吗？”

“晚上就得有。”高加索人说罢走了。

他们派谢廖沙和两个红军战士去征发干草，在一个村庄不料遭到了富农匪帮的袭击。红军战士被缴了械，打了个半死。谢廖沙被打得轻一点，看他年纪小，留了点情。贫农委员会会员把他们送回到了镇上。

当天晚上,因为没收到干草,高加索红旗师的一队人来包围了革委会,抓去了所有的人,包括清洁工和马夫。一路上不断用马鞭抽打他们,把他们押送到波多尔车站,锁到了一辆货车车厢里。革委会的花园里也站上了高加索巡逻兵。要不是师军事委员会克罗赫马尔同志出面强烈干预,革委会的人难免吃苦头。这个拉脱维亚人向他们下了最后通牒,他们才把大家放了。

第164页,在镜子一样的湖水旁边……一句,第五版中有印刷错误。按原稿改正。

第166页,突然,她抱住他那长着淡黄色头发的脑袋,纵情地在他的双唇上吻着。原稿中的这一段,对紧张革命时代的恋人们相互关系的复杂性表现得更加开阔和鲜明:

突然,她一下紧紧搂住他那长着淡黄色头发的脑袋,热烈地吻着他的双唇。这一举动来得如此突然,把谢廖沙弄得即使面临枪毙他的枪口也不至如此张皇失措。他一点也不明白,只知道丽达在吻他,是丽达,是连同他握手都不敢多握一秒钟的丽达。

"谢廖沙,"她推开他那晕乎乎的的脑袋,说,"现在我把自己给你,就因为你青春年少,你的感情如同你的眼睛一样纯真,也因为未来的日子有可能夺去我们的生命。所以,趁着我们有这几小时的机会,让我们现在相爱吧。在我的一生中,你是我爱的第二个人……"

谢廖沙打断她的话,强忍着羞涩,如痴如醉地一把抓住她的手……

曾几何时还令人难以理解的丽达,现在已成了他谢廖沙的妻子。他那颗只充满着斗争激情的心,被这突然闯入的深切而伟大的同志友情占据了。最初几天,这位少年的生活常规乱了。但是,紧张的、潮水般的事务不等人,很快他又重新投入了工作。

直到眼下这个秋季,生活只给过他们三、四次见面的机会,这几次见面是令人陶醉的,难以忘怀的。

第168页,格拉西姆·列昂季耶维奇……第五版中为格拉西姆·彼得罗维奇。按原稿改正。

……飞过高空……第五版中为飞向高空。按原稿改正。

第172页,……莫尔斯发报机不时发出密码命令……第五版中莫尔斯一词印错。原稿中没有这个词,这里是编辑改的。接下去是军事命令的电文,其中具体指明了各战役的时间,地点及指挥官的姓氏。这些材料很可能与奥斯特洛夫斯基本人在红军部队的那段时间有直接关系。这对我们了解作者生平中那些尚未研究过的篇章投下了一线光明。

窄长的纸条上印着密码写成的命令，其主要内容是："勿使波兰人注意到骑兵的集结。"只有在波兰军队的前进可能把布琼尼的各骑兵师卷入战争的时候，才允许进行积极的战斗。总的指挥部署，表达在一道扼要的命令之中：

第358号令（密字第89号）

革命军事委员会委员拉科夫斯基，革命军事委员会主席托洛茨基，第十二、十四集团军及骑兵军团总司令兼各部总指挥亚基尔同志：

乌克兰境内的波军分两个集群进行活动，即基辅集群和敖德萨集群。部分兵力部署在第聂伯河左岸，其主要兵力包括由十个高加索团和波兹南兵团中的几部组成的科尔尼茨基将军（原外阿穆尔骑兵团团长）的混编强击师，集中在白教堂、沃洛达尔卡、塔拉夏和拉基特诺地区。敖德萨集群的主要兵力在日美林卡——敖德萨铁路线和布格河之间我十四集团军前线一带活动。第一波兹南师有几部绵延散布在上述两集群之间，大约在拉什、捷季耶夫，布拉茨拉夫一线。罗马尼亚人继续持消极观望态度。我西线各集团军突破敌军驻地后，继续顺利地向摩洛杰奇诺、明斯克推进。西南战线各集团军的主要任务为粉碎并消灭乌克兰境内之波兰军队。

利用敌人上述各集群之兵力分散状态，并考虑到其主力尚牵扯在基辅地区，这正是政治意义上至关重要的时刻，故决定以敌军之基辅集群为我主攻目标。

兹命令：

1，第十二集团军在肩负占领科罗斯坚铁路枢纽站这一主要任务的同时，从基辅北部地段强渡第聂伯河，以达到切断博罗江卡站、捷捷列夫站地区的铁路线，阻止敌人北撤之近期目的。

在战线的其他地段，要坚决牵制住敌人，伺机攻占基辅。战役从5月22日开始。

2，亚基尔同志集群于5月26日拂晓向白教堂、法斯托夫方向全线发起强攻，目的在于把基辅部敌人尽可能多地牵入战斗，以求与左翼的骑兵集团军策应。

3，骑兵集团军的主要任务是粉碎和歼灭敌军基辅集群的有生力量并夺取其技术装备。从5月27日拂晓起转为从敌人基辅与敖德萨两集群之结合点处发起强攻，以果决而凌厉的攻势扫清途中遭遇之敌,不迟于6月1日占领卡扎亭、别尔季切夫地区,并以旧康斯坦丁诺夫、谢佩托夫卡一侧为屏障向敌人后方挺进。

4,第十四集团军应确保主攻部队的胜利,为此要集中全集团军之主要兵力于自己的右翼发动强攻,在不迟于6月1日前控制维尼查——日美林卡地区。战役从5月6日开始。

5,各部活动的分界线已在第348号(密)命令中标定,共21……(原稿不清)

7,收到该命令后立即报告。

(全文共11条)

西南战线司令　叶戈罗夫

革命军事委员会委员　别尔津

西南战线参谋长　佩京

1920年5月23日于克列缅丘格。

第178页,第二天,保尔侦察回来……第五版中回来一词排错。按原稿改正。

第188页,就在我们九个人……其余十七个人……从原稿看:被抓来的共二十九人,其中三人被绞死,十七人被枪毙,另九人被赦免。书中误为"十人"。后来的版本中为与被抓来的总人数相符而把被枪毙的人数由"十七"相应地改为"十六"。按原稿改正。

第189页,在……他想起了苏维埃革命军事委员会最近的命令,这命令曾向全团的士兵宣读过……这句话之后,原稿中还有命令的全文:

兹命令:

1,以口头和书面形式不断地、反复地向红军部队,特别是新整编的部队,进行讲解,说明波兰士兵也都是波兰和英法资产阶级的牺牲品,他们自己是迫于无奈的。因此,我们的职责要求我们必须把被俘的波兰士兵当作误入歧途和受蒙蔽的兄弟看待,以便将来把他们作为醒悟了的兄弟遣返回他们解放了的波兰祖国去。

2,严格审查一切有关虐待波兰俘虏和欺侮当地居民的传言、消息与检举,不管这些说法来自何处。

3,务使指挥员和政工人员牢记他们对严格贯彻执行本命令应负的责任。

第196页，他只有十七岁。此处，不知有意或无意，与奥斯特洛夫斯基本人的实际年龄不符。1920年他应刚满16岁。也许小说主人公保尔的年龄实际比作者大一岁。

一个磨破了的乌克兰共产主义青年团第967号团证……原稿中为：一个磨破了的共产主义青年团第9671号团证，上边写着：入团时间：1919年。

第201页，……用它的轮翼拍着水面……这句话从修辞上看并不确切，但在定稿时保留了下来。原稿中还有另一种说法：(小轮船)用它的轮翼疲倦地拍击着水面……①

在我现在已经不是你从前认得的那个保尔了之后，原稿中接下去还有几行展示主人公性格的话：

回想起当初为了你那双眼睛从悬崖上跳下去那件事，我都感到难为情，要是现在，说什么我也不会跳的。拿生命去冒险应该是为了别的伟大的事业，而不是为了姑娘的眼睛。

第202页，这样一来，地主的白色波兰又可以存在一些时候，而成立波兰苏维埃社会主义共和国的希望也暂时不能实现了。在文学遗产委员会1954年5月26日的一号纪要中有以下记载："尼·阿·奥斯特洛夫斯基显然不了解我军撤离华沙的主要原因。这一点是在对季诺维耶夫与布哈林及其反革命集团的审判之后才清楚的。主要原因在于托洛茨基的叛卖(见《联共(布)党史简明教程》国家政治书籍出版社1945年版第230—231页)。像这种情况，一般通过注释是可解决的。问题在另一方面：即在1920年同波兰的战争中，我军并没有提出在那里实行苏维埃政权的任务。我们建议将最后两句话删去，不必再加模棱两可的注释。

以后也确曾作过"从新闻检查考虑"把这两句话删去的决定。这个例子恰恰表明，有时竟采取什么手段来解决作者死后书稿审订方面的问题的。实际上，对原稿作的诸多删节不排除就是出于这种动机。

第206页，在一个阴冷的、潮湿的秋夜，千万个劳动人民的儿子，涉进海峡的冷水，预备连夜渡过锡瓦什湖，从背后去进攻躲在坚强工事里的敌人。原稿中在这几句话之后还有：率领这些人前进的是享有不朽荣誉的科托夫斯基和勃柳赫尔同志。这两位将领身后，奋勇前进着数万大军，他

① 中译本此处已根据苏联国家"文学"出版社《奥斯特洛夫文集》，莫斯科，一九四九年版采用了后一种说法。

们要去砸烂盘踞在克里木半岛、毒舌已伸到琼加尔的最后一条毒虫的脑袋。

第208页，保尔呢，他在家住了两个星期，又回到了基辅，因为那里的工作正在等着他。原稿中，在这句话之后还有一大段描述保尔政治上一度动摇的情节，舍此便无法理解后文中的大段描写：

共青团铁路区委会里来了一位新书记——扎尔基。保尔是在书记办公室见到他的。首先映入他眼帘的是他那枚勋章。见到他，保尔一时说不出是一种什么感情，内心深处总还是有些妒忌吧。扎尔基，就是那位乌曼战役一开就以骁勇善战、以完成战斗任务出色而出人头地的伊凡，红军英雄，眼下他是区委书记，成了他的"顶头上司"。

扎尔基把保尔当成老朋友，友好地接待了他。保尔为自己那一闪念间的情感有些不好意思，立刻和他紧紧握手打了招呼。

他们工作得生气勃勃，成了一对公认的好朋友。共青团省代会上，铁路区委会有两人当选为省委委员：那就是保尔和扎尔基。保尔向工厂行政处要了一间房，保尔和扎尔基，还有厂里负责宣传鼓动工作的斯塔罗沃依和厂团支部委员四个人搬了进来，组成了一个公社。白天他们都为工作奔忙，只有夜间才回到这里。

党推出了新政策的消息最初是在共青团省委听到的，当时只听到一些要点，还没有形成正式文件。几天之后，开会讨论条文时出现了意见分歧。保尔对条文中的一些提法的目的性不完全理解，散会时心里忧虑重重。在铸造车间他遇到杜那尔科夫，一位身材墩实的党员工长。他借着亮光朝保尔眨了眨他那双退了色的眼睛，叫住了他。

"怎么，真的要让资本家东山再起吗？听说还要开商店，要大张旗鼓地做买卖。一句话，就是先打一通，然后握握手说声您好，一切照旧。"

保尔没有答话，但内心的疑虑却越来越重了。

他不知不觉地陷入了反党斗争，可一旦陷入，便表现得十分偏激。他在省委全体会议上的第一次发言引起了激烈争论。会上立刻形成了少数派和多数派。接下去是一连几天苦痛的日子把他弄得晕头转向。整个党组织、共青团都卷入了辩论的狂热之中。保尔和他的支持者们的死硬态度在省委造成了一种令人窒息的气氛。

省委书记亚基姆是个身材结实、大脑门儿、浑身充满活力、政治上十分开展的人。他和丽达想个别做做保尔和他支持者们的工作，把问题解决了，但却毫无结果。保尔开门见山，粗鲁地、直截了当地下了这样的定论：

“亚基姆，你回答我，资产阶级是不是将得到生存的权利？我弄不懂那些高深的理论，我只晓得一点：新经济政策是对我们事业的背叛。我们为之奋斗的不是这个，我们工人不答应，我们要对这种做法全力进行斗争。至于你们，既然甘愿充当资产阶级走狗，悉听尊便。”

亚基姆火了：

“保尔，你要明白你在说些什么。你是在侮辱我们全党。你在诬蔑她。你得了偏执狂，固执己见，而不愿去理解最普通的道理。如果再继续实行军事共产主义政策，我们就会葬送革命，就会给反革命势力以挑动农民反对我们的可乘之机，你不愿理解这一点。既然你不想按布尔什维克方式来探讨这个问题，而是以斗争相威胁，那咱们就斗吧。我们在你身上花了这么多时间，算是完全白费。”

他们分手的时候成了仇敌。

区全体党员大会上，从中央窜到这里来的工人反对派的代表发言遭到多数与会者痛斥后都垮了下来，这时，保尔跳出来讲话，以不能容忍的激烈言词指控党是在背叛。

第二天，省委召开紧急会议，决定将保尔连同其他四位同志开除出了省委会。他跟扎尔基不说话。他们分属两个不同的阵营。但在本支部的会上，在多数都站在保尔一边的情况下，保尔狠整了扎尔基一顿。斗争深化了，斗的结果是保尔被开除出了区委会，并被撤消了支部书记职务。后者引起了强烈冲突，有二十位同志交出了自己的团证。最后，保尔和与他观点相同的几个人被开除出了团组织。

对于他来说一生中绝无仅有的最阴沉、最暗无天日的日子到来了。

扎尔基离开了公社。被驱逐出门、精神沮丧的保尔停立在车站天桥上，两眼茫然地俯视着往来运行的车头和列车。

有人拍了下他的肩膀。是拱肩驼背、满脸雀斑的共青团员奥列什尼科夫。这人有些爱投机取巧、自命不凡的毛病，保尔以前就不太喜欢他。他曾担任过砖瓦厂的支部书记。

“怎么，把你开除了？”他用那双发了白的眼睛上下打量着保尔，问道。

“是的。”他简单地答应了一声。

“我就说嘛，”奥列什尼科夫急忙说，“你图个什么呀？到处都是些犹太佬。他们到处钻营，到处发号施令。开小铺、做买卖，对他们合适。你上前线打仗，他们呆在家里。现在倒开除你啦。”说着，表示厌恶地哼了一声。

保尔两眼充满仇恨地看着他，他预感到要坏事。他无法控制自己，上

去一把揪住奥列什尼科夫的胸口,怒不可遏地来回扯着他:

“你这个白匪的幽灵,臭婊子,你在说些什么?你是在跟谁说话,你这个富农心肠的家伙?畜生,白匪在我们城里枪杀的布尔什维克中一大半都是犹太工人,你知道不知道?唉,你呀!你在跟谁说话?你也来追随反对派?这些家伙都该枪毙!”

奥列什尼科夫挣脱开,急忙向桥下跑去。保尔用一副粗野的目光望着他的背影:“瞧,又一个赞同我们观点的!”

歌剧院里济济一堂。一条条细小的人流继续顺着各个入口缓缓进入会场,渐渐充满了大厅和层层楼座。这里将举行全市党组织和共青团的联席会,对党内斗争进行总结。

剧院休息室里,大厅通道上,人们都在议论,说今天将有党内工人反对派的几名成员归队。在前排就坐的有朱赫来,丽达,扎尔基,他们正在讨论这个问题。丽达回答扎尔基的话说:

“他们是要回来的。朱赫来说,已经有了转变。省委决定,只要能批判自己的错误,愿意回来的,就要欢迎他们都回来,要创造一种同志式的气氛,并且为了表示对归队的人的真诚信任,在即将举行的代表大会上将吸收柯察金为省委委员。我怀着十分激动的心情等待着大会开始 。”

会议主席久久地打着铃。等会场安静下来后,他说:

“刚才省党委做了报告,现在我们要请共青团内反对派代表们讲讲。先请柯察金发言。”

从后排坐位上站起一个穿绿色军便服的身影,顺着通道快步登上了讲台。他仰起头,走到台口护栏跟前,像回想什么似的用手抚摩了下前额,倔犟地向后甩了下一头鬈发的脑袋,两手紧紧扶住栏杆。

保尔看到坐得满满登登的剧场,感到了注视着他的千万双眼睛,剧场巨大的正厅和五层楼座都安静下来,等待着。

好几秒钟的工夫他默默地站在那里,极力抑制住满腔的激动。他太激动了,竟一时不知该从何说起。

离讲台不远的第一排,紧挨着丽达,像一尊石像般赫然坐着省肃反委员会主席朱赫来。他殷切地看着保尔,出其不意地朝他微微一笑,笑容中充满着严厉和赞许。不知怎么,这么一副穿着弗伦奇式军服的魁伟身躯,一只空衣袖却因为没有用而塞在兜里,让人看着感到心情沉重。就在这件弗伦奇军衣的左兜上,一枚带深红色镶边的椭圆形红旗勋章熠熠闪光。

保尔把目光从第一排移开，该讲话了，人们在等待着。接着，他像拉开迎战的架势似的鼓足全身的力气，以他全副身心，冲着大厅响亮地说：

"同志们，"他觉得心脏一下跳到了胸口，自己整个变成了一团熊熊燃烧的烈火，又仿佛大厅里燃起了千万盏吊灯，灯火点燃了他的身体。他那充满激情的话语像战斗的厮杀声飞向大厅，使听到这些话的千万人也都随之激动起来。这充满整个会场，饱含难以抑制的情感和青春激情的响亮声音在迸发着火花，这火花飞向最高远的每一排坐位，飞到大厅最高的拱顶。

"今天我要讲讲过去的事。你们都等着我讲话，我是要讲。我知道，我的讲话会令人担心，可这恐怕不是政治宣传，这讲话代表我的心，代表我这个人、代表我现在所代表的所有人。我想讲讲我们的生命，讲讲我们藉以燃烧同时又燃烧了我们自身的生命之火，它像巨大锅炉里的煤炭那样，国家靠我们的生命之火得以生存，共和国靠我们的生命之火、我们的热血夺取胜利，我们靠这烈火粉碎、消灭敌人的乌合之众。我们年轻一代和你们有过生命体验的一代被这烈火卷到一起共同更新着这片土地。我们在伟大的、钢铁般空前坚强的党的同一面旗帜下进行过艰苦卓绝的斗争。我们两代人，父辈和子辈，共同拚死在疆场。现在，我们两代人又一起聚集到这里。期望着我们吧，期望着我们这些犯下过重罪的、造过自己阶级反、造过自己党的反、破坏过党纪党法的自己的战友们吧。想知道我们得到的回答吗？就是为此党才把我们从自己营垒中扔了出去，扔到了人类生活的大后方，扔进了无人理睬的偏僻角落。

"同志们，怎么会发生这种事呢？受过革命烈火考验的我们，怎么会险些背叛了革命呢，怎么会这样呢？我们同你们——党内多数派的斗争经过，你们都是清楚的。我们这些人，在我们共和国最阴暗、最艰难的日子里，我们没有落到你们后边，怎么竟会发动了这次动乱呢？

"我们过去所受的教育是对资产阶级要怀有不共戴天的仇恨，所以我们把新经济政策当成了反革命。不知道，党向新经济政策的转变、向新的斗争形式的转变，只是斗争形式的角度的不同罢了，我们却看成了是对我们阶级利益的背叛。我们的斗争之所以变得越来越不可调和，还因为在久经考验的老布尔什维克中也有同志起来反对党的决定。我们这些年轻人都知道他们多年从事革命工作，认为他们是真正的布尔什维克，于是就跟着他们走。看来，只有热情，只有对革命的忠心是不够的，应当善于理解这场伟大斗争中极其复杂的战略和策略。本来早就应该懂得，正面进攻并非任何时候都是正确的进攻方法，就是说，有时这样的进攻倒成了对革命的背叛，这个道理我们现在才明白。我们丧心病狂到了何等程度，连领袖的名字，足能扭转一个国家使其走向新的道路的列宁同志的名字，也没能使我们有所收敛。我们受了一些花言巧语的蒙蔽，追随了工人反对派，以为这才是争取真革命的正义斗争，到共青团内部去纠集力量，组织他们去反对党的路线。我们是共青团省委委员，你们都知道，经过一场尖锐的斗争之后，我们被开除出了省委。这时，我们把斗争转移到了各区。在那里我们再次被击败。尽管这时我们已经十分困难，但我们仍在各支部巩固自己的阵地，又拉起许多青年来支持我们，特别是在我担任书记的那个支部里负隅顽抗。在最后的几个据点已注定要被粉碎的时候，我们的反抗达到了登峰造极的地步。

“是的，同志们，这些日子对我们来说很不好过。因为，一方面受着许多解决不了的问题的折磨，脑子里经常萦绕着一个想法：你是在跟谁斗？同时又在把矛头指向自己的党，这是很痛苦的。这种腹背受敌的党内斗争会有什么结果呢？我很羞愧地回想起一次谈话，朱赫来同志想必也还记得。有一次，他在街上遇到我，用车把我带到他家。当时我被这次斗争弄得昏头昏脑，我说：‘既然有人出卖革命，我们就应该斗争，只要需要，也可采取武装斗争方式。’朱赫来同志回答很简单：‘那就枪毙你们，就像枪毙反革命分子一样。你要当心，保尔，你已经站到最后一级台阶上，再迈一步你就到敌人那边去了。’讲这话的是我最亲爱的人，是我的启蒙老师，是以自己的勇敢和坚定令我深怀敬意的人，是我在肃反委员会工作时的首长。这些话我没忘。只是当把我们这些死不认错的人开除出组织的队伍的时候，我们才开始明白什么叫政治死刑，是的，是死刑。因为离开了自己的党，我们无法生存。所以，我们就以工人的质朴，坦诚地，直率地对党说：‘把生命还给我们吧。’就这样，我们就又回到了党的怀抱。在这几个月里，我们认识了自己的错误。离开了党就没有生命。这一点我们每个人都清楚。没有比做一名战士更大的幸福。没有比意识到你是革命队伍的一员更值得骄傲的。我永远不再离开起义无产阶级的队伍。我们没有什么珍贵的东西不可献给党的。我们的生命，家庭，个人幸福，一切的一切，我们都要献给我们伟大的党。是党向我们敞开了大门，使我们又回到了你们中间，回到了这个大家庭，咱们强大的家庭。我们将同你们一起，把百孔千疮、遍体血污、贫困而又饥饿的国家，用我们朋友和同志的鲜血养育起来的国家恢复起来。已经过去的事，对我们来说，将成为对我们坚定性的最后一次考验。

“让生命长在。我们的双手将和千万双手一起从明天起就开始重整我们被毁坏的家园。让生命长在,同志们!我们将重建一个新世界!难道有胸怀强大动力的人不能取胜的吗?我们一定胜利!”

保尔气喘吁吁、浑身颤抖地走下了讲台。大厅颤动了一下,爆发出震耳欲聋的掌声和嗡嗡声,仿佛要把房基震塌,四周的墙壁也随之朝大厅倾塌下来。欢呼的声浪从拱顶反弹下来,在千万双手臂间回荡着,整个大厅像滚开的水锅似的沸腾着。

保尔没有看到台阶,他向侧门走去。一股热血涌上头来,他急忙一把抓住沉甸甸的天鹅绒边幕,才没有倒下去。有人伸手搀扶住他。他觉得有人把他紧紧搂在了怀里。有一个熟悉的声音冲着他轻声地说:

“保夫鲁沙,我的朋友,同志,把手伸给我!我们的友谊是牢固的。今后再也不会破裂了。”

一阵剧烈的头痛使保尔几乎失去了知觉,他终于强打精神回答扎尔基说:

“我们还要一起生活,伊凡。咱们要共同前进。”

他们的手紧握在一起再也分不开。把他们结合在一起的已不仅仅是友谊……

第209页,谢加尔这一走,我们的辩证唯物论小组就要垮台了。第五版中错为:辩证唯物论小组垮了。按原稿改正。

第228页,在省委书记的房间里……在原稿中和最初在第五版中均为鲁苏尔巴斯。以鲁苏尔巴斯取代省委书记这一改动包括在珍藏本中标出的十一页勘误之内①。这一修改曾重复多次,只有一处把鲁苏尔巴斯改成了省委书记,其余改为省执委会主席。这一疏误导致了后来各版本中的诸多异文。

第230页,什科连柯在原稿和第五版中均为舒姆斯基。文学遗产委员会会议(见1954年5月26日第2号纪要)有以下记载:

“奥斯特洛夫斯基在1936年10月19日致基辅出版社编辑维利霍夫斯基的信中写道:‘来信收到。请将舒姆斯基继续打印为什科连柯。’这封信与我们对小说《钢铁是怎样炼成的》所作的必要的修改,在时间上无疑是相符的。在1949年前的所有的乌克兰文版中,这一姓氏均为什科连

---

① 指作者送妻子收藏的第五版版本。在该版本卷首页上作者开列有十一个页码,指出这十一个页码必须再进行最后校订。

柯，而俄文版本为舒姆斯基。对于俄文读者来说，什科连柯是个新的人物。提请委员会慎重考虑这个问题。”

为避免以后带来混乱，此处根据作者的信作了改正。

第236页，……因为这不在他的辖区以内。第五版中将这字印错。按原稿改正。

第238页，在咱们不能抱着肩膀，干等着冻死一句话之后，原稿中接下去为：

在丽达的日记中新写了满满的两页：

我们动员人力去窄轨铁路建设工地的工作已进行了快三天了。索洛缅卡区的团组织几乎全都派去了。省委三名委员——杜巴瓦、潘克拉托夫和柯察金都去，可见这项工程的重要。这三个人都是朱赫来亲自选定的。我和阿基姆① 去过他那里两次，同他谈了很久。他说，工程异常艰巨，但如果失败了，那将是灾难。后天将有一个专列送工人到工地去。昨天召开了将要去建设工地的共产党员和共青团员会议。会上，托卡列夫作了很精采的讲话。省党委责成这位老人领导这项工程。选得好。将要开赴工地的共有四百人。其中有一百名共青团员，二十名党员，一名工程师和一名技术员。今天扎尔基和柯察金要去铁路专科学校发动学生。是的，是柯察金。要不是发生了屠弗塔那次令人恼火的事，我恐怕还未必认得出他就是谢廖沙多次提到的那个保尔。屠弗塔因找碴儿泄私愤在省委会上受到了警告处分。就是在这次会上，他也没有放弃对保尔的指责。事情发生在一次积极分子会上。

当时正在挑选去工地的人员，屠弗塔突然对提名柯察金提出异议，其理由令大家感到惊讶。屠弗塔声称，保尔与资产阶级分子有联系，就凭这一点，加上他过去又参加过工人反对派，就不能让他担任这个小组的领导。

我看着保尔，大家要求屠弗塔拿出证据来，当他回答大家的要求讲出以下这番话时，保尔眼神中的惊讶变成了愤怒。

屠弗塔说，在肃清反革命阴谋活动的时候，他和保尔分在一个小

---

① 在原稿第一部第九章中我们见到的团省委主席的名字为亚基姆，显然，作者指的是一个人，但听记时，先是记成了亚基姆，后来又记为阿基姆。——叶·布(叶夫根尼·布兹尼为本书俄文版责编和“附注”作者，后同)注。

队。他们去搜查过一位教授的家。原来,这位教授的女儿跟保尔认识。屠弗塔偷听到她和保尔的谈话,她问保尔,'难道真的是您派人来抄我们家的吗,柯察金同志?如果真是这样,那对我可是莫大的侮辱。您对我们家应该是很了解的。'柯察金对此回答说,如果从他们家搜不出什么可疑的人,小队会撤走的。屠弗塔要求柯察金交待,他怎么会同一位资产阶级女子这么熟悉。

柯察金表现得不错。他做到这一点很不容易,但到底还是控制住没有爆发。他用以下的话回击了屠弗塔:'同志们,如果是你们中间的任何一个人对我说出这种话,我会非常伤心的。但屠弗塔他会的。我们大家都在忙正事,可这位同志不是和大家一起忙,而是去搞乱咬人的勾当,天晓得这是为什么。朋友们,这件事我是要解释的,不过不是向他,而是向你们大家。一九二〇年我曾在这位教授家寄住过,我与他们家就是这么认识的。这家人不坏,至于我过去的政治错误,我是记得的。同志们没有人提及这一点,屠弗塔在这一点上的作法不对。到了工地上还有机会证实。

人们打断了柯察金,没让他再讲下去。屠弗塔受到了警告处分。在保尔去博雅尔卡之前,我还想见见他。

铁路专科学校的两层大楼里人声鼎沸——各年级的负责人正召集全体学生开会。有人拉了一下保尔的衣袖。

“你好,保尔,什么风把你给吹来了?”和他打招呼的是一位目光严肃的小伙子,戴一顶技校的宽檐制帽,帽檐下翘着一绺鬈发。

小伙子叫阿廖沙·科汉斯基,与保尔既是同乡,又是同龄。阿廖沙的哥哥跟阿尔焦姆一起在车库当钳工。科汉斯基一家为供阿廖沙上学受教育竭尽了全力。小伙子也很能干,勤工俭学,好歹读完了高小,奔到了基辅。阿廖沙向保尔简要叙述了他求学的波折:

“从咱们镇上来了我们六个人,他们你大概都认识:苏哈里科·舒尔卡,扎利瓦诺夫,沙拉蓬,就是独眼龙,记得吗?切博塔里·萨什卡和万卡·尤里。我们就这么上路了。他们都有老娘送他们路上吃的果酱,香肠,甜饼,饼干和各种饮料什么的,可我就带了一小木箱黑面包干,再没有别的了。这帮中学生一路上拿我穷开心,把我气得要死。我真想揍这帮混帐家伙一顿,就算他们有五个蠢货又怎么样——我想,大不了把我揍一顿,那我自认倒霉。我真受不了,你懂吗?他们说:'你小子也来凑热闹,傻瓜蛋,好好待在家里挖你的土豆去吧。'唉,算了。我们总算来了。他们几个拿着介绍信找各个头头去了。我去了军区司令部。我想学飞行员。连做梦都想着到天空去兜几圈儿。”

保尔笑了，打趣地跟科汉斯基说：

“地面上搁不下你啦？”

“司令部里也是这么说：‘干吗往云彩里钻，在地上多踏实。’大家都笑我。我也从县团委弄来一封要求支援空军的介绍信。我们家住过一位军需部政委，叫安德烈耶夫。他也在这封信的背面以他的口气批上了几句话。我一字不差地记得：‘我认为科汉斯基同志很有觉悟。总的看来，小伙子是块材料，而且有头脑。出身工人家庭。他想开飞机，就让他学吧。给他个支援世界革命的学习机会。’还签了字：‘鲍贡 130 部军需队政委安德烈耶夫’。”

保尔由衷地笑了。阿廖沙更是乐得格格大笑，引来许多学生围观。他一边笑一边继续讲：

“是的，跟空军没沾上边儿，司令部的人向我解释，说眼下没有飞机让我飞，先学点技术倒可以，想飞行，他们说，任何时候都不晚。这样，我们就来这里报了名。敢情这里也得考试。那几个家伙也在这里。考试两个星期以后进行。我看，情况不妙。一个名额，八个人等着，而且多半都是城里哥们儿。他们事先去找教授们进行过模拟，或也都像咱们那几个小子，中学七年级课程都学过。我也赶紧翻书本，温习了温习。还得给人家打工，卸一车皮木头——两天吃饭就没问题了。后来没有木头卸了，就只好坐吃山空。我们那帮小子们都去逛剧院，深夜才回宿舍。宿舍里房间都空着，大学生几乎全去度暑假了。这帮子人一回来，吵闹，说笑，就没法学习了。扎利瓦诺夫把他们介绍给了歌剧院的女演员们。她们三天工夫就把他们的口袋掏得一个子儿不剩。等他们没有什么可嘬的了，这帮败类就盯上了一个外地来的穷考生，先偷了人家四十个鸡蛋，又趁我不在的一会儿工夫，把我的面包干儿吃了个净光。

“考试的一天终于到了。头一门——几何。发给我们一张盖了章的卷纸，答卷时间三十五分钟。我一边看黑板，一边答。可我再看那几位中学生——彻底泡汤了，一个个愁眉苦脸，一副凶相，就像谁在他们椅子上安了钉子似的坐不安稳。沙拉蓬更是大汗淋漓，一脸傻相。我想，狗崽子，这可不像拧姑娘的大腿那么好玩。”

阿廖沙一边笑得喘不过气来，一边继续把话讲完：

“我把题答完，站起来，准备交给老师。这时苏哈里科和扎利瓦诺夫像鹅似的向我‘嗞嗞’示意：‘递个小抄来。’

“我没再坐到桌上去，就从切博塔里身旁向前走去。经过他身边时，他悄声臭骂了我一句。两天工夫，他们每个人得了四个 2 分，退出了竞争。我还坚持着。他们干什么呢？苏哈里科凑到我跟前说：‘别在这里泡了，我们私下从老师那里打听到，你也有两个 2 分。反正你也考不上，趁早跟我们一起走吧，去考建工学校去，那里还容易点。’当时我信了，但考试我没放弃。反正只剩下两门了，一切都会见分晓的。原来，他们糊弄我。我考取了。可这帮哥们儿，为了跟家里打马虎眼，他们进了二年制的技校附中。二年制技校是免试录取，因为那里只要求具备中学二年级的文化知识就可以。他们拿到学生证、口粮供应卡后，就到处跑起了买卖，搞起了投机倒把。他们兜里有的是钱，成天大吃大喝。在城里已经改换了三次住处。就因为酗酒打架，到哪里哪里把他们赶出来。万卡·尤里躲开了他们，他进了建工学校。”

走廊里越来越拥挤。大教室里挤满了人。保尔和谢廖沙也朝那边走去。正走着，科汉斯基想起了什么，突然笑得呛了一口：

“前不久，万卡又去看他们。碰上他们赌牌，万卡也想凑个热闹，没想赢了他们。你想怎么着？他们把钱夺了回去还不算，还掴了他几个嘴巴，把他推了出去。这叫自找倒霉。”

宽敞的教室里争取多数的斗争一直进行到很晚。扎尔基讲了三次话。动员去建筑工地的讲话，多数大学生听都不想听。一帮身穿校服、佩带锤子领章的能言善辩的家伙，两次打断了表决。扎尔基在这里没有可以依靠的对象，两名共青团员对付五百名学生，其中还有三分之二是“少爷”。民主空气最好的是包括科汉斯基领导的班在内的一年级。另外还有机械系一年级，在这个年级担任班长的丹尼洛夫——一位生有一双充满幻想的眼睛的小伙子，也发言表示愿意去工地。这两个年级的多数人都赞成去。第二天早晨，学校才宣布派四十名学生去工地支援建设。

第 241 页，瓦库连科在第五版中错为巴库连科。按原稿改正。

第 247 页，在烧着了的硬卡片变成了一个黑色的小管子一句话之后，原稿中有一大段话讲述当共青团员们在窄轨铁路工地干活的时候，沙拉蓬在基辅跟自己的同伙们，其中包括丽莎·苏哈里科和保尔过去的女友冬妮亚·杜曼诺娃一起打牌取乐的情景。

第 253 页，他把两个手掌并成一个小船的样子，挡着风，赶紧抽了两口……一句中，根据文学遗产委员会的决定（见 1954 年 5 月 26 日 2 号纪要），将 ПАХНУВ 一词，根据动作的意思，改为 ПЫХНУВ。此处，文学遗产委员会的委员们显然是把前一词理解为是来自 ПАХНУТЬ（发出……

气味),然而就此处上下文看来,ПАХНУВ 一词,很可能是来自 ПАХНУТЬ (吹来,袭来之意)。按原稿恢复。

第 268 页,在说句老实话,现在我和你已经没有什么可说的了一句之后,原稿中接下去还有一段关于沙拉蓬一伙人靠走买卖、暴力、抢劫等,维持穷奢极欲生活的故事,其中具体描绘了这帮歹徒,喝得醉醺醺的,一起强奸亚历山大·苏哈里科表妹娜佳·戈罗德尼亚克取乐的情景。

第 325 页,在白天要偷越边界不怎么容易,但是到了晚上,你就得竖起耳朵这句话之后,第五版接下去还有这样一句:通道就是从这里开始,你就是聪明绝顶,也丝毫疏忽不得。根据小说第五版作者生前留的珍藏本中指出的十一处勘误删除。

第 359 页,那时候,杜巴瓦带着一批“工人反对派”回到我们队伍里来。原稿中为:那时候,柯察金和杜巴瓦回到我们队伍里来。

第 360 页,他们所属的党组织是否知道他们都在什么地方呢? 当然不知道。这句话之后,原稿接下去还有:

大厅里传来舒姆斯基的声音:

“我们不得已才用这种手工业方式,我们没有办事机关。”

一阵哄笑。舒姆斯基自己也笑了。

舒姆斯基的一句玩笑暂时缓和了会场的紧张气氛。大会期待着托洛茨基份子们出来承认错误。因为,不管怎么说,把这四百人和与多数派进行着无情斗争的那些同志召集到一起开这次全市大会,是考虑到他们毕竟共过患难,有一些共同语言。但是一小撮反对派的这种死硬态度和对党与共青团领导的激烈攻击抹煞了这种共同点。大会上占绝对优势的多数派和极其孤立的少数派更加疏远了。即使如此,现在只要杜巴瓦、舒姆斯基或他们其他人出来讲讲,诚恳地承认自己的错误,本来还是能够和解的。然而情况却不是这样。(最后这句话在第五版中还保留着,但在作者标出的十一处勘误中已经勾去。——叶·布注)

塔莉亚还在想办法为他们提供一个作这样表态的机会:

“还记得吗,同志们,三年前,就是在这个剧场里,杜巴瓦和从前的一批工人反对派回到我们队伍里来。大家都还记得柯察金的那次讲话吗,他说:‘党的旗帜永远不会从我们手里丢掉的’,委托他作那次讲话的人中也有杜巴瓦同志。可还不到三年,它已经被杜巴瓦同志丢掉了。他刚才说,‘我们还是要说话的’。这就说明,他和他们的同伙还将继续顽抗下去。

“我想回头谈谈杜巴瓦在佩乔拉区代会上的讲话。他怎么讲的呢,我来读一段记录：

“青年人是不准许参加党的领导的。党委会到处都是由上而下指定的。党的机关也都僵化和官僚主义化了。有迹象表明，我们的老干部已经蜕化了。应当打破只靠职业行政首长来领导党的这种合法特权。我们应为党的机关老化的肌体注入新鲜的、年轻的血液。然而，党的机关在拼命维护自已的统治权力。所以，当托洛茨基同志敢于讲出‘青年是党的晴雨表’这句话时，便受到了这套行政机器的猛烈抨击。”

会场里越发喧哗起来。

如果没有这一段，那么下页中让屠弗塔谈谈晴雨表吧，他是他们的气象学专家这句话指的什么就无法理解了。

第361页，在……但是这阵暴风雨很快就过去了，她的话又听得见了这句话之后，原稿接下去为：

“……托洛茨基分子们抱怨，说他们遭到了无情责难。他们还能期望什么呢？近几年来，党和共青团从思想上巩固和成长起来了。我们可以感到自豪的是，党的青年积极分子都能和大多数人一起与托洛茨基分子进行针锋相对的斗争。当辩论扩展到广大党员群众之中的时候，托洛茨基分子们便遭到了更加无情的回击。他们到处煽风点火，但党的基层领导并没有被他们花言巧语所迷惑。杜巴瓦和舒姆斯基在他们众多的朋友中竟找不到追随者，这总不能怪我们。

“二一年，舒姆斯基曾和我们一起同杜巴瓦斗争过，现在他们成了同党。茨维塔耶夫当时就附和‘工人反对派’，现在他反对我们。斯塔罗维罗夫摇摆在两派之间（原稿中此处删去了“斗争锻炼了我们”一句。但这句话的意思下文实际上已经作了说明。——叶·布注）。青年正在从思想上成长起来。

“我还想讲这样一件事。我们常收到各地同志们的来信。他们都支持我们，这一点使我们很受鼓舞。我们是一家人嘛，失去哪一位同志我们都痛心。”

第362页，在军委会的一个人竟公然说……一句话之后，原稿中接下去为：

“过去我们追随托洛茨基进行过国内战争。如果需要，现在我们还跟他走。为了整个肌体的康复，有时就得动点外科手术。如果党的机关不投降，我们就用武力摧毁它。”

反对派对这段话鼓掌欢迎。这时，柯察金站起来发表了一篇义正词严的讲话。这里我不能全部复述这篇讲话，但他有力地揭露了那些竟敢向工人阶级政党挥舞军刀的反对派分子们的真面目。

“你们身为布尔什维克党员，怎么能对这个法西斯分子鼓掌呢？”他冲着反对派分子说。

他们不让柯察金讲下去，故意把椅子弄得噼啪乱响，大声吼叫：“党阀，官僚，共青团贵族！”

这个支部的几个党员对这帮涌进会场来的“外人”的流氓行径非常气愤，强烈要求让柯察金把话讲完。但是，保尔刚要开口讲的时候，他们又是一阵起哄。

这时，保尔冲他们喊道：

“瞧瞧你们的好民主！无论你们怎么闹，我还是要讲下去。就冲着受托洛茨基毒害还不太深的那些人我也要讲下去。”

第362页，在那个支部的人几乎全体退出了会场一句之后，原稿接下去为：

这件事使不少人与反对派彻底划清了界线……

塔莉亚垂下拿着那张纸的手，激动地说：

“我们这些谢加尔的学生，听到保尔·柯察金同我们站在一起，非常高兴。”

会场里爆发出一阵呼喊声，刹那间乱成一片，只有几句话听得清楚：

“他们在用拳头对待民主。”

“让他们说，他们到底要干什么！”

塔莉亚发言的时间到了，她离开了讲台。

主席团由十五人组成，其中有托卡列夫和谢加尔。

谢加尔任党省委宣传鼓动部长已经两个月了。他在细心听着市党代会代表们的发言。现在讲话的是一色的年轻人。

“三年前，还都是些‘共青娃娃’，小嫩苗儿。三年工夫，长得多快。”谢加尔对身边几位老人悄声说。

“也很有意思，反对派千方百计地破坏老少两代近卫军战士之间的团结，我们的重炮还没开始还击呢，他们已经招架不住了。”谢加尔说了句笑话。

屠弗塔跳上了讲台。

接下去还有几处无关紧要的文字修改。

第363页，在我们不能为某一些讨论会上的反常现象负责一句话之后，原稿接下去为：

“……但把柯察金驱逐出门这一点我是欢迎的。一九二一年他也是反对派，他并没有制止自己的人把党委会的代表驱逐出门，具体说，驱逐的就是我。修配厂的两个小伙子，不顾我的反对，硬挟着我把我推出了门外。舒姆斯基可以证明，当时他也在。现在，让柯察金也尝尝这个滋味是不是好受。”

第363页，在……屠弗塔那又尖又细的嗓门儿继续刺着人们的耳朵……一句之后，原稿接下去为：

“你们在这里把我们当成破坏分子来批判，我们怎么办呢？既然多数派手里掌握着党的机关这样的武器，那我们也总得有点对策。”

第364页，在……慌忙换了话题，急急忙忙结束了他的讲话……之后，原稿中，屠弗塔的最后一段话有所不同：

“托洛茨基迫使中央全会承认了党内生活不正常的现象。是他迫使作出了关于党内民主的决议。你们当然可以开除我们，让我们靠边站。现在已经开始这么干了：撤销了安东诺夫－奥夫谢延科国家军委（指共和国革命军事委员会政治局。1922至1924年期间，安东诺夫－奥夫谢延科担任该局领导，后调任外交工作。——叶·布注）的领导职务。安东诺夫－奥夫谢延科是同托洛茨基一起领导过十月革命的。特别是我，也被排挤出了省委。到底谁是谁非，我们很快就会见分晓的。我们不怕你们指控我们破坏党内和平。孟什维克也这样指责过列宁。在莫斯科党组织内有百分之三十的人赞同我们。我们还要战斗下去。”说完他就跳下讲台，进了会场。

第365页，我想把我们的立场好好地申述一下，虽然我们早就知道这是没有用处的，因为你们是多数。原稿中接下去有杜巴瓦试图阐明分歧的一段话：

“我的话很简短。最近十天话讲得不少了。

“‘四十六人声明’这个文件你们都清楚。在这个文件中，托洛茨基以及党内其他许多杰出工作人员都尖锐批评了中央在工业方面的政策。我们要求工业最大限度的集中——这是一。此外，我们还认为发行垄断性的切尔逢涅茨① 和进行的财政改革势必把我们推向危机。中央不是对农民小资产阶级自发势力施加压力，以无产阶级专政的全部力量去榨取他们的财产，反而起来反对原拟提高工业品价格的作法。当然，国内是存在

---

① 苏联国家银行于一九二二至一九四七年发行的一种货币。这里指的是当时新推出的面值十卢布的纸币。

着一定的农民罢工、拒绝购买工业品的现象。

“反对派建议用强行推销日用消费品的外来干涉手段把这一罢工运动压下去，也就是说，全部日用品都从国外进口。但中央不同意向农民施加压力，说这是破坏联盟，就是说，拿同这种不可靠的盟友的联盟来吓唬我们。我们认为，应当从这种自发势力身上榨尽最后一滴油，并把这部分资金收入投入我们的社会主义工业。历史将证明我们是对的。

“下边再谈谈党内问题上的分歧。塔莉亚读了我讲话的一段记录，我想重复一下。

“‘党的机关为什么要抨击托洛茨基？就因为托洛茨基领导着反对党内官僚主义的斗争。高等院校的青年全都拥护托洛茨基。他所说的“青年是党的晴雨表”，这是真理。

“‘是的，同志们，托洛茨基是我们可以信赖的人，是十月革命的领袖。他不像季诺维耶夫、加米涅夫，没有在起义面前胆怯过。他也不同于布哈林，他在一九一八年布列斯特和约时期没有破坏党的统一。布哈林为了与德国人媾和甚至还想把列宁和其他人抓起来。托洛茨基在一九〇三年是第一位布尔什维克。他领导红军夺得了胜利。他和列宁一样是世界最著名的革命家。当然，如果托洛茨基不是受到中央的排挤的话，那我们早就可以全力以赴地向国际反革命势力发起进攻了。为了达到党内真正的民主，应当给各团体、各派别发表意见的权利，而不是只给布尔什维克。

“‘党的机关成了我们的不幸。至于领导班子里是一色的老近卫军战士这一事实，更是使党面临蜕化的危险。托洛茨基曾举出考茨基和莱维①作为活生生的例证是正确的。’”

满场愤懑的喧嚷和叫喊声仿佛使杜巴瓦受到了鞭策，直到现在大家还都是在耐心地、安静地听着他讲，只有正厅后排骚动的人流表明着与会者不可久耐的情绪。

“所以说，同志们，权力会毁坏人的。我们建议让党的机关内那些党老爷们，也就是头头们，重新回到机器跟前去是对的。”

茨维塔耶夫在他坐位上幸灾乐祸地喊道：

“对！让他们闻闻机油味去，不然，办公室都成了他们的避风港了。”

没有人答理他的插话。大家等着杜巴瓦还想说些什么。

“我们再次申明，中央的政策如果再这样继续下去，它势必将葬送我

---

① 保罗·莱维(1886—1971)，法国数学家。

们国家。用不了多久,我们的财政和工业就会瘫痪,农民就会彻底打垮我们。此外,中央和你们这些拥护者们是在把党引向分裂……”

会场里就像爆炸了一颗手榴弹,喊叫声如同一阵狂风暴雨向杜巴瓦袭来。满场愤怒的声浪像皮鞭抽到他的脸上。

“可耻!”

“打倒分裂分子!”

“够了,别再诬蔑了!”

等叫喊声稍稍平息后,杜巴瓦结束了自己的发言:

“是的,要讲出这一点就得有足够的勇气。我只是想让你们知道真正的气候。你们当然会打击报复我们,但我们是无所畏惧的。大不了再去当个镟工。我上过前线,打过仗,没做过胆小鬼。现在你们也吓不倒我。”

他用拳捶了下胸脯,摆出一副“拂袖而去”的架势,喊道:

“十月革命的领袖托洛茨基万岁!打倒党阀和官僚!”

第366页,他没有上台,而是站在了舞台前边。第五版为:他登上主席台,站到台前沿。按原稿改正。原稿中潘克拉托夫讲话的一开始是:

“我们进行这样激烈的辩论已经是第九天了。各支部通宵达旦坐在这里,我们看到了不少,也听到了不少。现在我们在城里的辩论已经差不多了,这次会之后再开一次就该结束了。一些枝节问题我就不谈了,因为问题不在这里。我想谈谈主要的。昨天我们讨论过中央关于经济问题的决议。去年九月反对派四十六位同志向中央递交的那分著名的声明,已成了从工人反对派的残余分子到民主集中派所有对抗组织和集团共同的反党旗帜。这形形色色的一伙,都是由托洛茨基及其同党们率领的。杜巴瓦对这份文件显然是仔细研究过的。那么,托洛茨基分子们都向我们说了些什么呢?说党中央和党的多数派在毁灭国家。而他们是受命于危难的救世主。”接下去与本书相同。

在他们说这些人都是党的官僚主义的代表一句之后,原稿中接下去是:

“是把权都揽在党和自己手里的什么特殊阶层,什么‘党阀’之类。除非敌人,谁会说出这种话呢?既然如此,托洛茨基分子们该怎么办呢?只有一点——揪出来,捣毁,斩了!他们有人就透露过,尤列涅娃的信里提到了这一点。这场斗争表明,我们队伍内有那么一些人,他们随时准备分裂党的统一,践踏党的纪律,每遇到困难,他们就煽动闹事,制造混乱。让我们来看看反对派的真面目吧。

“难道党中央在自己的决议中没有提到某些单位存在官僚主义和过

分集中的问题吗？难道十二月五日没作过关于工人民主的补充决议吗？有的，而且托洛茨基都是投了赞成票的。党内每个党员都有为消除我们工作中的缺点发表自己观点和建议的机会。剩下要做的是在统一的党的大家庭内部对这些问题进行讨论，同心协力地克服困难，推动前进。

“托洛茨基干了些什么呢？就在他投票表示完全同意通过这个决议后的第二天，他就越过中央把自己那份臭名昭著的声明捅给了广大党员群众。现在，随之而来的就是党内一切反对派分子都起来疯狂攻击中央。不是对我们在经济方面和党内的缺点错误进行健康的讨论，而是发起了一场党内战争。托洛茨基妄图把青年武装起来反对老近卫军战士，破坏他们两代人之间牢不可破的团结。他和他的追随者妄图诽谤中央和老同志。党内大多数人被对党的这种空前的突然袭击激怒了，他们奋起对反对派进行全面的严厉还击。所以，他们就反诬我们在压制他们。谁会相信呢？

“在我们基辅，托洛茨基分子鼓动员至少有四十人，从莫斯科，哈尔科夫也来了一大批，还有两名来自彼得格勒。我们都给了他们讲话的机会。我敢肯定，他们毫无例外地在每个支部都放过毒。对杜巴瓦，舒姆斯基，还有其他几位前工作人员，都发给了他们出席区和市代表会议的代表证，尽管按党章规定，他们从外地来的人是没有参加这些会的权利的。他们是有充分发表自己意见的机会的。至于说他们受到了多数人尖锐的、毫不留情的批判，那就不能怪我们了。

“请听听他们给别人扣的这些侮辱人的大帽子吧——‘党阀’。看他们有多大的仇恨。难道党和党的机关不是一个整体吗？他们对青年人讲：‘这些机关是你们的敌人，该轰他们。’

“这像什么话？只有那些没落的无政府主义者才会讲这种话，而不是布尔什维克。

“请问，如果有人趁部队处在敌人包围之下去挑唆年轻的红军战士起来反对指挥官和政委、反对司令部，我们会怎么称呼他们呢？

“再比方说，我今天是车工，按照托洛茨基的说法，那还可以算是一个‘正派人’，可是明天我要做了党委书记，那我就成了一个‘官僚’，‘党阀’，这叫什么话？

“你们想，这种诽谤会给托洛茨基分子带来什么呢？他们势必就成为无产阶级革命的敌人。

我们的党委过去是，将来仍然是我们的司令部。我们把最优秀的党员派到党委去工作，不容许任何人去损害它的威信。”

潘克拉托夫喘了口气，用手擦了下额头上的汗。

“反对派们要求小集团的自由，实际上就是想在党内毫无顾忌地拉帮结伙。这意味着什么呢？意味着把我们党变成吵闹不休的俱乐部。意味着我们今天通过的决议，明天某个小组就可以要求撤消，我们就得重新讨论。就是说，我们将成为一帮糊涂虫。

“我们是一个讲求实际行动的党。既然作了决议，那就要贯彻执行。只能如此 。否则我们就不再是不可战胜的力量。布尔什维克决不去要求拉帮结伙的自由。

“还有一点必须指出。反对派笼络的都是些什么人呢？相当一部分是高等院校的青年。托洛茨基称他们是晴雨表，是党的基础。可当时我们这里连小孩子都知道，我们党的基础是老一辈的近卫军战士和开机床的工人。

“然而，恰恰在反对派中间倒是有，比方说，像前不久因犯官僚主义错误被解除工作的屠弗塔，像以其‘民主’精神在索洛缅卡出了名的茨维塔耶夫，或是曾经因在波多尔区发号施令、压制群众而三度被省委解除了工作的阿法纳西耶夫等这样一些人，这岂非咄咄怪事？

“诚然，反对派中也有来自生产第一线的工人，但是，一切因工作方法受过党的处罚的人都纠合到一起来对党斗争，这也是事实。这是怎么一幅景象呢？杜巴瓦、舒姆斯基率领被他们引入歧途的一批工人一马当先，像屠弗塔之类强烈表示反对官僚主义的一些老牌官僚主义分子和形式主义分子跟在他们两翼。可有谁相信他们呢？

“托洛茨基成了反对派的旗帜。我们已经听他们千万次地重复：‘托洛茨基是十月革命的领袖’，‘托洛茨基是战胜反革命的胜利者’，‘托洛茨基是我党最早的领袖’。

“他们逼着我们非讲讲这个问题不可，那我们就一举说说清楚托洛茨基在我们革命中所起的作用。反对派们在谈及十月起义时极少提到列宁同志的名字，这并不偶然。他们也不提中央委员会。既听不到关于彼得格勒的布尔什维克们，也听不到革命的彼得格勒工人、水兵和士兵们。只有一个人——托洛茨基。

“反对派妄图以托洛茨基来偷偷取代世界无产阶级最伟大的领袖列宁，取代我们党。可他是一九一七年才投身到布尔什维克队伍中来的。他们这么干的目的何在呢？目的仍然是一点——为了宗派斗争的需要，为了把一些不熟悉党的历史的人招引到自己方面来。为了达到自己的目的，一切手段都是好的。

“在国内战争中也没有列宁，也没有党，没有为夺取政权而英勇奋斗的千百万战士。只有一个人物——托洛茨基。这也不是偶然的。然而，我们已经是这些斗争活生生的参加者，我们知道谁是胜利的领袖。夺取胜利的是我们党和她的领袖列宁，以及我们光荣的布尔什维克中央委员会所领导的整个阶级，是我们，红军的战斗员和指挥员。这伟大的胜利是用劳动人民儿子的鲜血换来的，而不是某一个人！”潘克拉托夫提高嗓门儿，响亮地大喊了一声，立刻又沉默下来。

全场对他的讲话报以暴风雨般的掌声。这掌声像一股狂涛，汹涌澎湃，奔腾向前，那威力和气势仿佛要淹没整个堤岸。

杜巴瓦不止一次听到过这狂潮般的喧嚣。这些日子他在各支部和区代表会上都不断受到过这种声音的冲击。他感受过这种运动的威力。他的身心也不止一次地成为这大潮中的一滴。那是在他跟大家共同前进的时候。现在，他和他的一小撮同路人在逆潮流而动，过去与他的心共同涌动的一切，现在都在猛烈地撞击着他，把他抛向浅滩。潘克拉托夫继续讲着，他的每一句话都在杜巴瓦的心里引起一种近乎病态的反响。他很恼恨，巴不得眼下发表这样讲话的是他，杜巴瓦，而不是这个来自第聂伯河上的、身体结实得像个表里如一的铸件似的装卸工。可偏偏就是他，而不是他这个自相矛盾、失去了根底的杜巴瓦。潘克拉托夫接着说：

“至于托洛茨基十月革命前的‘布尔什维主义’是什么货色，让那些老布尔什维克说去吧，青年人对这方面了解不多。现在既然人家用这个名字来与党对抗，那我们就必须了解托洛茨基同布尔什维克斗争的整个历史，了解他是如何经常从一个阵营投向另一个阵营的一贯表现。党应该知道是谁把所有的孟什维克纠集到一起结成八月联盟来反对列宁和布尔什维克的。关于这一点应当载入史册。托洛茨基正在成为分裂运动的组织者，我们应当揭露这个人物，让人们看看他过去和现在的真面目。

“托洛茨基在十月革命斗争中表现不错。所以党才对他委以重任。党为他树立了威信。对他表现出了极大的信任。如果此人当年也一度是位英雄的话，那也是在他与我们一起共同前进的时候。十月革命前托洛茨基并不是布尔什维克，所以，十月革命后他不管是在布列斯特和约期间，还是在工会问题大辩论中，他总是忽左忽右，直至发展到现在向党发动空前规模的进攻。

“同反对派的斗争增强了我们队伍的团结 。使青年们在思想上坚强起来了。布尔什维克和共青团员在同小资产阶级倾向的斗争中得到了锻炼。反对派里那些歇斯底里的恐慌病患者预言明天我们在经济上和政治上将彻底破产。未来会向我们证明这种预言的价值。

“他们要求把我们一些老同志,比方说,像托卡列夫,谢加尔同志,都打发回到机器跟前去,而让杜巴瓦这类把反党斗争看成某种英雄行为的破烂晴雨表们来接替他们的位置。不,同志们,我们决不这么干!老年人是要交班的,但接他们班的不会是那些一遇到困难就疯狂攻击党的人。我们决不允许任何人来破坏我们伟大的党的团结。老一辈和青年一代近卫军永远不会分裂的。他们是一个整体,如同一个人的肌体。我们的力量,我们的坚固性就体现在这种团结之中。前进吧,同志们,去向困难斗争,奔向我们的目标!在列宁的旗帜下,我们同小资产阶级思潮不调和的斗争必将取得胜利!”

潘克拉托夫走下讲台,会场里许多人都站起来,随即自发地唱起了庄严的国际歌。

第370页,……下午六时五十分……在高尔克逝世……第五版中下午一词错为昨天。按原稿改正。

第373页,……门口两棵云杉……第五版中在这句话之前漏掉了一个前置词。按原稿补正。

第375页,勃鲁扎克,扎哈尔·瓦西利耶维奇在第五版和原稿中都错为扎哈尔·菲利波维奇。小说第一部中,大勃鲁扎克,火车司机,名为扎哈尔·瓦西利耶维奇。根据文学遗产委员会决定(见1954年2月23日一号纪要)改为瓦西利耶维奇。

第383页,在他们坐在一个角落里一句之后,原稿中接下去为:

丽达看了看表。

“离开会还有四十分钟,给我讲讲杜巴瓦和安娜的情况吧,”丽达说,发现保尔在目不转睛地看着她,她有些不好意思。

“前不久,我去出席全乌克兰代表会议的时候,去看过他们,同安娜见过几次,同杜巴瓦就见过一面,而这一面还不如不见。”

“为什么?”

保尔没说话。他的右眉毛微微颤动了一下。她熟悉这个动作,在他心情激动的时候一向这样。

“给我讲讲吧,我什么都不知道。”

“丽达,我真不想现在谈这件事,可你非得让我谈,那我只好从命。他们的最后决裂是在我们在场的情况下发生的,而且在我看来,安娜已经没有别的办法。他们的分歧积累得那么深,也只有一刀两断了。他们感情破裂的起因,还是在党内生活上的分歧。杜巴瓦一直是站在反对派一边。

我在哈尔科夫就听人说起过他在基辅的讲话。他是跟舒姆斯基一起去的。”

“怎么，难道舒姆斯基也是托洛茨基分子?”

“过去是，现在脱离了。我和扎尔基跟他谈了很长时间。他现在跟我们站在一起。可杜巴瓦却不能这么说。他是我行我素，越走越远了。咱们还是回头谈谈安娜吧。她全都对我说了。杜巴瓦彻头彻尾地陷到反党斗争里去了。安娜听过他不少这样的辱骂，说她‘你是一匹党的小蠢马，让主子骑着，人家往哪里指你就往哪里走。’还有更难听的。这样的冲突只要几次就足可把他们变得彼此格格不入了。当安娜提出要分手的时候，杜巴瓦显然不愿意失去她。他向她保证，他们之间今后再不会发生这种龃龉，请求宽恕他，帮他度过难关。安娜听信了他。有一段时间，她觉得好像一切都解决了。她从他嘴里再没听到过恶言恶语的攻击。她向他讲道理，他也不回嘴。所以，安娜相信他真的是在认真地重新审视自己过去的立场。

“她听扎尔基说，杜巴瓦在共产主义大学也不再煽风点火了。在同扎尔基的个人关系上也能拱手相处，不再争吵。前不久，有一次安娜在班上觉得不太舒服(她快要当妈妈了)，回到家里，把门一关就躺下了。她跟杜巴瓦住一个套间，当中隔一道门，但两人说好把门钉死了。

“不一会儿，杜巴瓦带着他的一大帮同志回来，安娜无意中成了一次有组织的托洛茨基分子秘密集会的见证人。她听到了许多连做梦也想不到的事。顺便说一句，为参加那次共青团全乌克兰代表会议，他们还曾打印过一份宣言之类的材料，决定秘密散发给与会代表。安娜这才明白，杜巴瓦不过是在变换手法。

“等人都走了之后，安娜把杜巴瓦叫到自己屋里，要他把刚才发生的这一切说说清楚。

“这一天，我去哈尔科夫出席代表会议，在团中央见到了基辅代表团的人。

“塔莉亚给了我安娜的住址。她就住在附近，我决定午饭前到她那里去一趟。因为我去她任巡导员的党中央妇女工作部找过她，她不在。

“塔莉亚和其他几个人也说好要去。你瞧，我算是赶到点儿上了。”

保尔苦笑了一下。

丽达一只胳膊支撑在天鹅绒包边的雅座靠背上，微微皱着眉头，在听他讲。保尔沉默下来。他注视着丽达，回想着她以前在基辅时的样子，与眼下的她比较，他再一次地承认，丽达已经长大成为一位身形健美，富有魅力的青年女子。她上身穿的已经不再是那件终年不换的套头军便服,而是换成了一件既朴素又雅致的蓝色连衣裙。她用刚才握着他手的那只手轻轻碰了碰他,示意他继续讲下去。

"说呀,保尔。"

保尔就势把她的手握在手里,接着讲。

"安娜见到我,流露出无法掩饰的高兴心情,杜巴瓦却冷若冰霜。原来,他已经知道了我同反对派的斗争。

"这次会见显得有点离奇。我不得不充当一个裁判官的角色。安娜滔滔不绝地对我讲,杜巴瓦在屋里来回踱步,一支接一支地抽烟。显然,他很烦躁,很恼火。

"'你瞧,保尔,他不光是在欺骗我,还在欺骗党。组织什么地下小团体。明明是在继续他制造纠纷的活动,却对我说一切都结束了。他在共产主义大学宣称,他认为代表会议的决议是正确的,他自称是忠诚的,可同时又在肆无忌惮地搞欺骗行径。我们之间当然没有什么共同语言。我要写信告诉省委。'(省委设有监察委员会。——叶·布注)安娜气愤地对我说。

"杜巴瓦不满意地支支吾吾说:

"'那有什么,去吧,报告去吧。像这样的党,连妻子都在家搞特务和偷听活动,你认为我就那么愿意成为这样一个党的党员吗?'

"这对安娜来说,也实在太过分了。她冲他大喊一声,轰他出去。他出去之后,我对安娜说,我想跟他谈谈。她说,谈也没有用,可我还是去了。我和米佳以前毕竟是好朋友嘛。我想,还是可以让他改邪归正的。

"我走进他的屋。他躺在床上,马上就警告我说:

"'别来向我作宣传,这一套我听够了。'

"可谈还是谈了。

"我想起了过去的事。

"'我们过去所犯的错误就没有使你受到一点教训吗?德米特里,你还记得小资产阶级意识是如何把我们推向反党斗争的吗?'我说。

"可他怎么说呢?

"'保尔,咱们那时候是工人,想说什么就说什么,没有什么可怕的。再说,我们的想法也没有什么不对的。在实行新经济政策之前,那是真正的革命。可现在呢,是一种半资产阶级革命。新经济政策的暴发户都肥起来了,穿起了绫罗绸缎,可全国失业者多得不可思议。我们苏维埃和党的上层人物也都在发新经济政策财。他们勾结上一个女资本家,整个政策就随着向发展资本主义方向转化,对无产阶级专政似乎谈都不好意思谈了。对农民采取自由放任态度,富农的成长大有占领农村经济阵地之势。不信你瞧着,'他说,'过不了五年六年,就得像热月政变后的德国那样,苏维埃政权就会悄悄地销声匿迹。新经济政策的暴发户们将成为新资产阶级共和国的部长,咱们呢,你要再乱说乱动,就会把你脑袋拧下来。总之,再这么下去,咱们快死到临头了。'

"你瞧,丽达,杜巴瓦没有什么新鲜货色,全是托洛茨基派的老调。我们谈的时间很长。

"我这才明白,跟他争论的确没有用。依我看,杜巴瓦是死不回头了。为了他,我把代表团的一次内部会议都耽误了。分别的时候,看来是想安慰我一下,他说:

"'保尔,我知道你还没有完全僵化,还没有成为怕丢了官位而只会举手赞成的官僚,但你也是那种红旗遮目不见其余的人。'

"晚上,基辅代表团的人都来到安娜家,有扎尔基和舒姆斯基。安娜已经去过省委,我们都承认她这样做是完全正确的。我在哈尔科夫待了八天。在中央跟安娜见过多次。她搬家了。听塔莉亚说,她做了流产。她同杜巴瓦的分手看来是无法挽回了。塔莉亚为了帮助他们还在哈尔科夫多留了几天。

"我们动身去莫斯科的那天,扎尔基听说,党的三人领导小组给了杜巴瓦严厉申斥加警告处分。原来,共产主义大学党委早已表示同意对他的处理:差一点没给他最高处分,总算没有开除党籍。"

会场渐渐满了,但人群还在继续往里涌,四周一片言谈笑语。这座巨大的剧院正在迎接着这世所罕见的、充满活力的青年布尔什维克的人流,他们如此朝气蓬勃,乐观向上,如同一股奔腾而下的山洪,汹涌浩荡,勇往直前。

喧嚷声越来越大。保尔觉得丽达好像没在听他讲话。但他刚一打住话头,她就说:

"我想,咱们不再谈杜巴瓦的事了。干吗为此浪费我们仅剩的这几分钟时间!这里这么多光明的东西,这么充满生活气息……"

丽达向他跟前靠了靠,现在他们挨得很近,谈话变得比较困难了。为了不大声嚷嚷,丽达朝他俯过身去。

第386,在他看见她正在一群乌克兰代表中间这句话之后,原稿中有一段关于在丽达哥哥家举行共青团晚会的描写。一位姑娘说:

"我深信,朋友们,最近几年共青团就会从自己队伍中推出几位语言大师，他们会通过艺术形象去介绍我们英雄的过去和更加光荣的现在。谁晓得呢，说不定在座的人中就会有一位用犀利的笔锋来描述一下咱们……”

第399页，他们的友谊就是这样开始的。哈尔科夫市党委会常委朵拉·罗德金娜以后还时常回忆起他们相识时的这段趣事。在这两句话之后，原稿接下去叙述了保尔在疗养院如何度过以及如何认识罗德金娜和阿左尔斯卡娅的情景。

第401页，莫斯科党监察委员会委员巴尔塔绍夫把有关托洛茨基、季诺维耶夫和加米涅夫所领导的新反对派的情况告诉了他们。代之以这句话的，原稿有如下一段：

莫斯科党监察委员会委员巴尔塔绍夫，五十岁上下，身材墩实，曾在乌拉尔当过翻砂工，他先发言，声音不大地说：

“是的，事实俱在嘛。我们意料的事果然发生了——出了新的反对派。要说他们的领袖人物，除了季诺维耶夫和加米涅夫，与他们勾结在一起的还有一个人，他不是别人，正是托洛茨基。先前他们互相勾结，狼狈为奸。现在这帮反对派的大杂烩开始行动了。”

从坦波夫来的检察官打断巴尔塔绍夫的话，说：

“我早在第十四次代表大会上就对同志们说过：‘记住我的话，季诺维耶夫和加米涅夫，还有托洛茨基，迟早会结亲的。’可不是，当季诺维耶夫和列宁格勒帮一起与代表大会作对的时候，托洛茨基一言不发，在一边袖手旁观，心想：狗崽子们，你们总是敲打我，为‘十月革命教训’的事你们好在没把我给整死。现在怎么样，和我们滚到一个泥坑里了。当时还有人不同意我的看法，说季诺维耶夫和加米涅夫跟托洛茨基主义斗争了那么多年，在每个转折关头都一贯叫嚷托洛茨基主义是我党的异己派，说他们从没在任何问题上背叛过布尔什维主义，以后也决不会被与其进行过这么多年无情斗争的人牵着鼻子走。

“可结果呢？昨天的敌人和思想异端今天已经成了朋友。因为狂妄地反对布尔什维克中央的斗争会迫使他们随便与什么人勾结到一起，拿自己的原则和以前的立场做交易。现在他们把这些原则和立场看得一钱不值，哪还顾及什么与托洛茨基联盟会玷污他们布尔什维克的过去？这种无原则的联合无异于一九二〇年的八月联盟。无论是现在或那个时候，挥舞指挥棒的都是托洛茨基。这一招对季诺维耶夫和加米涅夫来说，其卑鄙程度丝毫不亚于他们对十月起义的胆怯。对这号……”这位坦波夫人瞟了在座的朵拉一眼，才克制住没有骂出一句脏话来，“呸，我好在没走了火！说实在的，这种岂有此理的事我都没见过。”他结束了自己的讲话。

朵拉接着慷慨激昂地说：

“从一切迹象来看，这股勾结到一起的反对派很快就会开始向党动手。我不明白，我们究竟什么时候才彻底消灭这种专搞造谣惑众、破坏党的团结的无休止的小集团活动。我们还要姑息容忍到什么地步。依我之见，就该把这帮职业捣乱分子和反对派统统从党内清除出去。我们为跟这些反党分子斗争花费了多少时间和精力。”

巴尔塔绍夫老人默默听完了大家的讲话后，说：

“没办法，朋友们，我们不能多耽误，得赶紧回去。在疗养院里多住几天少住几天起不了多大作用，在这样紧张的时刻，我们每个人都应该坚守自己的岗位，我明天就动身。”

第412页，……老头子丘查姆，这个人物的原型是马秋克，波尔菲里·基里洛维奇。在小说中，奥斯特洛夫斯基对他的名字变换了多次。如在谢佩托夫卡，原稿中称为阿克沃捷佩什，原稿中最初出现的是马秋克，以后改为丘查姆。

第414页，(丘查姆)故意不断用匙子搅着茶杯里的糖，一面从眼镜上方恶意地打量着坐在他前面的客人……原稿中这句话为：

波尔菲里·科尔涅耶维奇·丘查姆专注地搅和着茶杯里的糖，一面从眼镜上方恶狠狠地打量着坐在他面前的这位来客。原稿中接下去还有：

“还一身的奶味，就想入非非，一看就是个无赖。在我家白吃白喝两天了，像我该他的似的。他是听了谁的话才到我这里来的？都是阿莉比娜干的好事。真该揪着尾巴把他扔出去。在合作社里我就讨厌这些党员，他们到处插手，好像主任不是我，而是他们。你瞧，这里又来了一个。鬼晓得从哪里钻出来的。”他心里琢磨着，为了找碴儿气气这位客人，他幸灾乐祸地说：

“今天报纸看过了吗？你们的头儿们互相干起来了。结果怎么样——别看他们政治地位多么高，和我们这些平头百姓也差不多少，暗地里互相下绊子，够热闹的。先是季诺维耶夫和加米涅夫合起来整托洛茨基，后来两个人被降了职，他们又合伙整一个格鲁吉亚人，噢，就是斯大林。

“唉，一句老话说得对：老爷们打架，小子们遭殃。”

柯察金把没喝完的茶杯一推，用一副火辣辣的目光盯着老头儿。

“你说谁是老爷？”他口齿清楚地问。

“老爷就是老爷呗，我是个非党人士，这些事与我不相干。当初我年轻的时候,也当过傻瓜。一九〇五年为了讲话还坐了三个月的牢。后来我看透了——应该为自己着想,而不是为别人。可不是,谁也不会白养活你,现在我就是这样的观点。我为你干活儿,可以——拿钱来。谁能更好地供给我,我就拥护谁。那些关于社会主义的废话,对不起,你去跟傻瓜说去吧。自由,如果把这自由交给一个白痴,他照样不懂。要说我对现今的政府不满,那是因为我不喜欢它的那些新的家庭规矩之类的东西,它只能导致荒淫无耻,伤风败俗。想结婚就结婚,想离婚就离婚,完全自由。"

第 414 页,在"……你们现在倒教训起我来了"这句话之后,原稿接下去为:

"现在这年头儿,说什么话都叫人心烦。

"就说昨天,我仔细听了帕维尔·安德烈耶维奇,大概我没记错,开导他几个女儿的一番话。讲话嘛,您在行,我没说的。可除了讲话,还得吃饭呀。您号召她们去过新生活,这几个傻瓜,你随便给她们灌输什么都可以。可你这新生活就不给廖莉亚工作。到处都是这可怕的失业。年轻人,您得先让她吃饱肚子,然后再给她洗脑筋吧。您对她们说,不能再这样生活下去。那您把她领去养活着好了。可只要她们还在我这里,那她怎么做就得听我的。"

阿莉比娜预感到暴风雨即将临头,就极力想缓和气氛。

"别这样,波尔菲里,廖莉亚够不幸的啦,别再这样数落她。她将来总会找到工作的,也许……"

老头儿的胖脖子立刻涨得通红,他根本就没想克制自己的火气:

"你干吗拿将来来胡弄我?到处都听人说将来如何,将来如何。过去传教士冲我嚷嚷什么将来到另一个世界里有天堂,现在又来了另一帮传教士。我真想冲你的将来啐一口唾沫。那时候我都不在人世了,它还对我有什么用?为了某些人过好日子,我去受罪,何苦呢?就让每个人各操各的心好了。恐怕也不会有谁为我过得好去卖力,我倒要去为别人造福。让这些空头支票见他妈鬼去吧!以前各人为各人卖力气,攒下钱,要什么就有什么。如今,开始建设这种共产主义——这可倒好,全完了。"波尔菲里恶狠狠地喝了一大口茶。

保尔从跟前这个膨脝的大块头身上感到一种肉体上的厌恶。这个老头儿是那种人与人为敌的苦役犯世界的化身。真是赤裸裸一身禽兽般的利己主义,但这激烈的言词到了保尔嘴边他又咽了回去。他只剩了一个愿望——给这个讨厌的家伙几句,让他滚回到他刚从那里钻出来的老窝里去。保尔俯身在桌子上,松开他紧咬着的牙齿,说:

“您很坦率，波尔菲里·科尔涅耶维奇，允许我也对您直言不讳。像您这种人，在我们国家是不会有人问他愿不愿意建设社会主义的。我们有非常伟大而强有力的建设大军。世界上没有力量可以阻止这种变革。像您这种人，只有强迫去参加新社会的建设劳动，不管他们愿不愿意。”

波尔菲里带着不可掩饰的仇恨看了看保尔。

“要是他们不服从呢？您要知道，暴力只会引起反抗。”

保尔一只手使劲地按在茶杯上。

“那我们就把他们，”保尔说着，猛地把茶杯一握，薄薄的玻璃杯咔嚓一声，没喝完的茶水从握碎的茶杯里流到了茶碟里。

“轻一点，年轻人，茶杯值八十六戈比呢。”波尔菲里·科尔涅耶维奇急了。

保尔缓慢地把身子往椅背上一靠，回头对廖莉亚说：

“明天您帮我去买十个茶杯，要厚一点，带棱的。”

第415页，他拟了许多方案，然后似乎都没有实行的可能。原稿中在这句话之后，接下去叙述了赖雅（书中为达雅）在家的生活以及她在保尔出现在她家后的心境。

他躺在自己摆在厨房里的那张床上，不安地辗转反侧。隔壁房间里赖雅也没睡。她思绪万千，心神不宁。她想起昨天晚上，她，廖莉亚和保尔一起在她房间里一直聊到深夜。她是平生头一次这么贴近地会见一个以前只有在五一节和十月革命节时从远处看到站在观礼台上的人物。这个人仿佛是来自另外一个世界。因为，父亲立下的规矩是只许她们躲在自己与社会生活完全隔绝的房间里过着离群索居的生活。

赖雅在一个码头上干给人家缝粮袋的活儿。每天一下班就得赶紧跑回家去，一个小时之后，还要赶到父亲上班的合作社去，在那里收拾卫生，擦洗地板，一直忙到深夜。只有星期天才有空在自己房间里待几个小时，偶尔和自己女伴们去看场电影。

她的日子一年到头就像一条灰色的、平淡无奇的带子。母亲只喜爱她的儿子。他长得像她。这是一种愚昧的偏爱。乔治长成了个懒虫。有什么好吃的，好穿的，总是先尽着他挑选。母亲对女儿们很冷淡。赖雅和廖莉亚都不明白，母亲对子女这么偏心原因究竟何在。她总是把气出在她们姊妹俩身上。最苦的是赖雅。哥哥认为她只配干些吃力不讨好的粗活儿，而且也不光是哥哥这么认为。所以，她在家就光剩了当牛做马的份儿了。天长日久，凡是别人不愿干的事，她都得干。只要她对这敢说一个不字，乔治就厚颜无耻地把右眼一眯缝——这是他从哈里·皮尔那里学来的一种蔑视人的表情，咂着舌头冲她说，“她也想来发议论。”

现在没想到突然来了这么个小伙子，带来一股强劲的清风。她难以开口，但又不得不向他承认，她已经两年没读过一张报纸，关于共青团的事她只模模糊糊知道一点，那多半也是听父亲说的，父亲一提到女共青团员总不忘骂人家一句“那些骚丫头”。

赖雅知道，父亲对保尔的到来是满肚子的不高兴。由于父亲的无礼，母亲已气得犯过心脏病。

“他明天兴许就要走。有了今天和父亲的那次谈话之后，他不会留下来的。他一走，我们家一切又是老样子。我真傻，想他干什么？家里偶尔来个人，一走之后，过一天，也就谁都不记得了。”赖雅带着一种莫名的惆怅想着，不知为什么，竟难过得把头扎在枕头里痛哭起来。

第 423 页，……而且在那革命的红旗上，也有他的几滴鲜血。这句话之后，原稿中接下去为：

> 我们的旗帜在世界上空飘扬，
> 它像熊熊烈火发出灿烂红光。
> 那是我们的热血在燃烧，
> …………

他默诵着一首心爱歌曲的歌词，难为情地笑了笑：“是的，老弟，你离不开这英雄的浪漫主义。即使最平凡的、最明白易懂的东西，你也常赋予它以鲜花般色彩斑斓的形式。你呀，老弟，你懂多少辩证唯物主义的钢铁逻辑？你过五十岁后再病也不迟嘛，同志，眼下正是学习的大好时机。现在你正该活着嘛，你他妈的，怎么能这么早就落网了呢？”他怀着绝望的痛苦想着，五年来头一次又破口骂娘。

不管什么时候，难道他会料到这种飞来横祸吗？因为，大自然赐予他的是一副强壮的，富有承受力的体魄。他记得小时候，飞快地跟风赛跑，像猴子似地爬到树上，灵敏瘦削的身体在树枝间轻盈地跳来跳去的情景。但是战乱年代要求人们付出超人的坚韧和努力，他慷慨地、毫不吝惜地付出了这种努力，把它奉献给了以扑不灭的烈焰照亮了他生命的斗争。他献出了他们拥有的一切，在二十四岁风华正茂的年纪，在胜利的浪潮把他推上充满创造幸福的生活顶峰的时候，他却被击中了。就如同一名临死的战士那样，他不甘心立刻就倒下去，而是在咬紧牙关，仍跟在胜利前进的无产阶级钢铁大军的后边，在尚未耗尽最后一点力气之前，他不愿离开队伍。现在,他,一个被打倒了的人,已无法坚守在前线,他只剩了一条去路——进后方医院。

第423页,在成为队伍的累赘吗?一句之后,原稿中接下去还举了一个实际生活中的例子:

这时,想起了基辅市无产阶级的领袖叶夫根尼娅(博什,叶夫根尼娅·波戈丹诺夫娜(1879—1925),俄罗斯革命运动活动家,1901年为苏共党员,乌克兰夺取苏维埃政权斗争的领导人之一。——叶·布注)。这位久经锻炼的地下工作者,当她得了肺结核,丧失了劳动能力之后,前不久她自杀了。她留了一张小纸条对自己的行为作了说明:"我不能接受生命的施舍。既然已经成了自己党的一棵病株,我认为就没有继续活下去的必要了。"怎么样,毁掉这个背叛了自己的肉体吗?……

第424页,在活着有了困难——就自杀之后,原稿中接下去还有一句:这对胆小鬼来说,也无须更好的出路了。

在即使生活到了实在难以忍受的地步,也要能够活下去一句之后,原稿接下去为:要竭尽全力,以使生命变得有益于人民。

第429页,在……保尔和达雅也搬到离得很远的一个滨海小城去了一句之后,原稿中接下去还有如下一段:

一年半过去了。国家进入了伟大的建设工程。社会主义已经来到了现实的门前,正在由理想变成为人的智慧和双手的伟大创造性劳动。这座空前宏伟和壮观的大厦正在奠定它钢筋水泥的地基。

"钢,生铁,煤"这三个具有魔力的字眼活跃在这个从事着伟大建设的国家的报纸版面上。

"或者我们跑步赶过这段差距,追上技术发达的资本主义国家,以最短的期限建立起自己强大的工业,使我们在技术方面从此不再依赖于资本主义世界;或者被人家掐死。因为没有钢,煤,铁,不仅不能建成社会主义,连保住这个建设社会主义的国家也是不可能的。"党通过领袖的语言这样告诫我们。于是在全国便展开了空前高涨的争取多炼钢的斗争。这样的建设激情是世所罕见的。"速度"这个词儿便成了燃起人们行动热情的号召。

在远古时代的扎波罗什营地上,哥萨克分队风起云涌,所向披靡,令波兰贵族军队和称雄一时的土耳其军闻风丧胆;如今这昔日的营地和霍尔蒂查岛左近地带,成了另一支大军安营扎寨的地方。这是布尔什维克的建设大军,他们决定在这里拦腰截断古老的第聂伯河,把它那野蛮的、桀骜不驯的原始力量套在钢铁的涡轮机上,让这条古老的河流像生活本身一样,为社会主义出力。人投入了同自然界的斗争,从这条狂暴的第聂伯河的激流处,把它那难以驾驭的力量套入钢筋水泥的枷锁之中。

在开赴第聂伯河的三万大军中,在这支大军的指挥成员中,有一位过去基辅码头的装卸工,今天的工段长伊格纳特·潘克拉托夫。建设大军从两岸向河流进击。从工程开始的最初几天起,两岸之间就展开了“社会主义竞赛”。这种新生事物一出现就始终没有停息过。

伊格纳特那魁伟的身躯轻盈地奔忙在脚手架上,过桥板上,一会儿跟混凝土搅拌机前的伙计们说几句俏皮话,一会儿又消失在土沟里,或突然出现在卸混凝土和钢梁的站台上。一清早,他那驼背拱肩的身影就出现在“棘手”的地段上,直到深夜他才能把终于疲惫了的巨大身躯躺在那张行军床上。

有一次,他眺望着晨雾弥漫的河面,面对沿河两岸一望无际的建筑材料,他不由得想起了森林中小小的博雅尔卡,当初觉得它是那么大的工程,现在看来竟成了一件儿童玩具。

“咱们发展多快呀,伊格纳特老弟! 第聂伯河这匹烈马被咱们套住了。够了,老头子们,再也不用在河两岸受罪了,先拿一百万度电去,没说的! 我们真正的生活就从这里开始啦,亲爱的伊格纳特!”他胸中涌起一股热流,就像贪婪地灌了一大口烧酒。“博雅尔卡的哥们儿现在在哪儿? 要是把保尔找来,还有扎尔基他们,嘿! 我们也和河左岸这帮人比试比试。”一想到博雅尔卡便不由地想起了朋友们。

那些同他一起在博雅尔卡战过严寒的人们,还有那些共同创建过共青团的人,现在都散布到了全国各地,从各个沸腾的建筑工地到这片辽阔国土的各个偏僻角落,都在重建新的生活。当时的第一批共青团员有一万五千人。他们在茫茫人海中遇到一起情同手足。他们小小的共青团,如今已成长为巨人。过去单枪匹马的地方,现在已有了足足一营人。

“在我们中间,你们还差得远呢,小鬼们! 不久前,还光着脚在桌子底下钻来钻去呢。我们已经上前线了,这些小鬼恐怕还得让妈妈扯起衣襟给他们擦鼻涕呢。眨眼工夫,他们也都长大成人,为了接班,他们巴不得立刻就把你塞到乌龟壳里去。对不起,这一招行不通。这我们还得看看再说。”潘克拉托夫想,由二十岁的共青团员安德烈·托卡列夫任团支部书记的河左岸七号工段,今天晚上就要挂到他的“拖轮”上了。想到这里,他敞开胸怀,深深吸了一口河上清新的空气,心里感到十分满足。

而他刚才想到的那个人,他的朋友和战友,保尔·柯察金,却被抛到了远方偏僻的滨海小镇,在他争取重新归队的残酷、顽强的斗争中,独自经受失败的苦楚和胜利的欢欣。

第430页,没有布尔什维克不能攻破的堡垒这句话,在第五版中错为没有布尔什维克未能攻破的堡垒。按原稿改正。原稿中接下去为:

阿尔焦姆,你会说,我信中有许多熔化了的钢铁。说的是。我们的生活本身就不是由冰冷的癞蛤蟆血点燃起来的。我很希望你也同我一起相信保尔还能回到你们中间,我们还要干一番的,哥哥。不可能不是这样。不然,在那万恶的旧世界已在我们战马的铁蹄下呻吟的时候,国内战争炽热的火焰为何还会点燃起我们满腔的热情呢?那时,假使在那艰苦的、有时甚至是残酷的生活面前屈膝下跪,承认失败的话,哪还谈得上我们工人阶级的意志呢?

阿尔焦姆,即便是在朋友们中间,当他们听到我这些话时,我也常遇到一些惊奇的目光。谁知道呢,也许有人会想:我是只看到理想,看不到现实。他们不理解我的希望寄托在哪里。

现在简单谈谈其他的情况。既成的事实就是我的生活被局限在了一块狭小的屯兵场上。我就在这里学习——读书,读书,除了读书还是读书。眼下已经读完了不少,阿尔焦姆。可以开列出一个不少的战果清单,包括我已读完的国外的和国内的各种著作。

……读完了主要的古典文学作品一句在第五版中为:读完了全部古典文学作品。根据尼·奥斯特洛夫斯基1935年10月16日致国家文学出版社社长纳科里亚科夫信的要求修改。

第440页,……抢救了大规模的联合企业刚建好的第一批车间一句中的车间一词第五版中印错一个字母。按原稿改正。

第440页,在……而只有在生活用铁环紧紧把你箍起来的时候,坚强才是光荣的事情一句之后,原稿中接下去还有下面一段:

"你知道,保尔,妈妈走前给我来信说,父亲被合作社开除了,现在他在一个建筑工地上当木工……"

这段话与书中上下文没有关联。文学遗产委员会决定(见1954年5月26日二号纪要)"作为作者作大段删节时偶然漏删的一句"取消。

此处删去一段是:

"你知道,保尔,妈妈走前给我来信说,父亲被合作社开除了,现在他在一个建筑工地上当木工……"

保尔稍稍哆嗦了一下。

“这样吧，赖雅，现在趁这个最困难的时刻，咱们捅了这个臭虫窝，就此同它一刀两断。你写两封信，一封给父亲，一封给乔治和他的同伙……”

赖雅走到他跟前，坐下来，抓住他的两手。

“我现在就写这两封信，我知道，现在这么做正是时候。”

他关切地倾听着笔尖在纸上刷刷的响声，紧闭着嘴唇在想：

“她将义无返顾地彻底离开父亲和哥哥。这些人决不能再把她拉回去。就剩下母亲了。”

原稿中接下去还援引达雅（赖雅）给家人的信，具体叙述了保尔与丘查姆家的相互关系以及同他们的决裂。这段文字曾发表在乌克兰文版1934年第三版中。

这里应该注意的是：尽管奥斯特洛夫斯基的作品中描写了不少真实的人物和事件，但现实与虚构是结合在一起的。特别是把保尔·柯察金的童年与尼古拉·奥斯特洛夫斯基本人的童年相比较，对于了解小说中人物形象的发展具有重要意义。同样，也不可完全根据小说来判断尼·奥斯特洛夫斯基与家庭和妻子的关系：比方说，赖雅·波尔菲里耶夫娜的哥哥符拉季米尔·马秋克是小说中二流子乔治这个人物形象的原型，根据尼古拉·奥斯特洛夫斯基的口述所记，在前五章中占了不少篇幅。然而，赖雅·波尔菲里耶夫娜·奥斯特洛夫斯卡娅在回忆作者在弥留之际对她说的话时，她说“……我默默地听着。他要求我不要放松学习……然后，他想起我们两位年迈的母亲，说：

“‘咱们的两位老母亲为咱们操劳了一辈子……我们应该报答她们的多了……可咱们什么都来不及做……别忘了她们，赖雅，要孝敬她们……’”

程　文译

译 后 记

《钢铁是怎样炼成的》中译本的第三次修订本出版了，因为有人诬称这是节译本，我想借这个机会对本书的翻译校订经过作些简要的说明，同时向参与修订工作的各位专家表示衷心的谢意。使我难过的是有几位已不能见到这个新版本了。

我开始翻译这本小说是五十七年前的事。一九三八年我在上海地下党工作时，八路军上海办事处的刘少文同志有一天给了我一本纽约国际出版社一九三七年出版的、由阿列斯·布朗翻译的《钢铁是怎样炼成的》的英译本。他对我说，党组织认为这部作品对我国的读者，特别是年轻的读者很有教育意义，要我作为组织交办的任务把它翻译出来。我当即接受这个任务。但因当时较忙，白天工作，晚上编报，家庭也有困难，一直拖到一九四一年冬太平洋战争爆发，日本侵略军进入租界，党组织要我撤到解放区后，才匆忙赶译出来。一九四二年上海新知书店在极其困难的条件下出版了这本书。我是在一九四二年冬一天夜里，在洪泽湖畔半城新四军第四师司令部访问彭雪枫师长时才见到这本书的。当时他正在油灯下读它，他对我说，这是一本好书，读后很受感动。

中华人民共和国成立后，刚创办的人民文学出版社建议重印这本书。我在工作之余，用了差不多半年的时间对原来很粗糙的译文作了修改，出版社又请著名翻译家刘辽逸同志根据俄文原本加以校阅增补。

一九五八年我在苏联买到了莫斯科外文出版社一九五二年

出版的、由普罗科菲耶娃译成英文的《钢铁是怎样炼成的》的两卷本。我发现我的译文有不少地方表达得不好，但没有机会修改。“文化大革命”后，一九七八年人民文学出版社决定重印，我又对译文作了较多的修改。第二次校订本是一九七九年出版的，到现在已经十六年。

这一次是这个译本的第三次修订。为说明修订过程，我不得不多说几句。一九八九年，苏联青年近卫军出版社出版了新版三卷本《奥斯特洛夫斯基文集》，小说《钢铁是怎样炼成的》收在新《文集》的第一卷。新《文集》的编者依据作者生前签署付印的俄文第五版版本作了校勘，还查阅了作品原稿及有关档案资料，以“附注”的形式将作品修改定稿时删削未用的一部分文字整理附印于卷末，供读者参考。《文集》的编者认为，这个校勘过的版本是在最大程度上符合作品原貌的，“可作今后再版依据的规范文本”。这里需要指出的是，这个版本除少量字句经过校勘有所改动外，与作者一九三六年逝世前两个月亲自签署印行的第五版版本完全相同。这是可以理解的，正如《文集》编者所强调的，“在作者去世之后，随意改动正文是绝对不能允许的”。

既然有了一个经过认真校勘的原文版本，人民文学出版社出于对这部名著作者的尊重和本身的责任感，建议依据上述新版本重新校勘一次，并将《文集》编者整理的“附注”也一并译出附在正文之后，供我国读者参考。我赞同这个建议。借全书重排之机，我对译文的个别字句又作了修改，另请本书的前任编辑程文同志译出“附注”部分，并对照新版本将译文校阅一遍。这次校勘改动不多。译本几经修订，比过去好些，但这也只是相对而言，我对译文还是不很满意的。

《钢铁是怎样炼成的》在苏联内外都有众多的读者，到一九五四年苏联第二次作家代表大会时，它已印行二百四十六版，估计现在总发行数不少于一千万册。它被译成二十种文字，在二十六个国家出版。中文译本的发行量可能是各种译本中最大的。第一版即由一九五二年到一九六六年，共印二十五次，发行一百多万册；第二版至第四版，即由一九七九年到一九九五年，共印三十二次，发行一百三十多万册；总共印五十七次，共二百五十余万册，一九四二年上海出版的和解放前后在大连、华东、上海翻印的都没有计入。

我国的青少年是爱读这本书的，上面提到的发行册数说明了这一点。“文化大革命”前是如此，“文化大革命”后也如此。中国社会科学院文学研究所的黄瑞旭同志一九八二年曾向北京大学、北京师范学院和北京工业学院一部分大学生进行调查，写了一篇题为《大学生阅读文学作品现况浅析》，文中指出：大学生们最喜欢的中外作品中，《钢铁是怎样炼成的》占第三位，而在他们最喜欢的文艺作品的主人公中，保尔·柯察金占第一位。他和我国各条战线先后涌现的许许多多可歌可泣的英雄人物一道，成为读者，特别是青年读者学习的榜样。

一九八九年团中央为了给青年人树立“人生的路标”，选出了十本必读的书，第一本就是《钢铁是怎样炼成的》。邓颖超大姐在丛书《树立起人生的路标》的序言中说：“同新中国一起成长起来的一代青年，有谁没有从《钢铁是怎样炼成的》、《把一切献给党》、《红岩》等书中汲取过力量的源泉，找到过人生的路标。”一九九四年中国残联、中宣部出版局和新闻出版署图书司颁发“奋发文明进步图书奖”，《钢铁是怎样炼成的》获了一等奖。广东在选定青年必读书一百种中，《钢铁是怎样炼成的》是其中的一种。看来这部书不仅在四、五十年代影响和教育了一代人，对今后的青少年也会起很好的导向作用。

奥斯特洛夫斯基只活到三十二岁，他英勇斗争了一生。他同保尔·柯察金的经历完全交织在一起，很难把这两者分开。保尔·柯察金这个自传式的人物，既平凡，又伟大。众多的读者在读完这部小说之后，都可以看出他并不是一个天生的英雄。他是在党，主要是老一辈的党员的教育、培养下，通过他自身的长期实践，在劳动、战斗、工作各个方面刻苦学习和严格要求自己，终于锻炼成为一个具有崇高的理想、坚毅的意志和刚强的性格的自觉的革命战士。尽管他有过这样或那样的缺点和错误，但他的奋斗目标，他为之献身的理想始终是坚定不移的，并且和广大人民的利益紧紧联系在一起。这样他终于通过了种种考验，实践了他在故乡烈士公墓前立下的誓言，把整个生命和全部精力献给世界最壮丽的事业——为人类的解放而斗争。钢铁就是这样炼成的。

保尔·柯察金的伟大理想是要经过今后多少代人的艰苦奋斗才能实现的，但它绝不是渺茫的和高不可攀的。它是同自己当前的奋斗目标相联系的，它落实在他所从事的各项具体工作中。伟大理想和日常工作实践紧密结合在一起。具体任务的完成，哪怕只是拧紧一个螺丝钉，也是向遥远的伟大目标靠近一步。千里之行，始于足下。空谈理想是无济于事的，要苦干，要实干，要从自己做起，从现在做起，从小处做起，要发挥高尚的无私的奉献精神。保尔·柯察金正是这样为实现理想而战斗的，我国各条战线上千千万万默默无闻的无名英雄也是这样为实现我们的伟大理想，为争取我国社会主义现代化建设的早日实现而战斗的。

这个译本是符合“以高尚的精神塑造人，以优秀的作品鼓舞人”的要求的。谨以此献给我国的读者，特别是青少年读者。

1995年1月20日